한의
외과피부과학

Vol 1. 외과학

대한한방안이비인후피부과학회

Surgery & Dermatology
of KOREAN MEDICINE
Vol 1. Surgery of Korean Medicine

한의외과피부과학 vol.1 외과학

첫째판 1쇄 인쇄 │ 2022년 2월 9일
첫째판 1쇄 발행 │ 2022년 3월 2일
첫째판 2쇄 발행 │ 2023년 2월 24일

지 은 이 대한한방안이비인후피부과학회
출 판 기 획 김도성
책 임 편 집 이민지
편집디자인 최정미
표지디자인 김재욱
일 러 스 트 이다솜
제 작 담 당 이순호
발 행 처 등록 제4-139호(1991. 6. 24)
         본사 (10881) **파주출판단지** 경기도 파주시 서패동 470번지

ISBN 979-11-5955-836-8
       979-11-5955-835-1 (set)
정가 120,000원

발간사

    2007년 새로운 교재의 필요성을 인식한 전국의 한의과대학 안이비인후피부과학 교수님들이 그 당시 한의과대학에서 교재로 사용되었던 채병윤 교수님의 「한방외과」를 계승, 발전시킨 「한의피부외과학」을 발간하여 학생들의 교육과 연구 및 진료에 활용하였습니다. 이후 의료환경의 변화와 시대적 요구에 따른 교과서 개정에 대한 논의가 여러 차례 있었지만 진행되지 못하다가 대한한방안이비인후피부과학회가 2007년 「한의피부외과학」 교과서 초판을 낸 후 15년 만에 「한의외과피부과학」을 발간하게 된 것을 모든 회원 여러분과 함께 기쁘게 생각합니다.

    이번에 발간한 교과서는 전국 한의과대학의 안이비인후피부과학을 담당하시는 교수님들의 의견을 반영하여 「한의피부외과학」에서 「한의외과피부과학」으로 이름을 바꾸었고, 외과학과 피부과학 2권으로 구성되었습니다. 또한 많은 내용을 수정, 보완하였고 최신의 지식을 수록하여 한의과대학의 교과서로서 손색이 없도록 하였습니다. 특히 KCD 질병코드와 한의 병명, 많은 사진 자료들을 추가하였고 전체적인 디자인과 편제를 바꾸어 읽기 편하게 하고자 노력하였습니다.

    「한의외과피부과학」 교과서 발간에 많은 관심을 가지고 환자 진료와 학생 교육 및 연구에 바쁘신 중에도 집필과 교정을 위하여 수고를 아끼지 않으신 전국의 한의과대학 안이비인후피부과학 교수님들에게 진심으로 감사드립니다. 지금까지 본 교과서가 완성될 수 있도록 노력과 수고를 아끼지 않으신 교과서 편찬위원장인 부산대 서형식 교수님과 편찬위원인 경희대 김규석 교수님, 동신대 박수연 교수님, 정민영 교수님, 상지대 이규영 교수님에게 감사드립니다. 또한 이 책의 출판을 위해 물심양면으로 도움을 주신 글로북스 관계자분들에게도 심심한 감사를 드립니다.

    「한의외과피부과학」 교과서가 전국의 한의과대학 학생들에게 한의외과학과 한의피부과학을 체계적으로 이해하고 공부하는데 기본이 되는 교과서가 되기를 바라며, 임상에서도 환자 진료와 치료에 도움이 되기를 기대합니다.

2022년 2월 28일
대한한방안이비인후피부과학회 회장 김 희 택

한의외과피부과학 교과서편찬위원

[위원장] 서형식

[위　원] 김규석, 박수연, 이규영, 정민영

[공동편저자]

고 우 신	동의대학교 한의과대학 안이비인후피부과학교실
권　　강	부산대학교 한의학전문대학원 안이비인후피부외과학교실
김 경 준	가천대학교 한의과대학 안이비인후피부과학교실
김 규 석	경희대학교 한의과대학 안이비인후피부과학교실
김 윤 범	경희대학교 한의과대학 안이비인후피부과학교실
김 종 한	동신대학교 한의과대학 안이비인후피부과학교실
김 희 택	세명대학교 한의과대학 안이비인후피부과학교실
남 혜 정	경희대학교 한의과대학 안이비인후피부과학교실
박 민 철	원광대학교 한의과대학 안이비인후피부과학교실
박 수 연	동신대학교 한의과대학 안이비인후피부과학교실
서 형 식	부산대학교 한의학전문대학원 안이비인후피부외과학교실
윤 화 정	동의대학교 한의과대학 안이비인후피부과학교실
이 규 영	상지대학교 한의과대학 안이비인후피부과학교실
이 동 효	우석대학교 한의과대학 안이비인후피부과학교실
정 민 영	동신대학교 한의과대학 안이비인후피부과학교실
정 현 아	대전대학교 한의과대학 안이비인후피부과학교실
지 선 영	대구한의대학교 한의과대학 안이비인후피부과학교실
최 정 화	동신대학교 한의과대학 안이비인후피부과학교실
홍 석 훈	원광대학교 한의과대학 안이비인후피부과학교실
홍 승 욱	동국대학교 한의과대학 안이비인후피부과학교실
홍 철 희	상지대학교 한의과대학 안이비인후피부과학교실
황 보 민	대구한의대학교 한의과대학 안이비인후피부과학교실

목 차

총론

각론

목 차

총론

第01章 개념

한의외과는 한의학의 한 분과로 체표의 병에 관한 원인, 병기, 치료방법을 위주로 연구하는 전문 분과로 과거에는 瘍科라 하였으며, 그 연구 대상은 腫瘍, 潰瘍, 金瘍, 折瘍 등 광범위하다.

외과라고 불리게 된 유래를 기록에서 찾아보면《外科理例》에서 "…… 癰, 疽, 瘡瘍이 모두 외부에 나타나기 때문에 외과라 부른다"라고 하였다. 고전에 의하면 외과적 질병들은 대부분 인체 외부의 조직, 기관들과 나아가서는 여러 장부에 이르기까지 아프고 가렵고 붓고 곪는 등 국소적 증상이 발생하였을 때에 약물을 외부에 붙이거나 내복시키며 또한 여러 가지 수술로 치료해야 할 질병들이 속한다. 예를 들면 癰, 疽, 癤, 疔, 流注, 流痰, 丹毒, 瘰癧, 走黃, 內陷 등의 瘡瘍과 癭, 瘤, 癌, 외상, 항문 · 유방 질환 등의 외과 雜病 질환, 피부과 질환, 안과 질환, 이비인후과 질환, 구강과 질환 등 아주 광범한 범위를 포괄하였다. 그러나 의학이 발전함에 따라 이러한 대상들이 세분화되고 치료도 전문화되면서 안과 질환, 이비인후과 질환, 구강과 질환은 안이비인후과학으로 분리되었다.

한의외과와 서의외과를 비교해 보면, 한의외과는 피부표면이나 내부 장기 및 조직에 나타난 腫瘍 일체를 말하는 것으로서, 약물요법이나 절개수술을 막론하고 치료나 처치에는 관계가 없이 외과라 칭하여 치법보다 질병에 중심을 두고 있으며, 서의외과는 몸 외부의 피부병, 創傷, 기타 내장기관의 여러 질병에 대해서 수술을 시행하는 것을 외과라 칭하여 질병보다 치법에 중심을 두고 있다. 결과적으로 한의외과와 서의외과 모두 질병의 범위와 치료적 방법으로 수술을 언급하고 있으며, 다만 질병의 범위에 중심을 두고 있는지 치료적 방법인 수술에 중심을 두고 있는지가 다른 점이라고 할 수 있다.

📖 참고문헌

1) 동의학연구소. 동의외과학. 서울: 여강출판사; 1994.
2) 전국 한의과대학 피부외과학 교재편찬위원회. 한의피부외과학. 부산: 선우; 2007.
3) 채병윤. 한방외과. 서울: 고문사; 1991.

1. 한국의 외과학

1) 古代醫學(고조선, 삼국, 통일신라)

고대 사람들은 노동과 자연 및 맹수와의 생존과정에서 받게 되는 외상을 비롯한 여러 가지 질병들을 치료하기 위해 여러 가지 의식적인 의료 대책을 취하게 되었다. 이렇게 외과적 요법을 비롯한 의료 활동은 사람들이 살아가는데 없어서는 안 될 요소로서 인류 발생의 첫 시기부터 존재해 왔다.

이미 고대 사람들은 약물에 대한 지식을 가지고 그것을 해당한 질병 치료에 이용하였고 동시에 침구술도 실시하였다. 중국의 가장 오랜 의서의 하나인《素問 異法方宜論》에는 "돌침은 또한 동방으로부터 온 것이다"라고 기록되어 있다. 또한 건위, 지혈 및 썩지 못하게 하는 작용을 가지고 있는 艾葉을 醫草라고 하였고, 이를 외과적 질병 치료에도 광범하게 이용하였다. 이 자료에서 서술된 바와 같이 고대 사람들은 이미 외과적 질환을 치료하는데 돌침과 약물을 이용하였다는 것을 알 수 있다.

고대 의학에 관한 연구 자료를 우리나라 문헌에서는 찾아보기 드물고 다만《三國志》,《魏志》,《東夷傳》이나《晋書》,《四夷傳》을 비롯한 後漢 楊雄의《方言》과, 許愼의《說文》등에 보이는 고조선 지방에 관한 기록 중에서 의학과 관련된 부분을 수집, 종합하여 이 시대의 의학적 지식의 변천을 살펴볼 수 있다.

고조선시대의 의학은 기초 지식과 임상 치료의 두 부분으로 나누어 생각할 수 있으며 외과학과 관련된 내용을 살펴보면 다음과 같다.

기초 지식에 있어서는 해부학적으로 인체의 골격과 장부에 관한 지식을 가졌던 것을 짐작할 수 있다.《三國志》,《魏志》,《東夷傳》에 東沃沮는 "사망한 자는 가매장을 하였다가 피육이 탈진된 뒤에 다시 골을 수습하여 槨中에 둔다"라 하였고 楊雄의《方言 第七》에 "朝鮮, 冽水의 사이에 膊이라는 말은 인체의 피육을 폭로하며, 牛羊의 五臟을 披하는 것"이라 하였으므로 그 지방 주민들은 이미 인체 골격이나 장부에 관한 지식을 어느 정도 갖게 되었을 것이며, 또는 고조선시대부터 이미 육식이 왕성하였으므로 도살할 때 동물들의 장부를 육안으로 살펴볼 기회도 늘 있었으리라고 생각된다.

砭石, 침구술에 있어서는 漢土醫經의 유일 고전인《素問 異法方宜論》에 "동방의 域은 그 병이 모두 癰瘍으로 되어 그 治가 砭石에 의한 고로 砭石이 또한 동방으로부터 來한 것"이라 하였고, 《山海經》,《東山經》에 "高氏의 山下에 箴石이 많다"는 글을 註한 郭璞傳에 "箴石은 가히 砥針이 되어 癰腫을 治한다"라고 기록하였다.

그런데 砭石의 술법은《靈樞 玉板》에 "癰疽가 농혈을 成한 자는 오직 砭石, 鈹鋒을 취할 바"라 하고《司馬遷史記 扁鵲傳》에 "병을 治함에 湯液醪灑로 하지 않고 鑱石으로 한다"라 하였는데, 그 註에 "鑱은 石針이라" 하였고,《同傳》에 "병이 혈맥에 있으므로 鍼石의 미치는 바"라 하였는데, 이 것은 石針으로 癰腫을 刺破하며 혹 皮肉을 刺하여 혈맥을 流通케 하는 것이다.

동방의 지역인 고조선 시대에 砭石에 의한 외과적 요법과 혈맥을 流通하는 침술들이 倂行되었으리라는 것을 살펴볼 수 있는 내용이다.

삼국시대 의학은 고조선시대로부터 전해온 의학지식에 인접된 漢土의학을 융합하고 다시 인도의학의 영향을 받아 삼국시대 중기 이후에는 독자적 발전의 기초를 마련하게 되었다.

해부학은 골격 및 오장육부에 관한 형성, 위치 등의 지식을 가졌으며, 생리학에 있어서도 오장육부에 관한 생리적 기능을 어느 정도 파악하였을 것이라 생각되며, 유행병 즉 疫病에 관한 記事가 삼국사기의 고구려, 백제 및 신라본기 등에 간간히 보이는 것으로 보아 삼국시대에 이미 유행성 질환에 관한 병리학적 지식을 가졌던 것으로 생각된다.

치료술과 약물요법은 삼국시대 중기로부터 상당히 발전하였으며, 침술 및 온천요법도 병행되었다. 침술은 고조선시대부터 砭石術이 실용되어 왔거니와 삼국시대에는 漢醫方의 침구전문서의 수입으로 인하여 그 술기가 더욱 발전되어 일본에까지 전해졌다. 온천요법은 삼국사기 고구려본기에 기록된 것으로 보아 고구려시대 초경에 이미 온천의 온수요법이 행하여졌던 것으로 생각된다.

삼국시대에 와서 노동과 생활과정을 통하여 약물에 대한 지식이 더욱 발전하였다.《名醫別錄》에는 수많은 조선산 약재가 기록되어 있으며, 그 중에서도 昆布가 기재되어 있는데 이 昆布는 이때부터 癭瘤 치료에 사용되었다. 癭瘤는 주요하게 현대 의학적으로 갑상선종에 해당되는데 갑상선에 요오드가 많이 포함되어 있는 昆布를 사용한 것은 당시 우리 선조들이 외과질환 치료에서 달성한 높은 성과의 하나이다. 또한 이 시기에 연단술에 의하여 銅을 내복할 수 있게 법제하여 여러 가지 외과적 질병 치료에 적용하였고 肺癰 치료에 黃芪를 사용하였으며, 陷症 치료에는 국화잎을 사용하였다.

신라가 통일을 이룩한 후 의학교육과 제도를 唐에 많이 모방하였으며, 인도의 醫說과 醫方들이 함께 영향을 미쳤다. 隋唐의학이나 인도의학에만 의존하지 않고 양자를 융합한 독자적인《新羅醫方書》를 편성하였다. 그러나 인접된 우수한 隋唐의학의 영향으로 그 의학의 권내에서 발전의 기초를 마련하였다. 의서는 唐에서 수입한 明堂圖와《巢氏病原論》,《外臺秘要》,《千金方》,《傷寒論》, 《脈經》등이 주가 되었으며, 唐의 외과 제도는 모든 瘡證을 다스리는 針科가 있었고, 골절, 타박상 등을 다스리는 按摩科가 따로 있었으며, 針科 및 按摩科 들이 맡은 부분을 제외한 瘡證은 복약 및 膏藥, 貼塗 등의 방법을 시행한 것으로 되어 있으나, 신라의 외과 제도는 按摩科를 채택치 않았으므로 按摩科에 소속된 골절, 타박 같은 것이 역시 외과 중에 포함되었으리라 생각된다.

2) 中世醫學(고려)

고려시대에 와서 의료제도가 정비되고 체계화되었는데 최고 의료기관으로서 주로 지배계급의 건강보호를 위한 典醫寺, 奉醫署가 있었다. 여기에는 주금박사, 주금사, 주금공 등도 망라되어 있었는바 이들은 주로 외과질환 치료에 종사하였다. 이것은 당시 의학이 외과학을 포함하여 여러 전문과로 나누어져 있음을 말해준다. 958년부터는 과거제도가 실시되었는데 시험과목에는 외과도 포함되어 있었다.

고려시대에 3차에 걸친 수십만 거란군의 침략과 몽고와 외적의 침략으로 일어난 오랜 기간의 전쟁은 건강에 대하여 일정한 관심을 돌리지 않을 수 없게 하였다. 그리하여 고려에서는 군대 안에 의사를 배치하여 군인들의 부상과 질병을 치료하게 하였으며 때로는 의사들 자신도 손에 무장을 들고 백성들과 함께 외적의 격멸을 위한 싸움에 직접 참가하였다.

고려 말기에 출판된 《향약구급방》은 상, 중, 하 3권으로 된 의서인데 특히 중권에는 疗瘡, 癰疽, 丹毒, 附骨疽 등을 비롯하여 구강질환, 요도질환 등 외과질환이 과학적으로 높은 수준에서 서술되었다. 이상과 같은 사실들은 당시 외과학이 높은 수준으로 급속히 발전되었다는 것을 말해주는 것이다.

그림 2-1 鄕藥救急方

당시의 외과학은 주로 손상에 의한 金瘡과 추락으로 인한 墮折 折傷, 跌撲 등과 염증으로부터 발생되는 癰疽 등을 다루고 있었으며, 骨疽에 대하여는 고려사《趙簡傳 列傳 第19》를 참고하여 보면 觀血적 외과수술이 실용되었던 것을 짐작할 수 있으며, 고려말에 있어서는 外科, 皮科, 性病科 등으로 분리되어 있음을 또한 엿볼 수 있다.

3) 近世醫學(조선)

조선시대의 중앙의료기관으로서 內醫院(內藥房), 典醫監, 惠民局, 東西大悲院(東西活人院), 濟生院, 種藥色, 醫學 등이 있었으며, 醫科取才 제도를 통해 선발하였다. 醫科取才 제도는 初試, 覆試 및 醫科取才로 나누어 실시되었으며, 醫科取才에는 醫學과 鍼灸學을 구분하는데 考試의 방법이나 考講하는 과목도 서로 다르게 규정되어 있었다.

外科醫의 분과는 醫學取才에 鍼灸學이 다른 의학과 분리되어 있는 데에서 짐작할 수 있듯이 국초부터 醫員들과는 별도로 典醫監, 惠民局, 濟生院의 三醫司에 鍼灸專門生을 따로 배치하였다. 그 외에도 濟生院에 瘰癧을 전문으로 치료하는 瘰癧醫가 있었고,《經國大典(券3) 禮典》獎勵의 條에는 瘡腫과 諸惡瘡을 전문으로 치료하는 治腫醫가 따로 있어서 觀血적 외과에 속한 針灸醫, 瘰癧醫, 治腫醫의 전문의들이 구성되었던 것을 알 수 있다.

1433년(세종)에 노중례에 의하여 국보적인《鄕藥集成方》이 저술되었고, 이 서적은 전 85권의 방대한 의서로서 39권으로부터 50권까지에는 痔漏, 癰疽, 損傷 등 외과적 질병이 서술되어 있고, 그 내용이 모두 어느 조건하에서는 능히 적용할 수 있게 되어 있다. 예를 들면 동상의 치료법에 대하여 쓰기를 "어른이나 어린이들의 손과 발이 얼어서 부풀어 오를 때에는 불에 쪼이지 말고 냉수에 담그면 얼음이 빠져나와 효력이 난다"라고 실효적인 방법을 제시하였다. 또한 개개 질병에서 원인, 증상, 치료법 들을 조리 있게 서술하였고, 특히 외과적 질병에 대해서 약물의 내치법과 외치법, 침구법, 외과적 수술 등을 구체적으로 서술하였다.

그 후 1447년(세종)에 한의학의 대백과사전인《醫方類聚》가 발간되었다. 이것은 국내외의 수다한 문헌들을 수집하여 참고로 하였으며 그의 우수한 점들을 종합 분류하고 체계화한 서적으로서 당시 우리나라의 저명한 의학자였던 노중례를 비롯하여 여러 학자들의 집체적 지혜와 노력의 창조물이다. 여기에는 '외과질환문'을 비롯하여 90여 개의 병문에 걸쳐 체계 정연하게 각 질병의 병인, 병리, 증후론, 진단, 치료, 예방 등이 구체적으로 서술되었다. 또한 의사의 도덕, 질병 치료의 原則, 인체의 정상 생리와 병리, 병인론, 경락학설 등을 서술한 것을 비롯하여 의학의 제부분이 전부 포괄되어 있다.

治腫廳과 관련해서《經國大典》에 "성종 16년(1485년)에 의원(醫員)을 두어 치료에 종사했다"는 기록이 보이는 것으로 미루어 그 무렵에 생겼음을 짐작할 수 있고,《增補文獻備考(권 223, 職官考 10)》에 "典醫監, 治腫廳"이라고 적혀 있고 그 아래에 "선조 36년(1603)에 다시 治腫廳을 두어 治

腫을 掌하게 하였다"라고 하여 설치되었다가 잠시 폐지되고 다시 설치되었음을 알 수 있다. 이로부터 治腫醫는 다른 針灸醫들과 함께 오래 전부터 이미 존속되어 오던 것인데 잠시 중단되었다가 선조 25년(1592) 외과적 창상에 관한 전문의들이 다시 필요하게 됨으로 재건하게 된 것으로 생각된다. 이러한 治腫廳의 설치와 함께 治腫學에 있어서의 발전을 治腫學의 전문서적인《治腫秘方》과《治腫指南》등에서 찾아볼 수 있다.

1500년대에 任彦國은 우리나라 외과학을 발전시키는데 커다란 업적을 남겼다. 任彦國은 종교적인 엄격한 단속으로 觀血적인 수술이 엄금되어 있었던 당시에 대담하게 觀血적인 수술을 단행하여 腫瘡을 성공적으로 치료하였다. 任彦國의 저서인《治腫秘方》과 그의 저서로 생각되는《治腫指南》에서 腫處를 십자형 절개법으로 대담하게 절개하고 鹽水引入法(식염수를 사용하여 상처속에 있는 불순물을 없애는 방법)과 鹽湯목욕법(끓여서 식힌 식염수로 상처를 세척하는 법)을 적용하면서 土卵膏로써 腫瘡을 치료할 것을 제기하였다. 任彦國이 제창한 이 치료법은 현 시기에 있어서도 높이 평가받고 있는 과학적인 고장식 염수액 치료방법으로서 당시 우리나라 외과학의 높은 수준을 말해주고 있다. 여기에서 고식적인 침술에 의한 腫瘡의 절개술이 아닌 膿瘍에 관한 현대의 觀血적 절개요법을 연상할 수 있는 방식임을 짐작할 수 있다.

또한 이 시대에 있어서 全有亨이 醫方에 명철할 뿐 아니라 壬辰亂을 당하여 行路의 死屍를 3차례나 解剖한 결과 그 術이 더욱 정통하여졌으며 方書의 撰著로 解剖學을 개발하여 우리나라 해부학 발전에 기여하였다. 여기에서 의학적 지식이 從來와 같은 음양오행의 이론에서 벗어나서 인체해부라는 실증적 연구에 의하여 발전하고자 했음을 엿볼 수 있다.

16세기 말부터 17세기 초에 탁월한 의학자인 許浚은 조선의학의 전통을 계승하여 그것을 더욱 높은 수준으로 발전시킨바 1610년에 완성한《東醫寶鑑》의 外形篇에는 각 부위별로 외과적 질병이 서술되어 있고 雜病篇 제 7~8권에는 癰疽, 諸瘡 등 외과적 질병이 체계적으로 정연하게 서술되어 있다.

外科의 전문의인 治腫醫의 제도는 그대로 존속되어(續大全, 大典通編, 大典會通) 顯宗때에는 治腫教授로서 御醫를 겸한 백광현은 治腫을 치료하는 方法으로 任彦國의 수술법을 따랐으며, 특히 孝宗妃인 仁善王侯의 頂後 髮際瘡과 숙종의 喉腫 및 臍腫을 치료하여 이름을 일세에 진작시켰다. 高宗 3년에 백광현의 아들 흥령과 제자인 박순이 대를 이었다.

순조 때의 李宜春은 湯醫微(3권)에서 癰疽의 治法으로서 消膿, 促膿, 自潰, 開刀, 搜絍, 內托, 排膿, 去惡, 洗法, 生肌, 合瘡, 蟲骨 등을 열거하고 癰疽의 발생으로부터 완치될 때까지 외과적 치료 방법을 자세히 설명하였다.

19세기에 들어서면서 탁월한 사상가들이며 실학자들인 다산 정약용, 연암 박지원 등은 선진 의학 성과들 특히 '인체 해부'에 대한 선진사상을 받아들일 것을 주장하였다.

이후 일제의 조선 강점으로 인하여 우리나라의 의학은 계승 발전에서 난국에 봉착하게 되었다. 일제는 조선을 강점하자마자 귀중한 의학서적들을 약탈하고 의사를 양성하지 못하게 하였고, 의사들의 의료활동도 방해하여 의학의 발전에 저해를 가져왔다.

　앞으로 한의외과학은 우리 선조들의 의학적 업적에 과학적 근거를 부여하여 적극적인 연구와 진료에 매진하여야 할 것으로 생각된다.

2. 중국의 외과학

1) 起源(夏~秦)

　원시사회에 있어 일상의 노동과 생활 중에 野獸와의 鬪爭, 嚴寒·酷暑와의 항쟁으로 창상이 매우 많아 草藥, 樹葉으로 傷口를 묶거나 체내의 이물을 제거하고, 傷口를 압박하여 지혈하는 등의 방법을 사용하였다. 이러한 것들이 바로 외과 최초의 치료방법이며 이후 외과의 발전으로 膿腫을 치료하는데 砭石이나 石針으로 割刺하여 배농시키게 되었고 이러한 일련의 행위들이 외과의 기원을 설명해 준다고 말할 수 있다. 기원전 21세기부터 夏, 商, 西周와 春秋時代를 지나는 동안의 약 1600년의 기간동안 외과 분야는 부단히 지식과 경험을 축적시켜 왔다. 대략 기원전 1324년 무렵 甲骨文上에 "疾自(鼻病), 疾耳, 疾齒, 疾舌, 疾足, 疾止(指或趾), 疥, 疕" 등의 기록이 있다. 《山海經·東山經》중에 "高氏之山, ……其下多箴石" 이라 하였다. 郭璞이 注하길 "砭針은 癰腫을 治한다" 하였으니, 당시에 砭針은 절개하는 기구로 최초의 외과적 수술기계인 것이다. 이 책에는 38종의 질병이 기재되어 있는데 癭, 疽, 痺, 瘻, 痔, 疥 等은 곧 외과질병에 속하는 것이다. 《周禮》중에 이미 瘍醫가 기록되어 있는데, 주로 腫瘍, 潰瘍, 金創과 折瘍을 치료하였다. 예를 들면 "瘍醫下士八人, 掌腫瘍 潰瘍之祝藥劀殺之齊."라 하였다. 이것은 즉 祝藥은 곧 敷藥이고, 劀은 膿血을 긁어 내는 것이며, 殺은 腐蝕劑로 惡肉을 제거하거나 혹은 칼로 惡肉을 제거하는 것이고, 齊는 瘡面을 회복시키는 것이다. 1973년에 출토된 馬王堆의 유물 중 《五十二病方》은 春秋時代에 씌여진 것으로 이는 중국에서 가장 오래된 일부의 의학문헌이 나타난 것인데, 기재된 내용의 대부분이 感染, 創傷, 凍瘡, 諸蟲咬傷, 痔漏, 腫瘤, 皮膚病 등으로 외과질병이었다. "疽病"의 아래에 "骨疽에는 白蘞, 肉疽에는 黃芪, 腎疽에는 芍藥을 倍로 한다"는 구절이 있는데, 서로 다른 疽病에 대한 약물의 劑量을 조정하였다는 것으로 초보적이나마 "辨證施治" 하였다는 것을 보여준다. "牡痔"에 割治療法이 구체적으로 기록되어 있는데, 예를 들면 "殺狗, 取其脬(膀胱), 以穿蕭(竹管)入脜(直腸)中, 吹之, 引出, 徐以刀割去其巢, 治黃芩而屢傅之."와 그 외에 작은 줄을 써서 "牡痔"를 결찰하고, 地膽 등의 약물로 "牡痔"에 外敷하는데 이것은 枯痔法과 유사하고, 潤滑한 "鋌"으로 漏管을 탐침하여 검사하고 치료하는 등의 외과적 조작들이 남아있다. 이러한 것들을 살펴 보건데 당시의 외과가 이미 비교적 높은 치료 수준에 있었던 것으로 추정된다.

2) 形成(漢~三國)

中醫외과는 문자로 기록된 자료가 매우 일찍부터 있었으나, 처음으로 규모를 갖추고 하나의 학과를 형성한 것은 漢朝에서부터이다. 이때에 이미 醫學理論著作인《黃帝內經》을 갖추고 있었는데, 이 책은 戰國時代 이전의 중의기초이론과 실천을 계통적으로 정리하여 病因 및 病機에서부터 임상 진단과 치료원칙까지 모두 구체적으로 논술하고 있다. 예를 들면 "血脈榮衛가 두루 흘러 쉼이 없으니 위로 星宿과 應하고 아래로 經水와 應한다. 寒邪가 經絡의 가운데 客하면 血이 泣하게 되고, 血泣하면 不通하게 되며 不通하면 衛氣가 歸納 反復하지 못하는 故로 癰腫이 된다. 寒氣가 化하면 熱이 되고 熱이 勝하면 肌肉이 腐蝕하고 肌肉이 腐蝕하면 膿이 된다. 膿을 없애지 않으면 筋이 爛하게 되고 筋이 爛하게 되면 骨을 傷하며 骨을 傷하면 骨髓가 消耗되어 骨空을 채우지 못하고 공급받지 못하므로 血枯하여 空虛하게 되면 筋骨肌肉이 서로 榮養하지 못하고 經脈이 敗漏하여 五藏을 熏蒸하므로 五藏이 傷하여 죽게 된다."고 하였다. 《黃帝內經》중에 있어 針砭, 按摩, 猪膏外用 등의 여러 종류의 치료법이 있고 아울러 가장 먼저 脫疽를 치료하는데 截趾手術을 사용하였다고 밝히고 있다. 동시에, 그 당시에 이미 외용하는 약물이 있었는데, 예를 들면《周禮·天官篇》중에 "무릇 瘍을 치료함에 五毒으로 攻之하고 五氣로 養之하며 五藥으로 치료하고 五味로 조절한다."고 하였다. 鄭玄이 五毒에 대해 注를 달아 언급하였는데 "醫師에게 五毒의 藥이 있어 黃堥를 合하고 石膽 丹砂 雄黃 礬石 磁石을 그 가운데 두고 3일 밤낮을 燒灼하되 그 煙氣 위에 앉아 鷄羽로 쓰다듬어 瘍을 치료한다."라 하였으니 즉 현재의 升丹 煉法과 응용을 설명하고 있다. 이 시기에 저명한 외과 의사가 출현하였는데 최초로 기록된 외과 명의는 醫竘로, 대략 기원전 5~4세기의 戰國時代에 살던 사람으로,《尸子》에 기록된 것에 근거하면 일찍이 "宣王의 痤를 割治하였고 惠王의 痔를 割治하여 모두 치유되었다."고 하였다. 두 번째로는 漢代의 淳于衍으로,《漢書·外叔傳》에 기재된 것에 근거하면 "女醫 淳于衍이 入宮하여 王后의 질병을 시중들었다."고 하였고 "霍光傳"중에서는 그녀를 乳醫로 칭하였다. 외과의 鼻祖라는 호칭을 가진 華陀는 기원전 141~203년에 사이 安徽亳具의 사람으로 민간을 떠도는 의사였는데 내과, 부인, 소아, 鍼灸 각 과에 정통하였고 외과에서 최대의 성취를 얻었다. 그는 제일 먼저 麻沸散을 써서 전신마취제로 사용하여 剖腹手術을 시행하였다. 예를 들면《後漢書》중에 "만약 질병이 발생함에 內에 鬱結되어 鍼藥이 미치지 못하는 자는 먼저 麻沸散을 酒服하고 마취되어 아무런 감각이 없으면 腹背를 剖破하고 積聚를 잘라 꺼낸다. 만약 腸胃에 있으면 斷截하고 湔洗하여 疾穢를 제거하고 봉합을 한 후에 神膏를 붙인다. 4~5일이면 創이 치유되고 1개월 사이에 모두 회복된다."고 하였다. 이외에 漢代 張仲景의 저서인《金匱要略》도 후세 외과의 발전에 큰 영향을 끼쳤는데, 예를 들면 腸癰 寒疝 등을 치료하는 方藥이 지금도 여전히 임상에 응용되고 있다. 西漢 前後의《金創瘲癈方》은 중국에서 제일 먼저 나온 외과전문서인데 불행하게도 지금은 전해지지 않고 있다. 이로 미루어 보면, 漢代에 이르러 이론, 실천, 약물, 수술, 저작의 다방면에서 中醫 外科는 이미 초보적이지만 하나의 독립된 학과를 형성하였다.

3) 發展(晋~金·元)

兩晋, 南北朝, 隋唐의 五代時期에 中醫 外科는 진일보한 발전을 가졌다. 그 주요성취는 晋末에 출현한 중국의 현존하는 제일의 외과 전문서인《劉涓子鬼遺方》은 기원전 499년에 저술된 것으로, 劉涓子는 南朝 宋人으로 彭城內史였지 명의는 아니었다고 하나 확인할 수 있는 자료가 없다. 이 문헌을 보면 南北朝時代의 齊 龔慶宣이 撰한 것으로 모두 5권으로 되어 있고 주요 내용은 癰疽의 감별진단과 140개 내외의 처방이 있다. 외상에는 止血, 收斂, 止痛시키는 방법을 사용하였는데, 癰疽에는 淸熱解毒하는 방법을, 腸癰에는 大黃湯을 사용하되 膿이 있으면 복용할 수 없다고 하였으니, 모두 객관적으로 실제에 부합되는 것이다. 水銀膏를 사용하여 피부병을 치료했다는 기록은 다른 국가들이 빨라야 6세기에 나온 것에 비하면 가장 먼저 나온 것이라 할 수 있다. 膿腫을 절개하는 방법에서도 매우 실용적인 가치가 있는데, 예를 들면 "癰이 大堅한 것은 膿이 아직 없는 것이요 半은 堅하고 半은 薄한 것은 半만 膿이 있는 것이요, 표피가 薄한 것은 모두 膿이 있는 것이다. 바로 궤파시켜야 한다. 궤파시키는 방법은 아래에 있으면 逆으로 위를 궤파하여 膿이 쉽게 배출되도록 한다."고 하였다. 다만 연령, 日期를 정하여 죽음에 이르지 않도록 해야 한다. 또한 대부분의 외과 질병의 병명이 역대로 이어져 내려오지 못하여 후세에 쓸 수 없게 된 것이 있으니, 赤疽 禽疽 등이 그것이다.

兩晋, 南北朝代의 葛洪은 외과학 분야에 매우 커다란 공헌을 하였다. 葛洪은 281~341년 사이에 살던 사람인데, 晋代의 句容人으로 유교와 도교에 모두 능통한 사람이었다. 말년에 羅浮山 즉 廣東에 올라 煉丹을 수도하였으니,《肘後備急方》중에 많은 과학적 가치가 있는 경험을 총결하였다. 예를 들면 海藻를 써서 癭疾을 치료하였는데, 이는 세계적으로 가장 먼저 요오드를 함유한 식물을 써서 갑상선 질환을 치료했다는 기록인 것이다. 狗腦를 써서 瘋狗咬傷에 붙여 치료하였으니 創口를 열어 면역법을 써서 狂犬病을 치료한 최초의 선례가 된다.

隋代의 巢元方 등이 모여 편찬한《諸病源候論》은 중국에서 제일 먼저 나온 병인 및 병리학 전문서이다. 그 중에는 적지 않은 외과 내용이 실려 있는데, 예를 들면 癭瘤, 丹毒, 疔瘡, 癰疽, 痔漏, 獸蛇蟲咬傷 등이 그것이고 아울러 병인, 병리에 대한 진일보한 인식이 있다. 40여종 이상의 피부병이 기록되어 있는데, 병인에 대한 적지 않은 인식은 이미 일정한 과학 수준에 도달했음을 밝혀 주고 있다. 예를 들면 "頭部에 瘡이 발생되면 蟲, 白痂가 일어나고 심하면 가려움이 있다."고 하였는데 이는 髮癬이고, "濕疥에는 작은 瘡이 있고 피부가 薄하며 항상 汁이 出하고 아울러 모두 蟲이 있어 사람들이 왕왕 針頭로 건드리게 되니 형상이 水內에 痾蟲이 있는 것과 같다."고 하였는데 이는 疥瘡을 가리키는 것이고, 漆瘡은 과민한 체질과 유관하다고 인식하였다. "金瘡腸斷候" 중에 "腹胅" 즉 脂肪의 탈출을 수술함에 있어 먼저 실로 혈관을 결찰하고 나서 다시 절제하니 복부 외과수술에 이미 일정한 경험이 있음을 설명해 주고 있다. 또한 제일 먼저 인공유산과 장문합에 대한 기재를 하였으니, "腸의 兩頭가 보이는 자는 빨리 이어 주어야 한다. 먼저 針縷로 앞에서처럼 이은 後에 腸을

切斷하고 鷄血로 그 가장자리를 바른다." 하여 血管結紮, 拔牙 등의 수술방법을 기록하였다.

　隋唐代의 3대 의학저작은《諸病源候論》외에 孫思邈의《千金方》(581~682年)이 있다. 그는 "人命은 지극히 重하여 千金의 價値가 있음이요, 한 처방이 救濟함에 德이 이를 넘는다."고 말하였는데《千金方》의 명명도 이에서 기원한다. 이것은 중국에서 가장 먼저 나온 일부의 임상실용백과전서로 풍부한 내용이 실려 있다. 그는 음식요법과 臟器療法의 창시자인데 동물의 간장으로 야맹증을, 牛羊乳로 脚氣病을, 羊靨 鹿靨으로 갑상선종대의 치료에 활용하였으니 모두 현대과학에서 실험으로 성공한 경험인 것이다. 葱管을 사용한 導尿에 이르러서는 1860년에 프랑스에서 발명한 고무관 導尿보다 1200년이나 앞선 것이다. 기타 王燾의《外臺秘要》가 있으니, 처방이 6,000여종이나 실려 있고 그 중에 외과 처방이 매우 많다.

　宋元代에 이르러 외과는 이미 발전하여 비교적 성숙의 단계로 들어서고 있었는데 病機 분석에 있어서도 이미 전체와 국부의 관계를 매우 중시하였다. 치료상 扶正과 祛邪를 서로 결합하고, 內治와 外治를 서로 결합함을 중시하였다.《聖濟總錄》(1111~1117년)에 "癰疽의 五善七惡"을 제출하였고,《太平聖惠方》에 "五善七惡"의 감별과 동시에 內消, 托裏 등의 內治 방법을 종합하였다. 그 외에도 예를 들면 砒素製劑로 痔瘡을, 蟾酥酒로 止血止痛을, 燒灼法으로 手術器械를 소독하는 등 모두 그 시기의 새로운 경험이었다. 기원전 1227년 魏峴의《魏氏家藏方》에도 이미 痔核 주위에 먼저 膏劑를 발라 灼痛을 免하게 하고 그 후 枯痔療法으로 완전히 치유하였다는 기록이 있다.

　宋代에는 외과전문서적이 날로 증가하였는데, 그 중에《衛濟寶書》는 癰疽에 대해 전문적으로 논하였으며 처방을 사용함에 있어 가감법을 명확히 언급하였다. 많은 의료기계, 예를 들면 灸板, 消息子, 燒刀, 竹刀, 小鉤 등의 사용법도 기재되어 있다.

　《集驗背疽方》은 李迅의 저서로 1196년에 출판되었는데, 背疽의 병인 증상 치료에 대하여 전면적으로 논술하였다.

　《外科精要》는 陳自明이 저술한 것으로 1262년에 만들어졌는데, 癰疽에 대한 변증시치를 강조하여 寒熱虛實에 따른 대증요법을 구분하였다. 瘡瘍의 整體療法을 강조하여 托裏排膿하는 여러 方藥을 기재하였는데 현재도 임상에서 응용되고 있다.

　元代의 외과저작은 朱震亨의《外科精要發揮》, 危亦林의《世醫得效方》 등이 있다. 그 성취는 齊德의 저서인《外科精義》가 대표적인데, 이 책은 1335년에 출판되어 元 이전의 각종 방서의 경험을 종합하였다. 그는 전체에서 출발하여 외과병이 陰陽不和, 氣血凝滯의 소치라고 생각하였는데 맥진에 대해 매우 상세하게 논하였다. 그는 "外部를 治하나 內部를 治하지 않고, 末을 治하나 그 本은 治하지 않는다"는 방법이 부적합하다고 인식하고, 瘡瘍을 치료함에 陰陽虛實을 변별하여 內外 결합의 치료방법을 채용하였다. 그 중에서 많은 부분이 실용적 가치가 있는데, 예를 들면 瘡疽의 虛實을 변별함에 "腫氣가 堅硬하고 膿이 稠密한 것은……實證이고, 腫아래가 비교적 緩慢하고 膿이 稀薄한 것은……虛證이다."라고 하였고, 深淺을 변별함에 있어 "高하면서 軟한 것은 血脈에서

13

發한 것이고, 腫이 아래에 있으면서 堅한 것은 筋骨에서 發한 것이고, 肌肉의 피부색이 서로 변별되지 못하는 것은 骨髓에서 發한 것이다."라고 하였다. 또한 "손으로 按하여 搖動하고 瘡腫의 根이 牢하면서 大한 것은 深이고, 根이 작으면서 浮한 것은 淺이다.", "瘡疽가 腫大하고 按하여 痛症이 있는 것은 膿深이고, 작으면서 按하면 곧 통증이 있는 것은 膿淺이고, 按해서 심하게 통증이 있지 않는 것은 膿이 成하지 않은 것이다."라 하였고, 血瘤를 변별함에 있어 "만약 發腫하여 모두 軟하면서 不痛한 것은 血瘤다."라고 하였다. 이 외에 危亦林의 《世醫得效方》은 1337년에 출판되었는데, 이 책은 창상외과의 전문서로써 傷科의 발전에 매우 큰 공헌을 하였다. 이는 현존하는 세계에서 가장 빠른 전신마취 문헌으로 알려져 있는데, 일본의 華同靑州가 1805년에 만타라汁으로 마취한 것보다 450년이나 빠른 것으로 이 책은 마취약의 조성, 적응증, 제량에 대해 모두 구체적인 설명을 하고 있다.

4) 成熟(明·靑)

中醫 외과는 明·淸시기에 이르러 이미 비교적 성숙하여 계통적인 저작과 서로 다른 유파가 출현하고 외과 명의의 저작이 매우 많았으며, 그 중에 薛己의 《外科樞要》에 외과병의 이론, 경험, 方藥과 유관한 내용이 기록되었으며 제일 먼저 신생아 파상풍의 진단과 치료에 대해 상세하게 서술하였다. 汪機의 《外科理例》에 "外部를 치료함에는 반드시 모두 內部에 根本한다."는 사상을 나타내었으며, 그 서문에 "외과는 癰疽瘡瘍이 모두 외부에 나타나므로 외과라 명하였으나, 외과는 반드시 內에 根本하니 內를 알고 外를 求하면 손바닥을 들여다보는 것과 같을 것이다."라고 말하였고 아울러 玉眞散을 創製하여 파상풍을 치료하였다. 王肯堂의 《瘍科準繩》은 내용이 풍부하고, 전체적으로 비교할 때 후세에 가장 큰 영향을 미친 것은 陳實功의 저작인 《外科正宗》이 대표적으로, 후세에 "正宗派"라 불리었다. 작자의 字는 毓仁, 號는 若虛로 明代 崇川人 즉 지금의 江蘇南通市이며 대략 1555~1636년 사이의 사람이다. 저서인 《外科正宗》에는 병명이 자세히 기록되어 있으며 각각마다 치법이 부가되어 있어 條理가 분명하고 완전하게 구비되어 있어 唐代부터 明代에 이르기까지의 외과 치법이 이 책에 대부분 수록되어 있다. 後世人들이 "증상을 나열한 것이 가장 상세하며 치법을 논한 것이 가장 정확하다."는 평가를 내릴 정도로 이 문헌은 明代 이전 외과학의 위대한 성취를 보여주는 중요한 문헌이다.

학술 사상면으로 보면 이 책은 脾胃를 중시하고 있다. 예를 들면 "대개 脾胃가 盛하면 많이 먹고 쉽게 배가 고파지니 그 사람은 대부분 비만해지고 氣血도 또한 壯盛해지는 것이다. 脾胃가 약하면 적게 먹고 소화가 잘 안되니 그 사람은 대부분 수척해지고 氣血도 또한 쇠약해진다. 그러므로 외과에서 또한 脾胃를 조리함이 중요한 것이다." 또한 "대개 托裏하면 氣血이 壯盛하고 脾胃가 盛해져 膿穢로 하여금 스스로 배출시키게 하니 毒氣가 저절로 풀어지고 死肉이 스스로 궤파되며 新肉이 스스로 生하게 되고 음식을 스스로 먹게 되어 瘡口가 스스로 아물게 된다."고 하였다. 그 주요 성취는 外治와 수술방면에서 비교적 잘 나타났다. 그는 "外를 치료함이 비교적 內를 治하는 것보다 어려우니, 內의 증상은 혹 外에까지 미치지 못하기도 하나 外의 증상은 반드시 內에 根本을 두기 때문이다."고 인식하였다. 그는 부식약품 혹은 刀針으로 괴사된 부위를 깨끗이 제거하고 膿管을 통하게 하여 毒氣로 하여금 밖으로 배설되도록 하였는데, 그 내용으로 14종의 수술이 있다. 예를 들면 鼻痔를 摘除하는 기구를 創製하였는데 그 法이 근대에 사용하는 鼻息肉 絞斷器와 기본적으로 서로 같다. 다른 예로 下顎關節復位術, 頸吻合術, 指關節離斷術, 腹腔穿刺排膿術 등 모두 매우 실용적으로 가치가 있다. 導膿하려면 절개하여야 하며 위치는 마땅히 아래로 하고 절개한 瘡口가 커져 腐肉이 벗겨지지 않으면 잘라내고 肉芽가 너무 길면 베어내는 이러한 방법은 지금도 사용되고 있다. 그는 또 換藥室은 마땅히 "깨끗하고 밝아야 한다."고 하고 醫師에 대하여도 瘡口를 씻어 위생에 주의해야 한다고 주장하여 무균에 대한 관념이 이미 싹트고 있었던 것으로 사려된다. 外治法은 그 종류가 매우 많은데, 熏, 洗, 熨, 照, 濕敷 등이 있다. 瘡瘍, 피부병 등에 대해 모두 상세한 논술이 있으며 아울러 口脣, 喉管創傷縫合術 및 缺耳, 免脣의 矯形術이 기재되어 있고, 또한 腫瘤의 양성과 악성의 감별진단과 수술원칙이 정확하게 제시되어 있다. 예를 들면 무릇 瘤에 있어 "按함에 밀어 이동하는 자는 法을 取하여 제거하고 밀어 이동하지 않는 자는 取할 수 없다."고 말하였다. 기타로 또한 申斗垣의 《外科啓玄》, 陳文治의 《瘍科選粹》, 竇夢麟 다른 이름으로 竇漢卿의 《瘡瘍經驗全書》등 모두 특색이 있고, 陳司成의 《黴瘡秘錄》은 중국 최초로 매독을 논술한 전문서로 이 병이 성교로 전염되고 또 유전됨을 나타내었다. 丹砂, 雄黃 등 수은을 함유한 약품치료를 주장하였는데, 이는 세계에서 가장 먼저 수은제제를 사용하여 매독을 치료한 기록인 것이다.

"正宗"이 가장 크게 영향을 끼치게 된 것은 무엇인가? 이 책의 작자는 그가 "내가 어릴적에 이 業을 정밀히 연구하니 안으로 活人心이 생기고 밖으로 모든 刀圭 즉 칼모서리의 法을 갖춘지가 40여년이 되었다. 마음으로 方을 익히고 눈으로 症을 익히니 或은 항상됨이 있고 或은 다름이 있어 문득 응용하니 치유가 되었다."는 것으로 인식하였다.

17세기에 이르러 中醫 외과 저작은 매우 많았는데, 예를 들면 汪機의 《外科理例》, 竇夢麟의 《瘡瘍經驗全書》, 薛己의 《外科發揮》, 申斗垣의 《外科啓玄》, 張景岳의 《外科鈴》, 王肯堂의 《瘍醫準繩》등이 비록 각각의 특징이 있지만, 모두 "正宗"처럼 전체적이고 상세함 같은 것은 없다. 그러나 후학들에 의하여 推崇, 繼承, 發揮하였다. 예를 들면 順治 康熙時期의 御醫인 祁坤은 매우 중요한 인물이다. 妻가 죽고 나서 고향으로 돌아와 《外科大成》을 편찬하였는데, 이는 "正宗"을 계승한 중요한 저작이다. 그의 자식인 昭遠은 父業을 계승하여 康熙 雍正時期에 太醫院 判官에 任職고, 그의 孫子인 祁宏源 또한 太醫院사람으로 乾隆 4년(1739년)에 편찬한 《外科心法要訣》은 《外科大成》의 기초 위에 정리하여 만든 것이다. 이 派의 특징은 모두 기본이론, 기본지식, 기본기능, 기술의 전면을 파악하여 內外를 함께 중시했는데 內治로는 消, 托, 補의 三法을 써서 임상실제에 활용하였다.

"全生派"는 王維德의《外科全生集》이 대표적이다. 작자의 字는 洪緖, 別號는 林屋散人, 又號
는 定定子(1669~1749)이다. 康熙~乾隆사이의 사람이다. 그 특징은 陰陽爲主의 변증논치의 법
칙을 창립한 것으로, "經에 依支해 증상을 치료함은 천하가 모두 그러하나 陰陽을 분별하는 것은
오직 나의 一家이다."라고 한 것처럼 복잡한 외과질환을 파악함에 陰陽 두 가지로 분별하였는데, 예
를 들면 癰陽, 疽陰 등이 그것이다. "陽和通腠, 溫補氣血"의 원칙으로 陰證을 치료함을 주장하였
으니, 그는 "世人이 다만 一槪 淸火로 解毒함만을 알고, 모름지기 毒은 곧 寒으로 寒을 解하면 毒
은 저절로 化하지만 淸火하면 毒이 더욱 凝結함을 알지 못하고 있다. 이는 毒의 化함이 膿으로 말
미암고 膿이 나타나는 것은 반드시 氣血로 말미암으며 氣血의 化함은 반드시 濕으로 말미암게 되
는 것이니 어찌 凉하게 할 수 있겠는가?"라 하였다. 스스로 陽和湯, 醒消丸, 小金丹, 犀黃丸 등을
만들어 임상에 응용하여 그 치료효과가 좋았다. "消로써 貴함을 삼고 托으로 畏함을 삼는다." 고 주
장하였으며 刀針을 남용하는 것을 반대하였다. 汪機의《外科理例》, 許克昌의《外科證治全書》는
서로 유사한 특징이 있다.

"心得派"는 高錦庭의《瘍科心得集》이 대표적이다. 작자는 高秉鈞으로, 無錫人이며, 嘉慶時期
의 명의였다. 그는 "瘍科의 증상이 上部에 있는 자는 모두 風溫, 風熱에 속한다." 또한 "下部에 있
는 자는 모두 濕火, 濕熱에 속한다.", "中部에 있는 자는 대부분 氣鬱 火鬱에 속한다."고 인식하였
다. 辨證用法은 분명하게 溫病學說의 영향을 받아 犀角地黃湯, 紫雪丹, 至寶丹 등을 써서 疔瘡
走黃을 치료하였는데, 현재까지 그 실용가치가 매우 크다.《瘍科心得集》은 中醫 외과 중에 감별진
단 내용이 실려 있는 중요한 문헌이다. 이 派에 속한 것으로 餘聽鴻의《外證醫案滙編》이 있다.

淸代의 외과저작으로 위에 서술한 것을 제외하고 陳士鐸의《外科秘錄》, 顧世澄의《瘍醫大全》
이 있는데 모두 각각의 특징이 있다. 吳師機의《理瀹駢文》은 膏藥의 外治法을 專述하여 적지 않
은 치료학상의 새로운 성취를 총결하였다.

참고문헌

1) 顧伯華. 實用中醫外科學. 上海: 上海科學技術出版社; 1985.
2) 김두종. 동서의학사대강. 서울: 탐구당; 1981.
3) 譚新華. 中醫外科學. 北京: 人民衛生出版社; 2014.
4) 동의학연구소. 동의외과학. 서울: 여강출판사; 1994.
5) 전국 한의과대학 피부외과학 교재편찬위원회. 한의피부외과학. 부산: 선우; 2007.
6) 채병윤. 한방외과. 서울: 고문사; 1991.
7) 홍원식. 중국의학사. 서울: 동양의학연구소; 1987.

第 03 章 고전 질병의 명칭

1. 외과 질병의 명명

오랜 역사적 발전과정에서 외과질환의 병명은 복잡해지고 다양해졌다. 그러나 통일성을 갖추지 못하고 하나의 병명이 여러 성질의 질병을 포함하기도 하고, 동일한 성질의 질병이 부위, 경과, 형태의 차이에 의해서 여러 병명으로 명명되었고, 이런 상황은 외과학 발전을 방해하는 요소로 작용하였다. 따라서 외과질환의 명명에 규칙을 정하여 통일화, 과학화, 표준화를 통해 외과질환의 분류를 정확히 하여 본래의 의미를 확립하는 것이 요구되고 있다.

외과질병명이 복잡하더라도 명명에 공통성을 살펴보면 일정한 규칙을 찾을 수 있으며, 대부분 두 부분으로 구성되어 있는 것을 알 수 있다. 질병의 부위, 혈위, 장부, 병인, 증상, 형태, 색택, 특성, 범위, 전염성, 정도에 따라 명명하고, 유형별 명칭을 결합하는 형식이다. 예를 들어 '人中疗'에서 '人中'은 혈위를 의미하고, '疗'은 유형을 의미하는 방식으로 구성되어 있다.

1) 부위에 의한 명명 : 頸癰, 背疽, 顴疗, 肛癰, 乳癖, 腿癰, 腋疽 등

2) 혈위에 의한 명명 : 委中毒, 太陽疗, 環跳疽, 百會疽 등

3) 장부에 의한 명명 : 腦疽, 腸癰, 肺癰 등

4) 병인에 의한 명명 : 凍瘡, 漆瘡, 破傷風, 水火燙傷, 毒蛇咬傷 등

5) 증상에 의한 명명 : 翻花瘡, 麻風, 黃水瘡, 瘰癧, 蜂窩發 등

6) 형태에 의한 명명 : 蛇頭疗, 螻蛄癤, 鵝掌風, 紅絲疗, 猫眼瘡 등

7) 색택에 의한 명명 : 丹毒, 白癜風, 白喉, 黑痣, 白駁風 등

8) 특성에 의한 명명 : 爛疗, 流注, 狐臭, 鷄眼 등

9) 범위에 의한 명명 : 癤(작은 것), 癰(큰 것) 등

10) 전염성에 의한 명명 : 時毒, 疫疗 등

11) 정도에 의한 명명 : 千日瘡, 走馬牙疳 등

2. 외과질병의 분류

외과질병의 분류는 먼저《內經》에 癰疽가 있었으나, 이후에 瘡瘍으로 모든 외과질병을 개괄하게 되었으며, 瘡瘍을 발병 경과에 따라 腫瘍과 潰瘍으로 분류하고, 터지지 않은 瘡瘍을 腫瘍, 이미 터졌거나 절개하였거나 혹은 오랫동안 아물지 않은 瘡瘍을 潰瘍이라 말하였다.

외과질병의 분류에서 瘍, 瘡瘍, 瘡 등이 여러 외과서적에서 의미가 서로 혼용되어 유사하게 또는 다르게 설명되고 있어 분명히 이해하는 것이 필요하다.

瘍은 外瘍이라고도 하며 모든 외과적 질환의 총칭으로 고대에 외과를 瘍科라고 하였으며, 외과의를 瘍醫라고 하였다.

瘡瘍은 체표에 발생하는 모든 외과질환의 총칭으로 주로 화농성 질환을 의미하는 것으로 이해할 수 있다. 그러나 瘡瘍을 다음과 같이 구분하여 설명하기도 한다. 瘍은 넓은 의미로 腫瘍, 潰瘍, 折瘍, 金瘍 등의 일체 외과 및 傷科질환이 포함되며 좁은 의미로 皮內의 癰과 疽의 무리를 말하고, 瘡은 넓은 의미로 癰疽, 疔瘡, 瘰癧, 疥癬, 疳毒, 痘疹 등이 포함되며 좁은 의미로 皮外의 각종 손상인 丘疹, 疱疹, 紅斑, 皸裂, 滲出, 糜爛 등을 말한다. 따라서 瘡瘍을 이해할 때는 瘡瘍 하나의 용어로 이해하여야 할 때도 있고, 瘡과 瘍으로 각각 구분지어 瘍은 외과질환으로 瘡은 피부과 질환으로 이해하여야 할 때도 있다. 이 책은 瘡瘍을 하나의 용어로 사용하여 체표에 발생하는 화농성 질환으로 한정하여 설명한다.

1) 瘡瘍類

(1) 癰(外癰)

기육 사이에 발생하여 피부면에 광택이 있고 농점은 없으면서 국소의 발적, 종창, 열감, 동통이 있고 6~9㎝ 정도의 크기로 쉽게 화농되어 터지면서도 또한 쉽게 유합되는 급성 화농성 질환을 가리킨다. 피부에 발생하는 농양, 종기 및 큰 종기 등에 해당한다.《外科正宗》에서 "癰者, 壅也, 爲陽, 屬六腑, 毒勝于外, 其發暴, 而所患浮淺 … 故易腫易膿, 易腐易斂, 不傷筋骨而易治"라 되어 있다.

(2) 疽

疽는 癰에 비해서 깊게 생기고 범위가 넓으며 잘 곪지도 잘 삭지도 않고 곪아터진 다음에도 잘 아물지 않으며 오래간다. 크게 有頭疽와 無頭疽로 구분한다.

① 有頭疽

일명 發疽라고도 하며 肌肉에 발생한다. 초기에는 좁쌀 크기의 膿點이 생기는데 진행되면 發熱, 腫脹, 疼痛이 나타나면서 쉽게 深部 및 주위로 확산된다. 潰破 後 融解되어 마치 蜂窩처럼 되며 크기는 9~12㎝ 이상으로 비교적 크다.

② 無頭疽

일명 陰疽라고도 하며 筋骨사이에 발생한다. 癰疽라 하여 癰과 疽를 함께 칭하여 말하는 경우 疽에 해당하는 질환이다. 초기에는 腫脹이 심하지 않고 미만성으로 나타난다. 피부는 창백하고 경계는 불명확하며 시큰시큰한 감이 많지만 疼痛은 비교적 적은 편이다. 일반적으로 잘 가라앉지 않고 터지지도 않는데, 터졌을 경우에도 잘 유합되지 않는다. 이 질환이 악화되어 패혈증으로 전변되는 경우를 內陷(疽毒內陷)이라 한다.

(3) 癤

피부의 淺表部에 발생하는 급성 화농성 질환으로 피부 표면은 發赤, 灼熱感, 疼痛이 있으면서 융기되어 있으나 그 크기는 대부분 3㎝ 이내로 작은 편이다. 腫脹은 밑뿌리는 없고 국한되어 있으며, 膿이 터진 후에는 비교적 신속히 치유된다. 발병 초기 膿頭가 있고 없음에 따라 有頭癤과 無頭癤로 구분하나 큰 의미는 없다.

(4) 發

고전에는 일정한 고정된 질병에 붙인 것이 아니라 일반적으로 瘡瘍의 범위가 비교적 큰 질병에 붙여서 명명했다. 그러나 發은 癰이 커진 상태를 말하는 것으로 有頭疽를 지칭하는 것으로 이해할 수 있으며, 연조직염에 해당한다.

(5) 疔

외과에서 비교적 심한 질병의 하나이다. 겉모양은 비록 작으나 밑뿌리가 대단히 깊어 마치 못이 박힌 것과 같은 형태를 취한다. 초기에는 감각이 鈍麻되거나 가려운데 진행되면 발적, 종창, 발열,

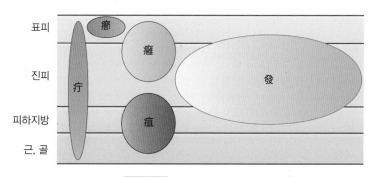

그림 3-1 주요 창양의 크기 및 위치

동통, 한열왕래 등의 증상이 나타난다. 일반적으로 안면과 수족부에 나타나며, 급속히 확대되어 쉽게 근골을 손상한다. 이 질환이 악화되어 패혈증으로 전변되는 경우를 走黃(疔瘡走黃)이라 한다.

(6) 流注

일반적으로 肌肉 심부에 있는 농양에서 발생하며, 농양의 邪毒이 여기저기 옮겨지다가 일정한 곳에 머물러 발생하는 화농성 질환으로 일정한 부위에 고착되지는 않는 전이성 다발성 심부농종을 말한다. 《瘍科心得集·辨流注腿癰陰陽虛實異證同治論》에 "夫流注腿癰證雖殊而治則一, 要在辨其陰陽, 明其虛實而已. 若因于風寒客熱, 或暑濕交蒸, 內不得入于臟腑, 外不能越于皮毛, 行于營衛之間, 阻于肌肉之內, 或發于周身數處而爲流注……此屬實邪陽證" "其色雖白, 不可謂作陰證虛證"이라 되어 있다.

(7) 丹毒

붉은 색을 칠한 것 같이 피부에 선홍색의 변화가 나타나는 것으로 고대문헌에는 丹으로 표현되어 있기도 하다. 돌연히 발병하며 發熱과 疼痛 등 뚜렷한 전신증상을 수반하며 안면, 腰胯, 하지에 호발한다. 《諸病源候論》에 "丹者, 人身體忽然焮赤如丹涂之狀, 故謂之丹"이라 되어 있다. 발병부위에 따라 抱頭火丹(頭面部), 內發丹毒(腰胯部), 流火(下肢) 등으로 불렀으며, 신생아에 나타나는 경우는 赤游丹이라 하였다.

(8) 走黃(疔瘡走黃)

走黃은 疔(疔瘡)에서 기원하며 疔毒이 走散入血하여 안으로 장부를 손상시킨 결과 나타나는 전신성 감염 증후군으로, 패혈증에 해당한다. 《瘡瘍經驗全書》에 "凡疔瘡初生時 紅軟溫和 忽然頂陷黑 謂之廣走 此症危矣"라 되어 있으며, 《外科證治全生集》에 "黃卽橫 散也, ……, 或有全身發黃如金色者 實卽毒入經絡 不能自化 鬱蒸以成此變. 走黃之名 蓋由于此"라 되어 있다.

(9) 內陷(疽毒內陷)

內陷은 疽(疽毒)에서 기원하며, 瘡瘍 발생시 正氣가 邪氣를 이기지 못하여 毒氣를 外泄하지 못하고 오히려 營血과 안으로는 장부에 미쳐 야기되는 전신성 감염 증후군으로, 패혈증에 해당한다. 《瘍科心得集》에 " …… 犹有三陷變局 謂火陷 乾陷 虛陷也"이라 하여 內陷의 경과에 따른 분류를 하고 있다.

(10) 瘰癧

초기에는 그 크기가 콩알만 하고 피부색의 변화는 없다가 점차 증대되어 그 수도 많아져 마치 염주알처럼 매달리게 되는데, 일반적으로 頸部에 발생하여 腋窩部에까지 파급되기도 한다. 이동성이 있고 눌러도 아프지 않으며 오래되면 터지기 시작하는데 터진 후에는 잘 아물지 않는다. 경항부 림프결핵에 해당한다.《醫宗金鑒·外科心法要訣》에 "小者爲瘰, 大者爲癧"라 되어 있고,《醫林集要》에 "又有結核在項腋, 或兩乳房, 或兩胯軟肉處 …… 屬冷證也"라 되어 있다.

(11) 流痰

골관절에 잘 나타난다. 관절 깊은 곳에서 발병하기 때문에 발병과 화농 모두 느리고 궤파된 후 淸澄한 농이 흐르거나 乾酪狀 物質을 형성하며, 쉽게 유합되지 않고 대부분 근골을 손상한다. 발병부위에 따라 슬관절 부위에 발생하는 경우를 鶴膝流痰이라 하고, 고관절 부위에 발생하는 경우를 環跳流痰이라 칭한다. 골관절결핵에 해당한다.

(12) 痔

痔는 돌출하였다는 뜻으로 항문, 귀, 비강 등에 생기는 작은 기육이 돌출한 것을 말한다. 일반적으로 발생부위와 병변의 형태에 따라 內痔(항문 치상선 안쪽), 鼻痔(비강내), 耳痔(외이도내), 葡萄痔(혈전성 外痔의 한 종류), 櫻桃痔(직장내 폴립의 한 종류) 등 다양하게 표현한다.《醫學綱目》에 "如大澤之中有小山突出爲痔. 在人九竅中 凡有小肉突出皆曰痔 不獨生于肛門邊"이라 되어 있다.

(13) 漏

瘡의 구멍에서 오랫동안 농이 누출되는 것을 말하는데 창상이 잘 유합되지 않으며 만일 유합되었다고 해도 다시 발생하는 경우가 흔하다. 漏는 체표와 臟腔 사이에 형성된 병리적 管道로 內口와 外口를 가지는 漏管과, 심부조직에서 체표로 형성된 병리적 盲管으로 外口만을 가지고 있는 竇道로 구분된다. 肛漏는 漏管에 해당하고, 瘰癧이나 乳漏는 竇道에 해당한다.

(14) 裂

환부의 피부 全層이 찢어져 벌어지는 것을 말하며 동통과 가려움이 심하고 출혈을 수반한다.

(15) 癭

癭은 갓끈이 이어져 있는 양상을 말하는 것으로《說文解字》에 "癭 頸瘤也"라 되어 있으며, 병변은 갑상연골 부위에 위치하고 있고 갑상선질환에 해당한다. 고대문헌에는 氣癭, 肉癭, 筋癭, 血癭, 石癭으로 분류하고 있다.

(16) 瘤

瘀血, 濁氣, 痰濁 등이 조직상에 저류되고 모여 덩어리진 贅生物을 말한다. 《諸病源候論》에 "瘤者 皮肉中忽腫起 初梅李大 漸長大 不痛不痒 又不結强 言留結不散 謂之爲瘤"라 되어 있다. 고대문헌에는 氣瘤, 血瘤, 筋瘤, 肉瘤, 骨瘤, 脂瘤, 膠瘤 등으로 분류되어 있다.

(17) 岩

악성의 贅生物을 말하며 전신에 발생할 수 있고 병변 부위 종괴가 돌과 같이 단단하고, 평평하지 않은 형상이 岩石이 나온 것과 같고, 궤파된 후 血水가 흐르고 냄새가 심하다. 《瘡瘍經驗全書》에 "此疾若未破可療 已破卽難治 捻之內如山岩 故名之 早治得生 若不治潰肉爛見五臟而死"라 되어 있다.

2) 皮膚病類

(1) 瘡

피부 표면에 구진, 포진, 미란 등이 발생하는 모든 질환을 총칭하여 瘡이라 한다.

(2) 斑

피부에 나타나는 크고 작은 색의 변화를 말한다. 《丹溪心法》에 "斑乃有色點而無頭粒者是也"라 되어 있다.

(3) 疹

피부에 발생하는 작은 융기성 변화를 말한다. 《丹溪心法》에 "疹爲浮小而有頭粒者"라 되어 있다.

(4) 疳

점막에 얇은 미란이 생겨 소량의 농성 분비물이 나오는 궤양을 말한다.

(5) 痦

피부에 나타나는 땀띠를 말한다.

(6) 痘

피부에 장액성 물질을 함유한 소수포가 융기된 것을 말한다.

(7) 癬

인설이나 삼출액을 동반한 피부의 비후성 변화를 말한다. 《證治準繩》에 "癬之狀, 起于肌膚癮疹, 或圓或斜, 或如莓苔走散"……"搔則出白屑, 搔則多汁"……"其狀如牛領之皮厚而且堅"이라 되어 있다.

(8) 疥

전염성의 구진성 발진을 보이는 경우와 전신에 발생하는 극심한 가려움성 피부질환, 이 두 가지를 말한다. 《諸病源候論》에 "濕疥者, 小瘡皮薄, 常有汁出, 幷皆有蟲, 人往往以鍼頭挑得, 狀如水內瘑蟲……"……"乾疥但痒, 搔之皮起作乾痂……"라 되어 있다.

(9) 疣

피부 표면에 발생한 일종의 양성 종양을 말한다. 《醫學入門》에 "疣多患于手背及指間, 或如黃頭大……撥之則絲長三,四寸許"라 되어 있다.

(10) 痣

피부 표면에 발생하는 다양한 색상의 贅生物을 말하는 것으로 모반에 해당한다.

3) 기타류

(1) 風

발병이 급작스럽고 변화가 신속한 질환들로 발병과 소실이 신속한 경우(예: 風痦癟, 赤白游風 등), 피부가 건조하고 인설을 동반하며 가려움이 심한 경우(예: 面游風, 鵝掌風, 四彎風 등), 피부에 변화를 보이지 않으며 가려움이 있는 경우(예: 風瘙痒 등), 기혈이 응체하거나 不和하여 피부의 색이 변화를 보이는 경우(예: 白駁風, 紫白癜風 등), 기혈의 운행이 불량하여 麻木不仁의 증상이 나타나는 경우(예: 대마풍 등), 창상과 같은 외상에 風邪가 침입하여 나타나는 경우(예: 破傷風 등)에 사용되었다.

(2) 毒

外邪가 침입하는 경우, 전염성이 있는 경우, 병의 경과가 빠르고 중한 경우로 中毒, 時毒, 梅毒 등에 사용되었다.

(3) 痰

외과에서 痰은 두 개의 의미로 사용된다. 虛痰과 實痰으로 구분하며 虛痰은 결핵간균에 의한 질환을 말하고 이 외의 경우는 모두 實痰에 해당한다. 虛痰은 붓고 단단함이 饅과 비슷하고 피부색은 변화가 없으며 누르면 囊性感이 있는 경우와 종괴가 궤파된 후 黏液 또는 敗絮樣의 농액이 나오는 경우이다.

(4) 核

피부와 기육 사이에 발생하는 모든 원형의 종괴를 말한다. 고대문헌에는 結核, 痰核, 臀核 등 다르게 표현되어 있으며, 만성염증, 양성 또는 악성의 贅生物을 포함한다.

참고문헌

1) 顧伯華. 實用中醫外科學. 上海: 上海科學技術出版社; 1985.
2) 김동일. 동의학사전. 서울: 여강출판사; 1989.
3) 동의학연구소. 동의외과학. 서울: 여강출판사; 1994.
4) 譚新華. 中醫外科學. 北京: 人民衛生出版社; 2014.
5) 전국 한의과대학 피부외과학 교재편찬위원회. 한의피부외과학. 부산: 선우; 2007.

第 04 章 해부 및 경락

과학이 발전하면서 인체를 관찰하는 방법은 육안적 관찰에 현미경적 관찰이 더해졌다. 이로 인해 육안적 관찰로는 불가능했던 미세 구조에 대한 인식과 기능에 대한 새로운 지식이 형성되게 되었다. 그러면서 한의학의 인체생물학적 지식은 과거에 비해 보다 더 구체적이고 세세한 내용들을 포함하여 더 풍부해지게 되었다. 본 장에서는 우선적으로 현미경적 관찰에 의한 피부의 해부학적 구조와 기능을 살펴보고, 육안적 관찰에 의존하던 시기의 피부 구조 및 경락과의 관계를 알아보기로 한다.

피부는 인체 표면을 덮고 점차 주변의 점막(입, 눈, 외음부 및 항문)으로 이동한다. 피부의 총 무게는 체중의 약 5~15%를 차지하며, 성인 피부의 면적은 약 1.5~2 ㎡이고 두께(피하 지방층 제외)는 사람마다 다르지만 약 0.5~4 ㎜이다.

피부 조직의 섬유 다발 배열 방향과 견인의 영향으로 피부 표면에 수많은 작은 皮溝가 형성되어 있고 皮溝의 깊이는 일정하지 않으며 얼굴, 손바닥, 음낭 및 관절 등 활동이 빈번한 곳에서 皮溝의 깊이가 깊다. 皮溝는 피부 표면을 삼각형, 마름모 또는 다각형 등의 수 많은 皮嶼(피부소릉, dermal ridges)으로 나누고, 皮嶼에는 많은 땀구멍이 존재한다. 손(발)가락 끝의 구부러진 표면에 있는 皮嶼의 소용돌이 모양을 지문이라고 하며 유전학에 의해 결정되며 사람마다 다르다.

손(발)바닥, 손(발)가락의 구부러진 면 및 그 관절의 펴지는 면, 입술, 귀두, 포피의 안쪽, 소음순, 대음순 및 음핵을 제외하고는 몸 전체에 길고 짧은 모발이 존재한다. 그리고 손(발)가락의 말단 펴는 곳는 조갑이 존재한다.

피부색은 인종, 나이 및 위치에 따라 다르다. 피부색은 주로 세 가지 톤으로 구성되며, 흑색의 정도는 피부의 멜라닌 입자 수에 따라, 황색의 정도는 각질층의 두께에 따라, 홍색의 표현은 미세 혈관의 밀도와 혈류량에 따라 다르다.

피부는 표피, 진피 및 피하 조직의 세 부분으로 나뉜다. 표피는 외배엽에서 분화되어 형성되고, 진피와 피하 조직은 중배엽에서 기원한다. 피부에는 모발, 조갑, 피지선, 한선, 혈관, 림프관, 근육 및 신경과 같은 다양한 내부 조직이 있다.

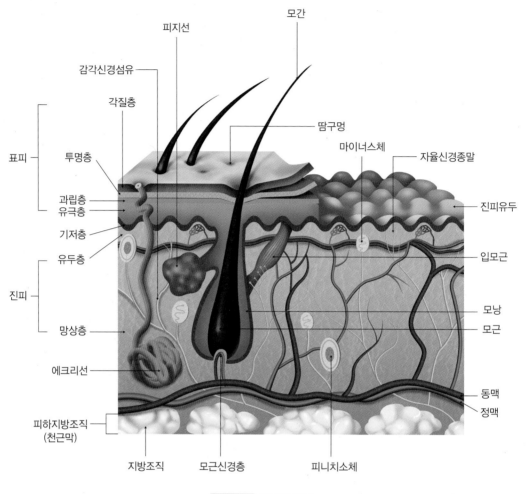

모간
피지선
감각신경섬유
각질층
땀구멍
마이너스체
자율신경종말
표피
투명층
진피유두
과립층
유극층
기저층
입모근
유두층
진피
모낭
모근
망상층
에크리선
동맥
정맥
피하지방조직
(천근막)
지방조직
모근신경층
피니치소체

그림 4-1 피부의 구조

1. 현대적 구조

1) 표피

표피는 세포들이 밀착되고 꽉 차여진 많은 층으로 이루어져 있고 중층 편평 각화 상피(stratified squamous cornifying epithelium)이다. 표피의 두께는 부위마다 서로 달라 눈꺼풀처럼 0.1 ㎜ 이하인 경우도 있지만 손바닥 발바닥처럼 거의 1 ㎜가 되는 경우도 있으며 평균 0.04~1.6 ㎜ 정도가 된다. 표피에는 각질형성세포와 3가지 유형의 수지상 세포(dendritic cell)로 멜라닌세포, Langerhans세포, Merkel세포가 존재한다.

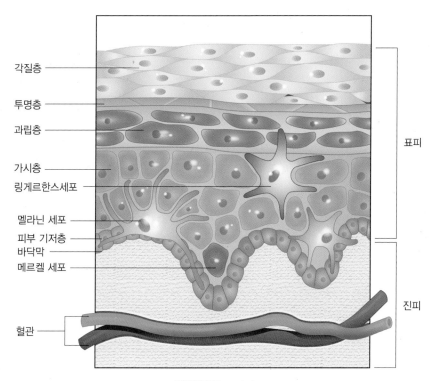

각질층 ───

투명층 ───

과립층 ───

표피

가시층 ───

링게르한스세포 ───

멜라닌 세포 ───

피부 기저층 ───
바닥막 ───
메르켈 세포 ───

진피

혈관 ───

그림 4-2 표피의 구조

2) 표피의 구조

(1) 각질형성세포(keratinocyte)

각질형성세포는 기저세포에서 분열한 후 점차로 피부 표면으로 이동하고 동시에 세포내에서 불용성의 각질단백을 합성하고 최종적으로 각질세포로 변하면서 탈락한다. 이 과정에서 세포의 특성에 따라 4개의 층으로 나눌 수 있다. 각화되어 가는 과정에 따라 안쪽에서부터 기저층, 유극층, 과립층, 각질층으로 이루어져 있으며, 손바닥 발바닥같이 각질층이 두꺼운 부위에서는 각질층 바로 밑에 투명층이 있다.

① 각질형성세포의 각화에 따른 표피층의 구조

㉮ 각질층(horny layer) : 4~8개 층의 편평한 무핵 세포로 구성되어 있으며, 장축이 표피와 평행하고 세포질 내 구조가 사라지고 HE 염색이 호산구성이 되고 세포막이 두꺼워져 있고, 교소체(Desmosomes)는 사라져 있다. 생물학적 활동이 없는 보호층이며, 각질 세포의 지속적인 분열과 진화에 따라 표층의 각질 세포도 해당 속도로 떨어져 동적 균형을 이룬다.

※ 투명층(stratum lucidum) : 2~3층의 편평한 비핵 세포로 구성되어 있으며 손(발)바닥에서 뚜

렷하다. HE 염색은 균일한 호산구성 영역을 보여주고 세포 경계가 명확하지 않을 수 있다. 물과 전해질의 통과를 방지하는 장벽 기능을 가지고 있다.

ⓘ 과립층(granular layer) : 세포들이 스스로 죽어가는 과정을 보이는 층이다. 2~4층의 방추 또는 능형 세포로 구성되며 그 두께는 일반적으로 각질층의 두께에 비례한다. 불규칙한 모양의 투명한 각질 과립(keratohyaline)으로 가득 차 있으며 각질층에 가까울수록 과립이 커지고 그 수가 많아진다.

ⓓ 유극층(prickle layer) : 4~8층의 다각형 세포로 구성되어 있고 광학현미경에서 세포에 다리(intercelluar bridges)가 있는 듯 연결되어 있어 유극층이라 부른다. 전자현미경에서 보면 세포 간에는 교소체(desmosome)가 있어 세포들을 밀접하게 결합시키고 있다.

ⓔ 기저층(basal layer) : 표피의 가장 깊은 부분에 위치하고 단층원주상세포로 구성되어 있고 단층의 원주형 혹은 입방형의 모양을 가지고 있다. 세포질에는 멜라닌 입자가 있으며 주로 극세포 근처에 분포하고 있다. 기저층에는 각질형성 세포인 기저세포와 색소형성 세포인 멜라닌세포가 10:1 비율로 섞여 있다. 기저세포와 인접한 극세포 교소체(desmosome)에 의해 연결된다. 기저세포는 기저막에 부착되어 진피와 밀접하게 연결되어 있다. 표피 내에서 유일하게 세포분열이 일어나는 층이며 세포 분열 결과 새롭게 늘어나 세포가 상부로 밀려나간다.

② 기능

ⓐ 각질 생성

ⓑ Thymuslike hormone, α-interferon, prostagrandin, granulocyte-monocyte colony stimulating factor, interleukin 1(epidermal-cell-derived thymocyte activating factor : ETAF) 등의 면역기능에 관여하는 물질들을 생산한다.

③ 각화의 과정(keratinization)

표피의 재생은 약 39일이며 각 층에서 일어나는 각화의 과정은 다음과 같다.

ⓐ 기저층 : keratinocyte가 세포질 내의 장원 세섬유(tonofilament: α-helical pattern으로 배열된 섬유 단백질로 구성된 filament)를 합성하고 세포가 표면으로 이동하면서 세섬유가 모여 bundle을 형성한 후 세섬유가 원형질막(plasma membrane)에 모이고 교소체(desmosome)에 부착한다.

ⓑ 유극층 : 장원세섬유가 증가하고 극세포층 상부에서 각질소체(keratinosome)라는 층판성 소기관 출현하고 free sterol 및 lipid, hydrolytic enzymes을 분비하여 장벽의 역할을 한다.

ⓒ 과립층 : 세섬유와 함께 profilaggrin이라는 단백질의 근원인 keratohyaline granule이 포함되어 있다.

표피분화 Epidermal Differentiation

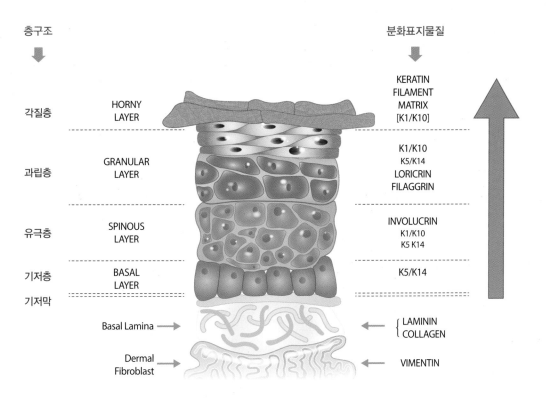

그림 4-3 각질형성 세포의 분화과정

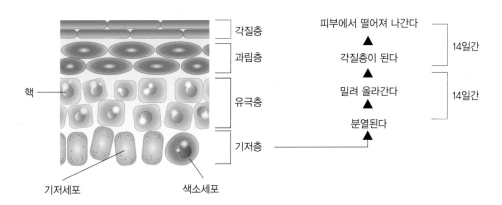

그림 4-4 각질화 과정

⑭ 각질층 : profilaggrin은 과립세포가 각질세포로 전환되면서 분해되어 filaggrin이 되어 각질층에서 세섬유간 아교(interfilamentous glue)로 작용한다.

※ Keratohyaline granule 및 keratinosome의 출현과 동시에 keratinocyte의 핵을 포함한 세포질 속 대부분의 소기관은 점차 소실하며 모든 내용물이 두터워진 세포막으로 둘러싸여 있는 세섬유 및 무형 물질의 혼합물로 통합되어 각화가 끝난다.

(2) 멜라닌세포(melanocyte)

멜라닌을 포함하는 멜라닌소체(melanosome)를 합성 분비하는 수지상 세포(dendritic cell)로, 표피에서는 기저층에 산재하며 기저세포 10개마다 멜라닌 세포가 하나씩 존재하여 평균 비율은 10:1 정도이다.

① 분포

표피, 점막상피, 모낭(hair follicle), 진피, 망막, 포도막, 연수막(leptomeninx), 내이(inner ear) 및 기타 조직에서 볼 수 있다.

② 표피멜라닌 단위(epidermal melanin unit)

수상돌기가 표피내로 가지를 뻗어 많은(36개 정도) 각질형성세포와 접촉하는 연합을 표피멜라닌 단위라 한다.

③ 멜라닌 소체의 생성기전

멜라닌 소체는 Golgi 영역에서 합성되며, 멜라닌 전구물질인 tyrosine이라는 아미노산에 산화효소인 tyrosinase가 작용하여 Dopa로 변화된다. 이어서 Dopa는 Dopaoxidase라는 효소의 작용으로 Dopa-quinone으로 변한 후에 조밀한 색소 과립을 형성한다. 형성된 멜라닌 소체는 수상돌기 끝으로 옮겨지고 apocopation에 의해 각질형성세포가 멜라닌세포의 돌기를 탐식하므로 멜라닌 소체가 표피멜라닌 단위의 각질형성세포로 옮겨진다.

④ 멜라닌의 종류

멜라닌세포의 수는 민족과 피부색에 관계없이 일정하며 피부색을 좌우하는 것은 이 세포가 계속적으로 생산하는 멜라닌소체의 수와 크기에 의해 결정된다. 검은 피부는 흰 피부보다 큰 멜라닌소체를 만들고, 멜라닌소체의 크기가 각질형성세포에 어떻게 분포되느냐를 결정하는 중요한 요소가 된다. 큰 멜라닌 소체는 세포질 내에 개별적으로 분산되나 작은 멜라닌 소체는 막으로 둘러 싸여 있는 식소체(phagolysosome)속에 들어 있다.

㉮ Eumelanin : 피부나 모발의 갈색 및 검은색의 근원이 된다.

㉯ Pheomelanin : 모발에 황색 내지는 적갈색의 엷은 색조를 나타낸다.

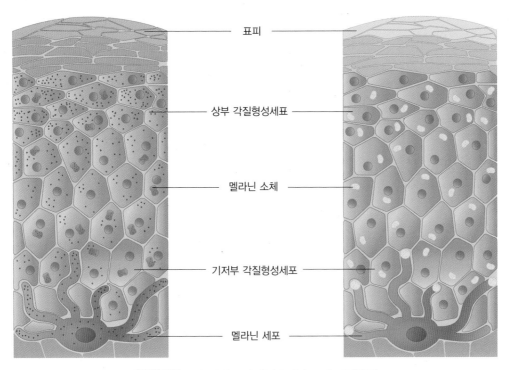

그림 4-5 표피 멜라닌 단위(좌:유색인종, 우:백색인종)

⑤ 기능

㉠ 자외선에 의해 발생되는 에너지를 흡수하고, 자외선의 유해한 효과로부터 인체를 보호한다.

㉡ 여러 염증상태의 부산물로 생기는 유해한 자유기 산소 유도체(free radical oxygen derivation)에 대한 생화학적 중화제로 작용할 수 있다.

⑥ 멜라닌 합성을 자극하는 인자

자외선, 멜라닌 자극 호르몬(melanocyte stimulating hormone; MSH), Estrogen, Progesteron, Androgen, Lipotropin, Thyroxin 등이 있다.

(3) Langerhans cell

표피의 중간층에 산재하며 표피세포의 2~5%를 차지한다. 표피 이외 흉선, 편도선, 림프절, 구강 및 생식기 점막의 상피 등에도 존재한다. Langerhans 세포는 기능상 및 면역학적으로 대식세포와 같

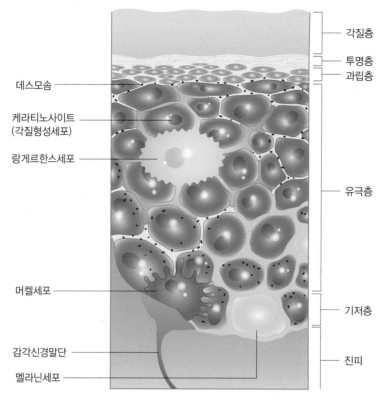

데스모솜

케라티노사이트
(각질형성세포)

랑게르한스세포

머켈세포

감각신경말단

멜라닌세포

각질층

투명층

과립층

유극층

기저층

진피

그림 4-6 랑게르한스 세포 및 머켈 세포

은 계통으로 항원제시능력을 가지고 있다 이로 인해 알레르기성 접촉피부염, 아토피피부염, 동종이식 거부, 면역내성, 감염성 질환, 피부암에서 중요한 역할을 한다.

(4) Merkel cell

감각의 기계적 수용체로 표피와 구강 점막에서 발견된다. 대개는 축삭(neurite)과 접촉하고 있으며 촉각 수용체(Merkel cell-neurite complex)로 생각되고 있다.

2) 표피 부속기(Epidermal Appendage, Adnexa)

표피 부속기에는 에크린 한선, 아포크린 한선, 한관, 모피지 단위(모낭, 피지선, 모발), 조갑 등이 있다. 표피의 손상 후에 일어나는 표피의 재생은 표피 부속기의 상피로부터 각질형성세포가 피부 표면으로 이동되므로 일어난다. 얼굴이나 두피와 같이 모피지 단위가 풍부한 부위가 표피 부속기가 비교적 적은 등과 같은 부위에 비해 표피의 재생이 비교적 빨리 일어나게 된다. 이는 표피 부속기 주위의 진피내에 풍부한 신경 및 혈관 조직을 내포하고 있기 때문이다.

(1) 에크린 한선 단위(Eccrine Sweat Unit)

① 존재부위

㉮ 많이 존재하는 부위 : 손바닥, 발바닥, 겨드랑이, 이마

㉯ 존재하지 않는 부위 : 입술의 경계부, 조갑상, 소음순, 귀두부, 포피의 안쪽

② 구조

㉮ 분비부(Secretory duct) : 나선형 분비선(coiled secretory gland)과 나선형 한관(coiled duct)으로 되어 있으며, 나선형 분비선은 glycogen이 풍부한 투명세포(clear cell)와 중성의 점다당질을 포함하는 암세포(dark cell)의 2종으로 구성되어 있다.

㉯ 진피내 한관(Intradermal duct)

㉰ 표피내 한관(Intraepidermal duct)

③ 기능

㉮ 체온 조절: 저장액을 생산하여 몸의 표면에서 증발시켜 체온을 낮춘다.

㉯ 환경순응(acclimatization) : 오랜 열자극에 노출되면 체온이 조금 올라가도 에크린 한선이 발한을 많이 하며 동시에 부신피질에서는 aldosterone 분비가 촉진되어 sodium의 재흡수를 증가시켜 몸에서 과도한 sodium의 소실을 방지한다.

㉰ 정서적 자극에 대한 반응 : 손 발바닥, 겨드랑이, 이마에 존재하는 에크린 한선은 다른 신체부위의 한선과 달리 열자극 이외에도 정서적 자극에 반응하여 동통, 공포, 분노 등을 경험할 때 발한을 하는 경우가 많다.

④ 땀의 분비기전

열과 정서적 자극이 가장 중요한 요소이며 콜린성 신경의 지배를 받는다. 처음 분비된 땀은 Na 이온 농도에 있어서 혈청과 등장액이지만 나선형의 한관에서 재흡수되어 최종적인 땀은 저장액으로 변한다.

(2) 아포크린 한선 단위(Apocrine Sweat Unit)

① 존재부위 : 겨드랑이, 외이도, 눈꺼풀, 유방에서 거의 한정되어 발견

② 구조

㉮ 분비부 : 나선형의 분비부는 피하지방층에 위치하며 한관세포는 없고 분비세포로만 되어있다.

㉯ 표피내 한관

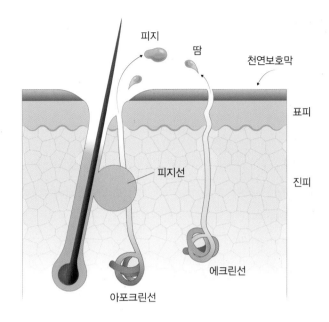

그림 4-7 한선의 구조

ⓒ 진피내 한관

③ 기능

냄새를 내는 기능(scent gland): 국소적 혹은 전신적인 아드레날린성 물질에 의해 자극을 받아 분비물이 분비되면, 피부표면에서 세균에 의해 분비물이 분해되면서 냄새를 발생시킴

(3) 모발(Hair)

모발은 포유동물만이 가지고 있으며 각화된 표피세포로 구성되어 있다.

① **분포** : 손바닥, 발바닥, 손가락, 발가락의 말단부와 점막의 경계부, 귀두부를 제외하고 피부 어디에나 존재한다.

② 종류

ⓐ 취모(lanugo hair) : 태아의 피부에 있는 부드럽고 섬세한 엷은 색의 털

ⓑ 연모(vellus hair) : 성인의 몸 대부분을 덮고 있는 섬세한 털

ⓒ 성모(terminal hair) : 성인의 굵은 모발(눈썹, 겨드랑이 머리털 수염 등)

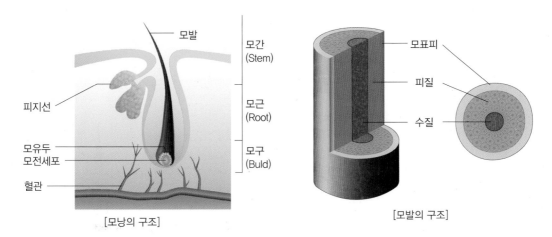

[모낭의 구조]   [모발의 구조]

그림 4-8 모낭과 모발의 구조

③ 모낭의 구조

㉮ 하부(inferior segment) : 모낭의 기저부에서 기모근이 부착된 부위까지이다.

㉯ 협부(isthmus) : 기모근이 부착된 피지선 관의 입구까지이다.

㉰ 모누두부(follicular infundibulum) : 피지선관이 있는 부위부터 모발이 피부표면으로 나오는 부위까지이다.

④ 기능

㉮ 성적인 매력을 제공

㉯ 피부보호 : 머리카락

㉰ 햇빛이나 땀방울로부터 눈을 보호 : 눈썹, 속눈썹

㉱ 외부자극 물질의 여과 : 코 속의 털

㉲ 마찰의 감소 : 피부가 접히는 부위의 모발

⑤ 두피 모발의 생장

㉮ 모발생장 속도 : 0.4mm/day

㉯ 모발생장 주기 : 생장기: 3년(84%), 퇴행기: 3주(2%), 휴지기: 3개월(14%)

⑥ 모발의 주기를 결정하는 요소

㉮ 억제요소 : 영양결핍, 스트레스(수술, 감염, 외상 등), 호르몬의 변화(갑상선 질환, 임신 등) 등

㉯ 증가요소 : 머리카락을 뽑는 것

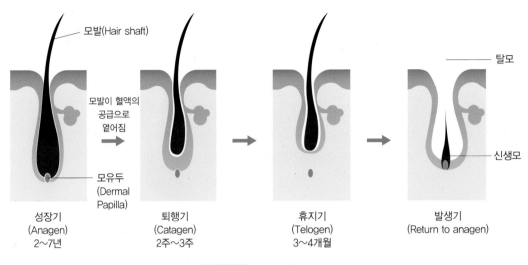

성장기
(Anagen)
2~7년

퇴행기
(Catagen)
2주~3주

휴지기
(Telogen)
3~4개월

발생기
(Return to anagen)

그림 4-9 모발의 성장 주기

(4) 피지선(Sebaceous Gland)

지질(lipid)을 생상하는 구조로, 피지선관을 통하여 기름과 유사한 지질과 세포질의 분해물, 즉 피지(sebum)을 분비한다. 출생시 잘 발달되어 있다가 곧 쇠퇴하고 8~10세가 되면 다시 발달한다. 대부분 모낭과 연결되어 있으나 모낭과 연결되지 않은 피지선도 존재한다.

① 분포
㉮ 존재하는 부위 : 손바닥 발바닥을 제외한 몸 전체 피부에 분포하며 두피와 얼굴에 가장 많이 분포한다.
㉯ 모피지 단위를 구성하지 않는 부위: 구강점막, 입술의 경계부, 여성의 유륜부, 포피의 안쪽면, 소음순, 눈꺼풀

② 피지의 구성
Triglyceride, wax esters, squalene, cholesterol esters, cholesterol 등으로 구성되어 있다. 모낭에 상주하는 세균(P. acnes)에 의해 triglyceride가 분해되어 생성된 유리 지방산은 여드름의 염증성 병변 발생에 중요한 역할을 한다.

③ 피지선의 발달과 피지의 생성
Androgenic steroid에 영향을 받는다.

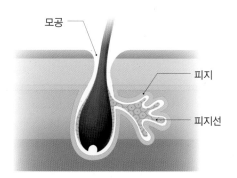

그림 4-10 피지선의 구조

(5) 조갑(Nail)

손(발)톱은 손(발)가락 말단의 伸側에 위치하며 단단한 각질로 이루어진 조밀하고 반투명한 단단한 판으로 긴 타원형의 볼록한 모습이다.

① 구조(0.5~0.75 mm의 두께)

㉠ 근위조갑주름(proximal nail fold)

㉡ 조갑각피(nail cuticle)

㉢ 조반월(lunula)

㉣ 조갑판(nail plate)

㉤ 조기질(nail matrix)

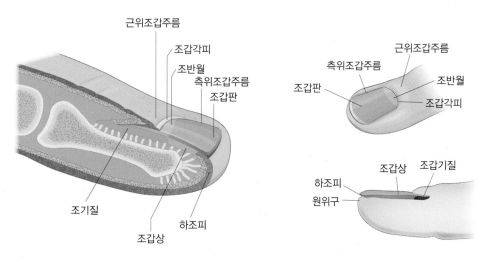

그림 4-11 조갑의 구조

ⓑ 조갑상(nail bed)

ⓐ 하조피(hyponychium)

② 기능

손가락 발가락 말단부의 지지 보호

3) 표피 진피 경계부(dermoepidermal junction)

표피와 진피의 경계부는 기저막대(basement membrane zone)로 되어있다.

(1) 구성성분

① 기저세포의 원형질막

② 반교소체(hemidesmosome)

③ 원형질막 아래 투명판(lamina lucida)

④ 투명판 아래 기저판(basal lamina)

⑤ 고정세섬유: 기저세포 원형질막과 기저판을 연결

⑥ 기저판과 연결된 섬유성분(고정원섬유, 제Ⅲ형 교원섬유, 미세원섬유)

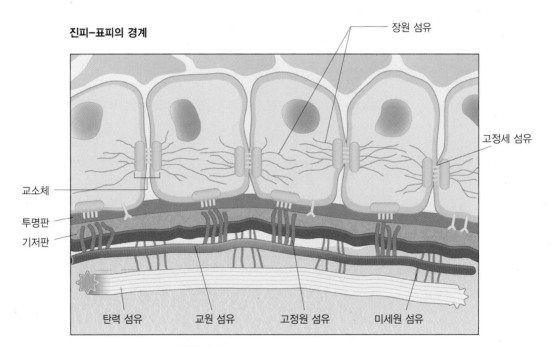

그림 4-12 진피-표피 경계 부위의 미세구조

(2) 기능

지지(support), 부착(attachment), 반투과성 장막으로서의 기능(regulation of permeability)을 하여 액상의 물질은 투과시키고 염증세포나 종양세포의 이동은 막는다. 또한 상처 치유 과정에 관여하고 태생분화(embryonal differentiation)의 조절에 관여한다.

4) 진피

진피는 표피와 피하지방층 사이에 위치하고 있으면서 피부의 대부분을 차지하며, 표피의 구조를 지지하고 영양공급을 해주는 역할을 하고 있다. 표피의 바로 밑에 위치한 유두진피와 유두진피 아래에서 피하지방층까지의 망상진피로 이루어져 있다. 진피의 두께는 엉덩이 같은 부분은 매우 두껍고, 눈꺼풀 같은 부분은 매우 얇게 되어 있으며, 표피의 약 15~40배 정도이다. 진피는 결체조직으로 신경, 혈관, 표피에서 기원한 표피부속기를 포함하고 있다. 진피의 결체조직은 교원섬유, 탄력섬유와 특별한 형체가 없는 기질로 이루어져 있고, 모두 섬유아세포에 의해 만들어진다.

(1) 진피의 구성세포

진피의 구성세포는 섬유아세포, 대식세포, 비만세포, 림프구, 형질세포, 백혈구 등이 있다. 진피의 결체조직은 대부분 섬유아세포에서 유래됐으며, 섬유아세포와 대식세포, 비만세포는 진피에 원래 존재하는 세포이며, 림프구, 형질세포, 백혈구 등은 다양한 자극에 의해 진피로 유입된 세포이다.

(2) 진피의 기능

① 표피에 영양분을 공급하여 표피를 지지
② 강인성에 의해 외부의 손상으로부터 몸을 보호
③ 수분 저장
④ 체온 조절
⑤ 감각에 대한 수용체 역할
⑥ 표피와의 상호작용에 의해 피부 재생

(3) 교원섬유(Collagen fiber)

진피의 주성분으로 피부 건조 중량의 75%를 차지하여 피부에 장력과 탄력성을 제공한다. 교원질 분자는 섬유아세포에서 생산되며 분자간에 끝과 끝이 연결되는 것이 아니라 분자 측면끼리 cross-link 되는 특징을 가지고 있어서 아미노산 구조와 함께 교원질이 장력을 가지도록 만든다. 교원섬유의 합성과 cross-linking은 창상치유와 반흔 형성에 중요한 역할을 한다.

(4) 탄력섬유(Elastic fiber)

섬유아세포에서 생산되며 진피의 5% 정도를 차지하는 스프링 모양의 단백질섬유로 변형된 피부가 원래 모습으로 돌아오도록 피부에 탄력성을 제공하는 기능을 한다. 성숙된 탄력섬유는 탄력소(elastin)가 90%이며 나머지는 미세섬유 단백질로 구성되어 있다.

(5) 기질(Ground Substance)

진피의 섬유성분과 세포들의 사이를 채우는 무정형의 세포외 물질로 점다당질(mucopolysaccharide)이 주성분이고, 점액(mucin) 또는 proteoglycan 등으로 불리기도 한다. 생장기 모낭의 유두부와 에크린 한선 주위에 풍부하게 존재하며, 진피의 건조 중량의 0.2%에 지나지 않으나 수분을 자신의 부피보다 1,000배 함유할 수 있다. 많은 양의 sodium과 물을 저류할 수 있어서 염분과 수분 균형에 기여할 수 있으며, 높은 점도는 다른 조직 성분을 지지하는데 도움이 되고, 결체조직 대사를 조절하는 기능도 있을 것으로 생각된다. 유소년에 비교적 많고 노년에 이르면 적어진다.

(6) 혈관

피부의 혈관은 피하 심부동맥에서 분지하여 진피와 피하조직의 경계부위로 나와 피부표면과 평행한 소동맥이 심층의 동맥총을 형성하고, 한선, 한관, 모유두, 피지선에 영양을 공급한다. 심층 동맥총에서 진피의 유두층과 망상층의 경계부로 상행하고 분지하여 천층 동맥총을 형성하며 여기서

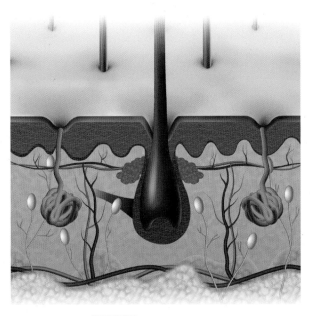

그림 4-13 진피의 혈관 구조

다시 모세혈관의 loop가 진피유두부에 분포한다. 모세혈관 loop 이후 소정맥으로 합쳐져 동맥과 평행하게 진행하여 천층 정맥총과 심층 정맥총을 형성하고 피하 심부정맥으로 돌아간다. 피부의 말단부인 조갑상, 손(발)가락, 귀, 코 등에는 특수한 동정맥 문합체인 사구체가 풍부하게 발달하여 추울 때는 동맥혈의 일부가 모세혈관을 통과하지 않고 정맥으로 직접 들어갈 수 있어 체온 손실을 줄일 수 있다.

① 구성

㉠ 표재성 혈관총(superficial plexus) : 유두진피와 망상진피의 경계부에 위치

㉡ 심부 혈관총(deep plexus) : 망상진피의 하부에 존재

㉢ 연락혈관(communicating vessel) : 표재성 혈관총과 심부 혈관총을 연결

(7) 신경

피부의 신경은 기능에 따라 감각신경과 운동신경으로 구분한다.

① 구성

㉠ 지각신경(sensory nerve) : 동통, 소양감, 온도감각, 가벼운 촉각, 압각, 진동감각

㉡ 자율운동신경(autonomic motor nerve) : 피부의 혈관운동, 모발운동, 땀분비 조절

② 피부의 지각 수용체

㉠ 형태학적으로 특별한 구조가 없는 그룹 : 피부에 있는 지각신경의 대부분

　㉠ 유수지각신경 : 모낭, 피지선관 바로 밑

　㉡ 무수지각신경 : 유두진피

㉡ 특수신경 말단기 : 신경 말단에 형태학적으로 독특한 구조를 가지는 말단기

　㉠ 점막피부말단기 : 섬세한 촉각을 전달(귀두부, 포피, 음핵, 소음순, 입술 경계부)

　㉡ Meissner 소체(corpuscle) : 촉각 전달(손바닥, 발바닥의 진피 유두부, 손가락 끝)

　㉢ Vater-Pacini 소체 : 압각 전달(손바닥 발바닥의 피하지방)

5) 피하지방층

피하지방층의 지방조직은 망상진피 하부의 섬유성 결체조직과 뚜렷하게 구별되며, 피하지방층의 지방세포들은 섬유성 결체조직의 중격에 의해 소엽으로 분리되고, 중격에는 혈관, 림프관, 신경이 존재한다. 피하지방층의 두께는 신체 부위에 따라 각각 달라 중년층의 허리에서 가장 두껍고, 눈꺼풀, 음낭, 음경에는 거의 존재하지 않는다.

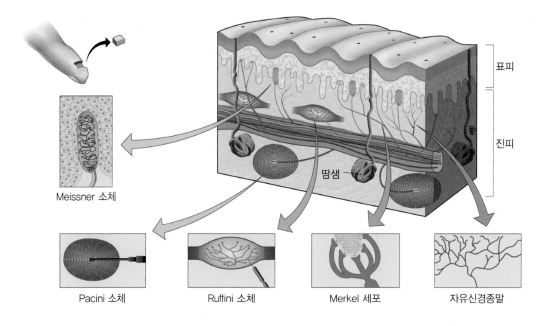

표피

진피

Meissner 소체

땀샘

Pacini 소체   Ruffini 소체   Merkel 세포   자유신경종말

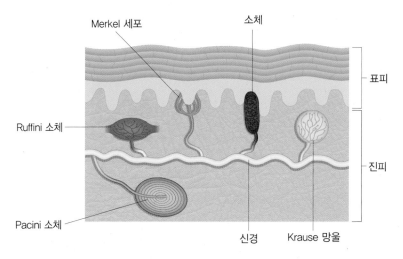

Merkel 세포   소체

표피

Ruffini 소체

진피

Pacini 소체

신경   Krause 망울

그림 4-14 피부의 신경

(1) 기능

① 열 격리물

② 충격 흡수

③ 영양 저장

④ 미용효과

6) 피부표면의 지질(Skin Surface Lipid)

(1) 피부표면 지방

피지선과 각질형성세포에서 만들어지며 triglyceride, monoacylglycerol, diacylglycerol, 지방산, wax ester, squalene, sterol, sterol ester, ceramide 등의 혼합체로 되어 있다.

(2) 피지

피지선에서 분비되는 피지에는 squalene, cholesterol, cholesterol ester, wax ester, tryglyceride 등을 포함하고 있으며, squalene과 wax ester는 피지에만 존재한다.

(3) 피지선 분비 기전(holocrine mechanism)

① 피지선 세포의 주기는 2~3주이고 피지선 세포가 죽기 8일 전에 피지 분비가 최고에 달하며 androgen(남성호르몬)의 영향을 받음

② 세포 자체가 파괴되면서 분비

③ 피지선에서 분비된 피지는 모낭을 거쳐 표피표면에 도달할 때는 모낭내 존재하는 세균의 지방 분해효소에 의해 유리지방산으로 만들어진다.

(4) 소아와 성인의 피지

① 소아 : cholesterol 성분이 많고, androgen 영향을 적게 받으며 세포막과 음식에서 흡수된 단백질 성분으로부터 지방을 합성

② 성인 : androgen의 영향을 받음

7) 표피장벽(Epidermal Barrier)

(1) 구조

피부의 제일 상층부에 존재하는 각질층이 표피 장벽으로 작용하며, 단백질이 풍부한 각질세포와 세포들 사이에 층상 구조를 이루는 지방질들이 연속적인 층을 이루고 있는 'bricks and mortar' 형태를 보인다.

(2) 기능

① 표피의 수분 증발과 손실의 억제하여 표피의 건조화를 막음

② 표피의 정상적인 생화학적 대사를 할 수 있는 환경을 제공

③ 피부 외부로부터 화학적, 물리적 손상으로부터 피부를 보호함

④ 세균, 곰팡이, 바이러스 등의 피부로 침범하는 것을 방지

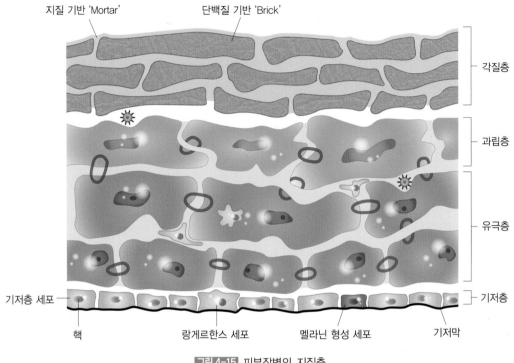

지질 기반 'Mortar'　　　단백질 기반 'Brick'

각질층

과립층

유극층

기저층

기저층 세포

핵　　　　　　랑게르한스 세포　　　멜라닌 형성 세포　　　기저막

그림 4-15 피부장벽의 지질층

8) 피부의 투과성(Permeability of Skin)

　　장벽역할을 하는 피부는 투과성이 전혀 없는 것이 아니라 각질층만이 투과성이 아주 낮고 표피와 진피의 대부분은 투과성이 높다.

(1) 경피 흡수 경로(Routes of Percutaneous Absorpution)

　　① 각질층을 통한 흡수: 가장 중요한 흡수 경로로 농도차에 의해 흡수

　　② 모낭과 피지선을 통한 흡수: 분자량이 큰 물질이나 이온 등의 물질이 주로 확산 기전에 의해 통과

　　③ 에크린 한선을 통한 흡수: 모낭을 통한 흡수와 동일

(2) 경피흡수에 영향을 주는 요인

　　① 흡수가 잘 되는 요인

　　　㉮ 친지성 물질(lipophilic substance)

　　　㉯ 피부에서 수분량을 증가시키거나 온도를 올려줌

　　　㉰ 가스화된 물질

   ⑭ 얼굴이나 성기등 각질층이 얇은 부분

   ⑮ 피부가 얇은 유아와 노인

   ⑯ 각질층이 없는 점막

  ② 흡수가 잘 안되는 요인

   ㉮ 산도(pH)가 변하여 이온화가 촉진된 경우

   ㉯ 각질층이 두꺼운 손(발)바닥

   ㉰ 피부가 두꺼운 성인

  ③ 흡수 촉진제

   ㉮ 물리적 방법에 의한 흡수 촉진제 : 이온 영동법(iontophoresis)

   ㉯ 화학적 방법에 의한 흡수 촉진제 : 요소(urea)와 살리실산(각질층을 분해시키고 피부의 수분량
    을 증가)

   ㉰ 기타 흡수 촉진제 : ethanol, propylene glycol, dimethylacetamide, dimethylsulfoxide(DMSO) 등

(3) 밀폐요법

 ① 플라스틱 필름으로 밀폐 : 피부 수분증발 억제, 수분함량 증가, 각질세포의 부종초래, 피부의
  온도 상승 → 경피흡수를 급격히 향상

 ② 주의 : 삼출액이 많은 병변(exudative lesion)에 병변악화와 세균감염 우려

9) 피부의 노화(Aging of Skin)

 Aging이라는 시간의 경과와 함께 발생하는 퇴행성 변화에 따른 피부노화는 크게 내적인 노화와 주로 광노화로 인해 발생하는 외적인 요인에 의한 노화로 구분한다. 노화과정을 설명하는 이론은 정상적인 세포내 대사 과정에서 생산되는 유리기(free radical)들이 점진적으로 세포내에 축적되면서 기능 장애를 초래하는 유리기 이론과 아미노산의 점진적인 라시미화 과정으로 변질된 아미노산들이 기능 장애를 초래한다는 이론 등이 있다.

(1) 내적 변화

 ① 표피의 변화

  ㉮ 표피와 진피사이의 표피능과 유두진피의 소실

  ㉯ 표피와 진피사이의 접착면적이 감소

  ㉰ 표피의 위축

㉔ 각질세포의 수직높이가 감소하고 세포표면적은 증가

㉤ 표피의 교체시간(turnover rate)의 증가

㉥ 표피의 랑게르한스세포와 멜라닌 세포 숫자의 감소

㉦ 표피세포의 교체시간의 증가

② 진피의 변화

㉮ 세포수의 감소

㉯ 유두진피의 모세혈관망의 감소

㉰ 교원질의 양 감소

③ 피지선의 변화 : 크기는 증가하고 분비능력은 저하

④ 모발의 변화

㉮ 모낭의 크기 감소

㉯ 모발의 직경과 길이, 성장기 모발과 휴지기 모발의 비율 모두 감소

㉰ 모발 멜라닌 색의 감소

⑤ 피부 감각기능의 변화 : Pacinian 소체 및 Meissner 소체의 감소 및 소멸

⑥ 면역기능의 저하 : 특히 세포성 면역기능의 저하

⑦ 창상 치유능 저하 : 표피세포의 교체시간이 젊을 때보다 2배 정도 증가

(2) 외적 변화

가장 중요한 요인은 자외선이며 시간에 비례하여 누적된다. 이외에도 바람, 열, 담배 등도 피부노화를 촉진시킨다. 자외선에 의한 노화에서 표피층 두꺼워짐, 각질층 증식, 세포 이형성, 세포극성 소실 등이 표피에서 관찰되며, 탄력섬유양 변화, 미세순환 소멸, 모세혈관 확장 등이 진피에서 관찰된다.

2. 고전적 구조

현미경적 관찰이 불가능하던 시대의 피부의 구조에 대한 이해는 육안적 관찰에 의해 진행되었으며, 피부를 膚, 革, 分肉, 肌, 腠理, 玄府 등으로 구분하고 이해하였다.

1) 膚

'革的薄皮'라 하여 피부의 가장 표면의 층으로 표피에 해당한다.

2) 革

'膚內厚皮'라 하여 피부의 비교적 단단한 탄력이 있는 층으로 진피에 해당한다.

3) 分肉

肌肉의 외층은 白肉, 내층은 赤肉이라 하여 赤白으로 분리되므로 分肉으로 명명하고 있다. 白肉은 피하지방을 지칭하며, 赤肉은 肌肉을 지칭한다. 分肉은 革內의 肌肉과 革下의 피하지방을 포함한다.

4) 肌

체표 피부에 부착된 근육을 말하며, 肌膚는 체표의 근육과 피부를 함께 이르는 말이다.

5) 腠理

피부, 근육, 장부의 결(무늬)을 말하며, 肌腠는 근육의 결(무늬)을 말한다.

6) 玄府

'玄府者 汗空也'라 하여 땀구멍을 지칭하나 피지선과 한선을 포함한다.

7) 毛髮

頭髮, 尾毛, 鬍鬚, 腋毛, 陰毛, 毳毛를 모두 포함한다.

8) 爪甲

손(발)톱을 모두 포함한다.

육안적 관찰에 의한 피부의 구조와 함께 고전에 언급된 피부의 기능은 다음과 같이 설명되어 있다.

피부는 내부 장기, 조직(근육, 혈관, 힘줄, 뼈), 기관(입, 코, 혀, 눈, 前後陰) 등이 유기체를 형성할 수 있도록 보장하며, 외부의 邪氣로 인한 손상으로부터 인체를 보호한다.《素問 皮膚論》에 "是故百病之始生也 必先於皮毛 邪中之則腠理開 開則入客於絡脈 留而不去 傳入於府 廩於腸胃."라 하여 많은 질병이 피부의 보호 기능 상실로 발생하고 피부에서 처음 시작되는 것을 말하고 있다. 또한 피부의 주리가 열려 玄府가 잘 통하면 땀이 정상적으로 배출되면 신체의 정상적인 대사가 이루어져 건강을 유지하게 된다. 또《靈樞 五癃津液別論》에 "天暑衣厚則腠理開 故汗出 …… 天寒則腠理閉 氣濕不行 水下留於膀胱 則爲溺 ……"라 하여 피부의 신진 대사가 자연계의 변화에 적응하는 중요한 역할을 한다는 것을 말하고 있다.

위에서 설명한 피부의 기능 외 다른 기능은 고전문헌에서 거의 언급되지 않고 있다. 그러나 시대적 변화에 따라 현미경적 관찰에 의해 새롭게 밝혀진 피부와 관련된 현대의 인체생물학적 기능에 대하여 이해하는 것이 필요하다. 이와 관련된 내용은 5장에서 자세하게 설명한다.

3. 피부와 경락

1) 十二皮膚
《素問. 皮部論》에 "皮有分部 脈有經紀"라 하여 피부와 경락과의 관계를 기록하고 있으며, 12 皮膚는 12 經脈의 순행부위를 근거로 한 것이고 그 경맥은 표에 있어서 피부간에 분포하는 것이다.

《靈樞. 經脈篇》에서 是動病, 所生病 들을 기록한 것 중 특히 많은 증상은 피부에서 발생하는 것으로서, 사기가 인체에 침입할 때 피부로 시작해서 경맥을 통하고, 장부에 전해지게 된다고 하였다.

《素問. 刺熱論》에는 "肝熱病者 左頰先赤, 肺熱病者 右頰先赤, 心熱病者 顔先赤, 脾熱病者 鼻先赤, 腎熱病者 頤先赤"이라고 하여 장부의 병과 피부 경맥에 나타나는 증상을 연결하여 설명하였으며, 癰疽瘡瘍의 所發部位來說을 근거로 頭頂部에 생긴 옹저는 督脈經, 督脈經의 양측에 생긴 것은 足太陽經, 乳部와 面部에 생긴 것은 足陽明經, 耳前部에 생긴 것은 足少陽經에 각각 속한다 하였다.

결국, 12 皮膚는 피부의 상태와 증상에 대한 장부 경락과의 관계를 나타내며, 皮部辨證論治의 중요성을 설명하고 있다.

2) 피부의 經絡학적 의의

(1) 전체적 의의

① 피부의 위치

피부는 인체 구조의 가장 바깥쪽에 분포하므로, 외부에 노출되어 환경의 변화나 外邪에 민감한 조직이다.

② 피부와 衛氣

衛氣는 正氣로서 외부에 노출된 피부를 보호하고 外邪에 저항하는 작용을 한다. 衛氣가 조화되면 六淫 등의 邪氣가 침입할 수 없어 "精氣存內 邪不可犯"의 상태를 이룰 수 있다.

③ 피부와 肺臟

《素問. 咳論》에 "皮毛者肺之合也"라 언급하고 있듯이 피부는 폐와 밀접한 관련이 있다고 하였으며, 폐의 行氣가 피모를 따뜻하게 하는 것과 衛氣가 피부를 순행하는 것이 유사하다고 하였다.

④ 피부와 外感病學

傷寒學說과 溫病學說에 모두 外感病의 초기를 표증이라고 명명하였으며, 이는 피부가 邪氣를 받아서 증상이 나타난다고 하였다. 外邪가 피부에 침입하면 太陽病 증후군이 출현하고, 병사가 피부에서 소실되지 않으면 少陽經 혹은 陽明經으로 전해진다고 하였다. 溫病學說에서는 溫邪가 먼저 폐를 침범하는데 "肺主氣屬衛"라 하였다. 이는 모두 피부의 전체성과 질병의 발생 기전에 대한 인식으로 최근에 중요시되는 피부의 면역학적 기능과 관련이 있다고 사료된다.

(2) 국소적 의의

① 12 경락과 12 피부의 분포

십이경맥에 따라 피부도 12부위로 나누어 12 皮膚라 칭한다. 또, 絡脈중 浮絡이 특히 피부와 밀접한 관계가 있으며, 經脈은 線狀으로, 絡脈은 網狀으로, 皮膚는 面으로 분포한다.

② 12 경락과 피부의 국소질환과의 관계

각 피부부위에 발생하는 국소질환은 그 소속된 經脈, 絡脈의 상태와 밀접한 관계가 있다. 그러므로, 국소질환에 대해 충분한 치료가 이루어지지 않으면, 병사가 경락을 통해 오장육부로 침입하여 심각한 병으로 발전할 수 있다.

(3) 피부와 경락 이론의 임상응용

① 피부의 색채진단

피부는 浮絡의 분포부위이므로 피부와 浮絡의 색채 변화를 관찰하여 진단에 응용한다. 《東醫寶鑑》에 의하면 靑紫色을 띠는 것은 痛症, 暗黑色을 띠는 것은 痺症, 黃赤色을 띠는 것은 熱症, 蒼白色을 띠는 것은 虛症, 寒症 등에 속한다 하였다.

② 피부의 叩打診斷

피부의 특정 부위를 두드려서 통증 등의 유무를 관찰하고 이와 연관된 경락을 근거로 질환을 진단하는 방법이다.

③ 發汗解表

表邪가 피부에서 장부로 전입하고 裏邪가 피부로 나올 수도 있으므로, 외감질환 등을 포함한 피부와 관련된 질환에 대해서는 발한해표법을 응용하여 치료한다.

④ 피부의 針灸治療

皮膚針法, 倒置法, 貼付法 등의 刺針治療는 衛氣의 작용을 유발하여 질병을 치료하는 것이며, 灸法은 온열을 응용하여 陽氣를 진작시켜 抗病능력을 증가시킴으로써 질병을 치료하는 것이다.

참고문헌

1) 강원형. 피부질환 아틀라스. 서울: 한미의학; 2006.
2) 노석선. 원색피부과학. ㈜아이비씨기획; 2006.
3) 대한피부과학회. 피부과학. 서울: 여문각; 1994.
4) 대한외과학회. 외과학. 서울: 군자출판사; 2017.
5) 劉輔仁. 實用皮膚科學. 北京: 人民衛生出版社; 1984.
6) 李林. 實用中醫皮膚病學. 香港: 海峰出版社; 1994.
7) 전국 한의과대학 피부외과학 교재편찬위원회. 한의피부외과학. 부산: 선우; 2007.

第05章 생리

피부의 구조에 대한 고전적 이해에서 현미경적 관찰이 불가능하던 시대의 육안적 관찰에 의한 피부의 구조와 기능에 대하여 살펴본 바 있다. 그러나 육안적 관찰에 의한 고전문헌의 피부 기능은 邪에 대한 방어기능과 자연계 기후 변화에 따른 발한기능 등을 중심으로 설명이 되어있고 현미경적 관찰에 의한 미세구조에 대한 이해가 결여되어 있다. 본 장에서는 시대적 변화에 따라 현미경적 관찰에 의해 새롭게 밝혀진 피부와 관련된 현대의 인체생물학적 기능에 대하여 살펴본다.

1. 현대적 피부 생리기능

1) 방어작용
(1) 보호기능
① 기계적 손상의 방어

진피의 교원섬유와 탄력섬유, 표피 각층 세포간 밀접한 연결, 피하의 느슨한 조직들이 피부에 유연함을 제공하여 탄성을 갖게 하므로 외계의 마찰, 당김 등의 기계적 자극에 대하여 항상성을 유지하게 하고 기계적 자극이 해소된 후 신속하게 원래대로 회복할 수 있게 한다. 장기적인 기계적 자극에 있어서는 방어기능의 증가하여 굳은살을 만들게 된다. 피하지방은 외계의 압박이나 충격에 대하여 완충하는 작용을 한다.

② 물리적 손상의 방어

각질층은 전기 전도도가 좋지 않아 건조하면 젖은 피부보다 전기 저항이 높고 전도성이 낮아진다. 각질층의 각질세포와 표피의 멜라닌 입자는 대량의 자외선을 반사 및 흡수하고 자외선 필터 역할을 하며 내부 장기와 조직을 손상으로부터 보호한다.

③ 화학적 손상의 방어

피부 표면에 있는 각질세포의 세포질, 막, 세포간물질 및 세포내 각질은 약산과 염기성 손상에 대하여 방어기능을 가지고 있다. 피부 표면의 pH 값은 4.0~7.0이다. 겨드랑이와 발가락 사이의 pH는 다소 높고, 여자가 남자보다 약간 높으며, 성인 남자는 사춘기 이전의 소년보다 낮다. 머리, 이마, 서혜부는 염기성을 띠고 있으며, 피부는 약산과 약염에 대해 중화시키는 능력을 가지고 있다.

④ 생물학적 손상의 방어

각질층은 세균, 바이러스가 피부로 침입하는 것을 방지할 수 있다. 피부의 약산성은 미생물의 성장을 방해한다. esterase의 작용으로 피지의 triglyceride가 유리지방산으로 분해되어 특정 세균과 진균에 대하여 억제작용을 한다.

(2) 체내 영향물질 손실 방지

각질층은 반투과성막의 특성을 가지고 있어 피부 및 체내의 영양물질, 전해질, 수분이 각질층을 통해 밖으로 빠져나가지 못하도록 하여 대량손실을 방지한다.

(3) 체외 물질의 침입 억제

외부 환경에서 나오는 유해 물질이나 약물은 각질 세포 또는 그 틈새, 모낭, 피지선 및 땀샘관을 통해 피부로 침투할 수 있다. 이러한 침투는 각질층의 두께에 반비례하며 각질층이 두꺼울수록 제한이 커진다. 유아의 피부는 성인의 피부보다 투과성이 강하고, 각질층이 없는 점막의 침투가 더 강하다. 밀폐로 인해 국소 피부의 각질형성세포의 수분 함량이 증가하거나 유기 용제에 노출된 후 피부의 지질이 감소 또는 표피가 손상되면 피부 침투가 증가할 수 있다. 유해 물질이나 약물의 농도와 접촉 시간은 침투에 직접적인 영향을 미친다. 지용성 약물(예: 생식선호르몬 및 코르티코스테로이드)은 피부에 쉽게 침투하는 반면 수용성 약물(예: 비타민C, 포도당 등) 및 무기염은 일반적으로 피부에 침투할 수 없다.

2) 조절기능

피부는 인체 환경과 외부 환경 사이에 있으며 끊임없이 변화하는 외부 환경에 적응하기 위해 내부 환경을 조절하는 기능을 가지고 있다.

(1) 체온조절

외부온도의 끊임없는 변화 아래에서 상대적으로 일정한 체온을 유지하기 위해 의복의 두께, 기후 환경의 작은 개선과 함께 인체는 자율적으로 적응할 수 있다. 조절의 주요 형태는 피부 표재 혈관의 이완과 수축 및 땀의 증발이다. 외부 온도가 높거나 질병에 의한 발열 시 피부 및 내부 장기 온도감수기가 시상 하부의 온도 조절 중추에 작용하고 교감 신경을 통해 피부 혈관이 확장되고 닫힌 혈관이 되어 피부의 혈류가 증가하여 열 복사, 대류 및 전도를 증가시키고 체온을 낮춘다. 외부 온도가 낮을 때에는 모세 혈관은 위에서 언급한 것과 동일한 신경 경로를 통해 수축되거나 중단되고 열린 혈관이 되어 혈류가 감소하여 체온 손실을 줄인다. 땀의 증발(보이지 않는 가시성 포함)은 더 많은 열을 빼앗아 체온을 낮추는 데 도움이 되므로 여름에는 땀이 더 많이 나오고 겨울에는 땀이 덜 난다. 외부 온도가 너무 높거나 발한이 불량한 질병의 경우 땀의 증발과 열 발산의 효과가 발휘되지 않고 체온이 저하되고 체온이 상승하여 불편함이 발생하게 된다.

(2) 감각작용

외부의 자극이 피부에 작용한 후 신경 자극을 일으켜 서로 다른 채널을 통해 중추신경계로 전달되어 촉각, 냉감, 따뜻한 감각, 통증, 압력 및 가려움증을 유발한다. 서로 다른 수용체나 신경 종말의 공동 감지에 대해서 대뇌의 종합적 분석 후 습함, 건조, 매끈함, 거칠음, 부드러움, 딱딱함과 같은 다양한 미묘한 복합 감각을 생성할 수 있다. 이러한 감각 중 일부는 대뇌에 의해 그 성질이 판단되어 신체에 유익한 반응이 나타나게 하고, 일부는 상응하는 신경 반사(예: 撤回反射 withdraw reflex, 搔抓反射 등)를 유발하여 신체의 건강을 유지하게 한다. 인체가 이러한 감각을 상실하면 외부의 불량한 자극과 손상을 피할 수 있는 능력이 부족하고 외부 환경에 적응할 수 없게 된다.

(3) 피부와 내장의 연관

피부를 통해 내부 환경의 이상을 인식하거나 내부 환경 이상을 조절할 수 있다. 예를 들어 악성 종양이 있는 일부 환자의 경우 피부에 "흑색극세포종"이 나타나는 경우가 있다. 피부 검사는 특정 질병이나 약물에 대한 신체의 면역(알레르기 반응)을 반영할 수 있다. 침이나 다른 방법으로 피부의 특정 부분(경혈)을 자극하면 내부 환경을 조정할 수 있다(예를 들어, 합곡 혈을 자극하여 혈압을 낮추거나, 상완 혈을 자극하면 과도한 산도를 완화하는 등). 한편, 외부 환경의 특정 요인이 신체에 불리하게 작용하는 경우, 신체는 접촉성 피부염과 같은 양상으로 피부에 나타나게 된다.

(4) 배설작용

피부는 내부 환경의 안정성을 유지하기 위해 어느 정도 배설할 수 있는 기능을 가지고 있다. 땀샘의 분비 세포막은 단백질과 결합된 약물에 대한 투과성이 높으며 sulfonamide, 알코올 및 납 등과 같은 적지 않은 약물이 땀으로 배설될 수 있다. 신체의 일부 대사된 산물은 땀샘을 통해 배설될 수도 있는데, 예를 들어 신장 기능 장애시 땀 요법을 사용하여 부종이나 대사산물의 축적에 의한 중독 증상을 줄일 수 있다.

3) 항상성 유지 기능
피부의 항상성은 피부가 정상적인 생리적 상태와 안정성을 유지하는 능력을 말한다.

(1) 정상적 기능
피부의 다양한 세포, 섬유질 및 기질, 피부의 내부 조직은 모두 고유한 속도로 지속적으로 분열하고 재생되며 각 기능이 정상적인 상태로 유지될 수 있다. 비정상적인 상황이 발생하면 피부는 자체 안정화 목적을 달성하기 위해 대응하는 반응을 보일 수 있으며, 예를 들어 자외선의 양이 따라 멜라닌 세포에서 생성되는 멜라닌의 양을 달리 만들게 된다. 일부 피부 염증은 세포 분열이 빨라 표피 세포의 빠른 재생을 가속화하는 경우가 있지만 이는 본질적으로 거부 반응이다.

(2) 창상수복
피부가 상처를 입으면 세포외액이나 혈액이 즉시 상처 표면에 모이게 되고 건조된 후 가피를 형성하여 상처 표면을 덮고 결손된 피부를 대체하여 일시적으로 장벽으로 작용을 하게 되며 상처의 표면에 새로운 피부조직이 생성된 후 가피가 저절로 탈락한다. 상처 표면에 미친 피부 틈새를 형성하여 결함 피부를 대체하고 일시적으로 재생합니다. 진피와 심부 조직에 대규모 결함이 발생하여 기저 세포를 복구할 수 없는 경우에는 진피의 결합 조직이 증식하여 전체 상처 표면을 채우고 반흔을 형성하게 된다. 반흔에는 정상적인 표피 구조와 내부 조직이 없어 피부의 정상적인 기능을 수행할 수 없지만 이러한 복구는 피부의 완전성을 유지할 수 있게 한다.

(3) 보습 및 탄력
피부의 보습과 탄력은 표피의 수분과 관련이 있으며, 피지선에서 분비되는 피지가 피부 표면에 얇은 막을 형성하여 수분이 증발되는 것을 방지할 수 있다. 예를 들어 이러한 지방 막을 제거하면 피지선이 계속해서 피지를 분비하여 피부 표면의 지질막을 원래 수준으로 회복한다. 과도한 세척 및 염기성 물질과의 접촉은 피부의 표면 피지를 줄이고 과도한 수분을 잃고 피부를 건조하고 갈라지게 만들 수 있다. 피지는 또한 모발을 윤택하게 하고 생물학적 손상을 차단하는 효과가 있다.

4) 대사기능
피부는 몸 전체의 필수적인 구성 부분으로 당, 지방, 단백질, 물, 전해질의 대사와 같은 인체의 주요 대사가 피부에서 이루어진다. 인체의 신진 대사를 조절하는 방법은 신경, 내분비, 효소 등을 통해서 이루어지며 주요 내용은 다음과 같다.

(1) 수분 대사

피부는 인체의 수분 저장소에 해당한다. 피부의 수분 함량은 체중의 18~20%를 차지하며 이 중 75%는 세포 외부, 주로 진피에 존재하고, 이는 피부의 다양한 생리적 기능을 위한 중요한 내부 환경 이며, 전체적인 수분을 조절하는 작용을 한다. 급성 탈수시 피부는 혈액 순환의 수분을 보충하기 위 해 수분의 5~7%를 공급하게 된다. 체내 수분이 증가하면 피부 수분도 증가하여 피부 부종으로 나 타나게 된다. 인체가 수분을 배출하는 주요 경로는 신장, 폐, 장 및 피부이다. 피부의 총 배수량은 약 300~420 g/day로 폐보다 50% 더 많다. 상온 조건에서 보이지 않는 땀을 통해 배설되는 수분은 피 부의 전체 배출량의 10분의 1 (1/10)을 차지하고, 나머지는 표피 각질층을 통해 배출된다.

(2) 당 대사

당은 글리코겐, 포도당 및 뮤코 다당류의 형태로 피부 대사에 참여한다. 글리코겐은 주로 표피의 과립층에 분포하며, 피지선 변연부의 미분화 선세포와 한관의 기저세포에서 글리코겐 함량이 비교 적 많고, 피지선 세포가 성숙하고 땀샘 분비 세포의 분비 활성이 증가하면 글리코겐의 함량이 감소 한다. 모발의 안쪽과 바깥 쪽 뿌리 부분의 모낭 ⅓에 글리코겐이 비교적 많으며, 모발 성장 기간 동안 많이 증가하고 휴지기에는 현저하게 감소한다.

피부의 포도당 총량은 약 60~80 mg%(피부 무게)로 혈당의 1/3~1/20이다. 피부의 여러 층에 분 포하여 혐기성 효소에 의해 분해된 후 젖산이 되는데 이러한 변화는 주로 표피에서 나타나며 피부 표면의 산성 반응에 일정한 역할을 한다. 피부의 포도당 함량 증가(예: 당뇨병)는 세균과 진균의 번 식에 유리하며 피부 감염이 발생하기 쉽게 된다.

뮤코 다당류는 진피 기질의 주성분이므로 진피에 가장 풍부하게 존재한다. 뮤코 다당류에 함유된 히알루론산은 종종 자유 상태로 존재하며, 점성이 강한 부정형 콜로이드 물질로 세포에 부착하고 수 분을 보존하며 피부에 어느 정도 탄력과 인성을 부여할 수 있다. 또한, 뮤코 다당류에는 chondroitin sulfate A, chondroitin sulfate B 및 keratin sulfate를 포함하고 있다.

(3) 단백질 대사

피부의 단백질은 섬유성 단백, 비섬유성 단백, 글로불린의 세 가지 범주로 나눌 수 있다. 섬유성 단 백은 장력 필라멘트, 케라틴, 망상섬유, 콜라겐 및 엘라스틴으로 나눌 수 있다. 글로불린은 세포핵내 핵단백의 주성분이 된다.

각질 세포는 기저 세포에서 시작하여 표층으로 이동하는 과정에서 세포 구조가 점차적으로 붕괴 되고 사라지면서 그 안에 포함된 단백질도 더 선택적으로 보이게 된다. 과립층에 투명한 케라틴이 출현하고 투명층이 반액체 상태의 기질로 변하고 각질층 도달하면 각질이 된다.

피부에는 또한 다양한 아미노산이 포함되어 있으며 표피에는 주로 tyrosine, cystine, tryptophan 및

histidine이 주로 있으며, 진피에는 주로 hydroxyproline, proline, alanine 및 phenylpropionic acid이 있다.

(4) 지방 대사

표피 세포는 콜레스테롤과 지질을 포함하고 있으며 전자는 대부분 유리 콜레스테롤 형태로 존재한다. 7-Dehydrocholesterol은 자외선 광 역학 작용의 영향을 받아 활성 비타민 D로 전환되는 비타민 D의 전구체이다. 인지질은 세포막의 콜로이드 상태와 투과성에 중요한 역할을 한다. 진피와 피하 조직은 주로 중성지방이다. 미성숙 피지선의 선세포는 주로 인지질로 구성되어 있으며 대부분 세포가 성숙함에 따라 불포화 glyceride로 전환된다. 아동 피부 표면의 지질막은 주로 표피 세포에서 높은 콜레스테롤을 함유하고 있고 성인 피부 표면의 지질막에 있는 지질은 주로 피지에서 나오며 표피 세포의 공급은 2차적이다.

(5) 전해질 대사

피부는 인체 전해질의 중요한 저장소 중 하나로 주로 저장되는 곳은 피하조직이다. 염화나트륨은 세포 간액의 주요 전해질로 피부에 가장 풍부한 무기염이며 삼투압과 물의 산 균형을 유지하고, 주로 신장과 땀을 통해 배설되며 대량 발한의 경우 24시간 동안 20~40 g의 수분을 배출된다.

칼륨, 마그네슘 및 인은 세포내에 존재한다. 칼륨은 세포내 삼투압과 산과 염기의 균형을 조절하는 중요한 전해질이며 특정 효소를 활성화하고 칼슘 이온에 저항하는 작용을 한다. 마그네슘은 또한 특정 효소를 활성화하고 흥분을 억제할 수 있다. 인은 많은 대사산물과 효소의 중요한 구성 요소이며 에너지 저장 및 전환에 참여한다.

칼슘은 주로 세포와 뼈에서 발견되며 세포막의 투과성 및 세포 간의 점착성과 관련이 있다.

구리는 피부에 거의 함유되지 않으며 Tyrosinase의 구성 요소 중 하나이며 멜라닌 형성에 중요한 역할을 한다. 또한 당의 분해와 각질 형성에 관여한다.

황은 피부내에 비교적 많이 함유되어 있고 표피와 손발톱 각질에 주로 분포하고 있으며, 표피의 각질층의 부드러운 곳에 1~3%, 모발 및 손발톱의 단단한 곳에 3~5%의 황이 포함되어 있다.

2. 고전적 피부 생리기능

현미경적 관찰이 불가능했던 시대에 육안적 관찰에 의해 피부를 膚腠, 玄府, 毛髮, 爪甲 등으로 구분하고 각각의 기능을 설명하고 있으며, 장부, 경락, 기혈과의 관계를 밝히고 있다.

1) 膚腠

膚는 身體의 표피이고, 腠는 肌肉의 紋理이다.《雜病源流犀燭》에서는 "皮也者 所以包涵肌肉 防衛筋骨者也"라 하여 故人들은 膚腠가 담장과 유사한 기능을 한다고 인식하고 있음을 알 수 있 다.

《靈樞》에서는 "肺應皮하니, 皮厚者는 大腸이 厚하고 皮薄자는 大腸이 薄하며, 皮滑자는 大腸 이 直하다. 心應脈하니 皮厚者는 脈厚하고 皮薄者는 脈薄하며, 皮緩者는 脈緩하다. 腎應骨하니 緻密厚皮者는 三焦膀胱이 厚하고, 粗理薄皮者는 三焦膀胱도 薄하며, 皮急하고 毫毛가 없는 자 는 三焦膀胱이 急하다." 등을 말하였다. 이로 미루어 볼 때 皮膚의 厚薄과 臟腑와 밀접한 관계가 있음을 알 수 있다. 방위에 따라 논하면 南方人은 皮膚가 柔脆하고 北方人은 皮膚가 堅厚하다. 지 위에 따라 나누면 王公大人은 身體柔脆하고 貧賤作苦者는 皮膚가 堅厚하다.

腠는 津液의 滲泄을 주관한다. 인체의 精氣가 外達함으로써 腠理를 다스릴 수 있게 되는데, 인 체의 毫毛와 孔竅가 모두 腠理의 主官에 속하고 몸의 껍질을 형성하는 것으로 표현된다. 皮膚는 쉽 게 죽고 또 쉽게 재생된다. 예를 들면 땀이 밖으로 배출되지 않으면 皮膚가 죽게 되므로 病後에는 皮膚가 退하고 심하면 毛髮이 탈락되고, 더 심하면 爪甲이 빠지고 肌肉이 쳐지고 骨이 痿하게 된 다.

故人들이 말하기를 '痒痛은 皮毛에서 생긴다'고 하였다. 일반적으로 모든 搔痒은 虛로 보는데 血 虛의 搔痒은 벌레가 皮膚를 기는 듯하고, 皮虛의 搔痒은 은근히 끊이질 않고, 風邪로 인한 搔痒은 참기 어려운 심한 搔痒感이며, 음주 후의 搔痒은 긁어 出血이 되기도 한다. 風熱로 인한 통증은 搔 痒과 통증이 섞여있고, 火鬱의 통증은 건드릴 수 없으며, 火灼의 통증은 마치 손이 불에 타는 것 같 이 아프다.

2) 玄府

異名은 汗孔, 元府, 鬼門 등이 있으며, 玄府라는 명칭에는 汗液의 色이 玄하고 空으로부터 나와 汗이 里(피부주름)에 모여 밖으로 배설된다. 정상적인 상황에서는 衛氣가 分肉을 溫하게 하고 皮 膚를 充하게 하며, 腠理를 肥하게 하고, 腠理의 開闔을 주관하는 고로 汗과 垢는 이를 따라 배출되 고, 風邪가 이를 따라 들어간다. 그런데 남방인은 청결한 것을 좋아하여 元府, 鬼門이 쉽게 열리고, 북방인은 평소 목욕을 하지 않으므로 垢가 腠理에 끈끈하게 둘러싸게 되어 邪氣가 쉽게 침범하지 못하고 汗도 쉽게 배출되지 않으니, 그 原因을 분석하면 주로 사람의 稟賦와 性質이 다르고 지역이 서로 다르기 때문이다.

3) 毛髮

沈金鰲는 말하기를 "毛髮也 所以爲一身之儀表也"라 하였다. 毛는 몸의 털 및 눈썹, 콧수염, 구렛나루 ,前後陰의 털을 모두 통괄하는 단어이다. 髮은 오로지 머리에 나는 털만 지칭한다. 毛와 髮의 구별은 일찍이 문헌 중에 논술되어 있으며 그 요지는 아래와 같다.

(1)名稱

고서에서 稱, 名, 稱號는 사물을 구별하고 그 뜻을 분명하게 제시하는 까닭에 무릇 한 사물의 명칭은 모두 특별한 뜻을 함축하고 있다. 예를 들면 髮은 拔로 뽑아 낸다는 뜻이다. 眉는 媚로 어여쁘다, 곱다는 의미이다. 須는 秀로 사물의 이루어짐이 빼어나다는 의미이다. 髥은 입의 움직임을 따라 구렛나루도 그러하다는 의미이고, 髭는 姿로 자태와 용모가 아름답다는 의미이다. 종합해 보면 상술한 명칭들은 모발의 풍채와 기능을 개괄하고 있고, 또한 모발의 모습에 따라 인체의 성숙 정도를 탐지할 수 있음을 반영하고 있다. 이 외에 大拇趾(指)의 爪甲 二節의 털은 "從毛"(또 三毛라 하기도 한다.), 胸前部의 털은 "胸毛", 腋窩部의 털은 "腋毛", 腹部 恥骨部의 털은 "毛際", 脛前部의 털은 "脛毛"라 한다.

(2) 生原

총체적으로 말하자면 毛髮 生化의 근원은 주로 衝任脈과 관계가 있다.《雜病源流犀燭》에서 "衝爲血海 任脈爲陰脈之海. 二脈皆起于胸中 上循腹里 循腹右上行 會于咽喉 列而絡唇口. 血氣盛則充皮熱肉 血獨盛則滲皮膚 生毫毛. 然則毛髮之生 皆由二脈之盛也 明矣"라 하였다. 그리고 經絡과 장부의 성쇠에 따라 말하자면,《醫學入門》에서 "腎華于髮 精氣上升則髮潤而黑"이라 하였다. 또 '足陽明脈의 上部에 氣血이 盛하면 髥이 美長하고, 血少氣多하면 髥이 短하며, 血氣가 모두 少하면 髥이 없다. 足少陽經의 上部에 血氣가 盛하면 전체 髥이 美長하고, 血多氣少하면 전체 髥이 美短하며, 血少氣多하면 須가 少하고, 血氣가 모두 少하면 須가 없다. 手陽明經의 上部에 血氣가 盛하면 髭가 美하고, 血少氣多하면 髭가 惡하고, 血氣가 모두 少하면 髭가 없다. 手太陰經의 上部에 血氣가 盛하면 須가 많다. 足太陽經의 上部에 血氣가 盛하면 眉가 美하고, 血多氣少하면 眉가 惡하다. 手少陽經의 上部에 血氣가 盛하면 眉가 美하고 長하다. 足陽明經의 下部에 血氣가 盛하면 下毛가 美長하여 胸에까지 이르고, 血多氣少하면 下毛가 美短하여 臍까지 이르고, 血氣가 모두 少하면 無毛하거나 있어도 稀枯悴하다. 足少陽經의 下部에 血氣가 盛하면 脛毛가 美長하고, 血多氣少하면 脛毛가 美短하며, 血少氣多하면 胕毛가 少하고, 氣血이 모두 少하면 無毛하다. 手陽明經의 下部에 血氣가 盛하면 腋毛가 美하다.' 하였다. 이 외에《證治合參》에서는 진일보하여 "大抵 髮屬心屬火 故上生, 須屬腎屬水 故下生, 眉屬肝屬木 故側生, 男子腎氣外行 上爲須 下爲勢, 女子閹入無勢 故亦無須. 而眉髮無異 則知須之屬腎也明矣"라 하였다.《靈樞》에서는 여자와 환관들이 수염이 나지 않는 이유에 대해 자세히 해석해 놓았는데, 婦人들이 수염이 없는 것은 여러 차례 脫血하는 것으로 인해 氣는 有餘하나 血이 부족하여 衝任脈이 口唇을 영양하지 못한 까닭에 수염이 나지 않으며, 환관이 수염이 없는 것은 첫째는 衝任脈이 盛하지 못하고 음경이 성숙되지 않아 有氣無血하여 脣口를 영양하지 못한 까닭이고, 둘째로는 陰이 傷하여 陰氣가 絶하여 발기되지 않거나, 거세하여 衝脈을 상하였거나 血瀉가 회복되지 않는 등의 이유로 皮膚가 內結하고 脣口를 영양하지 못한 까닭에 수염이 나지 않는다 하였다.

(3) 疾病

《靈樞》에 "察其毛色枯潤 可以覘臟腑之病" 이라 하였다. 毛髮은 신체의 중요한 外證 중의 하나로서 各家의 學說을 종합하면 아래의 10가지로 요약할 수 있다.

① 腎虛 : 腎精虛怯으로 영양하지 못하게 되면 모발이 떨어지고 黃色으로 초췌해진다.

② 肺損 : 肺氣가 損傷되면 皮膚의 주름이 많아지고 모발이 백색으로 변하면서 빠진다.

③ 血瘀 : 毛竅에 血瘀하게 되면 血絡이 阻塞되어 新血이 毛髮을 영양할 수 없게 되어 毛髮의 潤澤이 사라지고 빠지게 된다.

④ 血熱 : 張子和는 "血熱而髮反不茂"라 하였고, 소년기에 白髮이나 脫髮하게 된다.

⑤ 失精 : 精衰血少하게 되면 밤에 毛髮이 탈락된다.

⑥ 血虛 : 血虛하면 毛髮 영양하지 못해 毛髮이 탈락된다.

⑦ 外邪 : 風邪가 머리에 經絡의 虛한 틈을 타 침습하게 되면 모발이 한 구역만 혹은 한줌 탈락된다.

⑧ 衝任損虧 : 衝任兩脈이 虛하게 되면 毛髮이 焦枯하고 탈락된다.

⑨ 胎弱 : 先天禀賦가 부족하게 되면 小兒의 頭髮이 稀少하고 黃色이면서 潤氣가 없다.

⑩ 血敗 : 敗는 毀, 壞의 뜻이다. 血敗하면 혈액 중에 함유된 어떤 독성물질과 관계되어 髮白이 될 수 있다.

4) 爪甲

爪의 본 뜻은 "叉" 즉, 手足의 甲이란 의미로 의학에서는 爪甲이라 한다. 고서에서는 "肝之合筋也, 其榮爪也"라 하였다. 이는 爪가 筋의 芽이며. 간경의 혈기가 유여한 연고로 본 것이다.《醫學階梯》에서는 酸味를 多食하면 筋急하고 爪枯하게 되고, 肝氣가 有餘하면 爪潤하다고 하였고, 또 膽이 爪와 相應하는데 膽厚하면 爪厚色黃하고, 膽薄하면 爪薄色紅하며, 膽急하면 爪堅色靑하고, 膽緩하면 爪濡色赤하고, 膽直하면 爪直色白하면서 무늬가 없어지며, 膽結하면 爪惡色黑 하면서 무늬가 많아진다고 하였다.

3. 피부와 장부의 관계

피부의 생리기능은 장부와 밀접한 관련이 있다. 장부마다 기능적 특징이 다르기 때문에 피부의 支持와 維護가 다르며, 그 차이와 연관성이 있어 피부의 모든 유기적 기능 활동을 형성한다.

1) 피부와 心

(1) 心主血脈, 其華在面

心主血脈은 心氣의 추동으로 혈액이 經脈을 통해 전신 피부로 운행하는 것을 말한다. 피부가 혈액으로 영양을 공급받아야만 보습과 부드러운 특성을 유지할 수 있다. 心氣가 왕성하여 혈맥이 피부에 정체되면 홍반이나 자반병을 일으키고 血熱證이 나타나는 것을 많은 피부 질환에서 흔하게 볼 수 있다. 피부 脈絡의 흐름이 좋지 않은 경우는 통증이 발생하고, 피부 脈絡의 혈이 부족한 경우는 가려움이 발생하는데 이를 《素問 至眞要大論》에서 "諸痛痒瘡 皆屬於心" 이라 말하고 있다. 안면의 血脈은 풍부하기 때문에 心氣의 성쇠가 얼굴의 색택으로 반영된다. 心氣가 왕성하면 안색이 붉고 윤기가 있고, 心氣가 부족하면 안색이 하얗게 보이며, 心血이 정체되면 안색이 칙칙하고(晦暗) 파랗게(靑紫) 보인다. 이를 "其華在面" 이라 말하는 것이다.

(2) 心藏神

인간의 정신, 사유 등 神志의 활동은 心이 주관하고 있다. 心藏神과 피부와의 관계는 주로 血脈을 통해 반영된다. 《靈樞 本神篇》에 "心藏脈 脈舍神"이라 말하고 있다. 이는 神志의 활동에 血이 물질적 기초가 되는데, 만약 煩擾하여 心火가 생성되면 熱이 血脈을 따라 肌膚에 정체하여 홍반이나 가려움을 일으키게 된다. 또 정신적 스트레스로 血熱이 毛竅에 울체하면 원형 탈모증이 갑자기 나타나게 된다.

(3) 心開竅於舌

舌은 血脈이 비교적 많은 부위 중 하나로, 舌 표면은 점막으로 덮여 있고 心經의 別絡이 舌로 상행한다. 心血이 부족하면 舌淡하고, 心血이 瘀阻하면 舌紫暗하거나 瘀斑이 나타나는 것은 변증에서 매우 의미가 있다. 또한 舌 점막에 궤양이 잘 생기고 舌尖이 붉으며 糜爛한 경우는 心火가 上炎한 것이다. 이런 부분에서 心開竅於舌이 피부과에서 실질적인 의미를 가지게 된다.

2) 피부와 肺

(1) 肺主宣發, 外合皮毛

《素問 陰陽應象大論》의 "肺生皮毛"는 폐와 皮毛가 생리적으로 밀접한 관련이 있음을 나타낸다. 이 관계는 주로 폐의 宣發(佈散의 의미) 기능에 의해 유지된다.《靈樞 決氣篇》의 "上焦開發 宣五穀味 熏膚 充身 澤毛 若霧露之漑 是謂氣."는 폐에 宣發기능이 있어 이 기능을 통해 衛氣와 津液을 전신에 퍼지게 하여 피부와 모발이 溫養과 潤澤을 얻게 됨을 말하는 것이다. 만약 폐기가 부족하면 피부는 衛氣의 溫養을 잃어 치밀해지지 않고 風寒, 風熱 등의 邪氣가 쉽게 침입하여 風寒證, 風熱證, 衛氣不固證의 두드러기와 같은 질병이 발생할 수 있고 이런 상황이 폐와 관련이 있다. 또한 肺主宣發은 피부 玄府(땀 구멍)의 개폐 조절도 관여한다. 폐기가 충분하면 玄府는 잘 통하고 개폐가 정상적이며 汗液(피지선의 피지 분비도 포함)의 배설도 원활하다. 만약 폐기가 부족하면 衛氣의 정상적인 宣發이 불량하여 肌膚腠理가 치밀하지 못하게 되어 自汗이 나타나 피부과에서 흔히 볼 수 있는 다한증이 발생하는 경우가 많다. 폐가 閉實하여 玄府가 불통하면 임상에서 閉汗症이 발생하게 된다.

(2) 肺開竅於鼻

폐는 호흡을 주관하고 코는 호흡이 출입하는 통로가 되어 "鼻的肺竅"라고 말한다. 피부과에서 폐와 코의 관계가 주로 일반적인 피부 질환에 반영된다. 예를 들면 酒渣鼻는 肺胃의 熱이 코로 上熏하여 발생하므로 淸肺胃熱하는 치료를 한다.

3) 피부와 脾

(1) 脾主運化, 主肌肉

脾는 후천의 本으로 신체의 내부 장기, 팔다리 및 기타 조직과 기관에 영양을 공급하는 근원으로 음식을 소화하고 영양분을 운반하는 기능을 한다(脾主運化). 피부의 모든 부분(膚, 革, 分肉, 肌肉 등)은 정상적인 생리 기능을 보장하기 위해 비의 運化기능에 의존한다. 脾의 運化가 양호하면 기혈이 충분하고 영양이 풍부하면 肌膚가 영양을 얻어 튼튼해지고, 반대로 脾의 運化가 불량하면 기혈의 원천이 부족해지고 전신의 저항력이 저하될 뿐만 아니라 피부에도 영향을 주어 여러 가지 질병이 발생한다. 예를 들어, 경피증, 홍반성 루푸스는 脾氣의 허약이 주요 病因 및 病機 중 하나이다.

또 다른 면으로 脾는 濕을 주관하므로 脾氣의 運化가 양호하면 水濕이 津液으로 化하여 퍼지고 이는 피부의 보습을 보장하는 중요한 측면이기도 하다. 만약 脾의 運化가 불량하면 水濕이 모이고 肌膚로 넘쳐 습진, 천포창 등의 疱疹류의 피부병이 생기기 때문에《素問 至眞要大論》에 "諸濕腫滿 皆屬於脾"라 말하고 있다. 또한 인체의 四肢는 脾氣를 통해 전달되는 영양분으로 四肢의 肌膚가 통통해지고 부드럽고 강해진다. 만약 脾의 運化가 불량하여 淸陽이 퍼지지 못하여 溫煦가 실조되면 手足冷이 나타난다. 예로 경피증, 홍반성 루푸스 같은 질환에서 手足冷이 잘 발생한다.

(2) 脾主統血

脾는 혈액이 경맥으로 흐르도록 統攝하는 기능을 가지고 있다. 脾氣가 충분하여 統攝이 양호하면 혈액은 경맥의 외부로 넘치지 않는다. 만약 脾氣가 허약하여 統攝이 불량하면 혈액이 외부로 넘쳐 肌膚에 정체되면 瘀斑, 紫斑 등이 나타난다. 피부과에서 흔히 볼 수 있는 혈소판감소성자반이 일례이다.

(3) 脾開竅於口, 其華在脣

《素問 五臟生成篇》의 "脾之合肉也 其榮脣也."《素問集註》의 "脾乃倉廩之官 主運化水穀之精 以生養肌肉 故合肉; 脾開竅於口 故榮在脣." 은 脾의 精氣가 口脣의 반영됨을 말하는 것이다. 따라서 脾의 運化가 양호하여 기혈이 충분하면 입술이 붉고 윤택하며 광택이 있고, 脾의 運化가 불량하여 기혈이 부족하면 입술이 창백하고 칙칙하거나 심하면 萎黃하게 된다. 脾胃의 濕熱에 쌓여 口脣에 정체하면 구주위피부염이나 구순염이 쉽게 발생하게 된다.

4) 피부와 肝

(1) 肝藏血, 主疏泄

肝은 혈액량을 저장하고 조절하는 기능은 물론 疏散宣泄의 기능을 가지고 있고 이 둘은 밀접한 관련이 있다. 특히 혈액 순환 측면에서 肝의 疏泄기능은 기의 흐름을 원활하게 유지하고 심, 폐, 비와 협조하여 혈류를 정체 없이 원활하게 운행할 수 있도록 한다. 만약 감정의 조절에 실패하거나 분노가 심한 경우 肝을 상하게 하면 肝氣가 울결되고 疏泄이 실조되어 氣血이 逆하여 얼굴을 上榮할 수 없으면 기미가 발생한다.

(2) 肝主筋, 其華在爪

《素問 痿論》의 "肝主身之筋膜"은 筋膜이 肝血의 자양에 의지하고 있음을 말하고 있는 것이다. 또 "爪爲筋之餘" 라 하여 조갑의 성장 역시 肝血의 자양을 받고 있음을 말하고 있다. 肝血이 충분하여 근이 강해지고 힘이 좋아지며 조갑도 단단해진다. 肝血이 부족하면 근육이 약해지고 힘이 없으며 조갑도 연약해지고 얇아지고 건조해지고 창백하며 심하면 변형되거나 부서지기 쉽다.

5) 피부와 腎

피부와 五臟의 관계에서 腎은 매우 중요하다. 특히 피부와 모발이 밀접한 관련이 있다.《素問 陰陽應象大論》에 "皮毛生腎"이라 말하고 있다(皮毛가 腎에서 생성된다는 뜻). 腎과 피부, 모발 사이의 생리학적 기전은 다음과 같이 설명된다.

(1) 피부

기혈의 영양으로 피부는 조화롭고 부드럽고 촉촉하고 매끄러워지며, 腠理는 치밀해지며, 玄府는 잘 통하게 된다. 衛氣와 津液은 기혈의 구성 성분으로 피부가 정상적인 생리 활동을 유지하는 데 중요한 역할을 한다. 衛氣와 津液의 생성과 분포는 腎과 밀접한 관련이 있다.

衛氣가 피부를 溫煦하는 기능은 매우 복잡한 생리적 활동이며 腎이 중요한 역할을 하고 주로 두 가지 방면으로 표현된다. ① 衛氣는 腎에 근원을 두고 있다. 元氣는 氣의 근본으로 腎에 저장된다. 《難經》에 "諸十二經脈者 皆係於生氣之原. 所謂生氣之原者 謂十二經脈之根本也 謂腎間動氣." 라 말하고 있다. 元氣는 腎이 주관하고 衛氣는 氣의 일부로 자연히 腎에 뿌리를 두고 있다. 腎은 眞陽으로 命門火穴이 존재하여 인체 陽氣의 근본이 되고 장부 조직을 溫煦化生하는 작용을 한다. 이것이 衛氣의 溫煦작용이 腎에서 받은 것이 되는 것이다. ② 衛氣의 운행은 足少陰에서 시작된다. 衛氣가 "循皮膚之中 分肉之間" 하는 것은 上焦 宗氣의 추동으로 퍼지지만 腎도 이 생리적 활동에 참여한다. 《靈樞 邪客篇》에 "衛氣者……晝行於陽 夜行於陰 常從足少陰之分間 行於五臟六腑." 라 하여 衛氣가 晝夜로 운행하는 것이 반복되는 것은 腎의 참여가 없으면 불가능하다는 것을 말하고 있다. 腎氣는 衛氣가 정상적으로 운행하고 퍼지도록 하는 원동력과 같다. 그러므로 腎氣가 충실하면 衛氣가 "溫分肉 充皮膚 肥腠理 司開闔" 하는 기능을 더 좋게 만든다. 만약 腎氣가 허약하면 衛氣의 기능이 약해지고 피부병이 발생하게 된다. 예를 들어 전신성홍반성루푸스 및 미만성 경피증의 病機는 내적으로 腎氣가 부족하고 衛氣가 허약하고 기혈이 조화롭지 못하여 肌膚가 溫煦를 얻지 못하고, 외적으로 風寒濕熱이 허약함을 틈타 침입하여 肌表에 머물러 絡脈이 소통하지 못하므로 일련의 복잡한 임상 양상이 나타나게 된다. 《靈樞 衛氣行篇》에 "衛氣之行……常從足少陰注於腎 腎注於心 心注於肺 肺注於肝 肝注於脾 脾復注於腎" 라 하여 腎氣가 허하고 衛氣가 약하면 각 臟腑 및 피부가 서로 다르기는 하지만 영향을 받아 내부와 외부가 모두 손상되는 것을 말하고 있다. 병의 근원은 腎에 있고 피부에 징후가 나타나는데 이것이 本虛標實의 證인 것이다. 이러한 이론에 따라 이 두 질환(전신성홍반성루푸스 및 미만성경피증)은 마땅히 腎을 주로 치료해야 한다.

津液이 피부에 영양을 공급하는 생리적 활동은 腎의 氣化작용에 의해 나타난다. 津液의 생성과 분포는 복잡한 과정으로 많은 臟腑의 조정과 협력의 결과이며 그 중에서 腎이 主가 된다. 《素問 逆調論》에 "腎者水臟 主津液." 이라 말하고 있으며, 정상적인 상황에서는 水飮이 胃에서 섭취되면 脾는 肺로 보내고 肺氣는 肅降의 기능으로 腎으로 돌려보내게 되는 것이다. 腎陽의 기능에 의해 淸濁이 분리되어 淸한 것은 津液이 되고 濁한 것은 대사성 노폐물이 된다. 《靈樞 本臟篇》에 "腎合三焦膀胱 三焦膀胱者 腠理毫毛其應也." 라 말하고 있다. 三焦와 膀胱의 협력으로 淸한 것은 피부와 점막 및 내장 조직에 영양을 공급하고, 濁한 것은 피부와 방광을 통해 땀과 소변의 형태로 배설된다. 腎의 氣化기능은 체내 水液代謝의 균형을 유지하는 주도적인 역할을 한다. 결과적으로 腎의 氣化

작용이 상실되면 水液代謝가 문란해진다. 腎氣가 虛하면 津液의 원천이 부족해지고 피부와 점막이 건조해지고 위약해진다. 예로 쇼그렌증후군은 腎論에 따라 치료해야 한다. 만약 단순히 滋陰潤燥論을 따른다면 임상증상을 해결할 수 있지만 근본적인 것을 해결할 수 없다. 腎氣가 약하여 운행이 불량하여 水液이 정체되면 "上下溢於皮膚"라 하여 부종이 발생할 수 있다. 예로 전신성홍반성루푸스에서 신장의 손상은 종종 부종, 특히 하지 부종이 있으며 마땅히 腎論에 따라 치료해야 한다. 腎氣가 쇠약하여 津液을 지키지 못하면 "腠理開 汗大泄"한 경우 급히 補腎하는 蔘附湯으로 치료한다.

(2) 모발

"腎者 其華在髮."은 이미 잘 알고 있을 것이다. 모발은 血之餘라 하여 모발 변화의 보습과 영양은 혈액에서 비롯된다. 血과 精은 서로 資生하여 精이 충분하면 血이 왕성해진다. 腎은 精을 저장하는 역할을 하므로 모발의 생성은 腎氣에 근원을 두고 있다. 《素問 上古天眞論》에 "女子七歲 腎氣盛 齒更髮長", "丈夫八歲 腎氣實 髮長齒更"이라 말하고 있다. 따라서 모발은 腎의 外候이며 모발의 生長과 탈락, 윤기와 건조 모두 腎精의 성쇠와 관련이 있다. 청년과 중년은 腎精이 충족하여 모발이 풍부하며 윤기 있고 노인은 腎精이 허쇠하여 모발이 하얗게 되며 탈락한다. 이것은 정상적인 생리 현상이다. 만약 腎氣의 결핍이 조기에 쇠퇴하거나 오랜 병으로 腎氣가 허쇠하면 모발 탈락하거나 건조해진다.

4. 피부와 기혈과의 관계

氣血은 인체 생명 활동의 물질적 기초이며 피부 생리 활동의 물질적 기초이다. 氣血은 체내에서 "氣主煦之 血主濡之"라 하여 인체의 臟腑와 기관의 생리적 기능을 유지한다. 피부의 생리적 기능은 氣血의 영양에 의해 유지된다. 脾胃는 氣血의 원천으로 氣血이 脾胃에서 생성된 후 臟腑의 종합적인 작용으로 인체 각 부위가 이로워진다. 예를 들어 血은 "中焦受氣取 變化而赤"에 의해 변한 후 肝에 저장되고 혈액량이 조절되고, 脾의 統攝하에 脈中으로 운행하고, 心의 推動하에 脈絡으로 전신 각 부위로 보내지며 피부는 물론 그로부터 혜택을 받게 된다. 또 다른 예로 氣 특히 衛氣는 下焦 腎에서 시작하여 中焦 脾에서 化生되고 上焦 肺의 宣散작용으로 안으로는 胸腹臟腑로 밖으로는 皮毛肌肉 등 전신 각 곳으로 퍼진다. 血은 전신의 臟腑와 기관에 영양하는 역할을 하고, 피부도 血의 영양을 받아 촉촉하고 부드러운 특성을 유지하게 된다. 氣는 전신의 臟腑와 기관에 溫煦하는 역할을 하고, 피부도 기의 溫煦를 받아 온화하고 충만하며 탄력의 특성을 유지하게 된다. 특히 衛氣는 肌表를 방어하여 外邪의 침입을 막아내고, 땀구멍의 개폐를 조절하여 체온을 조절하므로 皮毛

를 溫煦하게 하고 윤택하게 한다. 《靈樞 本臟篇》에 "衛氣者 所以溫分肉 充皮膚 肥腠理 司開闔 者也"라 말하고 있다. 氣와 血은 상호 의존하고 서로를 보완하여 腠理로 흐르고 肌膚에 영양을 공급하면 피부가 부드럽고 肌肉이 단단하고 玄府가 잘 통하고 腠理는 치밀해져 정상적인 생리 활동이 유지된다. 津液과 血은 모두 액체이며 영양 및 滋潤 효과가 있다. 津液은 혈액의 중요한 조성부분이며 臟腑의 氣化기능에 의해 化生된다. 津液은 氣血을 따라 전신에 분포되므로 피부의 정상적인 생리 활동은 津液과 분리될 수 없으며, 특히 점막은 더욱 그러하다. 모발과 조갑은 피부에 속하므로 모발의 촉촉함과 매끄러움, 조갑의 단단함은 氣血의 영양으로 유지된다.

5. 피부와 經絡과의 관계

經絡은 經脈과 絡脈으로 이루어져 있다. 經絡은 인체 각 부분에 분포되어 안으로는 臟腑에 연락되고 밖으로는 체표에 통하여 臟腑, 組織, 器官이 서로 연결되어 하나의 통일된 유기체를 형성한다. 經絡은 氣血이 운행하는 통로이다. 臟腑에서 생성된 氣血津液은 經絡을 통해 체표로 운행하여 피부의 영양 공급을 유지한다. 이로 인해 경락의 疏通은 피부의 정상적인 생리 기능을 보장하는 데 필수적이다. 《素問 皮膚論》에 "皮有分部 脈有經紀……凡十二經脈者 皮之部也."라 말하고 있다. 이것은 피부 각 부위가 서로 다르고 經脈이 체내의 운행에 일정한 규율이 있듯이 12經脈의 체표면 분포도 일정한 위치를 가지고 있다는 것을 의미하는 것이다. 일반적으로 체표면의 각 經脈 분포는 기본적으로 經脈의 순환 경로와 동일하지만 엄격한 경계가 없다.

📖 **참고문헌**

1) 劉輔仁. 實用皮膚科學. 北京: 人民衛生出版社; 1984.
2) 李林. 實用中醫皮膚病學. 香港: 海峰出版社; 1994.
3) 전국 한의과대학 피부외과학 교재편찬위원회. 한의피부외과학. 부산: 선우; 2007.

第06章 병리

피부의 정상적인 생리적 활동이 파괴되면 피부 질환이 발생한다. 정상적인 생리적 활동을 파괴하는 다양한 병원성 요인을 病因이라 하고, 인체에 작용하는 다양한 병원성 요인에 의한 병리학적 기전을 病機라고 한다. 피부 질환은 다양하며 병원성 요인과 병리학적 기전도 매우 복잡하다. 피부 질환에 따라 병원성 요인과 병리학적 기전에 고유한 특성이 있지만, 많은 다른 병원성 요인과 병리학적 기전에는 공통성, 즉 일반 법칙이 있다. 이 일반 법칙을 연구하고 숙달하면 개별 피부 질환의 성격을 더 깊이 이해할 수 있으므로 진단과 치료를 보다 효과적으로 할 수 있다.

1. 病因

피부병의 발생 원인은 六淫, 七情, 飮食, 勞逸, 蟲毒 및 外傷 등 다양한 원인으로 인해 특정 조건에서 피부병을 유발할 수 있다. 전체론적 관점에서 시작하여 질병의 원인은 두 가지 측면과 관련이 있다. 하나는 인체 자체의 질병 저항성이 상대적으로 약화되어 이른바 "正虛"라는 것이고, 다른 하나는 병원성 요인이 상대적으로 높은 소위 '邪實'이다. 일반적으로 六淫, 蟲毒 등은 직접 침입하여 질병을 일으키는 경우가 많으며, 七情, 飮食 등은 臟腑기능에 영향을 준 후 간접적으로 피부병을 일으키는 경우가 많다.

1) 六淫

風, 寒, 暑, 濕, 燥, 火(熱)은 자연의 6가지 정상적인 기후 변화로 병원성 영향이 없으며 六氣라고 한다. 기후 변화가 비정상적일 때는 병원성 효과가 발생한다. 예를 들어 六氣가 너무 강해서 몸의 저항력을 능가하거나 몸의 저항력이 약해져 六氣가 인체를 침범하면, 六氣는 모두 건강에 해로운 기가 되고 이것을 六淫이라 한다. 또한 인체 臟腑의 기능 장애로 인해 內風, 內寒, 內濕, 內燥, 內火(熱한) 등 이 생성되고 병원성 요인으로 작용하게 된다. 외부나 체내에서 발생하는 모든 邪氣의 성질과 병원성 특성은 거의 비슷하다.

(1) 風

外風은 봄의 주된 기운이지만 연중 내내 발생하고, 內風은 주로 肝의 기능 장애에 의해 발생한다. 風邪에 의한 피부 증상은 주로 팽진, 인설, 가려움 등이다. 그 성질과 병원성 특성은 다음과 같다.

① 風性善行而數變

팽진의 발생은 일정한 곳이 없으며 때때로 시작되고 사라지고 빠르게 변화하는 불규칙성으로 표현된다. 가려움은 일정한 곳이 없으며 때때로 시작되고 사라진다. 예로 두드러기는 이러한 특징을 가지고 있다.

② 風性升發向上

風邪가 체표에 침입하면 升發하는 특성으로 병변이 퍼지고 증가하기 쉽다. 또 向上하는 성질로 병변이 체표 상반신에 잘 발생한다. 예로 장미색비강진은 胸背에 호발하며 발진은 1개의 母斑에서 시작하여 확산되어 퍼지고 증가한다. 또 다른 예로 안면 지루성피부염은 風邪와 관련을 많이 가지고 있다.

③ 風爲陽邪

外風이 체표를 침범하면 피부는 쉽게 건조해지고 얇은 인설이 되는 경향으로 단순강진 같은 질환이 발생한다. 內風이 체면에 나타나면 피부가 건조하고 탈수되어 인설이 잘 생기고 반복적으로 긁게 되면 피부는 거칠거나 두꺼워지는 피부소양증 같은 질환이 발생한다. 風은 陽邪로 風이 강해지면 燥해지므로 인설이 많아지고 건조해진다.

④ 風爲六淫之首

風은 六淫의 주된 병원성 요인으로 寒, 熱, 濕, 燥 등의 邪氣는 風邪와 함께 인체를 침범하는 경향이 있어 많은 피부 질환이 風邪와 관련성을 가지고 있다.

(2) 寒

外寒은 겨울의 주된 기운으로 겨울과 가을에 주로 발생한다. 內寒은 주로 脾腎의 陽氣가 부족하여 발생한다. 寒邪에 의한 피부 증상은 낮은 피부 온도, 창백하거나 靑紫색의 피부 병변, 결절, 덩어리 및 통증 등이다. 그 성질과 병원성 특성은 다음과 같다.

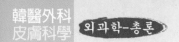

① 寒性收引

外寒이 침습하면 피부의 毛竅가 닫혀 피부가 冷해지며 땀이 감소하고 絡脈이 收引하여 기혈이 충분하지 못하므로 피부의 발진은 백색을 보이며 實症이 나타난다. 예로 風寒證의 두드러기가 이에 해당한다. 內寒이 외부로 발현되면 사지가 不溫하여 손발이 靑紫 혹은 紫紺色을 띠며 裏虛證이 나타난다. 경피병이 이에 해당한다.

② 寒性凝滯

寒邪는 기혈을 쉽게 응체시키는 경향이 있어 경락에서 막히면 통증이 발생하여 肢端動脈痙攣病이 나타난다. 寒邪는 氣血을 응체시켜 肌膚의 영양이 상실되어 피부가 단단해지고 肢端이 靑紫 혹은 紫紺色을 보여 경피병이 발생한다. 寒邪는 기혈을 응체시키고 오래되면 울체되고 不化되어 국소 부위에 결절이나 結塊를 만들어 경결홍반 같은 병이 발생한다.

③ 寒爲陰邪

寒邪가 盛하면 陽氣가 쉽게 상하기 때문에 경피증 환자는 겨울철에 증상이 악화되고 한랭성 두드러기는 寒冷으로 인해 쉽게 발병한다. 寒한 성질은 陰에 속하여 熱을 만나면 寒性이 약해지고 증상이 완화된다. 예로 경피병, 肢端動脈痙攣病, 한랭성 두드러기는 溫해지면 病情이 완해되는 현상이 나타난다.

(3) 暑

暑는 여름의 주된 기운으로 한여름에만 볼 수 있으며 內暑는 없다. 暑邪에 의한 피부 증상은 구진, 수포 등이며 성질과 병원성은 다음과 같다.

① 暑性炎熱

暑邪는 무더운 여름의 火熱한 기운이 化한 것으로 피부에 침입하면 쉽게 홍반과 홍색의 구진이 발생하고 하계피부염이나 땀띠에서 볼 수 있다.

② 暑性升散

暑邪는 陽邪로 升散하는 성질이 있어 발진은 상반신에 호발한다. 升散하는 성질은 진액과 氣를 쉽게 손상시켜 인후의 건조감, 口渴, 권태감 등이 흔히 동반된다.

③ 暑多挾濕

발진의 표현에 있어 소수포를 주로 보이며 땀띠에서 주로 나타난다. 전신증상은 口渴이 있지만

多飮하지 않고 身熱이 약하며 음식 섭취가 불량해진다.

(4) 濕

外濕은 長夏의 주된 기운이며 濕邪는 여름철, 습한 곳에서 거주, 水濕과의 접촉 등에서 기원한다. 內濕은 대부분 脾의 運化기능 부전으로 인해 발생한다. 濕邪로 인한 피부 증상으로는 丘疱疹, 수포, 대수포, 침윤, 미란, 삼출 및 부종성 홍반, 침윤성 팽진 등이며 성질과 병원성은 다음과 같다.

① 濕性重濁

濕邪에 손상되는 경우 아래쪽이 먼저 침습을 당하므로 피부병은 대부분 하지, 外陰, 兩足에 발생한다. 예로 하지부 습진, 급성 음부 궤양, 음낭습진, 미란형 족부백선 등이다. 물론 범발성 습진, 천포창, 지루성피부염 등은 상반신에 발생하나, 이는 濕邪에 風邪 또는 熱邪가 병행된 것이다.

② 濕邪黏滯

濕의 성질은 黏膩하고 鬱滯하여 제거되기 어려워 피부병이 발생하는 경우 지속되고 치유가 어려우며, 질병의 경과가 길고 재발하기 쉽다. 습진은 급성에서 아급성 및 만성으로 변하기 쉽다. 또한 기름기 많은 인설이 대부분 이것과 관련이 있다.

③ 濕爲陰邪

두 가지 특징이 있다. 첫째는 陰에서 陽으로 변하기 쉬운데, 즉 濕이 오랫동안 정체되면 熱로 化하여 內熱이 내부에 쌓여 濕邪로 인한 피부의 수포, 대수포가 홍반, 홍색 구진으로 이어서 출현한다. 습진이나 다형홍반 등에서 볼 수 있다. 또한 濕邪는 다른 邪氣와 쉽게 결합하여 風濕, 濕熱, 濕毒, 寒濕 등이 되어 피부질환이 복잡하고 다양하게 변화하는 증후를 보인다. 두 번째는 濕이 陽氣를 쉽게 막을 수 있다는 점으로 임상적으로 頭暈, 肢困乏力, 胸脘痞滿, 納呆 등의 전신증상이 나타날 수 있다.

(5) 燥

外燥는 가을의 주된 기운으로 燥邪는 대부분 가을에 나타나며, 비누, 세제 등의 화학약품도 건조함을 일으킬 수 있다. 內燥는 체내의 진액과 혈이 부족하여 나타난다. 燥邪로 인한 피부증상은 피부의 건조함, 거칠어지고 갈라짐, 건조한 인설 등이며 성질과 병원성은 다음과 같다.

① 燥性乾澁 易傷津液

이러한 성질 때문에 체액에 손상을 주기 쉽고, 위에서 언급한 피부 증상이 자주 나타난다. 外燥로 인한 것은 증상이 경미하여 회복이 쉽다. 內燥로 인한 것은 증상이 심하고 개선이 쉽지 않으며, 수족균열증이나 어린선 같은 질환이다.

② 燥爲陽邪

風이나 熱로부터 변화하여 나타날 수 있다. 또한 뚜렷한 內燥로부터 유발되어 점막이 건조해지고 영양이 부족해진다. 쇼그렌 증후군 같은 경우 구강과 인두의 건조 증상과 타액 감소가 동반될 수 있다.

(6) 火

火와 熱은 정도가 다를 뿐으로 '火爲熱之甚, 熱爲火之漸'이라 한다. 外火熱은 대부분 직접적으로 溫熱한 邪氣의 感受에 기인하며, 內火熱은 종종 臟腑의 음양, 기혈의 불균형에서 기인하다. 또한 風, 寒, 暑, 濕, 燥 등의 外邪와 정신적 자극, 이른바 '五志過極'은 특정 조건에서 火로 변할 수 있으므로 '五氣化火' '五志化火'라고 말하고 있다. 火熱한 邪氣로 인한 피부 증상으로는 홍반, 홍색의 구진, 자반, 농포 등이며 성질과 병원성은 다음과 같다.

① 火性炎上

두 가지 방면으로 표현된다. 첫째는 火熱은 上騰하는 특성으로 피부병이 인체의 상반신, 頭面, 上肢에 호발하며, 안면단독, 신경성피부염, 여드름 등이 이에 해당한다. 두 번째는 火熱은 외부로 발현되어 홍반, 구진, 농포 등이 피부의 여러 곳에 나타난다.

② 火性暴烈

火熱로 인한 피부병의 발병은 급박하며 병의 경과가 짧고 발진이 빨리 생겼다가 빨리 사라진다.

③ 火爲陽邪

火邪는 다른 陽邪보다 강렬하여 피부병이 치명적으로 나타날 수 있다. 전신성 홍반성 루푸스의 毒熱蟠營證이 이에 해당한다.

2) 七情

喜, 怒, 憂, 思, 悲, 恐, 驚을 七情이라 한다. 이것은 인체의 정신적, 정서적 사고 활동에 대한 고차원의 활동이다. 정상적인 상황에서는 정상적인 정신적, 정서적 사고 활동 없이는 살 수가 없다. 어떤 경우에는 정상적인 활동 범위를 초과하도록 유도하는 것이 병원성 요인이 된다. 七情은 臟腑를 기초로 하므로 七情의 갑작스러운 변화는 臟腑의 기능적 활동에 영향을 미치게 된다. 《素問 陰陽應

象大論》에 "人有五臟 化五氣 以生喜, 怒, 悲, 憂, 恐" 이라 하여, 怒傷肝, 喜傷心, 思傷脾, 憂傷肺, 恐傷腎 등 정신적인 변화와 五臟의 관계를 말하고 있다. 七情의 변화는 臟腑의 기능에 이상을 초래하고 기혈, 陰陽의 불균형을 일으켜 피부병을 일으킨다. 기분이 흐트러지면 心火가 발생하여 火熱이 營血에 잠복하고 肌膚로 外發하면 홍반, 구진, 인설 등의 증상이 나타나며, 건선과 신경성 피부염에서 주로 볼 수 있다. 갑자기 정신적인 자극을 받으면 血熱生風으로 인해 風이 動하고 毛髮이 脫落할 수 있는데 흔히 원형탈모에서 볼 수 있다. 갑작스런 분노로 인한 傷肝으로 肝氣가 울결되면 기미가 심해질 수 있다.

3) 飮食

불규칙한 식사가 피부병을 일으키거나 질병을 악화시키는 것은 임상에서 드문 일이 아니다. 불규칙한 식사는 주로 脾胃의 기능을 손상시켜 피부병을 유발할 수 있다. 대략 몇 가지 측면이 있다. 찬 음식을 과식 혹은 暴飮, 暴食, 脾虛로 인한 運化 기능의 不調는 內濕을 발생시키고 濕邪가 肌膚로 外發하면 습진이 발생할 수 있고 또한 脾虛濕盛의 대상포진을 볼 수 있다. 해산물의 과식 또는 편식은 脾의 運化 기능에 영향을 주어 내부에서 濕熱을 생성하고 이로 인해 피부에 홍반, 구진, 수포와 같은 피부 병변이 나타날 수 있는데, 습진, 알레르기성 피부염 등에서 볼 수 있다. 맵고 기름진 음식의 과식 또한 脾의 運化 기능에 영향을 주어 내부에서 濕熱을 생성하고 안면으로 上蒸하면 여드름, 주사비, 지루성 피부염 등이 발생할 수 있다. 이외에 脾胃가 원해 허약한 경우는 기혈의 생성이 부족하여 피부를 영양하지 못하여 피부 각화증과 같은 병이 발생할 수 있다.

4) 疫癘蟲毒

疫癘는 전염성이 높은 병원성 邪氣로 피부과에서 볼 수 있는 疫癘로 인한 질병으로는 나병 등이 있다.

蟲毒에 의한 질병으로 첫째는 옴(介蟲)이나 이(蝨)로 인해 직접적으로 발생하는 疥瘡이나 蝨病 등의 피부병이고, 두 번째는 곤충에 의한 피부의 咬傷으로 발생하는 蟲咬皮炎 등의 피부병이다.

또한 피부과에서 흔히 언급하는 毒은 내부 장기의 기능 장애로 인해 발생하는 內火와 內熱이 오래도록 울체하여 毒으로 변화되는 경우의 內毒과 다양한 약물과 유독 물질 등의 접촉이나 복용을 포함하여 세균, 바이러스, 진균 등의 外毒이 있다. 毒邪로 인한 피부병 또한 많다.

5) 勞倦外傷

勞倦에 의해 직접적으로 발생하는 피부질환은 드물다. 그러나 과도한 피로나 과도한 성생활은 신체의 저항력을 약화시켜 피부질환을 악화시킬 수 있다. 홍반성루푸스, 경피증 등의 피부질환은 휴식을 취해야 하며 피로를 피하고 성생활을 절제해야 한다.

외상은 피부에 직접적인 손상을 줄 수 있고, 피부질환을 발생시킬 수 있으며 단독, 옹증, 절증 등의 발생이 이에 해당한다. 오랫동안 걷는 행위는 굳은살이나 티눈 등을 발생시킬 수 있다.

6) 先天稟賦

타고난 기질(先天稟賦)는 특별한 병원성 요인이다. 그것은 유전과 알레르기 두 가지로 나타날 수 있다. 유전으로 인한 피부질환은 어린선 등의 질환이며, 알레르기로 인한 피부질환은 대부분 濕熱內蘊, 음식, 약물 및 기타 알레르기 물질의 자극에 의한 것으로 약진, 과민성피부염, 접촉피부염, 습진 등이다.

7) 年齡

외과, 피부과 질환은 年齡과 밀접한 관계를 가진다. 여드름과 편평사마귀 등의 질환은 청년기에 다발하고, 피부소양증은 특히 노년기에 다발하며, 전염성물렁종과 같은 질환은 아동기에 많이 나타난다.

8) 性別

결정홍반, 홍반성루프스, 기미 등은 남성보다 여성에게서 다발하는 경향이 있고 만성색소성자반과 같은 질환은 남성에게 많이 나타난다.

2. 病因의 종합적인 특징

총괄하면 이상의 病因들은 단독으로도 병을 발생시키지만 모두가 여러 病因들이 같이 병을 발생시키는 것이다. 가령 "熱毒", "火毒"은 喩嘉言이 "瘡瘍之初, 莫不有因, 外因者, 天時不正之時毒也, 起居傳染之穢毒也. 內因者, 醇酒厚味之熱毒也, 鬱怒橫決之火毒也."라 말한 것처럼 여러 원인으로 올 수가 있다.

1) 病因과 발생 부위가 일정한 관계가 있다.

인체의 상부(頭面, 頸項, 上肢)의 瘡瘍은 흔히 風溫, 風熱로 인한 것이 많은데 이는 風의 성질이 上行하는 특징이 있기 때문이고, 인체의 중부(胸, 腹, 腰背)의 瘡瘍은 흔히 氣鬱, 火鬱로 인한 것이 많은데 이는 氣火가 모두 中部에서 잘 발생하기 때문이며, 인체의 하부(臀, 腿, 脛足)의 瘡瘍은 寒濕, 濕熱로 인한 것이 많은데 이는 습의 성질이 下行하는 특징이 있기 때문이다. 그러므로 단순한 국부의 질병이라도 전신에 나타나는 여러 증상을 꼭 참조하여야 한다.

2) 병리적인 산물인 痰, 瘀血이 질병 발생의 중요 因素가 된다.

痰으로 인한 질병은 골관절결핵(流痰), 경항부림프결핵(瘰癧), 유방결핵(乳痰) 등이 있고, 瘀血로 인한 질병은 아주 광범위하며 다발성농양(瘀血流注), 靜脈炎, 폐색혈전혈관염(脫疽) 등이 有關한다.

3. 病機

病機는 臟腑, 經絡, 氣血, 陰陽등의 學說과 밀접하다.《外科啓玄》에 "瘡雖生於肌膚之外 而其根本原集於臟腑之內", "凡瘡瘍皆由五臟不和 六腑壅滯 則令經絡不通而所生焉" 라 말하고 있다. 이 말은 瘡瘍 병변의 메커니즘에 대한 고대 의료인의 기본 견해로 한의사가 피부질환을 연구하는데 있어서 병리학적 메커니즘에 대한 이론적 근거를 제공한다. 피부의 정상적인 생리 활동은 臟腑를 통해 생성되는 營, 衛, 氣, 血, 津液이 經脈을 통해 전신에 공급되어 유지된다. 臟腑, 氣血, 經絡에서 어느 한 부분이라도 기능 장애가 발생하면 피부의 정상적인 생리 활동에 영향을 미치고 이로 인해 피부 질환이 유발될 수 있다.

1) 臟腑失調

피부와 臟腑의 생리학적 관계는 5障의 생리 부분에서 자세히 서술하였다. 병리학적으로 피부에 가장 큰 영향을 미치는 것은 臟腑이며, 臟腑의 기능 장애는 피부병의 근본 원인이라고 할 수 있다. 臟腑 기능의 부분적 활성과 부분적 쇠퇴는 여러 가지 이유로 인해 발생한다. 일반적으로 나이, 체력, 기타 질병이 臟腑의 기능에 어느 정도 영향을 미치지만 六淫, 七情, 식생활이 臟腑의 기능에 더 큰 영향을 미칠 수 있다. 이러한 병인의 비정상적 손상에 따른 臟腑의 기능장애는 주로 두 가지 측면에서 나타난다. 첫째는, 臟腑의 음양 균형이 불균형하여 음양의 부분적 활성과 부분적 쇠퇴의 다양한 증상이 나타날 수 있다. 예를 들면 心氣虛弱, 心陰不足, 心火熾盛, 肺氣虛弱, 肺陰不足, 風邪犯肺, 脾虛血弱, 脾不統血, 脾虛濕盛, 濕熱蘊脾, 肝氣鬱結, 肝血不足, 肝經濕熱, 腎陽不足, 腎陰虧虛 등이다. 두 번째는, 臟腑의 기능장애는 內風, 內寒, 內濕, 內燥, 內火(熱) 등을 유발하고, 이러한 내부의 병인이 외부적으로 발현되어 피부를 손상시키며 각종 피부손상을 유발한다. 이러한 내재된 병원성 인자의 성질과 병원성 특징의 일반적인 규칙은 병인 부분에, 이들에 의한 피부 손상의 유형은 8장의 피부 증상과 증후 부분에 설명되어 있다.

2) 氣血失和

앞서 피부와 氣血의 생리학적 관계를 설명했다. 氣血은 생리학적으로 臟腑와 밀접한 관계가 있기 때문에 병리학적으로도 서로 영향을 미친다. 氣血 부조화의 근본 원인은 臟腑에 있고 이미 설명되어 있다. 여기서는 氣血의 부조화에 의해 발생하는 피부병의 일반적인 病機에 대해 소개한다. 氣血의 부조화는 虛와 實의 두 가지 측면에서 요약될 수 있다. 氣虛, 血虛, 氣血兩虛, 氣不攝血 등은 虛證에 속하고 虛證은 絡脈이 虛해져 肌膚를 영양하지 못하여 상응하는 피부 증상과 전신 증상이 나타나게 된다. 氣滯, 血瘀, 血熱, 氣滯血瘀 등은 實證에 속하고 實證은 絡脈의 정체로 肌膚를 영양하지 못하여 상응하는 피부 증상과 전신 증상이 나타나게 된다.

3) 經絡失疏

경락은 氣血이 운행하는 통로이며 피부와 내장의 긴밀한 관계를 유지하기 위한 교량이기도 하다. 경락의 소통은 臟腑의 기능뿐만 아니라 氣血의 변화에도 영향을 받는다. 臟腑의 기능장애로 인한 內寒, 內濕, 內熱 등은 특히 經脈에 뚜렷한 영향을 미친다. 예를 들어 內寒이 偏盛하면 체표의 絡脈이 수축하여 피부의 온도가 떨어지고, 팔다리가 따뜻하지 않고, 손발이 차거나 심지어 자주색을 보이게 된다. 주로 경피병이나 홍반성루푸스에서 볼 수 있다. 內濕이 經脈을 통해 외부의 肌膚로 발현되면 가벼운 경우는 수포, 대수포가 발생하고, 심한 경우는 濕邪가 經脈에 울체하여 결절이 발생할 수 있다. 주로 습진, 천포창, 결절홍반 같은 질환에서 볼 수 있다. 內熱이 偏盛하여 체표의 絡脈에 가득 차면 홍반이 나타날 수 있고 주로 습진, 피부염, 여러 홍반성 피부병에서 볼 수 있다. 경락은 종횡으로 서로 얽혀있는 구조로 내부로 들어가기도 외부로 나오기도 하면서 인체의 모든 곳에 네트워크처럼 분포되어 있다. 外邪가 체표에 침입하고 邪毒이 중한 경우 經脈을 통해 안으로 臟腑에 전해져 일부 피부질환은 중증으로 나타날 수 있다.

4) 六淫侵膚

피부병의 발병 기전은 주로 臟腑失調, 氣血失和, 經絡失疏이지만, 六淫이 피부에 영향을 미치는 것 또한 소홀히 할 수 없는 기전 중 하나이다. 피부 질환은 피부 손상으로 인해 외부에 나타나며, 이는 직접적으로 볼 수 있다. 피부 손상에는 홍반, 구진, 丘疱疹, 팽진, 수포, 대수포, 미란, 인설, 가피 등과 같은 많은 징후가 있다. 이러한 피부 병변은 六淫의 작용으로 생성된다. 蟲毒疫癘를 포함한 外因인 六淫은 종종 피부에 직접적으로 침입하여 질병을 일으킨다. 내부에서 형성된 六淫(內風, 內寒, 內濕, 內燥, 內火, 內熱)은 체내에서 만들어지고 결국에는 외부 체표에 발현되어 피부를 손상시킨다.

4. 瘡瘍과 氣血

1) 瘡瘍 發生 機轉에서의 氣血의 역할
인체의 氣血은 서로 보완하면서 全身을 쉬지 않고 움직이는데 이런 정상적인 생리기능이 어떤 病因에 의하여 흩어지면 運行이 失調하여 국소의 氣血이 凝滯되고 肌肉에 머무르던가 혹은 筋骨에 머물러 瘡瘍을 발생시킨다. 그러므로 국소의 氣血凝滯는 瘡瘍發生의 기초가 되며 여기서 더 증상이 변화할 수 있는 것이다. 국소 氣血의 凝滯가 더 발전되어 鬱滯되어 化熱하고, 熱勝한 것이 肉腐를 일으키고 血肉이 腐敗하면 膿이 생긴다. 또한 膿腫이 형성된 후에 적당한 치료가 이루어 지고, 환자의 正氣가 아직 허쇠하지 않았으면 抗病能力이 강하여 膿腫이 저절로 潰破하고, 膿液이 暢泄되며, 독이 풀려서 氣血凝滯가 通暢 되어서, 肉腐가 점차로 탈락되고 새로운 肌肉이 생장되니, 결국에는 瘡口가 유합된다.

2) 氣血의 盛衰와 瘡瘍과의 關係
氣血이 旺盛하면 外邪가 侵犯을 하지 못하고 가령 氣血이 充足한 狀態에서의 瘡瘍은 쉽게 膿이 생기고 곪아 터져서 아무는 것도 쉽게 生肌長肉하므로 愈合이 迅速하다. 만약 體表에 腫瘍이 생겼을때 正氣가 虛하면 膿이 쉽게 생기지 않는데 이는 陽氣가 충분히 體表로 확산되지 않아 局部의 抵抗力이 떨어지기 때문에 膿이 쉽게 생기지 않는 것이다. 血少하면 곪아 터진 후에 쉽게 아물지 않는데 이는 血虛하면 肌肉을 충분히 營養하지 못하기 때문에 터진 후에 아물기가 쉽지 않은 것이다. 結成腫塊한것은 氣血凝滯한 것이다. 瘡面의 色이 鮮紅色인 것은 氣血이 充足한 것이고, 灰白色인 것은 血衰한 것이다. 이 때문에 치료 과정 중에 氣血恢復을 돕고, 질병이 일찍 낫게 하기 위하여 扶正托毒하고 調補氣血 하는 방법을 常用한다. 이것으로 氣血盛衰와 외과질병의 豫候가 밀접한 관계가 있음을 알 수 있다.

5. 瘡瘍과 臟腑

1) 瘡瘍 發生 機轉에서의 臟腑의 역할
外科感染疾患들이 비록 대다수가 體表에 발생하더라도 臟腑와 밀접한 關係가 있다. 臟腑의 機能失調는 瘡瘍을 발생시키는데, 가령《外科啓玄》에 말하기를 "凡瘡瘍, 皆由于五臟不和, 六腑壅滯, 則令經脈不通而生焉."이라 하였다.

2) 臟腑異常과 瘡瘍과의 關係

肝氣鬱結, 脾胃濕熱火毒 等은 모두 瘡瘍을 발생시키는데 이는 "有諸內必形諸外"라 한것처럼 病變이 비록 外部에 있더라도 그 根源은 內臟과 有關한 것이다. 體表의 病變이 內臟에 影響을 미치던가 혹은 侵犯하여 臟腑에 病變을 발생시킬 수 있다. 예를 들면 顔面疔瘡, 癰 等은 重한 感染疾患인데, "熱毒熾盛" 혹은 氣血不足으로 인해 毒邪가 臟腑를 攻擊하여 "走黃", "內陷"(敗血症)을 일으켜서 毒氣가 心을 攻擊하면 神昏譫語하고, 毒氣가 肺를 侵犯하면 咳嗽, 胸痛, 痰血 等을 일으키는 것이다. 그리고 瘡瘍의 "五善", "七惡", "五損"等이 모두 臟腑의 損傷與否에 따라 豫後를 판단할 수 있다.

6. 瘡瘍과 經絡

1) 瘡瘍 發生 機轉에서의 經絡의 역할

經絡은 人體의 各部位에 分布하고 있는데 根本은 臟腑에 있고 밖으로 體表의 皮, 脈, 肉, 筋, 骨에 통하여 모두 氣血을 運行하며 人體內外의 各 組織器官의 生理機能을 連結하고 있다. 體表에 發生한 瘡瘍의 邪毒은 밖에서 안으로 전하여 臟腑를 侵犯하던가 혹은 臟腑의 病變이 體表로 전달되어 瘡瘍을 발생시킬 수 있다. 이것들은 모두 經絡을 통과하여야만 形成이 되는 것이다.

2) 經絡異常과 瘡瘍과의 關係

신체 경락 중의 약한 곳에 外科病이 일어나기 쉽다. 예를 들면 두피 외상을 입은 곳에 斑禿의 발생이 가능하니 이것을 "最虛之處, 便是容邪之地"라 하였다. 또, 어떤 種類의 病因이던지 局部의 經絡을 막으면 氣血이 凝滯하고 또한 瘡瘍을 발생시키는데, 가령《外科心法要結. 癰疽總論》中에 말하기를 "癰疽原是火毒生, 經絡阻塞氣血凝."이란 것처럼 經絡의 阻塞이 모두 瘡瘍發生의 病理過程인 것이다. 또한 患部의 所屬 經絡은 병의 발전 과정과 밀접한 관계가 있는데, 예를 들어 有頭疽는 주로 목의 양측에 생기는데, 足太陽膀胱經은 寒水之經에 속하므로 多氣少血하여 癰疽가 일어나기 힘들기 때문이다.

📖 참고문헌

1) 李林. 實用中醫皮膚病學. 香港: 海峰出版社; 1994.
2) 전국 한의과대학 피부외과학 교재편찬위원회. 한의피부외과학. 부산: 선우; 2007.

第07章 병태생리

1. 염증의 정의 및 발생 기전

염증이란 손상에 대한 살아있는 조직의 반응으로 생체 조직이 어떠한 원인에 의하여 손상을 받았을 때 이 손상을 국소화시키고 손상된 부위를 정상 상태로 되돌리려는 생체의 고도로 발달된 방어기전으로, 혈관 밖 조직으로 백혈구와 체액의 축적을 유도하는 것이 특징이며, 발적, 발열, 종창, 동통 및 기능장애의 다섯 가지 증상이 일반적으로 나타난다. 발적 및 발열은 모세혈관의 확장에 의한 것이며, 종창은 혈관의 투과성 변동에 의한 체액성분과 백혈구의 삼출에 의하고, 동통의 원인은 확실하지 않지만 말단신경에 대한 삼출물의 압박이나 유리된 화학물질의 직접자극에 의한 것으로 보고 있으며, 기능장애는 동통에 의한 것으로 보고 있다.

癰疽는 화농성 염증 질환이며, 癰이란 疽와 비교하여 피부의 천층에 치우쳐 발생하는 염증을 의미하고 疽는 癰과 비교하여 피부의 심층에 치우쳐 발생하는 염증을 말한다. 《靈樞 · 癰疽篇》에 "夫血脈榮衛 周流不休 …… 寒邪客於經脈之中則血泣 血泣則不通 不通則衛氣歸之 不得復反 故癰腫. 寒氣化爲熱 熱勝則腐肉 肉腐則爲膿. 膿不瀉則爛筋 筋爛則傷骨 骨傷則髓消 不當骨空不得泄瀉 血枯空虛 則筋骨肌肉不相榮 經脈敗漏 熏於五臟 藏傷故死矣."라 하여 癰의 발생과 경과를 자세하게 설명하고 있으며, 이 내용이 현재 염증에 대한 육안적 관찰의 고전적 내용에 해당한다. 염증에 대한 인식은 아주 오래 전부터 있었으며, 주로 육안적 관찰에 의지해서 의학적 문헌에 표현되고 있었다는 사실을 분명히 해야 할 필요가 있다.

2. 염증의 분류

염증은 급성(acute)과 만성(chronic)으로 구분한다. 급성염증은 비교적 기간이 짧아 수 분, 수시간, 또는 수일 지속되며, 혈장의 삼출과 백혈구(주로 중성구)의 이주를 특징으로 한다. 만성염증은 기간이 길고, 조직학적으로 림프구와 대식세포의 침윤 및 혈관과 결합조직의 증식을 특징으로 한다.

1) 급성염증

손상인자에 대하여 즉시, 조기에 반응하는 생체 반응이 급성 염증이다. 급성 염증을 구성하는 세 가지의 중요 요소는 첫째, 혈관내경의 변화와 그에 따른 혈류량의 증가, 둘째, 미세혈관의 구조변화와 혈장 단백 및 백혈구의 삼출, 그리고 셋째, 삼출된 백혈구의 이동과 손상 국소에서의 백혈구 축적이다. 염증의 원인과 반응정도, 삼출물의 특성, 손상 받은 조직의 종류와 위치에 따라 염증의 형태가 달라진다. 급성 염증을 삼출액에 따라 장액성 염증, 화농성 염증, 섬유소성 염증 등으로 구분하기도 한다.

2) 만성염증

만성 염증을 정확히 정의하기는 어려우나 일반적으로 수 주 또는 수개월 동안 장기간 지속되며 염증부위에서 염증반응, 조직의 파괴 그리고 치유과정이 동시에 일어나는 염증반응이라고 할 수 있다. 따라서 주로 혈관변화, 부종 및 중성구의 침윤을 동반하는 급성 염증과는 대조적으로 만성 염증의 중요한 특징적 소견은 첫째, 대식세포, 림프구 및 형질세포 등의 단핵구 침윤, 둘째, 조직 파괴, 셋째, 혈관 신생과 섬유화이다. 만성 염증은 서서히 일어나는 경우가 대부분이며 여러 가지 원인에 의하여 발생할 수 있으나 임상적으로는 지속적 감염 상태, 독성 물질에의 지속적 노출, 자가면역에 의한 염증 등에서 잘 발생한다.

3. 면역

면역(immunity)이란 병원미생물의 감염을 받은 개체가, 그 미생물의 재차 감염에 저항성을 나타내는 현상으로 다양한 체액성 인자들과 세포들로 구성된 면역계가 역동적 상호작용을 통하여 개체를 방어하고 유지하는 일련의 생명 현상이라 할 수 있다. 면역은 병원미생물 등 생체에 유해한 이물에 작용할 뿐만 아니라, 그 생체의 성분 이외의 물질이면 무해한 것에 대해서도 작용하는 성질이 있다. 그러므로 원래는 생체에 그다지 유해하지 않은 물질인 꽃가루 등에 대한 면역의 작용이 지나치게 강해져서 알레르기가 되는 일도 있다. 면역과 알레르기는 본질적으로 동일한 면역반응에 의하여 일어나는 것이지만 이러한 반응의 결과가 숙주에게 유익하게 작용하는 경우를 임상적으로 면역이라 하고 해롭게 또는 부적절하게 작용하는 경우를 알레르기 혹은 과민반응이라 한다.

1) 역대 문헌에서 면역의 의미

明代의 《免疫類方》에서 "免疫"이라는 단어가 최초로 출현하였으며, 면역관련 내용은 《黃帝內經》의 "正氣存內 邪不可干", "風雨寒熱 不得虛邪 不能獨傷人" 및 "邪氣所湊 其氣必虛" 등에서 비롯되는 正氣學說과 그 내용이 유사하다고 인정되고 있다.

이와 같이 일찍이 면역에 관한 인식이 있었으며 또한 질병의 예방에 응용된 기록이 있다. 《巢氏諸病源候論》에는 "漆有毒 人有稟性畏漆 但見漆便中毒 亦有性者耐者 終日燒者 境不爲害也" 라고 나타나있는데 이는 漆에 대한 과민반응과 체질차이를, 《證治要訣》에는 "有人一生不可食鷄肉及獐魚等物 才食則丹隨發"이라고 하여 음식에 의한 과민반응을, 《溫疫論》에는 "牛病而羊不病 鷄病而鴨不病 人病而禽獸不病"이라고 하여 전염병에 대한 종족간의 면역반응 차이를 기술하였다. 또한 획득면역에 관한 언급은 《普濟方》에 獐虐이 성행하는 지역의 주민의 면역력에 관하여 "其土人宜無所受" 라고 하였으며, 《景岳全書》에서는 "外人入南必有病 但有輕重之異 若久而與之俱化則免矣" 라고 하여 보다 구체화하였는데 최근에도 瘧疾에 관한 연구에서 瘧疾이 유행하는 지역에 오래 거주한 사람은 면역력이 있지만 새로 이주한 사람은 면역력이 없다는 보고가 있었다. 천연두 후의 면역력에 관하여 明代의 《家傳痘疹世醫心法》에는 "痘疹終身但作一度 後有其氣不復傳染焉"과 "至于疹子(痲疹) 卽與痘疹相似 彼此傳染 但發過不再作耳" 라고 기술하고 있다. 그밖에 한의학에서의 인공면역에 관한 언급은 《肘後備急方》에서 "療制犬咬人方 乃殺所咬犬 取腦敷之 後不復發", 《小品方》에는 "若重發者 療之方 生食蟾蜍膾綠良", 《本草綱目》에는 "소이를 米粉과 함께 떡을 만들어 먹고 나쁜 便을 보면 痘瘡을 免할 수 있다"고 기술하고 있다.

2) 장부와 면역과의 관계

인체의 복잡한 생활 활동은 장부와 밀접한 관련이 있으며 면역 기능은 장부 생리 활동의 발현이다. 장부를 중심으로 조직, 기관, 경락, 기혈, 진액 등을 연결하여 유기적인 전체를 형성한다. 특히 氣는 면역 활동에 중요한 역할을 한다. 正氣는 인체 면역기능의 반영으로 外邪를 방어하며 음양을 조절하고 신체를 보호하는 기능을 가지고 있다. 正氣의 근원은 장부이며 장부에서 化生되고, 장부에서 파생된 氣血, 津液, 神 모두 인체의 면역을 구성하고 있다. 장부의 기능이 건전하면 氣血神이 충분하여 인체의 면역이 정상적인 기능을 발휘하고, 장부의 기능이 실조되면 氣血神이 불충분하여 인체의 면역이 영향을 받아 상실되거나 결함이 발생한다. 《中醫免疫醫學》에 소개된 면역과 관련된 장부의 기능을 간략하게 소개하면 다음과 같다.

(1) 肺爲免疫屛障

肺는 氣를 주관하고 衛氣가 귀속되며 외부로 皮毛와 合한다고 말하고 있다. 肺氣가 충분하면 腠理가 열리고 닫히는 것이 정상이며 外邪가 쉽게 침입하지 못한다. 肺衛는 外邪를 방어하는 첫 번째

장벽으로 신체 표면에서 비특이적 면역 기능을 수행한다.

(2) 脾促進免疫功能

'脾는 運化를 주관하고 肌肉과 사지를 담당하며, 血液을 統攝하고 後天의 本이 되어 生化의 근원이라고 말하고 있다. 衛氣의 생성, 元氣의 충만, 正氣의 강약 모두 脾氣의 건전함에 달려 있다. 衛氣, 元氣, 正氣는 신체의 면역 기능의 일부이며, 脾는 면역 활동의 물질적 기초 중 하나이다. 脾의 정상적인 기능은 신체의 건강을 보장하는 중요한 요소이다.

(3) 腎爲免疫之本

腎은 先天의 근본으로 생명의 근원이라고 하여 면역과 가장 밀접한 관계가 있다. 腎은 精을 藏하고 元氣를 化生한다. 元氣는 腎에 저장되어 전신 각 조직과 기관의 생리활동을 자극하고 촉진시켜 인체의 성장발달을 유지하고 생명활동의 원동력이 된다. 腎의 元氣가 충분하고 正氣가 內存하면 장부의 기능이 정상적이고 건강하다. 만약 稟賦의 부족, 調養의 실조, 失治 또는 誤治로 精氣가 약해지면 正氣가 부족해지고 각종 질병이 생기기 쉬워진다.

(4) 肝有助于免疫活動正常

肝은 疏泄을 주관하며 衝和, 條達, 生發, 旺盛한 성질을 가지고 있어 몸의 기를 疏達시키며 각 장부의 기능이 원활하게 하고 정체됨이 없게 하여 정상적인 활동이 될 수 있도록 보장한다. 肝의 疏泄 기능이 정상적인 경우 氣의 疏達 작용으로 활발한 생리적 상태를 유지하여 신체가 스스로를 조절하고 감정 활동을 합리적으로 제어하여 氣血이 和平하고 신체가 건강해진다. 장기간의 정신적 자극이나 갑작스러운 정신적 외상은 肝의 疏泄기능이 실조되어 氣의 흐름이 불량하여 肝氣가 抑鬱되거나 흥분하여 면역기능 장애 및 일련의 변화를 유발할 수 있다.

(5) 心參與調節免疫

心은 神明을 주관하며 정신, 사유, 의식 활동을 담당한다. 즉 神은 생명 활동의 외적 표현이다. 연구에 따르면 心이 神明을 주관하는 것은 대뇌 피질의 정신적, 의식적 사고 활동과 일부 자율 신경 기능을 포함한다. 그리고 인체의 면역 활동은 신경 내분비의 조절과 관련이 있다.

(6) 命門具有類似中央淋巴組織功能

命門은 생명의 관문이라는 의미를 가지고 있고 인체에서 중요한 위치를 차지하고 있지만 역대 의가들은 서로 다른 견해를 가지고 있다. 면역학의 관점에서 기능적으로 溫煦, 鼓動, 蒸發을 촉진하여 외부적으로는 肌表를 강화하는데 도움이 되며 外邪에 저항하며 내부적으로는 장부를 溫煦하여 활력을 주고 인체의 생명 활동을 촉진한다. 즉 命門火가 왕성하면 면역력이 있고 생명력이 왕성해지게 된다.

(7) 三焦類于網狀內皮組織

三焦는 陽氣를 분산시키는 중요한 기관이다. 上焦의 氣는 肺와 서로 관련이 있으며 림프 조직 및 세망 내피 시스템의 방어 기능에 해당한다. 中焦 營氣의 化生은 면역글로블린의 형성과 일정한 관계가 있다. 동시에 腎中의 元陽인 命門火는 三焦를 통로로 하여 전신 각 조직에 溫養작용을 발휘한다.

(8) 經絡是發揮免疫作用的樞紐通道

경락은 氣血이 운행하는 통로로 營衛氣血이 경락을 통해 장부 및 각 기관과 조직을 溫煦濡養한다. 만약 경락이 不通하면 氣滯瘀滯로 인해 어혈의 병리적 산물이 만들어지고 병인으로 작용하여 면역기능이 문란해진다.

(9) 精氣神維持着免疫功能正常

精, 氣, 神은 장부 활동에 의해 생성된 물질로 장부활동의 물질적 기초가 됨과 동시에 면역활동의 물질적 기초가 된다.

4. 면역관련 원인

1) 과민성 반응

생체가 항원에 접하면 개체 방어적인 면역반응이 생길 뿐 아니라 조직에 손상을 일으킬 수 있는 반응도 생길 수 있다. 외인성 항원들은 먼지, 화분, 음식물, 약물, 미생물 그리고 화학물질에서 유래한다. 외인성 항원에 의한 면역반응은 피부의 소양증과 같이 사소한 반응으로부터 기관지 천식과 같은 치명적 질병까지 여러 가지 형이 있다. 이런 반응들을 과민성 반응이라 칭하고, 이들은 액체성 항체와 항원의 상호작용 혹은 세포매개성 면역기전에 의하여 일어난다.

2) 자가면역질환

자가면역 질환은 자기항원에 대한 내성기전에 이상이 생길 때 발생하게 된다. 첫째, 면역계로부터 자기항원의 격리, 둘째, 자가반응성 T 림프구 클론의 결핍, 셋째, 자기항원에 대한 processing 및 전달능력의 결핍, 넷째, 자가면역반응을 억제하는 suppressor T 세포의 기능 등 정상적인 내성기전에 이상이 올 때 발생한다.

3) 면역결핍 증후군

면역결핍증은 면역기전의 이상으로 초래되는 모든 질환을 지칭한다. 면역결핍증의 분류는 먼저 결핍된 성분에 따라 B세포, T세포, 간세포 또는 보체의 이상 등으로 나눌 수 있는데, 실제의 면역반응은 이에 관련된 여러 세포들의 상호 작용으로 나타나기 때문에 명확하게 구분하기 어려울 경우도 있다. 둘째로 일차적 면역결핍증과 이차적 면역결핍증으로 나눌수 있는데, 전자는 특정의 면역기전의 부전에 의하여 대개 유전적 소인을 지닌다. 후자는 전자보다 다발하는데 출생후 여러 원인에 의해 발생하며, 그 원인으로는 감염성 질환의 병발증, 영양실조, 노쇠, 또는 인위적인 치료 목적으로 면역기능을 억제시키는 약물 사용이나 방사선 조사 등을 들 수 있다.

5. 면역관련 질환의 발생기전

1) 체액성 면역반응기전

개체의 면역계는 항체 혹은 특이 감작 림프구에 의한 작동기전에 의해 특이항원에 대해 개체를 방어하는데, 때로는 이러한 항원에 대한 적응 면역반응이 부적절하거나 과잉될 때, 조직손상을 일으켜 질병을 유발한다. 이 반응을 과민반응이라 하며, 개체에 따라 특이적으로 발생하고, 동일항원에 2차 접촉했을 때 나타나게 된다. 과민반응은 반응 기전에 따라 5종류로 구분할 수 있으며 제 I , II , III , V 형이 항체 중개성으로 체액성 면역이고 제IV형은 주로 T림프구 및 대식세포에 의해 중개되는 세포 매개성 면역반응이다.

(1) 제 I 형 아나필락시스 과민반응

항원 항체 반응에 의해 일어나는 알레르기로 즉시형 알레르기라고도 불리며, 원인이 되는 물질(알레르겐 혹은 항원)이 코나 목, 소화관의 점막 등에 들어가면 곧바로 반응이 일어나는데 10~20분 정도쯤 지난 후에 증상이 절정에 달합니다. 두드러기, 꽃가루에 의한 알레르기성 비염, 기관지 천식, 위장 알레르기, 또 페니실린 쇼크 등의 약물에 의한 알레르기가 이 유형에 속한다.

(2) 제II형 세포 독성 반응

세포 용성성 알레르기라고 하며, I 형과는 달리 항원 항체 반응이 세포에 독성으로 작용해 알레르겐이 몸 속 세포를 파괴하는 것이라고 알려져 있다. 적혈구를 파괴하는 빈혈의 일종인 용혈성 빈혈 그리고 부적합한 수혈 때에 일어나는 반응이 이 유형에 속한다.

(3) 제Ⅲ형 면역복합체

알레르겐 면역 복합체(항원·항체에 보체라는 것이 더해져 반응이 일어나서 그 결과로 생긴 산물)를 만드는 알레르기로 이 물질이 장애를 일으킨다. 원인 물질이 체내에 들어간 지 수 시간 내에 반응을 일으킨다. 신장염이나 혈청병 등의 일부가 이 유형에 속한다.

(4) 제Ⅴ형 자극성 과민반응

세포표면 항원에 대한 특이항체의 부착 후에 홀몬-유사물질의 분비를 일으키는 면역반응이다. 많은 세포들은 외부 물질과 특이하게 부착하는 표면 수용체를 통해 홀몬과 같은 물질의 지시를 받는다. 즉 부착 후에 수용체의 형태에 변화를 일으키거나, 활성화되어 세포내부로 신호를 보내게 된다. Ⅱ형 반응과 같이 조직 손상을 유발하는 것이 아니고, 세포를 자극하여 기능이 활성화되는 반응이다.

2) 세포매개성 면역반응 기전

Ⅳ형 알레르기로 항원이 체내에 들어갔을 때, 항체가 아니라 림프구가 관계해 일으키는 것으로 옻을 타거나, 시계줄에 닿을 때 같은 접촉성 피부염으로 대표되며 지연형 알레르기라고 불린다. 반응은 24시간에서 72시간 정도가 지난 후에 나타난다. 투베르쿨린 반응이 이 유형에 속한다.

6. 면역관련 질환의 종류

면역학적 피부질환에는 정상적인 면역작용에 의한 피부질환과 이상적인 면역작용에 의한 피부질환으로 나누어지며, 이상면역에 의하여 발생하는 피부질환은 과민반응과 자가면역반응으로 크게 대별되며, 본 항에서는 이상면역에 관련된 피부질환만을 언급하기로 한다.

1) 과민반응과 관련된 피부질환

습진(浸淫瘡), 아토피피부염(奶癬), 접촉성피부염(漆瘡), 약진(藥毒), 두드러기(癮疹), 구진상 두드러기(水疥), 일광피부염(日曬瘡) 등의 질환은 과민반응으로 인하여 발병하는 피부질환에 해당한다.

2) 자가면역과 관련된 피부질환

장미색비강진(風熱瘡), 건선(白疕), 천포창(天疱瘡), 백반증(白駁風), 홍반성루푸스(鬼臉瘡), 피부근염(肌痺), 경피증(皮痺) 등의 질환은 자가면역반응으로 인하여 발병하는 피부질환에 해당한다.

참고문헌

1) 林建予. 中醫免疫醫學. 湖北科學技術出版社; 1988.
2) 전국 한의과대학 피부외과학 교재편찬위원회. 한의피부외과학. 부산: 선우; 2007.

第08章 진단및변증

1. 고전적 四診

진단학에서 가장 기본적 진단이론은 장상론에 의한 四診法으로 고전적 四診은 육안적 관찰에 의해 진행된다. 四診은 望, 聞, 問, 切로 구성되어 있다. 四診은 질병을 진단하는 수단이며 정확한 변증을 위한 선결조건이 된다. 望, 聞, 問, 切의 四診은 각각 다른 방법으로 여러 각도에서 관찰하여 질병에 대한 자료를 수집한 후 이를 종합하여 판단하는 四診合參을 근간으로 하는 진단법이다. 인체에 질병이 발생했을 때 나타나는 병리를 해석하는 것으로 임상증상과 서로 연관되어 있다. 따라서 임상을 하는 사람은 一診에 치우치지 말고, 四診을 참작하여야 한다. 또한 현대로 오면서 육안望診의 분야는 기기望診으로 보다 영역이 넓어지고 있다.

1) 望診

四診 중에 望診法은 육안적 관찰을 토대로 삼고 있으며 외과, 피부과학에서도 육안적 관찰을 통한 외과, 피부과 질환의 상태를 파악한 것을 보면 소박하다는 것을 익히 알 수 있다. 하지만 단순하게 환자의 질환 증상과 신체적 변화에 대한 육안적 관찰만을 望診에 국한한 것이 아니라 환자의 기분과 환자의 신체에서 느낄 수 있는 분위기까지도 望診을 통해 치료자는 질병의 상태와 정도를 확인하였기에 단순히 소박하고 쉽게 望診을 해 왔다는 표현은 맞지 않는 것이다. 하지만 이러한 환자의 기분이나 분위기 등 심정적인 것은 기록에 남기기 어렵고 너무나 개인적 경향이 강하여 일관된 기준이 없었기에 외형적 증상에 대한 기록만 있을 뿐이다.

예를 들면 피부가 마르고 모발이 건조되고 가피가 형성되고 인설이 나타나며 여기저기 인체의 곳곳에 가려움증이나 혹은 진물이 나타나는 피부질환이 발생되는 것은 風證의 종류로 인식하였다. 문헌에 보면 피부질환에 대한 설명 중에 風이라는 단어가 상당히 많이 나타나고 있음을 알 수 있다. 풍증에 대한 설명 어디에도 정신적인 측면이나 심정에 관한 내용은 찾아보기 어렵다. 풍증뿐만 아니라 다른 외과, 피부과질환에 대한 기록에서도 마찬가지로 심리상태에 대한 설명은 없다. 역사가 진행되면서 사회적 분위기와 개인의 생활형식의 변화 등에 의하여 발생되는 질환도 상당히 예전과 달라지고 있으며 특히 종양질환에 이환되는 환자가 많은 실정이지만 문헌에 보면 癌에 대한 용어를 찾기가 쉽지 않다. 다만 종양이나 결절에 대한 내용은 목이나 갑성선이 있는 부위에 발생되는 덩어리가 나타나는 질환을 瘰癧라고 표현하고 있고, 물사마귀 같은 것을 痣라고 하였다. 피부상에 白屑이 일어나고 건조하며 소양감이 심하고 시일이 경과되면서 피부표피가 두꺼워지는 태선을 癬病이라 말하고, 피부에 융기나 함몰이 없이 단지 피부색이 점차 하얗게 변하는 것은 白斑과 같고, 피부에 대한 촉감이 변하거나 針刺하는 것과 같은 동통이 있는 것은 癩病에 속하며, 얼굴 특히 눈 밑이나 코 주변에 무수한 담황색의 點狀이 나타나는 것은 雀斑에 속하는 것으로 분류되어 있음을 문헌을 통해 알 수 있다. 피부상에 小漏가 발생하는 것과 같이 삼출물이 나타나는 것은 瘡證이라 하였고, 피부에 좁쌀처럼 뾰족뾰족하게 발생되는 구진이 생기는 것은 刺證이라 하였다. 피부에 융기가 생기는 膨疹이 발생되는 것은 疹證이라 하였다.

이처럼 피부에 발생되는 각종 질환은 望診을 통해서 진단이 가능하고 이를 토대로 하여 병명이 붙여졌음을 알 수 있고 形色은 밖으로 표현되니 이를 통해서 병의 원인과 속성을 파악하고 대처해 나아갈 수 있다는 사고가 바로 望診法이 갖추고 있는 소박하고 독특한 면이다.

결국 망진이란 광의적으로 보면 의사의 시각을 이용하여 환자를 상대로 하여 몸에 나타나는 각종 국부와 전신의 병변을 관찰하는 진단 방법으로 국부병변, 神色, 형태, 설태 등을 살펴본 후 환자의 상태를 파악하는 것을 말하지만 외과, 피부과학에서의 望診은 피부증후를 관찰하는 것을 추가하여 말하고 있다.

(1) 望局部 병변

질환의 상태에 따라 혹은 환자의 체질과 체력 등에 의하여 한열의 정도가 다르고 이로 인해 나타나는 피부와 신체의 形色이 같지 않으며 역시 證도 서로 다를 수 있다. 外證을 변별하기 위해서는 마땅히 局部의 形色의 변이를 살펴야 한다. 腫瘍에서는 形色을 살펴 寒熱과 성질을 구분한다.

임상에서 局部病變이 紅色일 수도 있고, 白色으로 나타날 수 있으며 홍색이면 대개 熱證이고, 백색이면 대개 寒證으로 진단한다. 靑紫色이면 대개 瘀血이며, 黑色이면, 대개 壞死된 것이다. 또한 인체의 기혈의 성쇠를 판단하여야 하며 外科疾病에 따라 好發 部位가 있다. 예를 들면 疔瘡은 頭面, 手足에 多發하고, 凍瘡은 露出部位와 四肢의 末端에 다발하며, 蛇串瘡은 脇肋에 다발하고, 白疕은 頭皮, 四肢의 伸側에 다발하고, 熱瘡은 皮膚粘膜이 交叉하는 곳에 다발하고, 臁瘡은 兩臁에 다발하고, 脫疽는 足趾에 다발한다.

증상의 발생속성에 따라서 진단이 가능한 경우도 있는데 피부에 갑자기 홍반이 나타나면서 동통이 있고 신체 어느 곳에서든지 발생하는 단독 같은 경우가 증상변화에 의한 세심한 관찰로 확진할 수 있는 좋은 예이다. 피부의 색소침착으로 인하여 미용적으로 환자를 고생하게 만드는 색소변화성

질환은 망진을 통하여 쉽게 진단할 수 있는 질환이다. 신체 여기저기 특히 얼굴에 자주 발생하는 색소반을 남기는 血瘕가 있다.

(2) 望精神

병을 진단할때 먼저 환자의 神志를 살펴야 한다. 神은 인체생명활동의 총체적인 외적 표현으로 인체의 정신의식 활동을 지칭한다. 《素問·移精變氣論》에 "得神者昌, 失神者亡"라 하였다. 이는 환자의 의식상태의 맑고 혹은 맑지 않음에 따라 병의 예후와 증상의 경중을 알 수 있다는 뜻이며, 望神은 정신을 살피는 것으로 환자의 정신상태 즉, 의식, 동작, 반응의 상태를 살펴서 장부, 음양, 기혈의 성쇠와 질병의 경중과 진퇴, 예후를 판단하는 것이다. 이러한 내용은 《洞天奧旨》에 "瘡瘍形容憔悴, 精神昏短……者死"라 하여 잘 나타나 있다.

察神의 요점은 得神과 失神 여부를 변별하는 것이다. 神은 精氣가 물질기초가 되므로 장부기혈의 성쇠가 밖으로 드러난 것이고 精氣는 눈으로 貫注되는 故로 病情이 비교적 重해도 정신이 振作하고, 兩目이 靈活하고, 神志가 淸楚하고, 반응이 영민하고, 호흡이 均勻하고, 언어가 淸晰者를 得神이라 부르고, 得神者는 昌하게 되며 正氣가 未衰한 故로 예후가 좋다. 만약 精神이 菱頓하고, 形容이 憔悴하고, 目暗睛陷하고 瞳人呆滯하고, 반응이 지둔하고, 호흡이 促急하면 正氣가 이미 衰한 象으로 失神이라 부르며 급만성 질환을 막론하고, 모두 凶險한 象이다.

(3) 望形態

望形態는 환자 형체의 壯弱肥瘦와 動靜姿態와 질병과 관계된 체위변화를 살피는 것이다. 인체의 외형은 내부 장부기능의 성쇠를 나타나며, 內盛하면 外强하고, 內衰하면 外弱하다. 마른 사람은 대개 陰血不足이 되고, 陰不足하면 相火가 上炎하여 潮熱이 發하니, 瘰癧이나 流痰 등에서 많이 보인다. 비만한 사람은 체내에 痰이 많고 노폐물이 축적되어 있는 상태이며 근육이 발달한 사람은 기혈순환이 비교적 원활하지 않다고 본다. 환자의 動靜姿態와 체위는 병리변화의 외적 반영이다. 질병의 고통으로 인하여 걸음걸이가 온전하지 못한 경우에는 下肢病을 앓고 있는 경우가 많으니 環跳疽나 鶴膝痰, 脫疽, 臁瘡에 많이 보인다. 따라서 환자의 평소 생활에서 형태 이상은 병변의 소재를 나타내니 경험 많은 의사는 전형적 질환의 경우 望診으로 알 수 있다.

(4) 望舌

望舌은 舌診을 말하며 舌質과 舌苔, 舌의 形態를 관찰하는 것이다. 혀의 상태를 보면 먼저 舌體가 담홍색을 띠면서 건조하지도 않고 너무 습윤하지 않으면 인체의 생리리듬이 좋은 상태를 말하며 혹 설태가 靑黃赤白黑苔 등등 여러 가지 색으로 덮여 있으면 병이 깊은 것임을 알 수 있고 간혹 혀가 갈라지고 마르고 아프면 예후가 불량하다고 한다.

舌은 心之苗이며, 脾의 外候이다. 苔는 胃氣가 生하는 바이고, 장부의 正氣가 혀 위로 흐름으로 장부의 병변이 舌에서 나타난다. 정상적 舌象은 舌體는 柔軟하며, 淡紅舌, 薄白苔이다. 舌診을 통해 장부의 허실뿐 아니라 기혈의 성쇠, 病邪의 淺深, 津液의 盈虧, 질병의 轉歸, 예후를 판단할 수 있다. 舌質紅은 외과 급성병 중에 보이며 대개 熱證에 속하고, 만성질병 중에 보이면 陰虛에 속한다. 紅而起刺者는 熱極에 속하며 紅而乾燥者는 熱盛, 津液不足에 속한다. 舌絳은 邪熱이 營分에 들어간 것이니 疔瘡走黃, 頭疽內陷에서 보인다. 舌質淡白은 일반적으로 氣血兩虛인데, 淡白하며 肥大하면 陽虛에 속하며 瘡瘍潰後 膿出過多한 경우나 혹은 만성소모성질환에서 流痰, 膿瘍出血이 오래된 경우에 보인다. 舌胖嫩하고 齒痕이 있는 자는 대개 氣虛, 陽虛에 속한다. 舌光如鏡하고, 舌質紅絳하며 口糜가 있으면 병이 오래되어 陰傷胃虛한 것으로 혹 항생제 다량 투여 후 頭疽虛陷이나 火傷後期에 보인다. 靑紫舌은 대개 瘀血이며 瘀血流注나 松皮癬의 瘀血證에서 보인다.

白苔는 외과질병에 表證이 있거나 혹은 寒證에서 보이며, 혹은 脾胃에 濕이 있을 때 보인다. 黃苔는 熱邪蘊結이며 瘡瘍化膿 단계에서 많이 보인다. 膩苔는 濕重의 象이며 白膩는 寒濕이고, 黃膩는 濕熱이고, 急性腹證에는 黃膩苔가 보인다. 黑胎는 寒熱의 구분이 있는데, 熱者는 苔黑烏燥하니 熱極似火이고, 寒者는 苔黑하고 薄濕潤하니 兩虛極寒, 命門火衰하다.

苔를 변별할 때는 苔의 有根과 無根을 구분해야 한다. 苔가 단단하게 舌面에 붙어 긁어도 벗겨지지 않으면 有根이니 眞苔라고도 하며, 대개 實證, 熱證에 보이며 胃氣가 있음을 나타낸다. 浮苔는 舌에 浮涂되어 긁으면 쉽게 떨어져 無根이니 假苔라고도 하며, 대개 虛證, 寒證에 보이며 胃氣가 衰한 것이다. 舌苔를 관찰할 때에 약물복용이나 음식물로 인해 오염되어 생기는 假苔를 주의해야 하는데, 특히 舌苔와 病證이 부합되지 않을 경우는 더욱 주의해야 한다.

2) 聞診

聞診은 聽診과 嗅診을 포괄한다. 聽診은 聽覺으로 환자의 聲音 예를 들면 言語, 呼吸, 嘔吐, 呃逆들을 듣고 음양 허실을 알아내는 것이다. 嗅診은 嗅覺으로 환자의 분비물들 膿液, 痰涕를 보고 환자의 상태 중 한열의 정도를 알아보는 것이다.

(1) 聽聲音

① 言語

환자 언어의 강약은 인체 正氣의 성쇠를 반영한다. 일반적으로 음성이 높고 말이 많고, 躁動하는 자는 實證, 熱證에 속한다. 언어가 미약하여 힘이 없고, 목소리가 작고 조용하면 虛證, 寒證에 속한다. 譫語, 狂言은 대개 瘡瘍에서 熱毒走黃 혹은 內陷한 證의 하나이고, 呻吟痛哭은 瘡瘍毒勢로 극렬한 통증이 있을 때 예를 들면 腦疽, 脫疽의 毒盛期, 糜爛炎의 化膿期에 나타난다.

② 呼吸

호흡이 거칠고 喘急하면 피부외과 질환 중에서 疗瘡走黃이나 疽毒內陷으로 毒邪가 肺에 전달되는 위험한 증후이다. 호흡이 낮고 빠르면 正氣가 부족한 허탈한 표현이다. 인체는 기혈 순환이 원활하게 이루어질 때 가장 건강한 상태로 만약 호흡이 정상적 상태를 벗어났다면 氣의 흐름이 좋지 않다는 의미이다. 만약 급성질환이 있는 환자가 호흡이 거칠고, 천식이 있다가 호흡이 낮고 빠르면 正氣가 이미 상한 것으로 病情이 위중하다.

③ 嘔吐呃逆

病邪가 胃를 침범하여 胃氣가 하강하지 못하고 濁氣가 상승하여 胃腸의 기능이 실조되어 嘔吐, 呃逆이 발생하는데 원인이 다양하다. 腫瘍 初起에는 대개 熱毒熾盛하여 呃聲이 높고 짧으며 힘이 있고, 구토물에 穢濁酸臭가 있다. 呃聲이 낮고 길며, 氣弱 무력하고 구토물이 淸稀하며 음식물을 挾하며 酸臭味가 없는 것은 胃氣虛寒한 것으로 궤양 후기에 볼 수 있으니 陰傷胃虛한 것이다. 넓은 부위에 화상을 입거나, 癌症 만기에 呃逆이 있으면 胃氣가 이미 絶한 것으로 예후가 극히 불량하다. 惡心嘔吐는 급성충수염 등의 급성 腹證의 흔히 보는 증상의 하나이다. 熱毒熾盛에 의한 肝氣不和 상태에서도 嘔吐, 呃逆이 발생된다.

(2) 嗅氣味

① 膿液

궤양되는데 膿에 이상한 氣味가 없으면 쉽게 낫는다. 膿液이 비린내가 나서 맡기가 어려우면 병이 깊어 치유가 비교적 어렵다. 만약 胸, 腹의 궤양에 臭氣가 있으면 이는 透膜한 것이니 급성 화농성 충수염의 천공에서 많이 볼 수 있다. 항문직장 주위의 癰疽가 궤양되어 膿에서 더러운 냄새가 나면 쉽게 漏管을 형성한다.

② 痰涕

기침하여 濁痰膿血을 토하고 비린내가 나면 肺癰의 所致이다. 코에서 濁涕가 나오면 鼻淵이 있는 것이다.

3) 問診

問診은 환자나 보호자에게 질문을 통하여 질병의 病情, 발병원인, 질병발생과 발전, 치료경과와 환자의 생활습관, 과거건강상태 등을 알아내어 종합분석하고 검사를 통하여 명확한 진단을 하는 것이다. 問診의 내용에는 현 병력, 예를 들면 환자의 통증, 발병기일, 발병할 때의 증상과 병정 변화, 발병의 원인과 誘因, 발병후의 치료 경과중에 이루어진 각종 약물치료와 혹은 수술치료 및 각종 촬영검사와 혈액검사, 생화학검사 등을 포함한다. 外證은 형태를 보고 알 수 있으나 痛痒의 감각은 환자의 진술내용을 토대로 해서 알 수 있다. 현재 질병과 유관한 과거력, 가족력, 기호, 직업, 월경, 출산 등도 문진을 통하여 확인할 수 있다. 병을 치료할 때 本을 알고자 하면 반드시 問診하여야 알 수 있다.

(1) 問寒熱

인체에 발생하는 발열은 인체와 질병의 抗爭 반응으로 외과질병에는 寒熱이 나타난다. 발열은 통상 3기로 나눈다. 즉 상승기, 지속기, 하강기로 瘡瘍의 病程과정 중 초, 중, 후기와 일치한다. 陽證 瘡瘍의 경우, 초기체온은 37.5~38℃ 사이에 있으며 대개 火毒內發, 風邪外襲으로 발생한다. 주로 상승기로 볼 수 있다. 寒多熱少는 風寒表證이고, 熱多寒少는 風溫表證이다. 중기 발열(38~39℃)은 지속적이며 瘡瘍의 腫勢가 점차 확대되고, 화농의 形象이 있다. 이 시기를 지속기로 본다. 하강기는 후기에 해당되는 시기로서 膿毒이 배설되고, 발열도 점차 떨어져 정상범위로 돌아간다.

(2) 問汗液

汗은 心液으로 陽氣가 津液을 蒸化시켜 체표로 내보낸 것이다. 만약 癰症에 땀이 나며 열이 물러가면 이것은 邪氣가 땀을 따라 배설되는 것이니《素問, 五常政大論》에 "汗之則瘡已"와 같다. 이는 땀이 나면서 열이 해소되는 것을 말하는 것이지만, 만약 땀이 나는데 열이 떨어지지 않으면 邪盛한 것으로 膿이 형성되려는 징조이다.

비정상적으로 땀이 인체 밖으로 나오는 것은 대개 虛證으로 보는데 蕁麻疹에 自汗이 보이면 表虛證이고, 流痰, 瘰癧 등에 潮熱盜汗, 혹은 自汗이 보이면 대개 陰虛火旺이나 氣血不足의 형상이다.

(3) 問飮食

脾胃는 瘡瘍之本이고, 사람은 脾胃水穀의 氣로 氣血을 生하여 인체내의 正氣를 강화시켜 毒을 없애고 膿을 형성하여 체외로 배출시키면서 生肌斂瘡한다. 故로 瘡瘍을 볼 때, 반드시 胃氣의 盛衰를 살펴 正氣의 강약과 병의 예후을 파악하고 병세의 程度를 알아야 한다.

갈증으로 물을 마시고 싶어 하면 대개 濕熱이고, 음식을 먹을 때 맛이 있으면 脾胃無恙하여 病情이 비교적 가볍다. 음식을 먹을 생각이 없으면 脾胃가 이미 衰하여 病情이 비교적 重하거나 혹은 瘡瘍病勢가 진행하는 것이다. 질환에 따라 음식물과 상호관계가 있는 경우가 많은데 風疹塊의 경우 증상재발에는 항상 생선이나, 새우, 게 등이 관계유무를 살펴보는 것이 좋다.

(4) 問二便

二便은 몸 안의 노폐물을 제거하는 중요한 통로이다. 고전에는 급성 질환에 二便을 통하게 하는 것이 중요한 치료원칙의 하나로 二便의 변화는 外證의 변증, 치료에 매우 중요하다. 만약 大便秘結하고 小便短赤黃濁하면 火毒濕熱이 內盛의 형상이다. 大便溏薄하고 小便淸長하면 寒濕이 內蘊한 것이다. 腸癰에 대변 횟수가 점차 증가하여 痢疾과 같이 상쾌하지 않고, 小便頻數如淋은 化膿內潰의 징조이다. 대변이 장기간 秘結되고, 鮮紅色 피를 보이며 배변시 통증을 있으면 대개 內痔이고, 항문이 찢어진 것이다.

(5) 問過去歷

과거력을 묻는 것은 환자의 正氣 강약을 아는 중요한 수단이다. 특정 질병의 감별, 진단, 치료와 예후를 아는데 특별한 의의가 있다. 肺癆를 앓았던 사람은 流痰, 瘰癧의 확진이 비교적 쉽다. 癧의 경우, 頭疽, 疔瘡이 있는 환자가 消渴症이 있으면 대개 치유가 어렵다. 肝腎의 기능이 손상된 자에게 중독성 중금속물질이나 독성 식물들을 사용할 경우에는 신중을 기해야 한다. 腫瘤의 과거력이 있는 자가 임파선에 종대를 보이면 다른 곳에 전이 여부를 살펴야 하며 예후가 불량하다. 약물 복용 후에 국소적 홍반을 나타나는 경우는 약진을 의심해 볼 수 있다.

(6) 問職業

어떤 질병의 발생과 직업은 밀접한 관계가 있으니 목공에 手指의 疔瘡이 잘 생기고, 화초를 많이 다루는 자는 주로 과민성질환이 잘 생기고, 기계제조 공장에 다니는 사람에 皮膚裂瘡이 많고, 염료나 각종 옷감에 접촉 기회가 많은 사람은 손바닥에 부스럼 등이 흔히 나타날 수 있으며, 목축업이나 피혁공장에 일하는 사람에 疫疔이 잘 발생한다. 이렇게 직업이나 작업환경이 질병의 중요원인이 되는 경우가 많다.

(7) 問月經

기혈의 흐름과 성쇠에 따라 瘡瘍의 발생과 치료유무, 병세의 경중을 결정하는 중요한 조건이다. 월경의 不調는 기혈을 耗傷시켜 瘡瘍의 발생, 화농, 궤양, 수렴에 직접 영향을 미친다. 臁瘡 患者가 月經過多하면 月經 期間동안 瘡口가 수렴되지 않을 뿐 아니라 점차 커진다. 外瘍은 대개 氣血凝滯로 經絡阻膈되어 발생하며 내복약은 活血祛瘀, 行氣通絡시키는 약물을 사용하는데, 임신과 월경에 영향을 미치며 특히 임신중에는 墮胎나 崩漏가 생기지 않도록 주의해야 한다. 어떤 風疹塊는 항상 월경이 시작될 때 발생하여, 월경이 끝나면 저절로 없어지니 부녀자의 외과병에서 반드시 월경에 대해 물어야 한다.

␣5.5␣t2␣..2␣22..␣5.␣

(8) 問家族歷

麻風, 疥瘡, 白禿瘡, 肥瘡 등은 가족끼리 혹은 상호 접촉관계에 있는 사람들은 서로 전염되어 발생한다. 매독은 선천적인 경우도 있으며 또 松皮癬과 같이 가족 중에 여러 명이 발생되는 병도 있으니 가족력을 물어 질병의 진단, 치료, 예방에 활용해야 한다.

4) 切診

切診은 脈診과 觸診을 말하며 전통적 진찰방법의 하나이다. 脈診을 통해 正氣의 강약, 병변의 淺深, 毒邪의 성쇠를 알 수 있고, 질병의 변화를 관찰하여 치법을 세워야 한다. 觸診은 한의사의 손에 느껴지는 감각을 통해 병변을 만져 병변의 성질과 화농 여부를 아는 것이다.

(1) 脈診

외과질병의 발생과 전신 장부의 기혈은 밀접한 관계가 있으니, 국부증상과 변증과 더불어 脈診을 하지 않으면 病情의 변화를 상세히 알기 어려우니 종합하여 병정을 파악하여야 한다.

① 浮脈 : 主表한다. 腫瘍에 脈浮有力하면 風寒, 風熱在表한 것이며 혹은 風熱의 邪毒이 客于上部한 것이다. 脈浮無力하면 氣血不足이다.

② 沈脈 : 主裏한다. 腫瘍에 脈沈하면 邪氣가 深部에 있으니 寒凝絡道, 氣血壅塞이다. 潰瘍에 脈沈하면 남은 毒이 內에 있어 氣血이 凝滯되어 풀리지 않은 것이다.

③ 遲脈 : 主寒한다. 腫瘍에 脈遲하면 寒邪가 內蘊하고, 氣血이 衰少한 것이다. 潰瘍에 脈遲하면 膿毒이 이미 빠져 邪去正衰한 것이다.

④ 數脈 : 主熱한다. 腫瘍에 脈數하면 熱邪蘊結하여 勢力이 盛한 것이거나 혹 化膿한 것이다. 潰瘍에 脈數하면 熱邪未淨, 毒邪未化하니 正氣가 이미 衰한 것이다. 陽證에서 脈數은 邪氣盛이고, 陰證에서 脈數은 正氣虛이다.

⑤ 滑脈 : 主痰濕한다. 腫瘍에 脈滑數하면 熱盛이거나 有痰하거나 혹 化膿이 된 것이다. 潰瘍脈滑大하면 熱邪未退나 혹 痰多氣虛한 것이다.

⑥ 澁脈 : 主不足之證 或瘀滯한다. 腫瘍에 脈澁하면 實邪窒塞. 氣血凝滯한 것이다. 潰瘍에 脈澁하면 陰血不足한 象이다.

⑦ 大脈 : 主邪甚한다. 腫瘍에 脈大하면 邪盛正實이다. 潰瘍에 脈大하면 邪盛病進하여 毒을 없애기가 어렵다.

⑧ 小脈 : 主正虛한다. 腫瘍에 脈細小하면 正不勝邪이다. 潰瘍에 脈細小하면 대개 氣血兩虛이다.

임상에 자주 볼 수 있는 脈象은 일반적으로 浮沈이며 主淺深하고, 遲數은 主速度하고, 滑澁은

92

主搏動爽利度, 大小는 幅度를 주관한다. 浮數滑大는 陽脈으로 대개 熱, 實, 陽에 속한다. 沈遲澁小는 陰脈으로 대개 寒, 虛, 陰에 속한다. 일반적으로 熱, 實, 陽證은 쉽게 치유되고, 寒, 虛, 陰證은 치료가 어렵다.

脈診에서는 반드시 脈의 有力과 無力, 有餘와 不足을 판별해야 정확한 진단을 할 수 있다. 일반적으로 외과질병에서 未潰時에는 邪盛한 시기로 有餘한 脈을 보이고, 已潰之後에는 邪去正衰한 때로 부족한 脈象을 보이니 이것이 정상 현상이다. 만약 未潰時에 부족한 脈으로 虛, 弱, 細, 緩脈 등이 보이면 氣血衰弱하고 毒甚邪盛한 것이고, 已潰之後에 有餘한 脈으로 實, 洪, 弦, 緊脈 등이 보이면 邪盛氣滯하여 낫기가 어려우니 정상 脈象이 아니다.

(2) 觸診

觸診은 손의 감각을 이용하여 국부 병변에 시행하는 진단방법의 하나이다. 외과질환은 대개 체표에 형태가 있어 볼 수 있으니 觸診의 응용범위가 넓어 觸診을 통해 질병의 성질을 알 수 있다.

만약 觸診하여 명확한 腫塊가 있고, 경계가 분명하고, 高腫灼熱하며, 輕按하면 痛하고, 重按하면 極痛하여 拒按하는 자는 대개 陽證이다. 만약 觸診하여 명확한 腫塊가 없고, 혹 腫塊의 경계가 불확실하고, 扁平하고 漫腫이며, 不熱하거나 혹 微熱하고, 重按하면 痛할 경우도 있고 不通하기도 하면 대개 陰證, 虛證이 된다.

피부의 경우, 麻木不仁하고 감각이 없으면 麻風의 가능성이 있고, 皮膚板이 단단하여 蠟樣光澤이 있으면 피부의 위축으로 볼 수 있다. 足趾를 만져보면 차고, 趺陽脈이 微弱하거나 혹 소실된 자는 말초부위에 血行이 불량한 경우가 있다. 항문 內診은 각종 항문질환 진단에 중요한 임상적 가치가 있다.

2. 피부증상과 증후

피부증상 중에서 자각적인 것으로 대표적 증상은 피부의 가려움과 동통을 들 수 있다. 피부증후는 피부질환 이외의 질환에서는 나타나지 않고 다른 부위에서도 볼 수 없는 피부에만 특징적으로 나타나는 타각적 증상을 말하는 것으로 크게 원발진과 속발진으로 나누어진다. 피부증후는 망진을 통해서 확인할 수 있기 때문에 상당히 중요한 피부질환의 관찰방법이다.

1) 원발진과 속발진
(1) 원발진
피부질환의 초기에 피부의 병적 변화 과정중에 볼 수 있는 처음 나타나는 병변을 말한다.

① 반점(Macule)

피부의 국소적 부위에 갈색반, 홍색반, 흑색반, 흰색반 등 색조의 변화가 있고 병변의 부위는 주위
와 같은 높이를 이루면서 함몰이나 융기가 없는 상태로 반의 모양은 대개 원형이거나 타원형이고 경
계는 명확하고 주변으로 갈수록 색이 점차 흐려지기도 한다.

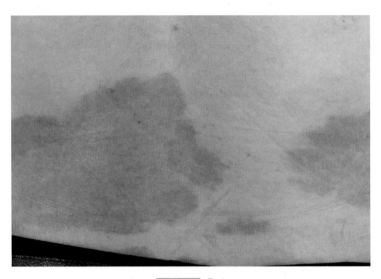

그림 8-1 홍반

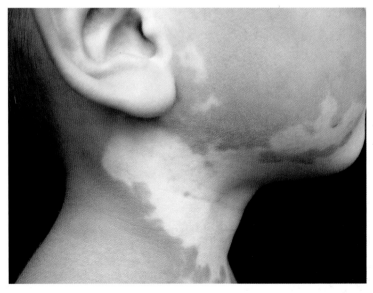

그림 8-2 백반

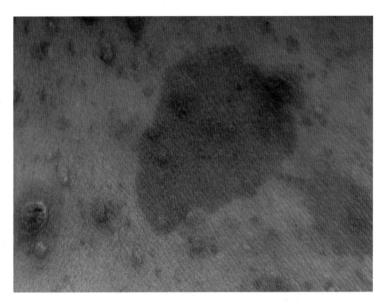

그림 8-3 색소반

② 구진(Papula)

帽針頭大 혹은 豌頭大의 크기로 좁쌀 같은 모양을 하고 있으면서 경계가 뚜렷한 융기이며 크기가 작고 끝은 편평하거나 융기되어 뾰족한 경우도 있다. 구진의 정상부위에는 간혹 소수포를 형성하여 장액성 물질이 들어 있는 경우도 있다. 구진이 커지거나 서로 뭉쳐서 형성된 피부병변을 판(plaques)이라 부른다.

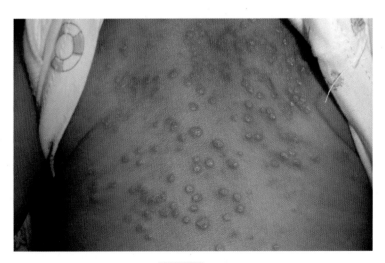

그림 8-4 구진

③ 결절(Nodule)

덩어리 상태를 말하는 것으로 구진과 같은 형태이나 크기가 좀 더 크고 피하에 깊숙이 있으며 지속적으로 남아있다. 이들은 구진과 작은 종양사이의 중간형태로 결합조직이 풍부한 진피나 피하지방층의 병변과 관계가 깊다.

그림8-5 ㅣ 결절

④ 종양(Tumor)

종양은 결절처럼 덩어리의 모양이지만 그 크기가 결절보다 더 크고 모양과 덩어리의 상태가 다양하다.

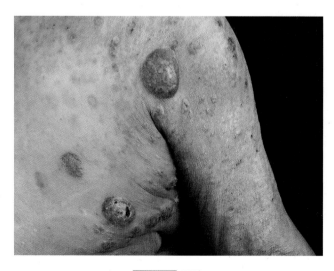

그림8-6 ㅣ 종양

⑤ 팽진(Wheal)

피부에 국소적인 부종이 발생한 경우를 말하며 크기가 다양하고 피부부종의 색깔도 홍색, 혹은 창백색으로 주로 나타나며 홍색인 경우 赤疹이라 부르며, 창백색은 白疹이라 한다. 팽진은 증상이 나타났다가 짧은 시간내에 급속히 사라지며 모양은 다양하지만 주로 타원형으로 나타난다. 이들은 하나씩 떨어져 존재하거나 여러 개가 모여서 넓게 단단하게 판을 만들며 간혹 천천히 사라지는 경우도 있다.

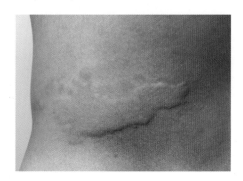

그림 8-7 팽진

⑥ 소수포(Vesicle)

작은 물집으로 맑은 액체가 있는 구진을 말하며 반점과 구진으로부터 나타나기 시작하여 점차 투명한 액체가 생성되면서 시간이 경과하면서 저절로 터지거나 아니면 수포가 더 커지는 경우도 있고 장액성 액체는 고름으로 변하는 경우도 있다. 고름으로 변한 물집을 농포라고 부른다.

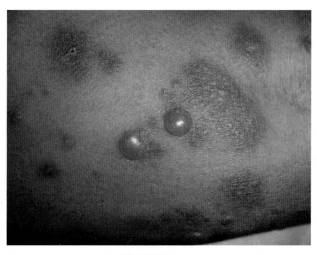

그림 8-8 소수포

⑦ 대수포(Bulla)

소수포와 같은 모양이며 내용물 역시 장액성의 맑은 액체를 함유하고 있으나 크기가 소수포보다
큰 물집을 말한다. 대수포의 병소가 크고 깊이가 깊은 경우에는 궤양과 반흔을 남길 수 있다.

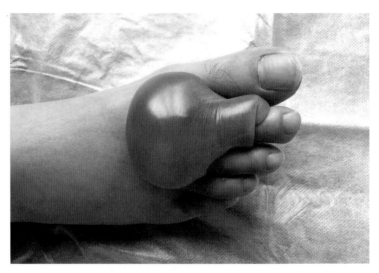

그림 8-9 대수포

⑧ 농포(Pustula)

수포와 같은 것이지만 수포내에 있는 내용물이 농이며 세균성과 무균성으로 나누어진다.

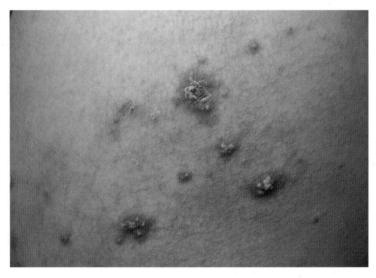

그림 8-10 농포

(2) 속발진

속발진은 시간적으로 원발진보다 늦게 발생하며 원발진이 소멸된 후에 혹은 계속 진행하거나 회복, 외상, 그 밖의 외적요인에 의하여 변화된 피부병변을 말하며 종류가 매우 다양하다.

① 인설(Squama)

각화된 백색의 상피세포가 피부표면에 부착된 건조하거나 습한 각질의 층상(laminates) 덩어리이다. 표피에서 지속적으로 작고 얇은 표피조각들이 벗겨져 나간다.

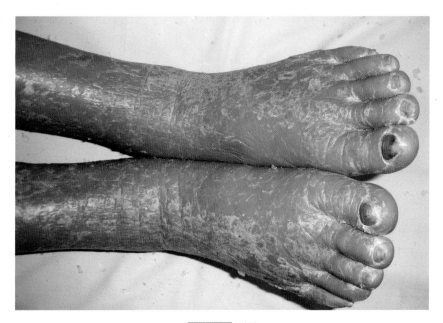

그림 8-11 인설

② 과흔(Excoriation)

피부에 나타나는 상처를 말하는데 여러 가려움증을 동반하는 질환에서 소양감을 제거하기 위해 손톱으로 긁은 후 또는 기계적 외상, 지속적인 마찰 등에 의해 생기며, 그 크기와 모양은 일정하지 않고 표피의 손상으로 小出血이 나타나고 피부에는 點狀, 線狀병변을 보인다. 가려움으로 긁은 경우 血痂를 형성한 경우에는 색소 침착을 보일 때도 있다.

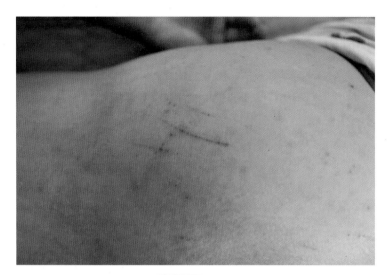

그림 8-12 과흔

③ 균열(Fissure)

피부의 탄력성이 결핍되어 어떤 원인에 의해 표피에 생기는 줄모양의 割面을 말하며 드물게 진피도 침범하며 이 경우 출혈도 있을 수 있고 동통도 병행한다. 균열은 피부가 마른 상태와 습한 상태 모든 경우에 잘 생기며 균열의 모양도 다양하여 상당히 불규칙하다.

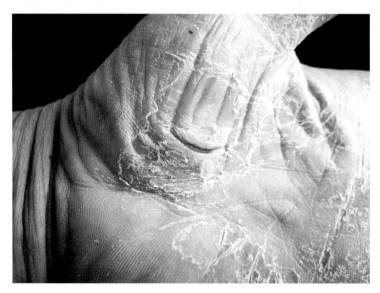

그림 8-13 균열

④ 가피(Crust)

표피와 진피의 일부가 剝離切斷되어 누출된 액체가 응고, 건조된 것을 말한다. 누출된 액체의 종류와 건조 습윤 정도에 따라 가피의 색깔과 굳기가 다르고 이들 가피에는 세균이나 각종 이물질을 함유한 경우도 있다.

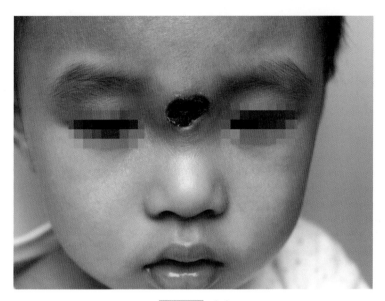

그림 8-14 가피

⑤ 미란(Erosion)

표피 일부가 손상을 받아 삼출액이 흘러 피부표피가 침윤한 상태로 주로 대수포, 소수포와 농포 등이 터져 생기며 치유된 후에는 반흔이 남지 않는다.

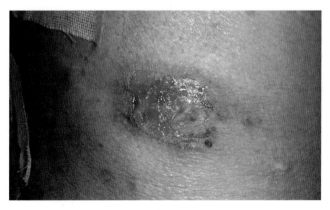

그림 8-15 미란

⑥ 궤양(Ulcer)

표피와 진피에 다양한 모양의 괴사가 일어나 발생되는 것으로 미란과 달리 병소의 깊이가 깊어 궤양은 심한 경우 피하지방까지 퍼질 수 있고 치유된 후에도 반흔을 남긴다.

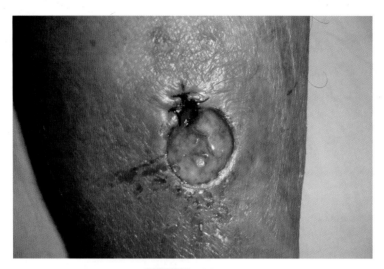

그림 8-16　궤양

⑦ 반흔(Scar), 위축(Atrophia)

질병에 의해서 혹은 손상에 의해 피부가 훼손되었을 경우 이들 상처부위가 치료되면서 피부의 깊숙한 조직인 진피와 피하지방층등에 새로운 肌肉이 만들어지면서 원래의 상태와 다른 흔적을 남기

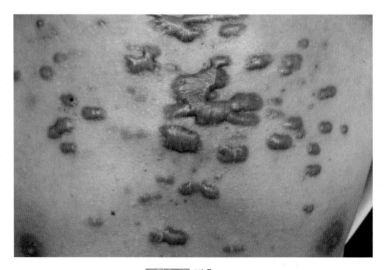

그림 8-17　반흔

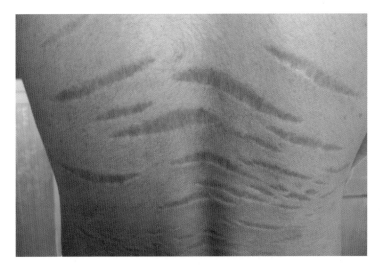

그림 8-18 위축

는 치유 과정의 산물이다. 위축은 피부의 탄력이 떨어지고 피부부속기관들이 소실되며 주름살이 늘어나고 피부가 얇어지는 것을 말한다.

⑧ 태선화(Lichenification)

피부발진이나 피부증상이 오랫동안 지속되면서 피부표피와 진피가 두꺼워지는 현상을 말하는데 건조하기 때문에 피부는 광택을 잃고 유연성이 없어지며 딱딱해지고 피부색이 어둡다.

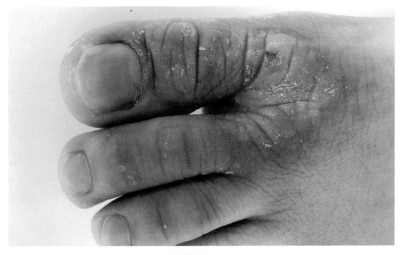

그림 8-19 태선화

2) 발진변증

변증은 팔강변증, 장부변증, 기혈진액변증, 육경변증, 위기영혈변증, 삼초변증 및 병인변증 등 다양하며 이러한 변증 방법이 피부과에도 기본적으로 적용된다. 그러나 피부과에서는 피부 증상이 외부에 표현되는 특수성으로 인해 피부발진과 관련된 변증이 추가적으로 요구된다. 발진의 형태, 형상, 배열 등의 특징을 근거하여 발진변증을 진행하여 피부 증상의 성질을 이해하여야 한다.

(1) 斑

《素問・皮膚論》에 "絡脈盛色變"이라 설명하고 있다. 絡脈은 別絡, 部落, 孫絡을 포함한다. 피부에는 대량의 部落, 孫絡들이 종횡으로 교차하고 있으며, 脈中으로 기혈이 순행하여 피부를 영향하고 있다. 絡脈의 기혈 운행의 성쇠는 피부의 색택 변화에 직접적으로 영향을 미친다.

① 紅斑

赤은 火에 속하고, 紅은 熱에 속한다. 홍반은 대부분 熱象이다. 압시경 검사에서 색이 감소하면 氣分의 熱이고, 색에 변화가 없으면 血分의 熱이다. 홍반에 수포 혹은 부종이 동반된 경우는 濕熱이며, 홍반에 血疱가 동반된 경우는 血熱兼濕이고, 홍반에 소양감이 동반된 경우는 風熱이다.

② 黃斑

임상에서 단순한 黃斑의 표현은 드물며 주로 黃褐斑으로 표현된다. 黃褐斑은 변화가 많지 않고 발생부위 깊이의 구별이 필요하며 동반되는 증상과 결합하여 이해한다. 정서의 변화에 따라 영향을 받는 경우는 肝鬱氣滯, 소화기 증상이 동반된 경우는 肝脾不和, 월경주기에 영향을 받는 경우는 衝任不調한 상태이다.

③ 靑斑

영아 臀部의 靑斑은 肝腎이 未充한 상태이며, 성장하면서 肝腎이 充盛해지면 靑斑의 색은 점점 옅어진다. 안면에 발생한 靑斑은 肝腎이 부족한 상태이며, 시간이 지나도 감소하지 않는 경우는 氣滯血瘀를 고려하여야 한다. 하지에 발생하는 망상의 靑斑은 가벼운 경우는 氣血失和이며, 중한 경우는 氣滯血瘀한 상태이다.

④ 白斑

斑色이 담백색이나 유백색을 보이고 경계가 명확하며 인설이 없는 경우는 대부분 氣血失和에 의하여 발생하며 백반증이 해당된다. 斑色이 옅은 백색이며 경계가 분명 혹은 불분명하며 가벼운 인설이 동반된 경우는 風邪外襲(진균 감염)에 의하여 발생하며 어루러기가 해당된다. 피부의 원발진이 소실되면서 백색의 색소탈실반이 남는 경우는 정상적인 반응에 해당한다.

⑤ 黑斑

腎陰이 부족하여 火盛한 경우 火氣가 孫絡에 울체하여 발생하거나, 腎陽이나 命門火가 부족한 경우 虛陽이 上越 하여 발생한다. 黧黑斑이나 addison's 병에서 볼 수 있다.

⑥ 紫斑

혈액이 絡脈의 밖으로 유출되어 나온 상태로 압시경 검사(diascopy)에서 색의 변화가 없다. 紫紅色이 돌연 발생하고 군집성인 경우는 血熱, 紫暗色이 점차로 발생하고 산발적이며 반복적이고 納呆, 便溏, 面色蒼白 등을 동반한 경우는 脾不統血, 腰痛, 尿少, 肢腫 등을 동반한 경우는 脾腎陽虛이다.

(2) 丘疹

구진이 홍색인 경우는 熱이며, 자홍색인 경우는 熱盛 혹은 瘀熱이다. 구진이 홍색을 보이고 抓破후에 출혈을 보이거나 홍반과 혼합되어 있는 경우는 血熱, 抓破후에 장액을 보이거나 수포와 혼합되어 있는 경우는 濕熱, 농포와 혼합되어 있는 경우는 毒熱이다. 구진의 頂端에 수포가 있는 경우는 濕熱, 구진이 견실하고 가려운 경우는 風熱이다.

(3) 結節

결절은 주로 痰凝, 血瘀, 絡阻로 인해 발생한다. 피부결핵에서 결절이 구슬을 엮어 놓은 듯하고 피부색에 변화가 없으나 오래되면 深紅色을 보이고, 촉진에서 결절은 단단하며 이동성을 보이나 오래되면 점차 연해지고 궤파되면 淸稀한 농액이 유출되고 지속적으로 生肌가 불량한 경우는 痰火凝結이며, 결절이 산발적이고(혹은 무리지어 군집성을 보이기도 함) 높게 솟아오르며 촉진에서 결절은 단단하고 거칠며 궤파되지 않는 경우는 痰血凝結이고, 결절이 홍색 혹은 선홍색을 보이고 비교적 작고 발병부위는 얕으며 궤파되지 않으며 재발이 잦은 경우는 氣滯血瘀이다.

(4) 腫瘍

조직병리검사가 요구되며 악성의 여부를 확인하는 것이 필요하다.

(5) 膨疹

팽진이 홍색을 보이며 遇熱에 심해지는 경우는 風熱, 백색을 보이고 遇冷에 심해지는 경우는 風寒, 선홍색을 보이거나 抓後 묘기증인 경우는 血熱, 암홍색을 보이고 압박부위에 주로 발생하는 경우는 血瘀, 담홍색이며 위장증상이 있는 경우는 腸胃積熱, 淡色으로 반복적이고 지속적이며 피로 후 가중되는 경우는 氣血兩虛이다.

(6) 小水抱

수포는 피부에 濕聚한 경우 발생한다. 수포가 밀집하여 발생하고 수포액이 가득하며 수포 주위로 紅暈이 없는 경우는 濕盛, 수포 주위로 紅暈이 있는 경우는 濕熱盛이다. 수포가 터진 후 수포액이 稀薄한 경우는 濕盛, 수포액이 粘稠한 경우는 濕熱盛이다. 수포 발생 부위가 일정치 않고 수포액이 비교적 적고 소양감을 동반한 경우는 風濕鬱膚, 수포액이 맑고 피부가 찬 경우는 寒濕凝滯, 수포가 무리지어 있고 홍색이며 수포액이 처음에는 맑다가 후에 탁해지는 경우는 濕毒鬱阻이다.

(7) 大水抱

대수포는 濕이 피부에 鬱한 상태이다. 수포벽이 이완되고 수포액이 淸稀한 경우는 脾虛濕盛, 수포벽이 긴장되고 수포액이 가득한 경우는 濕毒이다.

(8) 膿疱

농포의 발생은 內因과 外因으로 나타난다. 內因으로 인한 경우는 內熱이 鬱滯되어 毒熱로 化하고 이로 인해 肌肉이 腐爛되어 농이 형성된다. 속립상의 농포가 무리지어 나타나며 반복적으로 발생하고 농포액이 약간 황색을 보이며 저절로 건조해지고 딱지가 되는 경우는 濕熱毒蘊結, 속립상의 농포가 홍반위에 나타나고 농포액에 혈액이 혼합되어 있고 건조해지면서 농혈의 가피가 되는 경우는 營血鬱熱毒이다. 外因은 외부의 毒邪가 침입하여 발생한다. 농포 주위에 紅暈이 뚜렷하고 농포액이 혼탁하며 농액이 흘러 다른 부위에 새로운 농포를 만드는 경우는 毒熱浸淫, 초기에는 수포였다가 후에 농포로 바뀌는 경우 또는 2차 감염으로 농포를 형성하고 농포가 터진 후 미란되고 稀薄한 농액이 나오는 경우는 濕毒凝結이다.

(9) 鱗屑

인설은 대부분 風으로 인한 燥로 피부의 영양 장애에서 발생한다. 인설이 잘게 부수어진 糠秕狀인 경우는 外風侵襲이며, 인설이 잘고 얇으며 油膩한 경우는 風濕浸淫이다. 인설이 층층이 있고 건조하며 회백색 혹 은백색이고 인설 아래 피부가 홍색인 경우는 血熱生風으로 燥한 것이며, 인설이 비교적 적고 건조하며 회백색 혹은 은백색이고 인설 아래 피부가 옅은 홍색 또는 백색인 경우는 血虛生風으로 燥한 것이다. 인설이 油膩하고 황색을 보이는 경우는 대부분 濕熱이다.

(10) 搔跛

과흔은 대부분 가려움에 의한 표현으로 과후 피딱지가 발생하는 것은 血熱이다.

(11) 皸裂

皸裂에 출혈이 보이는 것은 血熱風燥이며, 皸裂에 삼출을 보이는 것은 陰傷濕戀이고, 皸裂에 가려움이 있는 것은 毒邪浸沈이며, 皸裂에 건조한 경우는 氣血失養이다.

(12) 痂皮

가피는 黃痂, 膿痂, 血痂로 나타나며, 黃痂는 濕熱, 膿痂는 毒熱, 血痂는 血熱이다.

(13) 糜爛

미란면이 선홍색이며 습윤하고 담황색의 청량한 삼출액이 있는 경우는 濕毒이며, 미란면이 담황색이며 습하고 삼출액이 淸稀한 경우는 濕盛이고, 미란면이 암홍색이고 삼출액의 많지 않고 오래도록 지속되는 경우는 陰傷濕戀이다.

(14) 潰瘍

궤양면이 담백색인 경우는 氣血虛弱이며, 궤양면이 암홍색이고 삼출액이 있는 경우는 濕毒이고, 궤양의 변연이 암자색인 경우는 血瘀不化이며, 궤양면이 담색이고 촉진에서 차가운 경우는 陽氣不足이다.

(15) 瘢痕

켈로이드를 포함한 반흔은 외상에 의해 발생하며 국소의 瘀血阻滯이다.

(16) 萎縮

위축에서 표면이 光滑하며 촉진에서 단단하여 차가운 경우는 寒凝血瘀이며, 담색이며 피부의 紋理가 소실되고 함몰됨이 골부까지 파급되는 경우는 氣血虛弱이고, 피부가 선모양으로 얇아져 紋理가 소실되거나 구겨진 모양이며 회갈색 또는 홍갈색을 보이고 건조한 경우는 肝腎陰虛이다.

(17) 苔癬化

태선화 부위의 색이 옅은 경우는 血虛失養이며, 암홍색인 경우는 氣血於諦이다.

3) 發疹의 色調變化

炎症性으로 皮膚증후가 나타날 때 다음과 같이 피부는 變化한다.

(1) 急性炎症

주로 피부에 홍색반을 나타난다.

① 强烈한 藥品으로 말미암아 接觸皮膚炎의 증상이 심하게 나타나는 경우는 鮮紅色을 띤다.
② 急激히 증상의 변화가 나타나고 병세가 빠른 경우에는 鮮紅色이 나타난다.
③ 각종 중금속이나 화학약품 등에 의한 中毒性 炎症을 일으킬 때는 紫紅色을 나타난다.

이처럼 급성염증에 의한 경우 피부에는 선명한 홍색을 띠며 색깔정도에 따라 염증의 기세가 강한지 약한지 결정되며 치료에 있어서는 어혈의 輕重을 헤아리며 약물을 加減하게 된다.

(2) 慢性炎症

慢性炎症을 일으킬 경우에는 피부염증상태가 發生後 時日이 상당히 經過한 후이다. 따라서 個個의 發疹의 색깔도 極히 緩慢하게 나타난다.
만성적인 경우에는 환자의 몸 상태에 따라 허실의 정도와 질병의 성쇠를 살피고 치료에 임해야 한다.

3. 腫, 痛, 痒, 瘍, 膿의 감별 및 변증

피부외과질환 중 癰疽瘡瘍과 피부증상은 정도는 다르나 腫, 痛, 痒, 瘍, 膿 등의 일반적 증상과 피부의 각종 손상 등으로 특징적인 국부의 자각증상과 타각증상 즉 피부증후가 있는데 원인과 정도가 다르므로 여러 상황을 분석하여 질병의 원인, 성질을 판별하여 정확한 변증을 할 수 있도록 치료원칙을 세워야 한다.

1) 辨腫

腫을 일으키는 요소는 각각의 경락에 기와 혈의 흐름에 있어 經絡阻滯, 氣血凝滯를 일으켜 형성된다. 《黃帝內經》에서도 "營氣不從, 逆于肉裏, 乃生癰腫"이라 하여 기혈순환장애를 그 원인으로 보고 있다.《醫宗金鑑, 外科心法要訣, 癰疽辨腫歌》에 "人之氣血, 周流不息, 稍有壅滯, 即作腫矣"라 하였다. 이는 腫이 형성되는 병리과정을 설명하며, 腫勢의 緩急, 集散이 病情의 虛實과 輕重을 진단하는 근거가 되는 것을 나타낸다. 환자의 체질허약과 병인이 다르므로 腫의 증상 또한 다르게 된다.

(1) 병인에 따른 판별

① 火腫 : 腫處가 紅色을 보이며, 피부가 얇고 광택이 있으며 焮熱疼痛하고 腫勢가 暴急하다.

② 寒腫 : 腫處가 약간 융기하며 不硬하고 皮色이 不澤하고, 不紅不熱하며 항상 痠痛이 있고 색은 창백하거나 紫黯하다.

③ 風腫 : 넓고 편평하게 부어오르고, 여기저기 발생한다. 不紅微熱하고, 輕微한 疼痛이 있다.

④ 濕腫 : 腫이 있는 주변 피부는 기육이 무겁게 늘어지고 깊이 눌러도 젖은 솜을 누르는 것과 같아 튀어나오지 않는다.

⑤ 痰腫 : 腫勢가 軟하여 솜과 같거나 혹 結核과 같이 단단하다. 피부색은 변화없으며 발병은 완만하고 궤파 후에 淸稀하거나 敗絮狀의 농이 나온다.

⑥ 氣腫 : 腫勢가 겉은 皮緊하고 內軟하며 不紅不熱하고 喜怒에 따라 消長한다.

⑦ 鬱結腫 : 腫勢가 堅硬하여 돌과 같거나 혹은 변연부가 각이 져 돌이 돌출한 것 같으며 不紅不熱하다.

⑧ 瘀血腫 : 腫이 脹急하며 초기에 暗褐色이고 후에는 靑紫色을 띠다가 점차 黃色으로 변하며 消失된다.

⑨ 虛腫 : 腫勢가 平坦하고, 뿌리가 散慢하다.

⑩ 實腫 : 腫勢가 高突하고, 뿌리가 收束하다.

(2) 부위와 색택에 따른 판별

발병부위 조직의 치밀함에 따라 腫의 情況에 차이가 있다. 手掌과 足底 등의 조직은 비교적 疏鬆하여 腫勢가 蔓延하고, 腫이 다른 부위에 비해 크고 뚜렷하다. 手指部 조직은 치밀하여 局部腫勢가 심하지 않고, 다만 통증이 극렬하다. 大腿部는 肌肉이 풍부하여 腫勢가 비록 심하나 외관상 왕왕 뚜렷하게 보이지 않으므로 건측과 비교하고 대퇴의 두께를 측정해야 정확한 진단을 할 수 있다.

일반적으로 병이 피부, 肌肉之間에 생기면 腫勢가 높게 솟고 焮紅하고, 발병이 비교적 빠르고, 易膿, 易潰, 易斂하는 특징이 있다. 만약 병이 筋骨, 關節之間에 생기면 腫勢平坦하고 皮色이 不變하고, 발병이 비교적 완만하며, 難膿, 難潰, 難斂하는 특징이 있다.

2) 辨痛

통증은 여러 因素로 氣血凝滯, 阻塞不通을 일으켜 형성되는 증상이다. 예로부터 통증에 대한 기록은 "通則不痛, 不通則痛"이라 하였다. 이는 기혈의 순환 여부에 따라 통증 조절 가능성과 경중을 알 수 있다는 뜻이다.

통증은 질병의 신호로 瘡瘍에서 가장 보편적인 자각증상으로 통증의 증가와 감소가 병의 진행과 소퇴의 표지가 된다.

일반적으로 色赤焮痛하며, 痛이 皮膚肌肉之間에 있고, 一處에 局限 되어 있으면 陽證이 많고, 輕而易治하다. 皮色不變하고, 痠痛微痛하고, 重按至骨하고, 關節間에 통증이 있으면 陰證이 많고, 重而難愈하다. 피부가 치밀한 곳은 통증이 비교적 심하다.

(1) 痛症原因에 따른 判別

① 熱 : 皮色焮紅, 灼熱疼痛하며 遇冷하면 痛症이 경감된다.

② 寒 : 皮色不紅, 不熱하며 痠痛이 있다. 患部를 따뜻하게 해주면 痛症이 경감된다.

③ 風 : 痛症이 定處가 없고 병세가 급하고 여기저기에 나타난다.

④ 氣 : 동통의 정도가 다양하고, 때때로 硬直이 있고, 감정에 따라서 통증의 정도가 喜則輕微하고, 怒則甚해진다.

⑤ 化膿 : 腫勢가 急脹하고, 痛症이 持續的으로 나타나면 마치 닭이 쪼아대는 듯한 동통이 생긴다. 손가락으로 누르면 중간이 軟하게 느껴진다.

⑥ 瘀血 : 초기에 隱痛이 있고, 微脹微熱하고, 皮色이 暗褐色이며, 지속되면 皮色이 靑紫色을 띠고 脹痛이 있다.

⑦ 虛 : 喜按하고 按則 痛症이 경감된다.

⑧ 實 : 拒按하고 按則 痛症이 심해진다.

(2) 疼痛發作 情況에 따른 分別

① 卒痛 : 突然發作하고 疼痛이 急劇하다. 急性疾患에 많이 보인다.

② 陣發痛 : 忽痛忽止하며, 發作無常하다. 膽道나 胃腸의 기생충질환에 많이 보인다.

③ 持續痛 : 痛症이 멈추지 않고, 지속되며 줄어들지 않는다. 일반적으로 陽證瘡瘍이 潰瘍되기 전에 많이 보인다. 痛勢가 緩和하고, 비교적 오래 지속되는 경우 일반적으로 陰證瘡瘍의 초기에 많이 보인다.

(3) 痛症의 性質에 따른 分別

① 刺痛 : 鍼刺하듯 아프고, 病變은 대개 皮膚에 있다. 蛇串瘡(대상포진), 熱胅(단순포진) 등의

病에 보인다.

② 灼痛 : 痛症이 있으며 灼熱感이 있고, 病變이 대개 肌膚에 있다. 頭疽, 顔面疽, 丹毒, 1~2도 火傷에 보인다.

③ 裂痛 : 痛如撕裂하고, 病變은 대개 皮肉에 있다. 肛裂, 手足皮裂이 비교적 심한 者에 보인다.

④ 鈍痛 : 疼痛이 滯鈍하며 病變이 대개 骨과 關節間에 있다. 流痰이나 附骨疽가 만성단계로 轉 入될 때 보인다.

⑤ 痠痛 : 痠과 痛이 같이 나타나고, 病變은 대개 關節에 있다. 流痰, 전신성 홍반성 낭창 등에 보 인다.

⑥ 抽掣痛 : 痛症을 적절하게 조절했을 경우 放散痛이 있다. 石癭, 乳岩, 失榮의 晩期에 보인다.

⑦ 絞痛 : 痛如繩絞하고 病變이 대개 臟腑에 있다. 總膽管結石, 泌尿器結石으로 막히거나, 담 도기생충병의 發作期에 보인다.

⑧ 啄痛 : 痛如鷄啄하여, 律動性 痛症이 있고, 病變이 肌肉에 있다. 대개 陽證의 化膿段階나 手 部 疔瘡, 乳癰에 보인다.

3) 辨痒

痒은 風, 濕, 熱, 蟲의 邪가 皮膚肌表에 侵入하여 皮肉間의 氣血不和를 일으켜 形成된다. 혹은 血虛風燥하여 皮膚가 失養하여 形成된다. 가려움증은 주로 虛證으로 보고 반면에 동통은 實證으 로 본다.

痒은 皮膚病의 주요 자각증상으로 瘡瘍 病程中에 비록 자주 보이지는 않으나 발생하며 발생원 인과 病變의 과정이 다르므로 痒의 표현이 각각 다르다.

(1) 原因에 따른 分別

① 風性 : 여기저기에 옮기는 특성이 있기 때문에 피부 질환 중에서 특히 가려움증은 全身에 搔痒 이 나타날 수 있으며 搔破하면 出血이 있고 피부의 조직이 손상입기 전 단계에 놓여 있을 때까 지가 風性이며 대개 乾燥한 상태이다. 이는 바로 風의 善行하는 성질 때문이다. 牛皮癬(신경 성피부염), 白疕(銀屑病), 風疹塊(蕁麻疹) 등에 보인다.

② 濕性 : 浸潤하여 黃水가 흐르고 表皮를 따라 蝕爛하여 腐할수록 痒하니 대개 濕性이고 혹 傳 染性이 있다. 急性濕瘡(非傳染性), 膿疱瘡(傳染性) 등이 있다.

③ 熱性 : 皮膚에 癮疹이 있고, 嫩紅灼熱하며 가렵다. 혹 暴露部位나 全身에 나타나며 심하면 糜爛되어 진물이 흐르고 痂皮가 조각모양으로 형성되나 전염되지 않는다. 熱性搔痒은 일반적 으로 病者가 稟性不耐하여 皮膚腠理가 치밀하지 못하여 생기는 과민성 질환이다.

④ 蟲淫 : 浸淫蔓延하고 黃水가 자주 흐르고 皮膚 가운데로 벌레가 다니는 것처럼 搔痒이 극렬

하고 傳染性이 높다. 手足癬, 白禿瘡, 肥瘡 등은 모두 진균감염이고, 疥瘡은 疥蟲 전염이므로 전염성이 높다.

⑤ 血虛 : 皮膚가 두터워지고, 乾燥하고, 脫屑이 있고, 搔痒하며 드물게 糜爛되며 진물이 흐른다. 濕瘡, 白疕, 牛皮癬 등의 만성 피부염이 오래도록 낫지 않은 것으로 血虛로 生風燥하여 內風이 皮膚의 潤澤을 잃게 하며 傳染性은 없다.

(2) 發病經過에 따른 分別

① 腫瘍作痒 : 일반적으로 임상에서 종양과 가려움증을 동반하는 경우가 흔하지는 않지만 드물지 않게 보인다. 頭疽, 疔瘡 초기에 局所의 腫勢가 平坦하고 腫瘍 상태가 서서히 퍼지면서 아직 膿이 未化되었을 때, 搔痒症이 나타날 수 있다. 이는 毒勢가 熾盛하여 병변이 발전하는 추세에 있음을 나타낸다. 또 乳癰, 腿癰 치료 후에 局部에 腫瘍크기가 줄고, 腫痛이 감소되어 瘙痒感覺이 있으면 이는 毒勢가 이미 衰하고 氣血이 通暢하여 病變이 점차 消散하는 趨勢임을 보여준다.

② 潰瘍作痒 : 癰疽가 已潰한 후에는 당연히 모든 苦痛이 消失되는데 홀연히 患部에 焮熱하며 가려우면 이는 膿이 있는 곳에 不潔로 인해 2차 감염되어 膿液이 정상피부로 퍼져 감염성 습진을 이루었을 때, 환부에 대한 청결한 관리가 이루어지지 않았을 때 혹은 수은, 砒劑, 膏藥을 붙인 후에 피부가 과민해져 발생한다. 潰瘍治療 후, 膿이 이미 흘렀고, 주변의 腫이 없어지지 않았을 때, 혹은 腐肉이 이미 떨어져 새살이 점차 생길 때 皮膚에 미미하게 가려움을 느낀다면 이는 毒邪가 점차 和하여 氣血이 점차 충만하고 새살이 자라나 瘡口가 수렴되는 좋은 現象이다.

4) 辨膿

膿은 皮肉之間에 熱勝하여 肌肉이 썩어 생기는데 氣血이 化生된 것이다. <靈樞, 癰疽篇>에 "熱勝則肉腐, 肉腐則爲膿"이라 하고 <諸病源候論, 瘡病諸候, 熱瘡候>에 "風多則痒, 熱多則痛, 血氣乘之, 則多膿血"라 하여 膿의 成因을 말하였다. <醫學入門, 卷五 外科, 癰疽總論>에 "蓋熱非濕, 則不能腐壞肌肉爲膿"이라 하여 瘡瘍에서 膿이 생길 때, 熱勝 외에 濕의 蒸釀작용이 있어야 腐熟되어 膿이 形成됨을 제시하였으니 成膿의 病機에 대한 진일보된 설명이다.

膿은 腫瘍에서 消散되기 전에 나타나는 주요증상이다. 瘡瘍의 出膿은 正氣가 毒氣運을 데리고 인체 外로 제거하는 인체의 방어적 표현이다. 瘡瘍의 毒邪는 膿을 따라 泄하니, 傷寒表證은 汗을 따라 解하고, 腑證의 下를 따라 解하는 것과 같은 이치이다.

瘡瘍의 국소진단방법에 膿의 有無를 辨別하는 것이 중요한 관건이다. 만약 膿瘍이 已成할 때는, 膿의 淺深部位를 변별한 연후에 적당한 치료가 가능하다. 已潰한 후에는 望診으로 膿의 形質色澤

을 관찰하고, 問診으로 膿의 氣味 변화를 살핀 후에 疾病의 盛衰와 病程의 逆順을 진단할 수 있다.

(1) 膿의 有無 辨別

① 有膿 : 누르면 灼熱하며 痛甚한데 重按하면 더욱 痛症이 심하다. 腫塊가 軟하여 손가락을 들면 원상으로 회복된다(卽應指). 脈數한 者는 膿이 이미 成한 것이다.

② 無膿 : 누르면 微熱하며, 痛勢가 심하지 않다. 腫塊가 단단하며 손가락을 들어도 회복되지 않는다(不應指). 脈이 數하지 않으면 膿이 未成한 것이다.

표 8-1. 膿의 감별

辨 證		要 點
膿腫	有	按之灼熱, 痛甚, 中軟, 指起卽復(卽應指)者
	無	按之微熱, 痛不甚, 塊硬, 指起不復(無應指感)者
	成 熟	腫塊已軟, 邊界已分, 疼痛已緩者
	未成熟	腫塊散漫, 邊界未淸, 其塊仍硬疼痛不緩者
部位	淺	腫塊高突或其上薄皮剝起, 小按便痛而應指者
	深	腫勢平坦, 皮色不紅不熱或微紅微熱, 大按乃痛而應指者

이외에 脈象으로 膿의 有無를 판별하는 것이 있다. 대개 瘡瘍, 腸癰에 浮數한 脈이 보이면 膿이 未成이나 消散을 기대할 수 있으며 治法은 內消해야 한다. 緊數한 脈은 膿이 비록 未成하였으나 毒이 이미 結聚되어 있으니 治法은 托膿해야 速腐한다. 緊去但數者는 膿이 已成한 것이다. 만약 洪數한 脈을 보이면 膿은 필히 大成하니, 局所와 全身의 證候를 살핀 후에 排膿시켜야 한다. 腸癰病은 마땅히 攻下法을 愼用하여 써야한다.

(2) 膿의 部位淺深 辨別

膿의 淺深은 칼로 切開를 할 때 중요하다. 淺深을 분별하지 못하고, 淺者에 깊이 칼로 切開하면 病人의 痛症이 심하고, 深者에게 얕게 칼로 切開하면 목적을 이룰 수 없다.

① 淺部 : 腫塊가 높이 솟고 단단하며, 중간이 軟陷하고, 皮薄하고 灼熱焮紅하며, 輕按하면 곧바로 痛症이 있고, 應指한다.

② 深部 : 腫塊散漫하고 단단하며, 按하면 隱隱하게 軟陷하다. 皮厚하고, 不熱 혹 微熱하고, 不紅 혹 微紅하다. 重按하면 곧 痛하며 應指한다.

(3) 膿의 形質, 色澤과 氣味 辨別

① 膿의 性質

농이 있을 경우 배농하거나 인위적으로 제거해야 하고 흡수시키거나 환부에서 마르게 하는 淸法을 사용해서는 안 된다. 일반적으로 농이 저절로 밖으로 흘러나가는 경우는 환자의 元氣가 비교적 충만하고, 농이 거의 없고 잘 배출이 안 되는 者는 元氣가 많이 弱하다. 만약 먼저 黃色의 稠厚한 膿液이 나오고 다음에 黃稠滋水가 나오면 장차 收斂하려는 좋은 象이다. 膿이 稀薄하다 稠厚해지면 體虛가 점차 회복되어 收斂되는 象이다. 膿成日久하되 不泄하고 潰後에도 농이 묽어 물처럼 흘러도 그 色이 어둡지 않고, 냄새가 나지 않으면 敗象이 아니다. 만약 膿이 稠厚하다가 稀薄하면 體質이 점차 衰弱해지는 것으로 收斂되기 어렵다. 만약 膿稀하여 粉漿汚水같고, 혹은 敗絮狀의 물질을 포함하며 色이 어둡고, 腥臭가 있으면 氣血衰竭한 것으로 敗象이다.

② 膿의 色澤

膿의 색깔은 明淨해야 하고, 汚濁해서는 안된다. 만약 黃白하며 質稠하고, 色澤이 鮮明한 자는 氣血充足한 것이니 좋은 象이다. 黃濁하며 質稠하며, 色澤이 不淨하면 氣火有餘한 것으로 順證이다. 黃白하며 質稀하며, 色澤이 洁淨하면 氣血이 비록 虛해도 敗象은 아니다. 만약 膿色이 綠黑하고, 稀薄한 자는 蓄毒日久한 것으로 損筋傷骨의 가능성이 있다. 膿中에 瘀血이 있으며 色紫成塊者는 血絡이 傷한 것이다. 만약 膿色이 姜汁과 같으면 黃疸을 겸하는 경우가 많으며 病勢가 비교적 重하다.

③ 膿의 氣味

膿液은 淹氣해야 하고 臭氣가 있어서는 안 된다. 일반적으로 腥味가 있는 경우 그 質은 반드시 稠하니 대개 順證이다. 膿液이 腥穢惡臭가 있으면 그 質은 필히 薄하며 대개 逆證이 되며 때로 穿膜着骨의 증이다. 만약 蟹沫같은 것이 있으면 內膜已透한 것으로 대개 難治이다.

📖 **참고문헌**

1) 顧伯華. 實用中醫外科學. 上海: 上海科學技術出版社; 1985.
2) 譚新華. 中醫外科學. 北京: 人民衛生出版社; 2014.
3) 李林. 實用中醫皮膚病學. 홍콩: 海峰出版社; 1994.
4) 전국 한의과대학 피부외과학 교재편찬위원회. 한의피부외과학. 부산: 선우; 2007.

第09章 치료

외과, 피부과의 治法에는 內治法과 外治法의 두 종류가 있다. 內治法은 내과의 治法과 相同하나, 透膿과 托毒의 치료 방법은 내과와 뚜렷하게 구별되는 외과, 피부과의 특징적인 치료 방법이다. 外治法의 藥物療法(外用), 手術療法과 藥線引流, 墊棉法, 藥筒拔法, 熏法, 熨法, 墊烘療法, 洗滌法 등의 기타요법, 전기 및 광선치료, 동결치료 등도 외과, 피부과의 독특한 치료 방법이다. 대부분의 외과, 피부과 질환은 內治와 外治를 倂用하나, 病情이 가벼운 외과, 피부과 질환의 경우에는 外治法만 적용하여 치료를 할 수 있다.

1. 外科疾患의 內治法

瘡瘍의 치료를 나누면 內治法과 外治法으로 나눈다. 일반적으로 가볍고 얕은 부위에 발생하는 瘡은 外治法이 主이고 여기에 적절한 內治法을 배합하고, 비교적 重한 瘡瘍은 內治와 外治를 겸하는 것이 필수적이며, 局部와 全體가 같이 重하면 심지어 內治가 主가 되는 경우도 있다.

1) 內治法의 3大 治法
瘡瘍의 발전과정은 초기, 중기(成膿期), 후기(潰破期)의 3단계로 구분되며, 치료에 있어 시기에 따라 消法, 托法, 補法의 치료 방법이 적용된다. 이 消法, 托法, 補法의 치료 방법이 외과 질환인 瘡瘍을 치료하는 內治의 3대 법칙이다.

(1) 消法
서로 다른 성질을 가지고 있는 消散의 약물을 사용하여 瘡瘍을 化膿이 되지 않도록 치료하는 초기의 치료 방법이다. 구체적인 응용은 "表證者解表, 裏實者通裏, 熱毒蘊結者淸熱, 寒邪凝結者溫通, 痰凝者祛痰, 濕阻家理濕, 氣滯者行氣, 血瘀者行瘀和營"의 방법을 적용한다. 瘡瘍이 이미

成하여 化膿이 된 경우는 消法을 적용하지 않는다.

(2) 托法

毒氣를 외부로 밀어내어 내부로 침입하는 것을 막아내는 치료법으로 瘡瘍의 중기(成膿期)에 적용하며, 透托과 補托의 두 가지 방법이 있다. 透托은 正氣가 아직 虛하지 않은 상태에서 毒氣가 盛한 腫瘍에 透托의 藥物을 사용하여 빨리 成膿을 촉진하여 毒氣를 밖으로 나가게 하는 것이며, 補托은 正氣가 虛한 상태에서 毒氣를 외부로 밀어내지 못하는 경우 氣血을 補益하는 藥物을 사용하여 毒氣를 밖으로 밀어내어 毒氣가 內陷되는 것을 방지하는 방법이다.

(3) 補法

瘡瘍이 潰破한 後에 瘡口의 癒合을 위해 生肌를 촉진하는 방법으로 瘡瘍의 후기(潰破肌)에 적용하는 치료법이다. 生肌를 촉진하여 瘡口의 愈合을 빠르게 하기 위해 補養氣血, 理脾和胃, 補養肝腎하는 약물을 사용하여 瘡瘍을 마무리하는 방법이다. 生肌의 촉진이 지연되어 瘡口의 癒合이 늦어지는 경우 瘡瘍은 만성화 한다.

2) 內治法의 具體的 運用

(1) 解表法

解表發汗의 藥物을 사용하여 邪氣를 밖으로 내어 보내 外證을 消散시키는 治法이다. 《素問·五常政大論》의 "汗之則瘡已." 와 《外科啓玄·明瘡瘍汗下和大要三法論》의 "言瘡之邪自外而入 脈必浮數而實. 在表故當汗之. 邪從汗出 毒自消散."에서 말하는 것이 이것이다. 風熱, 風寒의 邪氣로 구분되므로 治法도 辛凉, 辛溫의 구별을 둔다.

辛凉解表에는 銀翹散, 牛蒡解肌湯을, 辛溫解表에는 荊防敗毒散, 萬靈丹을 사용한다. 辛凉解表藥은 薄荷, 桑葉, 蟬衣, 牛蒡子 등을, 辛溫解表藥은 荊芥, 防風, 麻黃, 桂枝, 生薑 등을 사용한다.

辛凉解表法은 外感風熱證에 활용한다. 腫痛焮紅한 瘡瘍, 咽喉疼痛, 急性 泛發性의 皮膚損傷에 皮疹이 紅色인 경우에 惡寒이 輕하고 發熱이 重하며 汗少, 口渴, 小便黃, 舌苔薄黃, 脈浮數이 동반될 때 이용된다. 頭癤, 乳癰, 風疹塊(風熱型), 藥疹 등의 질환에 적용한다. 辛溫解表法은 外感風寒證에 활용한다. 腫痛痠楚한 瘡瘍, 急性 泛發性의 皮膚損傷에 皮疹이 白色인 경우, 皮膚가 麻木한 경우에 惡寒이 重하고 發熱이 輕하며 無汗, 頭痛, 身痛, 口不渴, 舌苔白, 脈浮緊이 동반될 때 이용된다. 風疹塊(風寒型), 麻風病 初起 등의 질환에 적용한다.

瘡瘍이 潰破된 후에 오래되어도 낫지 않고 체질이 허약한 경우는 表證이 존재하더라도 發汗을 過하게 하지 않는다. 氣血은 瘡瘍의 근본으로 膿은 氣血이 變化하여 된 것이므로 潰膿이 오래되면 氣血을 耗傷한다. 또한 血은 땀과 근본이 같으므로 만약 過하게 發汗을 하게 되면 다시금 氣血을 傷하게 하여 體質이 더욱 虛하게 되고 이로 인하여 痙厥, 亡陽의 변화가 발생할 수 있다. 《傷寒論 · 辨太陽病麥證幷治》에 "瘡家, 身雖疼痛, 不可發汗, 發汗則痙."이라 말하는 것이 이를 두고 한 말이다.

(2) 通裏法

瀉下의 藥物을 사용하여 臟腑內에 蓄積된 毒邪를 疏通하고 排出시켜 除積導滯, 逐瘀散結, 瀉熱定痛으로 瘡瘍을 消散시키는 治法이다. 《外科樞要 · 論瘡瘍用汗下藥六》의 "其邪在內, 當先疏其內以下之."에서 말하는 것이 이것이다. 通裏法은 疏通法에 속하며, 峻下, 寒下, 溫下, 潤下 등의 방법이 있다. 임상에서는 攻下(寒下)와 潤下의 방법을 주로 활용한다.

攻下에는 大承氣湯, 內消黃連湯, 凉隔散을, 潤下에는 潤腸湯을 사용한다. 攻下藥은 大黃, 枳實, 檳榔, 玄明粉 등을, 潤下藥物은 瓜蔞仁, 火麻仁, 郁李仁, 蜂蜜 등을 사용한다.

攻下法은 表證이 이미 끝났고 熱毒이 안으로 腑에 들어가 內結하여 흩어지지 않을 경우에 활용된다. 외과질환인 瘡瘍의 實熱陽證에 焮紅高腫하고 疼痛이 극렬한 경우, 咽喉가 腫痛하고 梗塞不利한 경우, 皮膚病의 皮膚 損害가 焮紅灼熱한 경우, 肛門病의 肛門部가 腫脹疼痛하고 腹脹便秘한 경우에 舌苔黃膩 혹은 黃稠, 脈沈數有力이 동반될 때 이용된다. 潤下法은 陰虛하여 腸燥便結할때 활용한다. 瘡瘍, 肛門病, 皮膚病 등 陰虛火旺한 경우, 胃腸의 津液이 不足한 경우에 口乾食少, 大便秘結, 脘腹痞脹, 苔黃膩 혹은 薄黃, 舌乾質紅, 脈象細數이 동반될 때 이용된다. 通裏攻下法을 사용할 때는 신중히 適應症을 확인하여야 한다. 더욱이 나이가 들어 몸이 약한 경우나 부녀자의 姙娠期나 혹은 生理中일때는 신중을 기해야 한다. 질병이 치료되면 사용을 中止하고 過하게 투여하지 말아야 한다. 그렇지 않으면 正氣를 耗傷하고 더욱이 化膿하는 단계에서 過하게 사용하면 正氣를 消耗하게 하여 부패한 膿이 밖으로 터지지 않고 만성화되면 病情이 더욱 惡化된다. 만약 治療가 적절하지 못하면 腸胃를 傷하고 正氣를 耗傷하여 毒邪가 內陷할 수 있다.

최근 실험적 연구에서 通裏功下藥은 장의 운동기능 촉진, 장의 혈류량 증가, 피부와 장의 모세혈관 투과성 억제, 항균 작용, 복강내 혈액의 흡수 촉진, 수술후 복강내 유착 예방 등의 효과가 있는 것으로 밝혀졌다.

(3) 淸熱法

寒凉한 藥物을 사용하여 體內의 쌓여있는 熱毒을 淸解하는 治法이다. 《素問 · 至眞要大論》의 "熱者寒之"에서 말하는 것이 이것이다. 임상에서 사용할 때는 熱의 盛衰와 火의 虛實에 따라 다르게 적용하여야 한다. 實火일 때는 淸熱解毒, 陰虛火旺일때는 養陰淸熱, 熱이 氣分에 있을 때는 淸氣泄熱, 熱이 營分에 있을 때는 淸營泄熱, 熱이 血分에 있을 때는 凉血散血 하여야 한다.

清熱解毒에는 五味消毒飮을, 淸氣分熱에는 黃連解毒湯을, 淸營分熱에는 淸營湯을, 淸血分熱에는 犀角地黃湯을, 養陰淸熱에는 知柏八味丸을, 淸骨蒸潮熱에는 淸骨散을 사용한다. 淸熱解毒藥은 蒲公英, 紫地丁, 金銀花, 野菊花, 四季靑 등을, 淸氣熱藥은 黃連, 黃芩, 山梔, 石膏, 知母, 鴨跖草 등을, 淸營血熱藥은 犀角, 水牛角, 鮮生地, 赤芍藥, 牧丹皮, 紫草, 大菁葉, 板藍根 등을, 養陰淸熱藥은 細生地, 玄蔘, 天冬, 龜板, 知母, 黃栢 등을, 淸骨蒸潮熱은 地骨皮, 靑蒿, 鱉甲, 銀柴胡 등을 사용한다.

淸熱解毒法은 紅腫熱痛을 보이는 陽證 瘡瘍인 癰, 疔, 有頭疽 등에 적용한다. 淸氣分熱法은 피부가 紅腫하거나 혹은 변화가 없고 灼熱腫痛하는 陽證 瘡瘍인 頸癰, 流注, 附骨疽, 腸癰, 인후구강의 腫痛潰爛을 보이는 급성喉蛾, 喉癰, 牙癰, 牙疔, 피부병의 皮膚損害가 焮紅灼熱하고 膿疱, 糜爛 등을 보이는 接觸性 皮膚炎, 膿疱瘡 등의 病에서 發熱, 口渴, 喜冷引飮, 大便燥結, 小便短赤, 苔薄黃 혹은 黃膩, 脈數 혹은 滑數 등이 동반될 때 이용된다. 임상에서 淸熱解毒法과 淸氣分熱法을 명확하게 구별하여 활용하는 것은 힘들기 때문에 같이 응용하는 경우가 많다. 淸血分熱法은 焮紅灼熱을 보이는 瘡瘍인 爛疔, 發, 중증 火傷, 皮膚病에서 紅斑, 瘀点, 灼熱을 보이는 丹毒, 藥物性 皮膚炎, 紅斑性 狼瘡, 血熱型 건선 등의 病에서 高熱, 口渴不喜飮, 舌苔黃膩 舌質紅, 脈弦數 혹은 弦滑數 등이 동반될 때 이용된다. 淸熱解毒法, 淸氣分熱法, 淸血分熱法의 3가지 治法은 熱毒이 聚盛한 경우에는 함께 활용한다. 熱毒이 內傳하여 煩躁不安, 神昏譫語, 昏厥不語, 苔焦黑하고 乾하며 舌質紅絳, 脈象이 洪數 혹은 細數한 疔瘡走黃, 疽毒內陷의 경우에는 淸心開竅의 治法을 활용하여 安宮牛黃丸이나 혹은 紫雪丹을 사용한다. 陰虛火旺의 慢性炎症, 紅斑性 狼瘡 혹은 走黃, 內陷後에 陰傷하고 熱이 있는 경우에는 養陰淸熱의 治法을 활용하며, 瘰癧, 流痰등의 虛熱이 물러가지 않는 病症에는 淸骨蒸潮熱의 治法을 활용한다.

淸熱藥을 사용할 경우에는 절대로 과다해서는 안되며, 胃氣를 살펴야 한다. 만약 苦寒한 藥物을 과다하게 사용하면 胃氣를 손상하여 噯酸, 便溏, 納呆 등의 증상이 나타날 수 있다. 더욱이 瘡瘍의 潰後에 寒凉한 약물을 과다하게 투여하면 瘡口가 愈合되는데 영향을 미칠 수 있다.

최근 연구에 의하면 淸熱解毒藥은 炎症性 疾患을 治愈할 수 있는 것으로 되어 있고, 이는 殺菌, 抑菌, 抗菌 작용과 백혈구의 탐식능력을 증가시켜 消炎 효과를 보이는 것으로 증명되었다.

(4) 溫通法

溫經通絡, 散寒化痰하는 약물을 사용하여 陰寒하고 凝滯된 邪氣를 驅散하는 寒證을 治療하는 治法이다.《素問·至眞要大論》의 "寒者熱之"에서 말하는 것이 이것이다. 임상에서는 溫經通陽, 散寒化痰과 溫經散寒, 祛風化濕하는 두 가지 방법이 있다.

溫經通陽에는 陽和湯을, 溫經散寒에는 獨活寄生湯을 사용한다. 溫經通陽, 散寒化痰하는 藥物은 附子, 肉桂, 乾薑, 桂枝, 麻黃, 靑總管, 白芥子 등을, 溫經散寒, 祛風化濕하는 藥物은 細

辛, 桂枝, 生姜, 羌活, 獨活, 秦艽, 防風, 桑寄生 등을 사용한다.

溫經通陽, 散寒化痰法은 體虛하여 寒痰이 筋骨에 머물러 환처가 은은하게 痠痛이 있으며 腫脹이 완만하여 뚜렷하지 않고 不紅不熱, 口不作渴, 形體惡寒, 小便淸利, 舌苔白, 脈遲 등의 內寒 현상을 보이는 流痰, 脫疽 등의 병에 적용된다. 溫經散寒, 袪風化濕法은 體虛하여 風邪 및 寒濕이 筋骨에 침습하여 환처가 痠痛麻木하고, 腫脹이 완만하여 뚜렷하지 않고, 不紅不熱, 惡寒은 重하고 發熱은 가벼우며, 苔白膩, 脈遲緊 등의 外寒 현상을 보이는 風寒濕型의 痺症, 麻風病 初起에 적용된다.

溫燥한 성질의 藥物은 火를 조장하여 陰液을 損傷할 수 있으므로 陰虛하여 有熱한 병증에는 溫通法의 활용에 주의해야 한다. 만약 治療가 적절하지 못하면 여러 가지 變證이 나타날 수 있다.

(5) 袪痰法

感寒, 化痰, 軟堅의 효능을 가진 藥物을 사용하여 痰이 凝滯된 腫塊를 消散시키는 治法이다. 外感六淫 혹은 內傷七情 및 體質虛弱 등은 모두 氣機를 阻滯하고 聚濕하여 痰을 형성한다. 袪痰法은 임상에 적용될 경우 病因의 다름에 따라 기타 治法과 함께 배합되어 化痰, 消腫, 軟堅의 효과를 얻을 수 있어, 疏風化痰, 解鬱化痰, 養營化痰, 溫經通陽, 散寒化痰 등의 방법으로 분류된다.

疏風化痰은 牛蒡解肌湯合二陳湯을, 解鬱化痰은 逍遙散合二陳湯을, 養營化痰은 香貝養營湯을 사용한다. 疏風化痰하는 藥物은 牛蒡子, 薄荷, 杭菊, 蟬蛻, 夏枯草, 陳皮, 杏仁, 半夏 등을, 解鬱化痰하는 藥物은 柴胡, 川楝子, 鬱金, 香附子, 海藻, 昆布, 貝母, 蛤殼, 白芥子 등을, 養營化痰하는 藥物은 當歸, 白芍藥, 丹蔘, 熟地黃, 何首烏, 川芎, 貝母, 陳皮, 茯苓, 桔梗, 瓜蔞 등을 사용한다.

疏風化痰法은 風熱挾痰證으로 惡風發熱을 동반하는 頸癧의 結塊腫痛과 咽喉腫痛에 적용된다. 解鬱化痰法은 氣鬱挾痰의 病症으로 胸悶氣塞, 性情急躁 등을 보이며, 結塊가 堅實하고 白色으로 不痛하거나 혹은 微痛한 瘰癧, 乳癖, 肉癭 등의 질환에 적용된다. 養營化痰法은 體虛挾痰證으로 膿水가 稀薄하거나 혹은 血水가 계속 흐르고 형체가 마르며 神疲하고 肢軟한 瘰癧, 乳癌潰後에 적용된다.

痰과 氣滯가 火熱과 서로 결합하여 발생한 外科病에는 溫化한 藥物을 신중히 사용하여 火熱이 成해지는 부작용을 주의하여야 한다.

(6) 理濕法

燥濕 혹은 淡滲의 효능이 있는 藥物을 사용하여 濕邪를 제거시키는 治法이다. 治濕의 方法에 있어 上焦에 濕邪가 있을 때는 化濕하고, 中焦에 濕邪가 있을 때는 燥濕하고, 下焦에 濕邪가 있을 때는 利濕한다. 濕邪는 대부분 熱邪, 風邪, 寒邪와 함께 病因으로 작용하므로 임상에서 理濕法을

활용할 경우 淸熱, 祛風 등의 방법과 함께 적용되어야 한다.

淸熱利濕은 二妙丸, 萆薢滲濕湯, 淸解片, 五神湯, 龍膽瀉肝湯, 茵蔯蒿湯을, 除濕祛風은 豨簽丸을 사용한다. 燥濕하는 藥物은 蒼朮, 厚朴, 半夏, 陳皮 등을, 淡滲利濕하는 藥物은 萆薢, 滑石, 薏苡仁, 茯苓, 車前草 등을, 祛風濕하는 藥物은 白蘚皮, 稀薟草, 威靈仙, 薑黃 등을 사용한다.

燥濕法은 胸悶嘔惡, 腹脹腹滿, 神疲無力, 納食不佳, 舌苔厚膩 등의 濕阻症狀이 있는 外科疾病에 활용된다. 利濕法은 下肢瘡瘍이나 皮膚病에 糜爛滲出液이 있는 경우에 활용된다. 濕疹, 漆瘡, 臁瘡 등에 肌膚가 焮紅하고 가려움이 있으며 滋水가 끊이지 않고 흐르는 濕熱의 證에는 二妙丸, 萆薢滲濕湯, 淸解片을, 委中毒, 附骨疽 등에 患處가 灼熱하고 腫脹疼痛하여 熱이 濕보다 重한 경우는 五神湯을, 病變이 肝經의 부위에 있는 濕熱로 발생하는 乳發, 臍癰, 囊癰 등에는 淸瀉肝火濕熱하는 龍膽瀉肝湯을 사용한다. 祛風除濕法은 風濕이 肌表에 侵襲하여 나타나는 症狀에 활용되며, 白駁風(白癜風)에 稀薟丸을 사용하는 경우이다.

濕은 粘膩한 邪氣로 쉽게 뭉쳐지고 흩어지지 않는다. 또한 熱, 風, 寒, 暑 등의 邪氣와 함께 발병하여 化燥, 化寒하게 된다. 그러므로 治療時에는 반드시 淸熱, 祛風, 散寒, 淸暑 등의 治法과 함께 활용되어야 한다. 理濕의 藥物은 過用하면 傷陰하는 부작용이 있으므로 陰虛하거나 津液이 虧損된 경우는 일반적으로 사용하지 않거나 신중히 사용하여야 한다.

(7) 行氣法

理氣藥으로 氣機가 고루 퍼져 氣血의 흐름이 원활해질 수 있도록 하여 消腫, 散堅, 止痛하는 治法이다. 氣血의 凝滯는 外科病의 중요한 병리 변화 과정으로 국소 부위의 腫과 痛은 氣血凝滯와 관련 있는 外證이다. 氣行하면 血行하고 氣滯하면 血滯하므로 대부분의 경우 行氣法을 적용할 때는 活血藥을 함께 사용한다. 七情으로 인한 疾患에서 肝의 疏泄機能이 장애를 받으면 氣가 鬱滯되어 맺히고 血도 따라서 瘀滯하게 되는 것이다. 疏肝解鬱의 방법을 적용하여 肝氣를 條達게 하여 氣血이 舒暢되도록 한다. 이와 관련하여 《血證論 · 卷一 · 臟腑病機論》에서 "肝主藏血 …… 至其所以能藏之故 則以肝屬木 木氣冲和調達 不致遏鬱 則血脈得暢"이라 말하고 있다.

疏肝解鬱은 逍遙散 혹은 舒肝潰堅湯을 사용한다. 疏肝解鬱하는 藥物은 柴胡, 香附子, 枳殼, 靑皮, 陳皮, 木香, 烏藥, 前胡, 金鈴子 등을 사용한다.

腫塊가 단단하고 不紅不熱하거나 혹은 腫勢가 밖은 緊張되어 있고 안은 부드러운데 喜怒에 따라 消長하는 등의 氣分의 鬱滯로 발생하는 氣癭, 乳癖, 乳岩, 急性 蘭尾炎 등에 적용한다.

行氣하는 藥物은 대다수가 香燥辛溫하는 특성이 있으므로 쉽게 耗氣傷陰한다. 만약 氣虛, 陰傷, 火盛한 경우에는 신중하게 사용하거나 禁하여야 한다. 行氣法은 단독으로 적용하기 보다는 祛痰, 和營(活血) 등의 방법과 같이 병행하여 적용되며, 응용범위가 넓다.

白芍, 木香, 枳殼, 陳皮, 鬱金, 柴胡 등의 理氣開鬱하는 藥物들이 鎭靜作用이 있다는 것이 실험적으로 연구 증명되고 있다.

(8) 和營法

和營活血의 藥物로 經脈을 소통시키고 血脈을 調暢하여 瘡瘍의 腫을 없애고 痛症을 그치게 하는 治法이다. 瘡瘍의 병리를 언급한 "營氣不從 逆于肉理 內生癰腫"이나, 《外科心法眞驗指掌施治門 · 內托治法》의 "瘡勢已成而不起 或硬而赤 或疼而無膿 或破而不斂 總宜調和營衛 再以去毒行滯"는 외과질병의 치료에 있어 和營의 중요성을 언급하는 것이다. 氣血凝滯는 일부 皮膚病과 痔病의 기본적인 병리이며, 和營活血은 皮膚病과 肛門病을 治療하는 주요 治法이 된다.

和營活血은 桃紅四物湯, 活血散瘀湯 등을 사용한다. 和營活血하는 藥物은 桃仁, 紅花, 當歸, 赤芍, 丹蔘, 紅藤, 虎杖 등이 있다.

和營法은 腫瘍, 潰後에도 腫이 단단하며 疼痛이 감소하지 않는 경우, 結塊의 色이 紅 · 不紅 · 靑紫인 경우 모두 적용할 수 있으며, 急性化膿性 炎症疾病에서 慢性炎症의 단계로 이행할 때 적절하다. 皮膚病에 結節, 贅生物, 腫塊, 毛細血管擴張, 紫癜, 肥厚, 發硬 등의 瘀血證候를 보이는 경우에도 적용할 수 있다.

和營法은 비록 자주 사용되지만 單獨으로 적용하는 경우는 드물다. 寒邪가 있는 경우는 祛寒하는 藥物을, 血虛한 경우는 養血하는 藥物을 함께 사용한다. 和營祛瘀하는 藥物은 일반적으로 溫熱의 성질이 있으므로 火毒熾盛의 疾患에는 사용해서는 안 되며, 火邪를 熾盛하게 하는 것을 防止하여야 한다. 氣血이 虧損한 경우에는 일반적으로 破血藥을 사용하지 말아야 하며, 이는 傷血하는 것을 피하기 위함이다.

活血化瘀하는 藥物은 미세순환 작용을 改善하는 효과, 모세혈관 확장력을 증가하고 모세혈관의 투과성을 감소하는 효과, 혈액의 점도를 감소시키는 효과, 중추신경계 · 말초신경계 · 자율신경계의 실조상황을 조절하는 효과, 혈관 β-수용체 및 M-수용체를 흥분시켜 혈관을 확장하고 혈류량을 증가시켜 혈액순환을 개선하고 동시에 순환하는 혈류의 속도를 증가시켜 혈용량을 증대하고 단핵 탐식세포의 탐식작용을 촉진하는 효과가 있음이 실험적으로 연구 증명되어 있다.

(9) 內托法

透托 및 補托의 藥物로서 扶正達邪하여 瘡瘍의 毒邪가 深部에서 淺部로 나오게 하거나 빠른 시일 내에 成膿이 될 수 있게 하며, 확산이 되려는 證候는 局限되게 하고, 邪盛한 경우 膿毒이 深部에 이르지 않게 하고, 正虛한 경우 毒邪가 內陷되지 않게 하여 膿出됨에 따라 毒邪가 排泄되도록 함으로 腫痛이 消退되게 하는 治法이다. 《外科精義 · 托裏法》"膿未成者使膿早成 膿已潰者使新肉早生 氣血虛者托裏補之 陰陽不和托裏調之.", 《外科大成 · 卷一 · 總論 · 內消內托法》

"托者 起也. 已成之時 不能突起 亦難潰膿. 或堅腫不赤 或不痛大痛 或得膿根散 或膿少膿清 或
瘡口不合者 皆氣血虛也 主以大補. 佐以活血祛毒之品……是爲內托也." 이라 하여 托法의 적용
에 대하여 설명하고 있다. 托法은 透托法과 補托法으로 구분한다.

透托은 透膿散을, 補托은 托裏消毒散이나 薏苡附子敗醬散을 사용한다. 內托하는 藥物은 黃
芪, 黨蔘, 白朮, 當歸, 白芍, 山甲, 皂角刺, 笋尖, 附子, 薏苡仁, 敗醬草 등을 사용한다.

透托法은 腫瘍이 이미 成한 상태에서 毒邪가 盛하고 正氣가 虛하지 않은 경우 潰破되지 않았거
나 혹은 潰破되었으나 膿出이 不暢한 實證에 사용한다. 補托法은 腫瘍의 毒勢가 盛해지는 시기에
正氣가 이미 虛하여 毒邪를 밖으로 배출하지 못하므로 瘡形이 편평하고 根盤이 散漫하며 難潰 難
腐하거나 혹은 潰後에 膿水가 稀少하며 단단한 腫脹이 消散되지 않으며 아울러 精神이 不振하고
面色에 榮華롭지 않으며 脈數無力한 症狀이 있을 때 적용한다. 透膿法은 너무 이른 시기 腫瘍의
初起에 膿이 아직 成熟되지 않았을 때에 적용하지 말아야 한다.

補托法은 正氣가 實하고 毒邪가 盛한 상태에서는 적용하지 말아야 한다. 그렇지 않으면 오히려
毒邪의 勢를 도와 病勢가 더욱 악화된다. 透膿散의 黃芪는 濕熱火毒이 熾盛할때는 사용하지 말
아야 한다. 正氣가 虛한 상태에 精神이 萎靡하고 脈沈細하며 舌質이 淡胖하면 陽氣가 衰한 경우
이므로 附子, 肉桂와 같은 溫補托毒의 藥物을 加하여야 한다. 또한 膿이라는 것은 氣血이 凝滯되
고 熱勝하여 肌肉이 腐爛한 것이므로 內托法과 和營, 淸熱 등의 治法과 함께 적용한다.

(10) 補益法

補虛扶正의 藥物을 사용하여 氣血을 補益하고 이로 인하여 虛弱을 없애고 正氣를 回復하게 하
여 新肉의 생장을 도와주고 瘡口가 빨리 癒合될 수 있도록 하는 治法이다. 《素問 · 至眞要大論》의
"虛者補之", "損者益之"에서 말한 것이 이것이다. 補益法은 益氣, 養血, 滋陰, 助陽 등의 방법으
로 구분된다.

益氣는 四君子湯을, 養血은 四物湯을, 氣血을 함께 補할때는 八珍湯을, 滋陰은 六味地黃湯
을, 助陽은 附桂八味丸 혹은 右歸丸을 사용한다. 益氣하는 藥物은 黨蔘, 黃芪, 白朮, 棉花根을,
養血하는 藥物은 當歸, 熟地黃, 鷄血藤, 白芍을, 滋陰하는 藥物은 生地, 玄蔘, 麥門冬, 女貞子,
旱蓮草을, 溫陽하는 藥物은 附子, 肉桂를, 壯陽하는 藥物은 仙茅, 仙靈脾, 巴戟肉, 鹿角片 등을
사용한다.

瘡瘍의 中 · 後期, 皮膚病에 氣血不足, 陰虛, 陽虛 症狀이 있을 때 補法을 적용한다. 腫瘍의 瘡
形이 平塌하고 散漫하며 頂端이 높지 않고 成膿이 지연될 때, 潰瘍이 시간이 경과하여도 收斂이
되지 않고 膿水가 淸稀하며 神疲乏力한 경우 調補氣血法을 적용한다. 呼吸이 短氣하고 語聽低
微하며 疲倦乏力하며 自汗, 飮食不振, 舌淡苔少, 脈虛無力 등의 氣虛症狀이 보이는 경우는 補
氣法을 적용한다. 面色이 蒼白하거나 혹은 萎黃하고 脣色이 淡白하며 頭暈眼花하고 心悸失眠하

며 手足의 감각이 둔하고 脈細無力 등의 血虛症狀이 보이는 경우는 補血法을 적용한다. 皮膚病에 乾燥, 脫屑, 肥厚, 粗糙, 皸裂, 苔癬樣의 변화가 있고 毛髮이 乾枯 脫落하며 頭暈, 目花, 面色 蒼白 등의 血虛風燥한 證候가 보이는 경우는 養血潤燥法을 적용한다. 已潰 또는 未潰한 一切 瘡 瘍과 皮膚病에서 口乾咽燥, 耳鳴目眩, 手足心熱, 午後低熱, 形體消瘦, 舌紅少苔, 脈象細數 등의 陰虛證候가 보이는 경우는 滋陰法을 적용한다. 一切 瘡瘍의 腫形이 軟漫하고 쉽게 釀膿腐潰하지 않으며 潰後에 皮膚色이 晦暗하고 新肉의 생성이 불량하며 아울러 大便이 溏薄하고 小便이 頻數하며 肢冷自汗, 少氣懶言, 倦臥嗜睡하고 脈微細하며 苔薄舌質淡 등의 陽虛症狀이 보이는 경우는 溫補助陽法을 적용한다. 乳房病 혹은 皮膚病에 衝任不調한 경우는 益腎法을 적용하여 衝任을 調攝한다.

陽證 瘡瘍의 潰後에는 補法을 적용하지 않으며 淸熱養陰醒胃의 治法을 적용한다. 虛證이 뚜렷한 경우에만 補益法 적용한다. 補益法을 毒邪가 熾盛하고 正氣가 未衰한 경우에 적용하는 것은 無益할 뿐 아니라 邪氣를 도와주는 폐단이 있게 된다. 火毒이 消散되지 않은 상태에 虛證이 나타나는 경우에는 淸裏를 主로 하고 補益을 使로 하며 절대로 大補해서는 안된다. 補法을 적용할 때는 脾胃를 고려하여야 한다. 補劑는 대부분 滋膩하므로 脾胃의 運化가 좋지 않을 때는 어떠한 補劑도 충분한 작용을 하지 못하므로 補劑中에 理氣, 健脾의 白朮, 陳皮, 砂仁, 枳殼 등의 藥物을 함께 사용하여야 한다.

補氣養血하는 黨蔘, 黃芪, 白朮, 當歸 등의 藥物은 단핵탐식세포계통의 탐식능력을 증강하고, 黨蔘, 白朮, 茯苓 등은 세포의 면역기능을 촉진하고 體液免疫機能의 작용을 증가시키고, 助陽藥과 滋陰藥은 抗體生長을 촉진하고 滋陰藥은 현저한 抗體의 存在時間을 年長시키는 것으로 최근 연구를 통해 증명되었다.

(11) 養胃法

胃氣를 도와주는 藥物을 사용하여 納穀 기능을 왕성하게 하므로 氣血 등 生化의 源泉을 길러주는 治法이다. 外瘍이 潰破된 후 膿血이 大泄하면 水穀의 營養이 필요하고 이로 인해 氣血의 회복을 도와 瘡口가 愈合이 촉진될 수 있도록 한다. 氣血은 瘡瘍의 근본으로 만약 胃氣가 부진하여 生化의 源泉인 氣血이 충실하지 못하면 潰後에 瘡口의 유합이 어려워진다. 養胃法은 瘡瘍의 후기에 적용되며, 理脾和胃, 和胃化濁, 淸陽胃陰 등의 방법으로 구분된다.

理脾和胃는 異功散을, 和胃化濁은 二陳湯을, 淸陽胃陰은 益胃湯을 사용한다. 理脾和胃하는 藥物은 黨蔘, 白朮, 茯苓, 陳皮, 砂仁 등을, 和胃化濁하는 藥物은 陳皮, 茯苓, 半夏, 竹茹, 穀芽, 麥芽, 炒香, 枇杷葉 등을, 淸陽胃陰하는 藥物은 沙蔘, 麥門冬, 玉竹, 細生地, 天花粉 등을 사용한다.

理脾和胃法은 脾胃의 虛弱으로 運化 기능이 실조되어 納呆食少, 大便溏薄, 苔薄質淡, 脈濡

등을 보이는 潰瘍에 적용하며, 和胃化濁法은 濕濁이 中阻하여 胃의 降和 기능이 실조되어 胸悶欲惡, 胃納不振, 苔薄黃膩, 脈濡滑 등을 보이는 疔瘡 혹은 有頭疽의 潰後, 腸癰의 恢復期 혹은 手術後에 적용하며, 淸陽胃陰法은 胃陰이 不足하여 口乾少液한데 不喜飮하고 胃納不香, 舌質光紅 혹은 口糜, 脈象細數 등을 보이는 疔瘡走黃, 有頭疽內陷, 중증의 火傷, 腸癰의 恢復期 혹은 手術後에 적용한다.

理脾和胃, 和胃化濁의 治法은 胃納의 기능이 좋지 않을 때 사용하지만 理脾和胃法은 脾虛하여 運化 기능이 실조된 경우에 적용하고, 和胃化濁法은 濕濁中阻하여 運化 기능이 실조된 경우에 적용한다. 區分의 要點은 膩苔의 厚薄, 舌質의 淡·不淡, 便溏과 胸悶欲惡의 有無 등이다. 淸陽胃陰法의 적용은 舌質光紅을 파악하는 것이 중요한 要點이다. 만약 淸陽胃陰法을 脾胃虛弱으로 運化 기능이 실조된 경우 적용하면 虛함을 더욱 더 加重시키고, 濕濁中阻하여 胃의 和降 기능이 실조된 경우에 적용하면 濕阻를 더욱 더 倍加시키게 된다. 만약 和胃化濁法을 胃陰不足한 경우에 적용하면 陰氣는 더욱 더 損傷시키게 된다.

여러 종류의 內治 방법이 각각의 적응증이 있지만 病情의 변화가 아주 복잡하므로 구체적인 적용에서는 흔히 여러 治法이 함께 활용된다. 그러므로 환자의 전신과 국소의 情況, 病程의 단계, 病情의 변화와 발전 등을 근거로 하여 主症을 충분히 파악하고 治法을 세워 處方을 구성하여야 치료 효과가 높아진다.

2. 皮膚疾患의 內治法

피부 질환의 치료에 있어 "治外必本諸內"는 局所와 整體를 함께 중요시하는 말이다. 치료 방법은 크게 內治와 外治로 구분되며, 임상에서 환자의 체질 상태, 서로 다른 병인, 피부 손상, 환부 등에 근거하여 변증을 진행하고 이후 적절한 內治와 外治를 시행한다.

1) 疏風解表止痒法
外證 초기 風邪가 肌表에 머물러 발생하는 피부 가려움, 홍색 구진, 팽진에 적용한다. 發熱, 惡寒, 口渴, 咽疼, 脈滑數 혹 浮緩 등이 나타나고, 대부분 급만성 두드러기, 습진, 피부소양증 등의 급만성 소양성 피부질환에서 볼 수 있다. 淸熱疏風, 散寒疏風, 搜風止痒(頑固型) 등으로 구분된다. 주로 防風, 荊芥, 麻黃, 牛蒡子, 桑葉, 浮萍, 蟬退, 白鮮皮, 刺蒺藜, 全蝎, 秦艽, 苦蔘 등을 사용한다. 일반적으로 散風하는 약에 血分으로 入走하는 약을 병행하는 것이 止痒 효과를 높일 수 있다. 止痒 효과가 높은 약은 白鮮皮, 刺蒺藜, 秦艽 등이 있다.

2) 養血潤膚止痒法

風燥 혹은 血燥로 인해 발생하는 피부 질환에 적용한다. 임상에서 피부 건조, 脫皮肥厚, 각화, 裂口, 모발 건조 탈락 등을 보이고 심한 경우 血虛, 脈沈細 혹 沈緩, 舌質淡 苔白 등이 나타난다. 만성 두드러기, 만성 습진, 신경성 피부염, 피부소양증, 건선(정지기) 등에서 볼 수 있다. 주로 當歸, 生地黃, 熟地黃, 天門冬, 麥門冬, 鷄血藤, 赤芍, 白芍, 首烏藤, 刺蒺藜 등을 사용한다.

3) 淸熱凉血瀉化法

火熱의 邪氣에 의해 발생하는 피부질환에 적용한다. 피부에 潮紅, 灼熱, 紅斑, 出血斑, 血疱, 紅腫熱痛 등을 보이고 發熱煩燥, 口乾脣焦, 大便乾, 小便黃少, 舌質紅 혹 絳, 舌苔黃 혹 黃白膩, 脈滑數 혹 浮大而數 등이 나타난다. 급성 습진, 과민성 피부염, 과민성 자반, 접촉성 피부염, 대포성 다형홍반, 약진, 박탈성 피부염 등에서 볼 수 있다. 淸氣分熱, 淸營分熱, 淸上部熱, 淸下部熱 등으로 구분된다. 주로 石膏, 玳瑁, 黃芩, 黃連, 黃柏, 梔子, 龍膽草, 生地黃, 牧丹皮, 白茅根, 紫草根, 茜草根, 赤芍, 大靑葉 등을 사용한다.

4) 活血破瘀 · 軟堅內消法

經絡이 阻隔하여 氣血이 凝滯되어 발생하는 피부질환에 적용한다. 임상에서 腫物, 瘀斑, 침윤성 홍반, 결절, 과도한 비후 각화를 보이고 脈沈澁 혹 緩澁, 舌暗淡 혹 紫暗 혹 瘀斑 등이 나타난다. 경결성 홍반, 결절성 홍반, 임파결핵, 肉瘤(지방종, 섬유종), 만성 판상 홍반성루프스, 켈로이드, 혈관염 등에서 볼 수 있다. 주로 桃仁, 紅花, 蘇木, 三稜, 莪朮, 赤芍, 鬼箭羽, 丹蔘, 貝母, 夏枯草, 殭蠶, 丹皮, 鷄血藤, 大黃, 牡蠣 등을 사용한다. 氣實한 환자는 大黃, 䗪蟲을, 심한 경우에는 水蛭, 虻蟲을 사용할 수 있으나 신중해야 한다.

5) 溫經散寒 · 養血通絡法

陽氣의 衰弱으로 寒凝하고 氣滯하여 발생하는 피부질환에 적용한다. 四肢厥冷, 皮膚冷硬, 瘡瘍破潰 色暗而淡, 久不收口, 竇道 瘻管의 형성을 보이고 脈沈細, 舌淡苔薄白 등이 나타난다. 경피병, 천공성 궤양, 肢端동맥 경련병, 어혈성 홍반, 만성 瘻管 등에서 볼 수 있다. 주로 黃耆, 肉桂, 桂枝, 炮薑, 細辛, 補骨脂, 附子, 鹿角膠, 麻黃 등을 사용한다.

6) 健脾除濕利水法

內濕 혹은 外濕으로 발생하는 피부질환에 적용한다. 濕邪의 위치 및 寒熱虛實의 차이를 감별하여야 한다. 濕邪가 上部에 있는 경우는 微汗, 下部에 있는 경우는 健脾行水하며, 寒化한 경우에는 燥濕, 熱化한 경우에는 淸利(利濕)하며, 實證에는 攻逐, 虛證에는 扶正한다. 脾虛하면 運化 기능

의 실조로 水濕이 停滯되고, 腎虛하면 氣化가 不利하여 水濕이 泛濫하고, 肺氣가 不宣하면 膀胱이 不利하여 小便이 不通한다.

피부에 수포, 미란, 水腫, 삼출, 비후 등을 보이고 脈沈緩 혹 弦滑 弦緩, 舌淡, 舌胖大 혹 齒痕 등이 나타난다. 습진, 대상포진, 지루성 脫髮, 피부소양증, 음부 궤양, 천포창 등에서 볼 수 있다. 健脾燥濕, 利水化濕, 利濕淸熱, 溫化水濕 등으로 구분한다. 주로 蒼朮, 白朮, 厚朴, 陳皮, 薏苡仁, 草薢, 車前子, 澤瀉, 茯笭, 扁豆, 茵蔯, 防己, 滑石, 豬笭, 萹蓄, 瞿麥, 木通 등을 사용한다.

7) 淸熱解毒殺蟲法

熱毒이 盛한 피부병에 적용한다. 화농성 피부 질환에서 보이고 發熱, 惡寒, 大便乾, 小便赤少, 口乾 등이 나타난다. 癰, 癤, 丹毒, 봉와직염, 림프관염, 모낭염, 농포병 등에서 볼 수 있다. 주로 金銀花, 連翹, 蒲公英, 赤芍, 地丁, 敗醬草, 野菊花, 大靑葉, 馬齒莧 등을 사용한다.

8) 滋陰益腎 · 强筋壯骨法

陰虛證에 적용한다. 身體羸瘦, 形容憔悴, 口乾咽燥, 虛煩不眠, 骨蒸潮熱, 低熱不退, 舌紅少苔, 脈細數 등이 나타난다. 본래 陰虛한 체질이거나 重症의 열성 피부병 후기 陰分이 손상된 경우이다. 전신성 홍반성루프스, 천포창, 베체트병, 박탈성 피부염, 약진의 후기 등에서 볼 수 있다. 때로는 색소성 피부질환 및 내분비 실조와 관련된 피부질환인 기미, 흑피증과 중증 피부질환에 동반된 신장 병변에서는 陰陽兩虛證이 나타나기도 한다. 주로 沙蔘, 麥門冬, 熟地黃, 生地黃, 玄蔘, 石斛, 山茱萸, 女貞子, 枸杞子, 龜板, 鱉甲, 玉竹, 旱蓮草, 黃柏, 知母 등을 사용한다.

9) 調和陰陽 · 補益氣血法

氣血이 허약하고 오래된 병으로 氣血이 소모된 경우에 적용한다. 전신성 홍반성루프스, 천포창, 重症의 피부 감염인 癰 또는 봉와직염(연조직염)의 후기 및 회복기, 瘡口가 潰後에 오래도록 유합되지 않는 경우, 大病 · 久病을 앓고 난 후 陰陽이 不調하고 氣血이 失和된 경우에 볼 수 있다. 주로 黃耆, 黨蔘, 沙蔘, 首烏藤, 鷄血藤, 天仙藤, 白朮, 當歸, 茯笭, 熟地黃, 黃精, 赤芍, 白芍, 丹蔘, 人蔘 등을 사용한다.

3. 외과 外治法

약물과 수술 혹은 의료기기를 활용하여 체표 국소부위에 직접적으로 작용하여 치료효과를 얻는 방법이다. 外治의 응용은 시대적으로 內治보다 앞서며, 神農이 百草를 사용하기 이전에 砭石, 草

藥外敷 등의 방법으로 질병에 이용되었다.

外治法은 외과에서 아주 중요한 치료방법으로《徐靈胎醫書·醫學原流論·卷下·圍藥論》에서 "外科之法 最重外治"라 하였다. 외과의 治法에서 중대한 危症인 경우는 內·外治를 병행하고 가벼운 淺表의 작은 瘡瘍은 外治만을 단독적으로 활용한다. 피부병의 치료에 있어서도 외용약의 제형을 정확하게 선택하면 환자의 자각증상과 피부의 손상을 신속하게 감소시킬 수 있다. 항문병의 痔漏에서도 外治 단독으로 根治에 이를 수 있다.

임상에 적용되는 外治의 방법에는 약물요법, 수술요법, 기타요법이 있으며, 질병의 경과와 상태에 따라 선택하여 활용한다.

1) 약물요법

약물을 서로 다른 劑型으로 하여 환부에 직접적으로 적용하여 치료효과를 얻어내는 방법으로 膏藥, 油膏, 箍圍藥, 摻藥 등이 있다.

(1) 膏藥

薄貼이라 하며 硬膏에 해당한다. 膏藥은 건조한 약물을 식물유에 담그고 煎熬한후 찌꺼기를 버리고 黃丹을 가하고 다시 끓여 만든다. 膏藥의 효능은 약리적 작용과 물리적 작용이 함께 나타난다. 약리적 작용은 배합된 약물에 따라 다르며 주로 驅風散寒, 調氣活血, 消痰痞, 壯筋骨의 효능이 있어 腫瘍은 消腫定痛하고 潰瘍은 提膿祛腐, 生肌收口한다. 물리적 작용은 점성이 있어 患部에 敷貼하여 患部의 위치를 고정시켜 患處에 충분한 안정을 제공하고 潰瘍의 손상면을 보호하며 외부의 자극과 세균의 2차 감염을 감소시킨다. 膏藥을 사용하기 전에 溫軟化하여 患部에 敷貼하여 장시간의 溫熱 효과를 통해 국소적인 혈액순환을 개선하고 저항력을 증가시킨다. 일체의 외과병증 초기, 已成, 潰後 모두와 피부병에 적용한다.

膏藥의 약물 구성에 따라 溫과 凉의 구별이 있어 임상에서 이용시 적응증이 서로 다르다. 膏藥의 두께에 있어 薄型은 潰瘍에 적용하며 자주 교환하고, 厚型은 腫瘍에 적용하며 5~7일에 한 번씩 교환한다.

瘡瘍에 膏藥을 사용한 후 피부가 焮紅하며 丘疹, 水疱, 瘙痒 등이 나타나고 심하여 濕爛이 발생하는 경우, 이러한 것들은 피부 과민반응으로 접촉성피부염(膏藥風)이라 한다. 潰瘍에 膿水가 과다하면 膏藥은 膿水의 흡수에 어려움이 있어 瘡口와 주변 피부가 짓물러 습진이 유발된다. 이러한 경우에는 油膏나 다른 치료 방법을 선택하는 것이 좋다. 또한 膏藥을 너무 일찍 혹은 늦게 제거하면 瘡面이 손상을 받기 쉽고 2차 감염이 유발하여 潰腐에 이르고 홍색의 瘢痕이 형성될 수 있다. 최근의 연구에 의하면 膏藥의 外敷는 국소 및 전신의 면역체계를 활성화하여 탐식세포의 기능을 강화하는 것으로 보고되고 있다.

(2) 油膏

약물을 기름(油類)과 함께 煎熬하거나 고르게 혼합하여 膏를 만드는 制劑로 鉛丹을 사용하지 않아 제형이 부드러워 軟膏라 말한다. 油膏의 조제에는 豬脂, 羊脂, 麻油, 松脂, 黃蠟, 白蠟, 川蠟, 바세린 등이 사용된다. 油膏는 부드럽고 윤활하며 점착성이 적어 瘡面이 고르지 않은 경우, 潰瘍의 면적이 넓은 경우에 적절하다. 현대에는 油膏가 膏藥을 대체하여 주로 사용되고 있다. 일반적으로 腫瘍, 潰瘍, 항문병, 피부병에 삼출이 적은 糜爛, 結痂를 보일 때 적용한다.

피부가 濕爛하거나 瘡口의 腐化가 깨끗해진 경우 油膏를 얇게 펴서 도포하고 자주 교환하여 膿水가 피부에 浸淫되지 않고 건조해지지 않도록 해야 한다. 油膏 제조시 기제에 따라 피부 자극을 유발할 수도 있다. 궤양의 腐肉이 이미 없어진 상태에서 生肌를 촉진하는 시기에 油膏는 얇게 펴서 도포하여야 한다. 그렇지 않으면 육아조직의 형성이 지나쳐 瘡口의 癒合에 영향을 줄 수 있다.

(3) 箍圍藥

敷貼이라 하며 瘡毒을 제거하는 작용의 粉劑를 사용할 때 액체, 꿀, 당 등과 혼합하여 粘稠한 상태로 瘡傷에 도포한다. 腫瘍의 초기에 사용하여 消散시킨다. 毒氣가 이미 結聚된 경우에는 瘡形을 축소시키고 국한시켜 빠르게 化膿시키고 潰破시킨다. 潰破된 후 餘腫이 消散되지 않은 경우에는 消腫시키고 餘毒을 제거하는 효과가 있다. 外瘍의 초기, 化膿期, 潰破後 腫脹이 散漫하고 結聚되지 않고 硬結이 없는 경우에 주로 적용한다.

箍圍藥은 질병의 성질과 시기에 따라 혼합하는 액체가 달라진다. 散瘀解毒에는 醋를, 藥力의 운행을 돕기 위해서는 酒를, 辛香한 味로 散邪할 때는 蔥, 薑, 韭, 蒜을, 淸熱解毒할 경우에는 菊花, 絲瓜葉, 銀花露를, 자극을 완화시키기 위해서는 鷄子淸을, 肌膚를 윤택시키기 위해서는 油類를 사용한다. 위의 기제를 사용하는 것이 곤란한 경우에는 冷茶汁에 白糖을 약간 첨가하여 사용한다.

箍圍藥을 敷貼할 때에는 腫脹이 있는 곳에 두껍게 도포한다. 腫瘍초기에는 전체적으로 충분히 두껍게 도포하고, 毒氣가 이미 結聚되거나 潰後 餘毒이 消散되지 않은 경우에는 중앙 부위를 제외하고 주변에 골고루 도포하여 毒氣를 가두어 消腫시킨다.

箍圍藥을 도포한 후 건조해지면 액체를 수시로 첨가하여 약물이 건조해져 탈락되는 것을 막아야 한다.

(4) 摻藥

膏藥이나 油膏에 혼합하거나 직접 환부에 도포하는 粉劑로 散劑라고도 한다. 摻藥은 적용시 膏藥 또는 油膏와 혼합하여 환처에 敷貼, 직접 瘡面에 摻布, 약심지에 점착시켜 瘡口 안으로 삽입하거나 환처를 수시로 치는 방법으로 消腫散毒, 提膿祛腐, 腐蝕平胬, 生肌收口, 定痛止血, 收澁止痒, 淸熱解毒의 효과를 발휘한다.

摻藥은 극세말하여 사용하는 것이 효과적이다. 그렇지 않으면 腫瘍에 사용할 때 약물의 침투력이 저하되고, 潰瘍에 사용할 때 동통을 유발할 수 있다. 방향성의 약물을 극세말하여 보관할 때는 방향성 소실되지 않도록 밀봉하여야 치료 효과의 저하를 막을 수 있다. 摻藥은 消散藥, 提膿祛腐藥, 腐蝕平胬藥, 生肌收口藥, 止血藥, 淸熱收澁藥, 酊劑로 분류된다.

① 消散藥

滲透와 消散하는 작용으로 膏藥 또는 油膏와 혼합하고 腫處에 敷貼하여 직접 약효를 발휘한다. 瘡瘍의 壅結된 毒氣를 밖으로 몰아내어 腫毒을 消散시킨다. 외과의 가장 효과적인 치법은 消法이다. 어떠한 외부의 瘡瘍이라도 능히 消散시키면 치료기간을 단축시키고 痛苦를 감소시키므로 이것이 瘡瘍 초기의 기본적인 치료법이며 이상적인 방법이다. 腫瘍 초기 腫勢가 국한적인 경우 적용하며, 腫勢가 국한적이지 않은 경우에는 箍圍藥을 함께 사용한다.

② 提膿祛腐藥

瘡瘍의 내부에 몰려있는 膿毒을 빠르게 배출하여 腐肉이 신속하게 탈락하도록 한다. 外瘍의 潰破 초기에 膿水가 외부로 出하지 못하여 심해지고 腐肉이 제거되지 못하여 新肉의 생성이 저하되면 동통이 심해지고 瘡口의 癒合에 영향을 미치게 되며 심한 경우 위중해지게 된다. 이러한 경우 提膿祛腐하는 약을 사용하여 潰瘍을 초기에 처치하는 것이 바람직하다. 潰瘍 초기, 膿栓이 제거되지 않은 경우, 腐肉이 탈락되지 않는 경우, 膿水가 남아 있는 상태에서 新肉의 생성이 지연되는 경우에 적용한다. 提膿祛腐의 主藥은 升丹이며 靈藥이라고도 하고, 小升丹과 大升丹으로 분류한다. 水銀, 火硝, 明礬으로 구성되며, 외과를 주로 하는 瘍醫에게는 중요한 약이다. 升丹은 藥性이 강렬하여 사용시 심한 동통을 야기하므로 尿浸石膏나 熟石膏를 부형약으로 사용하며 石膏의 비율에 따라 九一丹, 八二丹, 七三丹 등으로 명명한다. 升丹은 독성이 있어 구강, 인후의 질환에는 대부분 사용을 忌하며, 升丹에 과민성을 보이는 경우는 사용을 禁한다. 眼部, 脣部 인근의 병변에는 강렬한 부식작용에 의한 안면의 손상을 막기 위하여 신중하게 사용한다. 큰 瘡面에 대해서도 신중하게 사용하여야 하며, 사용할 때에는 수은을 적게 함유한 九一丹을 우선적으로 사용하여 수은의 과다한 흡수를 막아 수은중독이 발생하는 것을 피해야 한다. 不明熱, 乏力, 입안에서 금속 맛이 느껴지는 등의 수은중독 증상이 있을 때에는 사용을 중지한다. 升丹은 오래되면 藥性이 완화되어 사용시 동통이 감소한다. 升丹은 수은제제로 산화하여 변질되는 것을 막기 위하여 흑색병을 사용하는 것이 바람직하다. 升丹의 주요 화학성분은 산화수은, 초산수은, 산화납 등으로 살균소독작용과 부식작용이 있다.

③ 腐蝕平胬藥

환처에 摻布하여 瘡瘍의 비정상적인 조직을 부식시켜 탈락시키거나, 瘡口에 증식된 胬肉을 平復시키는 효과를 가지고 있다. 화농되었으나 潰破되지 않은 腫瘍, 痔瘡, 瘰癧, 贅疣, 瘜肉, 潰破된 瘡瘍에서 瘡口가 크든 작든, 瘡口가 僵硬하거나, 胬肉이 돌출되거나, 胬肉이 탈락되지 않아 瘡口의 癒合이 지체되는 경우 모두 적용한다. 白降丹, 枯痔散, 三品一條槍, 平胬丹 등이 있다. 腐蝕平胬하는 약물은 수은과 비소를 함유하고 있어 사용에 있어 주의를 해야 한다. 특히 頭部, 指, 趾 등 피부가 얇은 곳은 腐蝕平胬藥을 사용할 경우 반드시 부형약을 첨가하여 藥力을 완화하여 筋骨이 손상되지 않도록 한다. 腐蝕平胬藥을 摻布할 경우 주위의 정상적인 조직이 손상되지 않도록 하고 부식의 효과에 도달하면 提膿生肌하는 약물로 변경하여 사용한다.

④ 生肌收口藥

解毒, 收澁, 收斂의 효과를 통해 육아조직의 성장을 촉진하여 瘡面에 摻布하면 瘡口의 유합을 가속화한다. 潰瘍의 腐肉이 탈락되고 膿水가 소실된 경우에 적용한다. 生肌散, 八寶丹 등이 있다. 生肌收口藥을 적용할 경우에는 瘡面이 큰 경우는 腐脫膿淸을 瘡口가 깊은 경우는 藥線 추출시 帶粘絲의 정도를 파악하는 것이 중요하며, 瘡面에 白膜의 형성은 新生의 상피로 손상되지 않도록 해야 한다. 膿毒이나 腐肉이 제거되지 않은 상태에서 生肌收口藥을 일찍 사용하는 것은 오히려 潰爛을 가중시켜 치유를 지연시킬 수 있으며, 膿毒이 심부로 轉變되는 폐해를 범할 수 있다. 瘻管이 형성된 상태에 사용하는 경우는 瘡口의 收斂을 촉진하지만 다시 潰爛을 유발할 수 있다. 潰瘍의 肌肉이 灰淡색을 띠고 紅活하지 못한 것은 육아조직의 新生이 지연되는 것으로 補養藥을 함께 내복하여 영양을 증대시키는 것이 필요하다. 瘡瘍이 오래되고 收斂이 지연되는 경우는 국소적인 氣血순환을 개선하는 것도 좋은 방법이다.

⑤ 止血藥

출혈이 있는 부위에 摻布하거나 붕대를 이용하여 압박 고정하는 방법으로 瘡口의 혈액을 응고시켜 출혈을 멈추게 하는 것으로 潰瘍이나 創傷으로 인한 혈관 손상의 출혈에 적용한다. 桃花散, 如聖金刀散, 如蔘三七粉 등이 있다. 출혈이 많은 경우에는 수술과 내치 등의 응급 치료 방법을 병행하여 출혈로 인한 暈厥을 막아야 한다.

⑥ 淸熱收澁藥

피부병에 糜爛, 滲液이 많지 않은 손상에 摻扑하여 紅熱을 제거하고 止痒과 收燥의 효과를 보인다. 급성 및 아급성의 滲液이 많지 않은 피부염에 적용한다. 靑黛散, 三石散 등이 있다. 摻藥은 滲液의 유출을 막고 민감성 피부염을 일으킬 수 있어 일반적으로 糜爛이나 滲液이 많은 피부 손상에 적용하지 않는다. 또한 粉末은 모발과 쉽게 뭉침을 유발하여 약물의 도포에 영향을 주고 약효를 저하시킬 수 있으므로 사용시에는 모발을 제거하고 藥粉을 도포한다.

⑦ 酊劑

약물을 粗末하고 alcohol에 浸泡하여 만든 추출액을 말한다. 未潰한 瘡瘍과 피부질환에 적용한다. 紅靈酒, 10% 土槿皮酊, 複方土槿皮酊, 白屑風酊 등이 있다. 酊劑는 대부분 자극성이 있어 潰瘍을 보이는 瘡瘍이나 糜爛을 보이는 피부병에는 사용을 주의한다. 酊劑는 차광의 밀폐성 용기에 보관하는 것이 바람직하다.

2) 수술요법

한의사의 수술은 "의료법 제24조의2(의료행위에 관한 설명) ① 의사·치과의사 또는 한의사는 사람의 생명 또는 신체에 중대한 위해를 발생하게 할 우려가 있는 수술, 수혈, 전신마취(이하 이 조에서 "수술등"이라 한다)를 하는 경우 … …"에 근거를 두고 있다.

기기를 이용하거나 수술 조작을 통하여 질병을 치료하는 외과적 치료법으로 내과적 치료법과 구별되는 외과학의 특징적인 치료법이다. 외과 질병이 內治 또는 약물을 통한 外治로 제거되지 않은 경우, 膿腫을 형성한 瘡瘍, 漏를 형성한 潰瘍, 疣贅를 형성한 외과, 피부과 질환은 수술요법을 통하여 膿液이나 病巢를 제거하여 조기에 치료해야 한다. 수술요법에는 切開法, 烙法, 砭鎌法, 掛線法, 結紮法 등이 있다. 수술 조작을 할 때에는 소독을 엄격히 하여 무균적으로 처치를 하며, 필요한 경우 마취를 실시하고 출혈과 刀暈에 주의해야 한다.

(1) 切開法

手術刀를 이용하여 膿腫을 절개하는 수술요법으로 《內經》의 鍼法에 기원을 두고 있으며, 《素問·長刺節論》"治腐 腫者刺腐上 視癰小大深淺刺, …"라 하여 切開法을 鍼法으로 칭하고 있다. 《外科啓玄·明瘡瘍宜鍼論》의 "凡癰疽之有膿 須急以鈹鍼去其膿 血毒從此瀉而不復有也 好肉則不腐.", 《證治準繩·瘍醫·卷一·鍼烙十》의 "若當用鍼烙而不用 則毒無從而泄 膿瘀蝕其膏膜 爛筋壞骨."이라 하여 切開法이 외과의 중요한 수술요법임을 말하고 있다. 陰證, 陽證을 막론하고 모든 瘡瘍에 成膿이 된 경우에 적용한다.

開刀전 膿의 有無, 膿腔의 위치 및 깊이 등을 정확하게 판별하여야 한다. 辨膿은 接觸法, 穿刺法, 透光法 등을 통하여 확인하고, 절개 위치는 低位引流의 원칙에 따르며, 절개 방향은 循經 방향에 따라 血絡을 손상하지 않도록 한다. 膿이 深한데 절개가 미치지 못한 경우 膿毒이 밖으로 나오지 못하고 주위로 走散하고, 膿이 淺한데 절개가 지나치면 膿毒이 밖으로 나오기는 하지만 정상적인 肌肉이 손상되어 膿毒이 血絡을 통해 주위로 走散히게 되므로 절개 깊이 또한 정확해야 한다.

筋脈의 손상으로 관절의 운동에 장애를 초래할 수 있는 경우, 血瘤 및 癌腫은 開刀로 출혈이 멈추지 않아 불량해질 수 있으므로 切開法을 신중하게 적용한다. 지나치게 허약한 환자는 補養藥의 내복을 먼저 시행하여 切開로 인한 暈厥을 방지하여야 한다. 안면 위험 삼각부의 未膿된 疔瘡에 切開法을 지나치게 일찍 적용하는 경우 走黃의 위증에 이를 수 있다. 切開後 排膿을 위해 지나치게 강하게 制壓하면 膿毒이 주위로 走散하여 毒邪內攻으로 轉變될 수 있다.

刀暈은 수술 진행중에 발생하는 전신 증후군으로 가벼운 경우는 頭暈欲嘔, 心慌意亂, 心悸不寧, 惡寒微汗 등의 증상이 나타나고, 중한 경우는 面色蒼白, 神志昏糊, 四肢厥冷, 大汗淋漓, 呼吸微弱, 脈搏沈細, 혈압하강 등의 증상이 나타난다. 刀暈이 나타나면 절개수술을 중단하고 응급처치를 시행한다. 가벼운 경우는 환자를 편안하게 안정시키거나, 머리를 낮게 하고 따뜻한 물을 먹게 하고 잠시 기다리면 정신을 회복한다. 중한 경우는 위의 처치와 함께 止痛과 보온을 위해 百會와 人中에 灸하거나, 合谷, 人中, 少商 등의 구급혈에 刺針한다.

(2) 烙法

火針과 烙機를 사용하는 것으로 열에너지를 이용하여 수술 조작을 하는 外治法을 말한다. 烙法은 火針烙法과 烙鐵烙法으로 구분되며 적응증과 사용법은 서로 다르다.

① 火針烙法

燔針焠刺라 하며 火針의 도구를 가열한 후 患部를 자극하는 치료 방법이다. 粗針과 細針의 두 종류가 있으며 粗針은 농양 刺破에 細針은 消散에 적용한다. 細針은 針을 가열한 후 患部에 빠르게 刺入하고 빠르게 拔出하는 방법으로 瘰癧을 주로 치료는 것 외에는 임상에서의 이용은 많지 않다. 粗針은 가는 젓가락 형태로 철이나 강철로 제조되며, 길이는 18~20㎝ 정도로 針頭는 뾰족하고 가는 둥근 형태이며 針柄은 거친 둥근 형태나 사각형의 형태이다. 灼烙의 작용은 절개법을 대체하면서 아울러 수술부위의 출혈을 방지하는 효과를 가지고 있다(현대 의료용 전기소작기인 Bovie knife, 레이저 등과 동일).

附骨疽, 流痰 등 肌肉이 두껍고 농양이 深部에 위치한 瘡瘍, 화농은 되었으나 潰破되지 않은 농양을 밖으로 흐르게 할 경우, 潰破되었으나 瘡口가 작아 膿出이 원활하지 않은 경우 등이 적응증이다.

② 烙鐵烙法

烙鐵은 銀으로 제조하였으나 현재는 철이나 동으로 제조하며 針頭는 米粒 혹은 蠶豆와 같은 형태로 針柄은 길게 만들어져 있다. 烙鐵로 병변 부위를 燒灼시 病根을 燙治하는 효과와 지혈하는 효과를 가지게 된다. 《外科啓玄·卷八·血瘤贅》에서 "凡生血瘤贅 小而至大 細根蒂者 與茄子相

似 宜調惡針散 一服 卽以利刃割法. 以銀烙匙燒紅 一烙卽不流血 亦不潰 不再生. 不然復出血瘤."라 말하고 있다.

創傷으로 큰 혈관이 찢어지거나 끊어져 출혈이 많은 경우, 贅疣, 瘜肉 등이 돌출된 경우 적용한다. 贅疣나 瘜肉의 경우 刀錢을 이용하여 根部를 제거한 후 烙法을 시행하거나 큰 혈관이 손상된 경우 출혈점을 찾아 烙法을 시행한다. 현재는 전류를 이용한 전기소작법, 레이저로 烙鐵烙法을 대신하고 있다.

(3) 砭鎌法

砭石을 이용하여 防血을 통해 毒氣를 제거하는 치료법에 근원을 두고 있으며 飛針이라 한다. 삼릉침 혹은 刀를 이용 患部의 피부나 점막을 淺刺하여 소량의 혈액을 방출시켜 熱毒을 外泄하는 外治法이다. 급성의 陽證인 丹毒, 紅絲疔에 적용한다. 삼릉침이나 刀尖을 이용하여 피부 및 점막을 直刺하고 신속하게 이동하면서 擊刺하여 血이나 점액이 나오도록 한다. 만성의 陰證과 虛證에는 禁用한다. 砭刺는 淺刺하여 피부를 가볍게 刺破하여 血이 나오도록 하고 深刺하여 經絡이 손상되는 것은 피하여야 한다. 刺破후 敷藥을 이용하여 처치 부위를 도포한다.

(4) 掛線法

線이나 橡皮筋을 이용하여 瘻管을 관통시켜 양 끝을 묶은 후 線의 긴장력을 이용하여 국소부위 氣血의 阻塞을 유도하고 肌肉을 서서히 壞死시켜 切開되도록 하는 치료법이다. 瘡瘍 潰後에 膿水가 계속적으로 흘러 약물의 內服, 外敷를 하였음에도 불구하고 효과가 없어 瘻管이나 瘻道를 형성한 경우, 瘡口가 깊은 경우, 血絡叢 부위 병변 등 切開法을 적용하기 곤란한 경우에 적용된다.

瘻管의 管道가 깊거나 길어 괘선이 이완되는 경우 다시 긴장력을 주어 절개의 목적에 도달할 수 있도록 해야 한다. 시술 전 瘻管의 管道를 정확하게 살펴 假道의 형성을 막아야 한다.

(5) 結紮法

纏紮法이라 하기도 하며 線의 긴장력을 이용하여 환부의 經絡을 阻塞시켜 氣血의 흐름을 막아 結紮 상부의 병변 조직이 壞死 脫落되도록 하거나, 끊어진 큰 혈관의 절단 부위를 結紮하여 出血을 막는 치료법이다. 瘤, 贅疣, 痔, 瘜肉, 脫疽 등의 병과 脈絡이 끊어져 출혈을 일으키는 상황에 적용한다. 內痔 結紮에 縫針으로 痔下 肌肉층까지 지나치게 깊게 穿하여 化膿되지 않도록 한다. 結紮은 느슨해지지 않도록 하여야 병변 조직이 脫落될 수 있다. 자연 탈락되도록 하고 잡아당기지 말아야 출혈이 되는 것을 방지할 수 있다. 血瘤, 癌腫은 結紮法의 사용을 주의한다.

3) 기타요법

약물 외용요법과 수술요법을 제외한 외치법으로 藥線引流, 墊棉法, 藥筒拔法, 灸法, 熏法, 熨法, 墊烘療法, 洗滌法 등이 있다.

(1) 引流法(Drainage)

膿腫을 切開하거나 혹은 自潰된 후 腐肉이 제거되지 않고 膿毒이 남아 충분히 밖으로 흐르지 않은 상태에서 瘡口가 癒合되면 膿毒이 내부에 남아 증상이 다시 재발하고 심하면 走黃·內陷으로 轉變될 수 있으므로 膿毒이 밖으로 나올 수 있도록 膿腔이 깊고 큰 경우에는 반드시 引流法이 병행되어야 한다. 引流法은 膿毒이 밖으로 원활하게 유출될 수 있도록 하여 邪毒이 내부에서 확산되는 것을 방지하고 腐肉을 탈락시키고 육아조직이 생성되는 것을 촉진하여 瘡口가 빠르게 수렴되도록 한다. 引流法은 藥線引流, 導管引流, 擴創引流 등으로 구분된다.

① 藥線引流

藥線을 潰瘍의 瘡口에 삽입하여 약물의 약리작용에 의한 提毒祛腐와 紙線의 흡인하는 물리작용에 의한 膿水 배출과 괴사조직의 흡착을 통하여 毒氣를 제거하는 치료방법이다. 藥線은 紙捻, 藥捻이라고도 하며 桑皮紙, 絲棉紙, 拷貝紙를 이용하여 만든다. 藥線은 外粘藥物과 內裹藥物의 두 가지 방법이 있으며 임상에서는 外粘藥物의 藥線이 주로 많이 이용되고 있다. 紙線은 물리작용과 粘藥의 약리작용으로 膿水를 밖으로 유출시키며, 瘡孔을 探査하는 목적으로도 이용된다.

瘡瘍을 절개하거나 혹은 저절로 潰破된 후 瘡口가 작아 膿水의 유출이 불량한 경우, 瘻管이나 竇道가 이미 형성된 경우에 적용한다.

藥線을 瘡口에 삽입한 후에는 끝 부분을 瘡口 밖에 남겨두고 膏藥이나 油膏를 위에 덮어 고정한다. 藥線을 제거할 때 황색의 점조한 물질이 유출되고 이로써 膿水가 제거된다. 膿腔이 깊으면 生肌收口藥을 사용하여 癒合을 빠르게 하여야 한다.

② 導管引流

특별하게 만들어진 引流導管을 깊고 膿이 많아 유출이 불량한 膿腔에 삽입하여 膿毒을 管을 통해 밖으로 유출시키는 외치법이다. 《醫門補要·卷上·醫法補要·外症用刀針法》에 "若患口內膿多 壅塞難出 果然皮肉薄者 隨揷拔膿管 釣動膿勢 自從管中湧出 ……" 이라 하여 拔膿管을 이용하여 膿을 체외로 유출시키는 방법에 대하여 말하고 있다. 附骨疽, 流痰, 流注 등 膿腔이 비교적 깊고 膿液이 많아 배출이 원활하지 않은 경우, 體腔內 감염으로 인한 수술 후, 痔瘡 大出血에 적용한다. 導管을 이용하여 다량의 膿液을 제거한 후, 膿水가 적어지면 導管을 제거하고 藥線引流로 변경하여 나머지 膿水를 깨끗하게 제거한다. 導管은 膿腔의 底部까지 삽입하고 고정시켜 膿液의 배출을 원활하게 하고, 管腔의 내부에 腐膿과 瘀血로 폐색이 되는 경우 생리식염수로 沖洗하는 것이 필요하다.

③ 擴創引流

수술을 통해 瘡口를 확대하여 膿腔에서 膿水가 원활하게 흐를 수 있도록 하는 외치법이다.《醫門補要·浮皮兜膿須剪開》에 "癰疽潰膿日久 內肉爛空 外皮浮軟 上下有孔流膿. 中間薄皮搭住如橋 使毒護塞 不能盡性摻藥 難以完功 用剪刀將浮皮剪開 自可任意上藥 易于收口." 라 하여 膿腔의 내부에 폐색에 절개를 통해 瘡口를 확대하는 것을 말하고 있다. 癰疽가 自潰하거나 刀潰된 후 瘡口가 환부의 위쪽에 위치하고 潰口가 작아 膿水의 배출이 불량하여 袋膿이 형성되어 藥線引流法, 墊棉壓迫法, 導管引流法 등을 시행하였으나 효과적이지 않은 경우, 瘰癧으로 인해 漏管이 형성된 경우, 脂瘤에 감염이 속발하여 화농된 경우에 적용한다.

膿腔이 작은 경우는 수술도로 일자(一)형 절개를 하고, 큰 경우는 십자(十)형 절개를 한다. 擴創引流法은 염증을 제거해야 하는 경우에 시행하여야 하며, 그렇지 않은 경우는 邪毒이 주위로 확산될 수 있다.

(2) 墊棉法(Dressing)

솜이나 거즈를 이용하여 瘡傷위를 덮고 加壓하여 膿腔의 潰口로 膿毒이 배출되도록 하거나 큰 潰瘍의 空腔에 채워 넣어 피부와 육아조직이 유합되도록 하는 보조적인 외치법이다.《外科正宗·癰疽內肉不合法》에 "癰疽, 對口, 大瘡 內外腐肉已盡 結痂時內肉不粘連者 用軟棉帛七八層放瘡上 以絹扎緊 睡實數次 內外之肉自然粘連一片 如長生之肉矣." 라 하여 墊棉法을 통해 膿腔의 不收를 구체적으로 치료하는 방법에 대하여 말하고 있다. 潰瘍의 膿腔이 瘡口의 아래쪽에 있어 膿出이 원활하지 않아 袋膿을 형성한 경우, 瘡孔이 竇道를 형성하여 膿水의 유출이 불량한 경우, 潰瘍에 腐膿이 없어지고 육아조직이 형성되나 피부와 肌肉이 癒合이 불량한 경우에 적용한다.

급성염증의 紅腫熱痛이 소실되지 않은 상태에 墊棉法을 시행하는 경우는 염증이 주위로 확산된다. 墊棉法으로 증상이 개선되지 않는 경우에는 擴創수술을 하거나 引流法을 시행하여 膿水의 유출을 원활하게 한다.

(3) 藥筒拔法

약물과 竹筒을 함께 가열한 후 瘡上에 붙여 약물의 宣通氣血, 拔毒泄熱의 효능과 竹筒의 흡착으로 인한 음압의 원리를 이용하여 瘡面의 膿液과 毒水를 吸出하여 제거하는 外治法이다.《外科啓玄·明瘡膿宣吸法論》에 "瘡膿已潰已破 因膿塞阻之不通 …… 如此當用竹筒吸法 自吸去其膿 乃泄其毒也." 라 하여 구체적인 술기에 대하여 말하고 있다. 堅硬하고 散漫不收한 有頭疽로 膿

毒의 유출이 불량한 경우, 毒蛇咬傷으로 빠르게 부어오르고 毒水의 배출이 불량한 경우, 瘋犬咬傷, 流火 등에 적용한다. 瘡口가 작은 경우에는 拔火罐筒法을 사용하며, 재발성 단독(流火)의 경우에는 환부를 소독하고 砭鎌法으로 放血을 한 후 藥筒拔吸을 시행하고 혈액이 자연 응고된 후 붕대로 감는다. 毒蛇咬傷이나 瘋犬咬傷인 경우에는 拔火罐法이나 口吸法을 응급적으로 시행한다.

시술한 筒內의 拔出된 膿液의 상태를 세심히 살펴 예후를 판별하여야 하며, 시술시 대혈관을 손상시켜 다량의 출혈이 발생하는 것을 피하여야 한다.

(4) 灸法

약물을 이용 환처에 燃燒시켜 藥力과 火力의 온열작용을 통해 和陽祛寒, 活血散瘀, 疏通經絡, 拔引鬱毒의 효능으로 未成熟된 腫瘍은 消散시키고, 이미 成熟된 腫瘍은 潰膿시키며, 이미 潰破된 腫瘍은 生肌收口를 촉진시키는 外治法이다.《景岳全書·外科鈐·上·論灸法十一》에 "癰疽爲患 無非氣血壅滯 留結不行之所致. 凡大結大滯者 最不易散 必欲散之 非借火力不能速也 所以極宜用灸." 라 하여 灸法의 외과적 활용에 대하여 말하고 있다.

灸법은 明灸, 隔灸, 懸灸(雷火神針) 등의 방법이 있다. 腫瘍 초기 堅硬한 상태로 陰寒의 毒邪가 筋骨에 凝滯하고 正氣가 허약하여 托毒外達이 불량한 경우, 潰瘍이 오래동안 癒合되지 못하고 稀薄한 膿水가 흐르고 肌肉이 僵化되고 육아조직의 형성이 지연되는 경우, 風寒濕으로 인한 證에 적용한다. 灸法은 藥力이 病所에 도달하는 것을 목표로 하기 때문에 "痛者灸之不痛, 不痛者灸至覺痛爲度"를 근거로 한다.

實熱의 陽證인 疔瘡, 諸陽之會인 頭面과 咽喉와 가까운 頸項部, 皮肉이 얇은 手指部, 眞陰이 머무르는 腎臟 등은 灸法이 마땅하지 않다.

灸法의 直接灸 중에서 炭火灸는 외과적으로 불필요한 조직을 제거하거나 혈관소작의 목적으로 적용될수 있는 처치중 하나이다. 현대로 오면서 이와 같은 목적의 치료기기인 고출력 레이저, 전기소작기 등으로 대체되고 있다.

(5) 熏法

烟熏劑의 불완전 연소시 발생하는 濃烟의 藥力과 熱力에 의한 疏通腠理, 流暢氣血의 효능으로 질병을 치료하는 外治法으로 神燈照法, 桑柴火烘法, 烟熏法 등이 있다. 腫瘍, 潰瘍 모두 적용한다. 神燈照法은 活血消腫, 解毒止痛의 효능으로 癰疽의 輕症에 적용하여 未成한 경우는 自消하고 已成한 경우는 自潰하고 不腐한 경우는 腐하게 한다. 桑柴火烘法은 助陽通絡, 消腫散堅, 化腐, 生肌, 止痛의 효능으로 瘡瘍이 단단하고 潰破되지 않은 경우, 潰破되었으나 腐爛되지 않은 경우, 육아조직의 생성이 불량한 경우, 疼痛이 지속되는 경우에 적용된다. 烟熏法은 殺蟲止痒의 효능으로 건조하면서 진물이 없는 완고한 피부질환에 적용한다.

시술시에는 치료 부위의 熱感을 확인하여 피부가 灼傷되지 않도록 하며, 烟霧가 실내에서 잘 빠져나가도록 시설을 갖추는 것이 필요하다.

(6) 熨法

약물을 粗末하여 酒精이나 醋를 가하여 볶아 가열하고 포에 싸서 직접적으로 피부에 접촉시켜 환처를 熨摩하여 藥力과 熱力의 도움으로 氣血을 流暢시키고 腠理를 疏通시키는 溫熨요법으로 단순한 熱敷法보다는 효과적이다. 風寒濕痰이 筋骨에 울체된 證, 乳癰 초기, 回乳가 필요한 경우 적용한다. 熏法과 동일하게 시술 부위 피부의 灼傷을 주의해야 한다.

(7) 熱烘療法

병변부위에 약을 바른 후(瘋油膏, 靑黛膏 등) 다시 전기드라이어나 불로 말리는 일종의 치료법이다. 腠理를 개소하여 약력을 삼입시켜 피부가 유연하게 되어 치료되도록 하는데 목적이 있다. 手足癬皸裂, 慢性濕疹, 神經性皮炎, 疤痕疙瘩 등의 皮膚乾燥, 瘙痒 등에 사용한다. 매회 10~20분씩 매일 1회 실시하고, 4주를 1회 치료과정으로 한다.

(8) 洗滌法

溻漬法이라고도 하며, 煎湯한 약물을 긴 시간 동안 환부에 적용시켜 毒邪를 解除하는 外治法이다. 환부를 반복적으로 洗하는 것을 淋洗, 藥液으로 熏蒸한 후 약간 식은면 洗하는 것을 熏洗, 藥液을 인체의 孔竅나 管腔안으로 넣어 冲洗(漱口, 灌腸 포함)하는 것을 湯洗, 환부를 藥液에 浸하여 치료하는 것을 漬(浸泡, 坐浴 포함)라 한다. 癰疽瘡瘍에 潰破후 膿水가 흐르거나 腐肉이 제거되지 않은 경우, 피부소양증, 滲出, 脫屑, 內外痔로 腫脹 및 疼痛이 있는 경우에 적용한다.

2~10% 黃柏용액 및 생리식염수, 苦蔘湯, 香樟木煎湯, 扁平疣外洗方, 五倍子湯, 鵝掌風浸泡方 등이 있다.

洗滌法을 시행할 때 겨울철에는 보온하고 여름철에는 風冷을 피하여 감기가 발생하지 않도록 한다. 세척후에는 씻지 않고 저절로 건조되도록 하여 藥效가 유지될 수 있도록 한다.

4. 皮膚科 外治法

동일한 피부병이라도 피부 손상의 형태가 같지 않으면 치료 또한 다르게 하고, 피부병의 성질이 다르더라도 피부 손상 형태가 같으면 치료 방법이 비슷할 수 있다. 外治法은 환자의 자각증상을 줄여 주고, 손상된 피부를 신속히 회복시키고, 나아가서 外治法 만으로도 피부병을 치료할 수 있도록 하는 것이 목적이다. 외용제에 의한 국소치료는 병소에 화학적 및 물리적 작용을 가하여 효과를 얻는다. 물리적 작용으로는 습윤작용, 윤활작용, 냉각작용 및 보호작용 등으로 병변이 빠르게 원상으로 되돌아가도록 도움을 주며 증상을 경감시키는 역할을 한다. 외용제는 가능한 단순한 것을 선택하여 어느 약재가 효과가 있는지 판단할 수 있게 하여야 하며 환자에게 사용방법에 대한 설명을 하여 잘못된 사용으로 인한 병변의 악화나 치료 지연을 방지하여야 한다.

1) 外用藥物劑型

(1) 溶液

약물을 煎煮한 藥液 혹은 끓는 물에 藥粉을 녹이고 냉각시킨 藥液으로 사용하는 제형이다. 蒲公英, 野菊花, 苦蔘, 葎草, 生地楡, 馬齒莧, 茶葉, 香樟木 등의 약물과 10% 黃柏溶液, 생리식염수, 3% 硼酸水, 0.1% 리바놀용액 등이 사용되며 淸潔, 止痒, 退腫, 收斂, 淸熱解毒의 효능이 있다. 紅腫을 보이는 급성피부병, 滲出이 많거나 농성 분비물이 많은 피부손상, 경도의 痂皮性 피부손상을 보이는 급성 습진, 접촉성 피부염, 약진의 고정홍반형 등에 적용한다. 藥液이 많은 경우는 개방형 드레싱을 적은 경우는 폐쇄형 드레싱을 시행한다.

(2) 粉劑

약물을 분쇄하여 분말의 형태로 사용하는 제형이다. 靑黛散, 六一散, 九一丹, 枯礬粉, 滑石粉, 止痒扑粉 등이 사용되며 保護, 吸收, 蒸發, 乾燥, 止痒의 효능이 있다. 滲出液이 없는 급성 혹은 아급성 피부염으로 痱子, 膿疱瘡 등에 적용한다.

(3) 洗劑

混懸劑, 懸垂劑, 水粉劑, 振蕩劑라고도 하며, 水와 粉을 혼합(30~50%)하여 사용하는 제형이다. 三黃洗劑, 蘆甘石洗劑, 硼酸洗劑, 顚倒散洗劑, 靑黛散洗劑 (靑黛散:증류수=3:7) 등이 사용되며 消炎, 止痒, 保護, 乾燥의 효능이 있다. 적용증은 粉劑와 동일하다.

(4) 酊劑

약물을 酒精에 용해하거나 浸泡하여 사용하는 제형이다. 一號癬藥水, 復方土槿皮酊, 5% 살리실산酊, 成藥癬藥水 등이 사용되며 殺眞菌, 止痒의 효능이 있다. 手癬, 足癬, 甲癬, 體癬, 신경성피부염 등에 적용한다.

(5) 軟膏

약물을 식물유, 동물유, 광물유 등과 혼합하여 고르고 부드럽게 반고형 상태로 사용하는 제형이다. 靑黛膏, 瘋油膏, 5% 살리실산연고, 復方糠鎦油軟膏, 雄黃膏, 10% 硫黃軟膏 등이 사용되며 保護, 潤滑, 殺菌, 止痒, 痂皮除去의 효능이 있다. 結痂, 皸裂, 苔癬樣 變化 등을 보이는 慢性皮膚病으로 만성 습진, 신경성피부염, 각질형 무좀, 균열 등에 적용한다. 皸裂이나 苔癬形態의 피부 손상에는 熱烘療法을 병행하면 효과적이다.

(6) 油劑

식물유나 광물유에 불용성 분말을 혼합하여 사용하는 제형이다. 胡麻油, 올리브유 등의 식물유와 靑黛散, 三石散, 蠶豆荼灰를 주로 사용하며 保護潤滑, 止痒, 乾燥의 효능이 있다. 糜爛, 鱗屑, 膿疱 등을 보이는 아급성 피부병으로 습진, 농포창 등에 적용한다.

2) 外用藥物의 사용원칙

(1) 피부병 외용약물의 사용원칙은 피부손상 형태에 근거하여 적당한 제형과 약물을 사용한다. 급성 단계의 피부염에서 紅斑, 丘疹, 滲出液이 없는 水疱 등은 洗劑나 粉劑가 사용되며 濕敷의 방법으로 적용할 수 있다. 滲出이 많거나, 紅腫이 심한 경우에는 溶液濕敷의 형태로 적용하는 것이 바람직하다. 아급성 단계의 皮膚炎에서 滲出과 糜爛이 적고 紅腫이 감소하며 鱗屑과 結痂가 있으면 油劑를 사용하는 것이 좋다. 慢性 단계의 皮膚炎에서 浸潤肥厚와 角化過度가 있으면 軟膏를 위주로 한다. 다양한 발진에 따른 外用藥物劑型의 선택은 選擇應用標를 참고한다.

표 9-1. 외용약물제형 선택응용표

발진	제형	발진	제형
斑	洗劑, 軟膏	痂	油劑, 軟膏
丘疹	洗劑	抓痕	洗劑
水疱	粉劑, 洗劑	鱗屑	油劑, 軟膏
膿疱	粉劑, 洗劑	糜爛	溶液濕敷(삼출액이 많은 경우)
			洗劑(삼출액이 적은 경우)
結節	軟膏(玉露膏, 金黃膏 등)	皸裂	軟膏
風團	洗劑	苔癬樣變	軟膏

(2) 感染이 있으면 먼저 淸熱解毒, 抗感染劑를 먼저 사용하고, 感染이 제거된 후에는 원래 피부손상 형태에 맞는 약물을 사용한다. 감염이 있는 경우 水洗의 방법은 감염을 他處로 확산시킬 가능성이 있으므로 주의하고, 外洗가 필요한 경우에는 淸熱解毒의 항염 약물을 선택 사용한다.

(3) 성질이 비교적 온화한 약물을 먼저 사용하고, 유아나 여성, 주름진 부위에는 자극성이 강하거나 고농도의 약물의 사용을 주의한다. 面部, 陰部 등에는 강자극성 약물의 사용을 신중히 하여 紅腫

및 疼痛 등이 발생하는 것을 피한다.

(4) 紅熱糜爛을 보이는 급성 피부병에는 藥性이 온화한 저자극, 저농도의 약물을 사용하고, 완고한 만성 피부병에는 자극성이 강한 고농도의 약물을 사용한다. 피부 민감성이 있는 환자에게는 우선적으로 저농도의 약물을 사용하는 것이 바람직하며 病程에 따라 농도를 높여간다.

(5) 항상 약물의 과민반응에 주의를 요하고, 일단 과민반응이 나타나면 약물사용을 중지하고 적절한 조치를 취해야 한다.

(6) 외용 도포연고를 2번째 바를 때 거즈 위에 각종 식물유나 파라핀유로 처음 발라져 있는 도포약을 닦아낸 후에 연고를 도포한다. 휘발유, 비누, 따뜻한 물로 문질러 씻어내는 것은 주의한다.

3) 藥物 使用法

(1) 慰敷法
창양 주위에 약을 발라서 치료하는 방법으로 고약, 가루약 등에 적용한다.

(2) 噴吹法
분무기로 환처에 뿌리는 방법으로 消腫, 祛痰, 止痛, 祛腐, 生肌의 효능이 있는 약물을 耳, 鼻, 咽喉, 口腔 등의 질환에 적용한다.

(3) 含水法
약액을 이용하거나, 약물의 분말과 물에 타서 입안에 머금는 방법으로 인후, 구강질환에서 미란이 있거나 고름이 흐를 때 적용한다.

(4) 點法
비교적 작은 질환 즉 티눈, 사마귀 등에 대하여 국부에 약을 붙여 제거하는 방법으로 千一散, 紫金丹 등을 사용하며 약을 붙인 다음 단단히 고정한다.

(5) 擦法
고약, 물약, 가루약 등을 이용하여 국소 부위를 마찰하는 방법으로 비교적 범위가 넓고 심한 동통이 없으며 터질 위험성이 없는 질환에 적용한다.

(6) 起泡法

자극성 약물을 분말 형태로 피부에 붙여 발포케 하는 방법이다.

5. 鍼刺法

피부병의 침자치료는 응용범위가 매우 넓고 배우기 쉬우며 치료효과도 높고 또, 보급이 용이하다는 등의 많은 우수한 점이 있다. 針刺치료는 흥분, 억제, 반사, 유도 등의 원리를 이용하여 陰陽의 불균형을 조절함으로 체내의 정상적인 기능을 회복시켜 치료효과에 이르게 한다.

1) 鍼刺와 耳鍼

(1) 作用 : 止痒, 止痛, 鎭靜, 安眠, 消炎, 毛髮生長促進, 血管收縮調節, 內分泌調節

(2) 常用穴位 : 體鍼 (上肢取穴 − 曲池, 列缺, 合谷, 下肢取穴 − 血海, 陰陵泉, 三陰交, 軀幹取穴 − 肺兪, 心兪, 膈兪, 脾兪) 耳鍼 (肺, 皮質下, 神門, 腎上線, 交感 혹은 병변에 상응하는 혈위)를 취혈한다.

(3) 手法 : 體鍼은 제삽보사로 강자극하고 留針은 15~20분간 매일 1회 실시한다. 耳鍼은 염전보사 후 20분간 유침하고 매일 1회 실시한다. 이상의 혈위에 徐長卿주사액이나 0.25% 프로카인용액을 매회 2혈을 취하여 0.5mg씩 돌려가면서 주사한다.

(4) 적응증 : 濕疹, 蕁麻疹, 神經性皮膚炎, 接觸性皮膚炎, 蟲咬皮炎

2) 滾刺療法

滾鍼筒(車鍼)을 사용하여 피부의 絡脈을 滾刺하여 출혈시키는 치료법이다.

(1) 작용 : 국소부위의 기혈을 유통시켜 유두층의 신경말초를 파괴하는 동시에 滾刺후 橡皮膏를 바르고 밀봉하면 피부손상 부위가 습한 상태로 유지되어 피부가 유연해져서 潤燥止痒하는 효과가 있다.

(2) 용법 : 먼저 병변부위를 알콜로 소독한 후 滾刺筒器械로 推滾하여 推滾한 피부 부위가 전부 出血하면 닦은 후에 傷濕止痛膏나 橡皮膏를 바깥에서 밀봉시킨다. 매 5~7일 간격으로 한 번씩

推滾하고 7회를 1회의 치료과정으로 한다.

(3) 적응증 : 神經性皮炎, 神經淀粉樣變 등 慢性乾燥, 肥厚, 粗糙, 瘙痒性 皮膚病

6. 전기 및 광선치료

1) 전기 외과술(Electrosurgeroy)

전기 외과술은 고주파 전류(frequency alternating current)를 이용하여 조직을 제거하거나 파괴하는 방법으로 여러 가지 피부 병변의 치료에 널리 사용한다. 전기 외과술은 전류의 종류 및 강도에 따라 방전 요법, 전기 건조법, 전기 절개법, 전기 발모법 등 다양한 방법이 있다.

2) 자외선 요법(Ultraviolet Light Therapy)

태양광선을 이용한 질병의 치료는 오랜 옛날부터 시작되었고, 자외선은 전자기 분광의 일부분으로 그 파장이 200~400nm이며 파장에 따라 UVA(320~400nm), UVB(290~320nm), UVC(200~290nm)로 나눌 수 있다. 자외선을 질병을 치료하는데 이용하는 것을 자외선 요법이라 한다. 현대 의학에서는 광생물학의 진보 및 인공 자외선 광원의 개발로 다양한 자외선 요법들이 피부과 임상에서 널리 이용되고 있다.

3) 레이저 요법(Laser Theraphy)

레이저(LASER)는 light amplification by the stimulated emission of radiation의 머리글을 딴 용어이다. 레이저 광선은 전자자기분광의 일부분으로 레이저 종류에 따라 파장 범위도 자외선, 가시광선, 적외선 등에 광범위하게 분포되어 있다. 레이저 광선은 외부에너지를 이용하여 유도방출에 의한 광증폭으로 생기는 특수한 광선으로 일광이나 백열등 같은 자연방출에 의해 생기는 일반 광선과는 물리적인 특성에 큰 차이가 있다. 레이저 광선이 갖는 3가지 특성은 단색성, 간섭성, 직진성이다. 이러한 특성 때문에 레이저 광선은 많은 량의 광에너지를 목표물에 집중 조사할 수 있다. 레이저 광선을 발생시키는 기계는 레이저 매질, 광학강, 동력원 등의 세 가지 기본 구조로 되어있다.

피부과 영역에서 주로 많이 이용되는 레이저는 CO_2 레이저, argon 레이저, Nd-YAG 레이저, ruby 레이저, dye 레이저, copper vapor 레이저 등이다.

광에너지는 출력에 따라 저출력(치료용)과 고출력(외과용)으로 구분되며, 출력에 따라 조직에서 생물학적 반응, 광화학적 반응 및 열 반응을 일으키며, 그 중 레이저의 주된 치료 효과는 열 반응에 의한다. 예로서 50℃ 이하는 가역적인 열 손상을 유발하며, 50~100℃는 조직의 변성, 즉 단백질의 비가역적인 응고가 발생하며, 열 손상의 정도는 조사 시간과 파장에 좌우된다. 100℃ 이상은 조직의 기화가 발생한다. 레이저의 치료 효과는 흡수에 의하며, 조직에서 빛을 흡수하는 물질을 발색단이라고 하며 수분, 멜라닌 색소, 혈색소 등이 이에 해당된다. 레이저의 조직에 대한 효과는 에너지의 총량에 의한 것이 아니라, 에너지의 강도와 조사 시간에 따라 결정된다. 레이저는 적응증에 따라 외과술에 사용하는 레이저, 박피술에 사용하는 레이저, 색소성 병변에 사용하는 레이저, 문신에 사용하는 레이저, 혈관성 병변에 사용하는 레이저, 반흔 및 팽창선조에 사용하는 레이저, 제모 레이저, 포토리쥬버네이션 레이저, 저출력 레이저 등으로 분류한다

7. 동결요법(cryotherapy)

조직을 동결하는 방법으로 치료에 쓰이는 요법을 말하며, 냉동요법, 한랭요법, 냉동수술, 동결수술이라고도 한다. 'cryo'는 그리스어로서 'cold'를 뜻하는 말이다. 이는 동결에 대하여 생체가 반응하는 동결 괴사, 동결 염증, 동결 고형화, 동결 부착 등의 특성을 이용하여 치료를 하게 된다. 빙정에 의한 세포막의 기계적 파괴, 세포의 탈수와 전해질의 비정상적인 농축, 세포막 단백변성, 국소의 미세혈류 순환장애에 의한 조직의 괴사 등이 작용기전이다.

1) 임상 적응증
(1) 색소성 모반, 문신
(2) 피부병 특히 광선각화증, 피부 악성 종양
(3) 구강내 악성 종양, 두경부 종양, 전이암 병소, 재발병소
(4) 자궁경부 만성 염증, 치핵, 망막박리 등
(5) 악성적인 동통

여러 종류의 동결요법이 있으나 대표적인 것으로는 이산화탄소 요법과 액체질소 요법 등이 있다. 이 밖에도 아산화질소 요법, 프레온 요법 등이 있다.

2) 이산화탄소 요법
−78.5℃ 저온으로 만들 수 있으며 드라이아이스 요법이라고도 한다.

(1) 적응증 : 색소성 모반, 구강내 종양 등

(2) 사용 방법 : 액체 이산화탄소 가스 용기에서 드라이아이스를 주사기형의 철제용기에 채취하여 시술이 용이한 원통형으로 고형화하여 사용한다. 이때 시술자는 손에 동상을 입지 않도록 장갑을 끼고 조작한다.

(3) 치료 방법 : 보통 마취가 필요없지만 경우에 따라 국소마취하에서 치료하게 된다. 병변 부위를 소독하고 치료 범위를 표시한 후 원형 또는 병변 모양의 드라이아이스를 거즈로 싼 후 환부에 2~4초 동안 압박하여 시술하게 되며, 재시술은 2주~2개월간의 경과를 관찰한 후에 시행하게 된다. 경우에 따라 몇 번을 되풀이하여 시술한다. 효과는 압박시간, 압력, 시술 횟수에 따라 다르게 되므로 각각의 증례에 따라 경험자에 의하여 적절하게 조절되어야 한다. 시술 후 환부는 항생제가 포함된 연고제로 도포하여 창상을 처치하여 준다.

(4) 술후 경과 : 압박 부위는 즉각 동결되어 흰색이 된 후 3~7초 후 사라지면서 몇 분간에 걸친 반응성 충혈현상을 일으킨다. 동결반응이 강한 경우에는 수포가 발생하며 10~14일이면 치유된다.

(5) 장점 : 비교적 간편하게 시술할 수 있으며, 수술요법에 비하여 흉터가 적은 이점이 있어 특히 얼굴 피부의 병변, 구강 또는 비강의 점막에 위치한 병변, 반흔으로 인하여 협착이 자주 발생하는 원형의 해부학적인 구조를 가진 자궁경부와 항문에 위치한 병소에 흔히 사용되고 있다.

(6) 단점 : 저색소침착증, 국소적인 탈모증, 조직의 위축과 더불어 함몰된 반흔을 나타낼 수 있어 각별히 유의하여 시술하여야 한다.

3) 액체질소 요법
액체질소는 비교적 구하기 어려우나 가끔 쓰이는 방법으로 $-195.8\,^{\circ}\mathrm{C}$의 저온을 만들 수 있으며, 조직내의 온도는 $-40 \sim -60\,^{\circ}\mathrm{C}$까지 하강하게 된다.

(1) 적응증 : 광선 각화증, 문신, 두경부 종양 등

(2) 치료 방법 : 액체질소를 면봉에 묻힌 후 환부에 도포하면서 10~15초 동안 적당한 압력을 가하는 방법과 병변의 내부에 서모티피드 니들을 삽입한 후 지름이 0.5~1.0㎜의 노즐을 가진 액체질소 분사 기구에 액체질소를 넣어 환부에 25~30초 동안 분사하게 되며, 약 90초 간격으로 해빙기를 지난 후 다시 재분사를 통하여 시술한다. 이러한 동결-해빙 사이클은 통상 2~3회 시행하는 방법

이 있다.

(3) 장점과 단점 : 이산화탄소요법의 경우 비슷한 합병증을 나타내며, 흔히 더욱 심한 조직 반응을 보이게 된다. 특히 신경 주변의 병변을 시술할 때에는 치아가 손상되지 않도록 유의해야 한다.

📖 참고문헌

1) 顧伯華. 實用中醫外科學. 上海: 上海科學技術出版社; 1985.
2) 譚新華. 中醫外科學. 北京: 人民衛生出版社; 2014.
3) 신태양사 편집국 백과사전부. 원색최신의료대배과사전. 서울: 신태양사; 1994.
4) 李林. 實用中醫皮膚病學. 홍콩: 海峰出版社; 1994.
5) 장인수. 레이저 치료학. 서울: 정담; 2006.
6) 전국 한의과대학 피부외과학 교재편찬위원회. 한의피부외과학. 부산: 선우; 2007.

각론

第 ⑩ 章 화농성 질환

질병코드	한방병명	한글명칭	영문명칭
L0291		절증	Furuncle disorder
L0281	癤	기타 부위의 모낭염	Folliculitis of other sites
L7320		경도 화농성 한선염	Hidradentis suppurativa, mild
L0291	疔瘡	정증, 상세불명의 종기	Furuncle, unspecified
L03	紅絲疔	급성림프관염	Acute lymphangitis
A480	爛疔	가스괴저	Gas ganggrene
A22	疫疔	탄저균에의한 감염	Infection due to Bacillus anthracis
L02	癰	피부의 농양, 종기 및 큰종기	Cutaneus abcess, furuncle and carbuncle
L03	發	연조직염	Cellulitis
L0292	疽	저증, 상세불명의 큰 종기	Headed carbuncle disorder

1. 개요

瘡瘍은 모낭에 발생하는 얇은 농포 및 종기(furuncle)와 큰종기(carbuncle)를 포함하는 개념으로 각종 병인이 인체에 침입 후 발생하는 체표의 화농성 질환이다.

종기 및 큰 종기의 경우 털집을 중심으로 단단하고 통증과 압통이 있는 홍색 결절이 발생하여, 심해지면 오한 발열 등 의 전신증상이 발생하기도 한다. 결절의 가운데가 부드러워지며 얇아지다가 완전히 곪으면 고름 및 괴사조직이 배출되고 궤양과 흉을 남기기도 한다.

동시에 여러 개의 종기, 큰종기가 생기거나, 수주 내지 수개월에 걸쳐 지속적으로 발생하는 경우를 종기증(furuncleLlosis)이라 한다. 신체 어느 부위에나 발생 가능하며 특히 목뒤, 겨드랑이, 엉덩이 등에 잘 발생하고, 알콜중독증, 빈혈, 영양실조, 혈액질환, 아토피피부염, 면역결핍, 당뇨병 등이 있는 환자에게서 호발한다.

2. 원인 및 병기

1) 外感 : 六淫邪毒, 特殊之毒(虫毒, 蛇毒, 漆毒, 藥毒, 植物毒), 外來傷害(沸水傷) 등
2) 內傷 : 情志內傷, 飮食不節, 房室損傷 등

(1) 外邪로 인하여 나타나는 瘡瘍의 증상에는 '熱毒', '火毒'이 제일 많다. 風, 寒, 暑, 濕 등으로 발생한 瘡瘍의 경우 처음에는 火熱의 증상이 나타나지 않지만 치료가 잘못되던가 혹은 치료시기를 놓치면 中期에는 점차 紅腫熱痛의 火熱現狀이 나타난다.

(2) 內傷으로 발생하는 瘡瘍은 虛損病으로 만성병 환자가 거의 대부분이다.

(3) 外邪로 인한 증상은 가볍고, 臟腑蘊毒으로 발생하는 증상은 重하다. 外感으로 발생하는 것은 邪實하나 正氣가 虛하지 않기 때문이고, 內因으로 발생하는 것은 邪實하기도 하지만 正氣가 먼저 虛한 까닭이다.

(4) 인체는 정상상태에서는 "經脈者, 所以行血氣而營陰陽, 濡筋骨利關節者也."하나 병인이 인체에 침입하면 정상적인 생리기능이 파괴되고 국부의 氣血凝滯, 營衛不和, 經絡阻塞을 일으켜 먼저 腫痛의 증상이 발생한다. 가령 인체의 저항력이 떨어졌을 때 적당한 시기와 정확하고 효과적인 치료가 되지 못하면 化火, 腐肉하고 膿이 만들어져서 膿腫이 形成된다. 적절한 치료가 되면 膿腫이 터져서 瘡毒이 없어져 經絡이 疏通되고 氣血이 造化를 이루며, 氣血이 充足되면 새로운 살이 돋아나서 瘡口가 치료된다. 만약 失治하던가 誤治하면 正氣가 약해지고 瘡毒이 走散하여 走黃과 內陷의 위급한 증상이 발생할 수 있다.

(5) 臟腑의 機能失調도 瘡瘍을 발생하는데, 瘡瘍 毒邪가 熾盛하면 인체의 正氣를 손상하고 經絡을 통해 內臟으로 侵犯하여 일련의 전신 병리반응을 나타낸다. 輕하면 發熱, 口渴, 便秘, 尿赤 等의 症狀이 발생하고, 重하면 惡心嘔吐, 煩躁不安, 神昏譫語, 咳嗽痰血 等의 症狀이 發生한다. 그러므로 안으로 臟腑에 침입하여 나타나는 증상의 변별여부가 瘡瘍의 輕重을 가리는 중요가 단서가 된다.

3. 증상

瘡瘍은 病邪가 인체에 침입한 후에 正邪鬪爭하는 과정 중에 발생하고, 이는 국부증상과 전신증상을 야기 시키며, 病邪의 성질, 발생부위, 毒邪의 强弱 및 人體正氣의 强弱 등 여러 가지 조건의 다양성으로 말미암아 표현도 여러 가지로 나타난다.

1) 국부증상

病邪가 인체에 침입한 후에 氣血의 凝滯를 일으키고 經絡이 막히고 통하지 않아서 筋肉을 썩게하고 膿을 형성하는 등 일련의 병리변화를 일으켜 국부의 腫痛과 기능장애를 일으킨다.

2) 전신증상

전신증상은 瘡毒이 表에서 裏로 傳하여 內臟 臟腑에 侵入하던가 혹은 裏에서 表로 傳하는 과정중에 발생하는 邪正鬪爭의 임상표현이다. 陽證 瘡瘍의 표현은 邪實이 主가 되고, 陰證 瘡瘍의 표현은 正虛邪實이 主가된다. 전신증상은 환자의 正氣상태에 따라 다르게 표현될 수 있는데 正氣가虛하지 않으면 病도 單純하고 邪毒도 가벼우며, 病의 初期에는 전신증상도 뚜렷하지 않다. 正氣가虛하면 病도 複雜하고 邪毒이 심하고 病이 邪盛期로 들어가면 전신증상도 비교적 重하다.

표 10-1. 瘡瘍의 병리과정과 임상표현의 관계

病　　　理	臨床症狀
熱	紅
風寒痰濁 - 化火	白 - 透紅
經絡阻塞, 氣血凝滯	腫
熱毒壅盛	熱
氣血壅滯, 阻塞不通, 不通則痛	痛
熱盛肉腐	潰膿, 機能障碍

4. 종기(瘡瘍)의 전화과정

1) 초기 : 正氣가 實하여 邪氣를 밖에서 저항하게 하므로 瘡毒이 表部에 壅結하여 퍼지지 않아 腫勢가 국한되고 아직 化膿의 단계에 있지 않다.
2) 중기 : 인체의 正氣가 虛하면 邪氣에 대항할 힘이 전혀 없어서 瘡毒이 깊게 쌓이고 없어지지 않아 오래되면 熱이 발생하고 筋肉을 썩게 하여 膿腫을 형성한다. (成膿期)
3) 후기 : 正氣가 왕성하면 毒을 제거할 수 있어서 膿腫이 스스로 아물고 膿毒이 배출되므로 문드러진 筋肉에 새살이 돋아나고 瘡口가 유합된다.(潰瘍期)

가령 瘡瘍의 초기나 중기에 인체의 氣血이 虛하면 毒을 밖으로 없애지 못하여 瘡의 부위가 평평해지고 腫勢가 한 부분에만 국한되지 않고 퍼지며 難腐, 難潰 등이 발생한다. 가령 이 당시에 적절한 처치가 없으면 邪毒이 走散하여 전신으로 번져서 "走黃"이나 "內陷"으로 발전하여 생명이 위태로와 진다.

5. 치료

초기에는 아직 膿이 형성되지 않은 관계로 消法을 사용하여 消散시켜야 한다. 중기에는 膿이 형성이 되었는데도 곪아 터지지 않은 단계이므로 托法을 사용하여 毒邪를 밖으로 퍼져나가게 하는 것이다. 후기에는 體力이 弱한 사람은 補法을 사용하여 正氣를 회복하게 하고 瘡口를 아물게 하는 것이다.

1) 초기 : 消法을 사용하며, 특히 淸熱解毒法이 가장 많이 사용되는 치료방법이며 方劑로는 五味消毒飮, 黃連解毒湯, 五神湯, 犀角地黃湯 等이 있다.
2) 중기 : 透托法과 補托法으로 나누며, 처방은 透膿散, 托裏消毒飮에 加減하여 사용한다.
3) 후기 : 補法을 사용하며, 처방은 十全大補湯, 增液湯, 附桂八味丸, 右歸丸 등을 사용한다.

I 기타 부위의 모낭염癤

1. 개요

癤은 피부 천표에 발생하는 일종의 급성 화농성 질환으로 현대의학에서는 단순 모낭염 및 피지선 혹은 한선의 급성 화농성 염증에 비유된다. 癤에 관하여《外科理例 · 瘡名有三》에서는 "초기에 돋아 올라 뿌리가 浮赤하며 피부주위에 腫한다. 직경이 1~2寸 정도 되며, 약간 疼痛하고 수일 후에 약해진 후 탈락되면서 처음에 靑水가 나오다가 스스로 파괴되어 膿이 배출된다"하였다.

【 분류 】
(1) 天暑의 계절에 발생하는 것을 暑癤, 기타 계절에 발생하는 것을 癤이라 한다.
(2) 有頭癤과 無頭癤이 있는데, 有頭癤은 石癤이라 하고, 無頭癤은 軟癤이라 하며, 증상이 일반적으로 가볍고 쉽게 치료된다.
(3) 癤에서 치료나 혹은 간호가 적당하지 않으면 螻蛄癤(蟮拱頭)를 형성하고 혹 여러 곳에서 치유와 발생이 반복적으로 되면 癤病이 된다.

2. 증상

사계절에 모두 발생할 수 있으나 특히 더운 계절에 다발하고, 面部, 頭部, 枕部, 臀部에 많이 발생한다. 병변은 紅色, 灼熱, 疼痛, 突起하고 根의 부위가 얇고, 腫勢가 국한되어 있고, 膿이 나오면 낫는다.

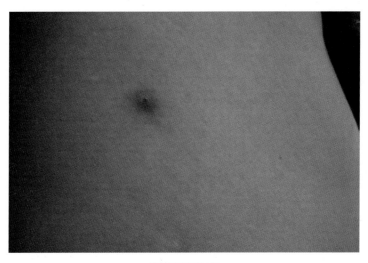

그림 10-1 癤

3. 치료

1) 暑濕熱毒證 : 淸暑利濕解毒을 하며 淸暑湯加味, 淸解片를 사용한다.
2) 濕火風邪證 : 袪風淸熱利濕을 爲主로 하고 防風通聖散加減을 사용한다.
3) 陰虛內熱證 : 養陰淸熱을 爲主로 하고 防風通聖散에 生地, 玄參, 天麥冬을 加하여 사용하고, 消渴病 或은 腎病患者는 전신증상을 살펴서 치료한다.

Ⅱ 상세불명의 종기 疔瘡

1. 개요

疔瘡은 발병이 비교적 신속하고 쉽게 惡化되며 비교적 위급한 瘡瘍을 말한다.

《素問·生氣通天論》에 "膏粱之變 足生大丁"이라 하여 丁에 대해 최초로 언급하였고, 《中藏經·論五丁狀候第四十》에서 顔面丁瘡에 관하여 丁이라 이름붙였다. "喜怒愚思, 寒熱에 感觸, 飮酒過多, 甘味를 즐겨 살찌는 경우, 魚毒에 感한 경우, 色慾이 過多한 경우 毒邪가 臟腑를 犯하여 오래도록 없어지지 않으면 丁이 된다"고 하였다. 疔이란 丁金의 상태로 瘡形은 적고 瘡根은 깊은 것이 특징이다. 鍼刺하여도 瘡腫이 아프지 않고 혈액이 유출되지 않고, 深部에서 瘡根이 감지된다.

2. 원인 및 병기

이는 火熱之毒으로 발생한다.

1) 기름진 음식이나 술, 자극적인 음식을 많이 먹음으로써 臟腑에 熱이 쌓이고 이로 因하여 火毒이 結聚해서 발생한다.
2) 四時의 不正之氣(火熱之氣)에 감촉 되던가 혹은 昆蟲咬傷, 긁음으로 인한 雜毒의 감염 때문에 毒邪가 피부에 蘊蒸하여 氣血凝滯하므로 발생한다.

3. 치료

1) 內治法
① 淸熱解毒法을 기본으로 한다.
② 初期에 發熱惡寒이 甚하면 黃連解毒湯이나 五味消毒飮에 半枝蓮을 加하여 사용한다.
③ 熱毒症狀이 深하면 蟾酥丸을 加하여 사용한다.

2) 外治法
初期에 艾炷로 灸하여 통증을 느끼지 못할 때에는 鍼으로 丁의 사방을 찔러 출혈시키고 奪命丹이나 回生丹을 鍼孔에 바른 후 그 위에 膏藥을 붙이고 五香連翹湯이나 千金漏蘆湯을 服用하여

154

疏下시킨다. 만약 針으로 찔러도 아프지 않고 출혈이 없으면 猛火로 燒針하여 針전체가 붉게 되면 瘡위에 대고 烙하는데 焦灰가 될 때까지 하여 통증이 있으면 효과가 있으니 역시 前藥을 바르고 膏藥을 붙여 1~2일이 지나 膿이 潰하고 根이 出하면 瓜蔞湯(散)을 복용하여 치료하면 회복될 수 있다. 완전히 곪았을 때에는 째서 고름을 완전히 제거한 후 새살이 나오도록 生氣散을 뿌린다.

3) 침구치료

丁瘡의 일반적인 鍼療法은 우선 발병부위에 따라 해당 腧穴에 뜸을 뜨고 大椎와 足三理에 針을 놓는다. 이 밖에 靈臺, 合谷, 委中, 攢竹 등의 穴은 淸熱解毒의 작용이 있기 때문에 모든 丁瘡에 적용할 수 있다. 또한 발병된 經脈의 周行에 따라서도 취혈할 수 있는 바, 예를 들면 大腸經에 丁瘡이 발생되었을 때는 商陽과 曲池穴을 取하고 膽經의 순행부위에 발생되었을 때에는 竅陰과 陰陵泉을 取하는 것 등이다.

Ⅱ-1. 얼굴의 종기 顔面部 疔瘡

1. 개요

안면부에 발생하는 급성 화농성 질환으로,《瘍科心得集·辯龍泉疔　虎須疔　觀骨疔論》에 말하기를 " …이 질환이 가벼운 것은 風熱로 因하여 발생한 것이고, …重한 것은 七情內傷 혹은 膏粱厚味나 술과 구운 음식으로 因하여 五臟에 熱이 쌓이고 邪毒이 結聚되므로 발생한다." 하여 대개 火熱之毒으로 발생한다고 하였다. 초기에 瘡型은 粟의 형태와 같고 堅硬根深한 것이 못이 박혀 있는 것 같다. 頭面은 諸陽之會이므로 火毒이 蘊結하면 반응이 극렬하여 증상이 빠르고 위험하다. 그러므로 잘못 치료되던가 혹은 자꾸 누르던가 하면 毒邪가 퍼져서 走黃이 될 수 있다. 額前, 顴頰, 鼻, 頦, 口脣 등의 부위에 다발한다.

【 분류 】
(1) 眉心에 발생한 것을 眉心疔이라 한다.
(2) 兩眉稜에 발생하는 것을 眉稜疔이라 한다.
(3) 眼胞에 발생하는 것을 眼胞疔이라 한다.
(4) 觀部에 발생하는 것을 觀疔이라 한다.
(5) 頰車에 발생하는 것을 頰車疔이라 한다.
(6) 鼻部에 발생하는 것을 鼻疔이라 한다.

(7) 人中에 발생하는 것을 人中疔이라 한다.

(8) 人中兩傍에 발생하는 것을 虎鬚疔이라 한다.

(9) 口角에 발생하는 것을 鎖口疔이라 한다.

(10) 脣部에 발생하는 것을 脣疔이라 한다.

(11) 頤部에 발생하는 것을 承漿疔이라 한다.

2. 증상

額前, 觀, 頰, 口脣 등의 부위에 다발한다.

1) 초기 : 피부상에 粟粒狀의 瘡頭가 형성되고 或痒 或麻하여 점차로 紅腫熱痛의 증상이 보이며 腫塊의 범위가 1~2寸 이상 되고 頂突根深堅硬하다. 심한 사람은 惡寒發熱 등의 전신증상이 나타난다.

2) 중기 : 약 5~7日 사이에 腫勢가 점차로 커지고 주위로 넓어지며 동통이 극렬하며 膿頭가 나타난다. 發熱口渴, 便乾尿赤, 苔薄膩或黃膩, 脈象弦滑數 등의 증상이 동반되니 臟腑에 蘊熱하고 火毒이 熾盛한 것이다.

3) 후기 : 약 7~10일 사이에 頂高하고 根은 부드러워져서 潰膿되며 疔根이 膿을 따라 나오며 膿이 소실되면 통증도 그친다. 병의 기간은 대략 10~14일 정도이며, 만약 처치가 부적당하거나 손으로 자꾸 누르던가 하면 走黃, 流注, 附骨疽 등의 합병증이 될 수 있다.

Ⅱ-2. 손발의 종기 手足部 疔瘡

1. 개요

手足部에 발생하는 급성 화농성 감염으로, 초기에는 腫痛하고 無頭하며 만약 치료가 적절하지 못하면 쉽게 筋骨을 손상하여 手나 足에 장애를 유발할 수 있다. 발병율은 手部가 足部보다 높으며, 주로 곤충 咬傷 등의 外傷으로 毒氣에 감염되었다가 毒氣가 皮肉之間에 阻滯되었다가 經絡 중에 머물러 病이 생긴다.

【 분류 】

　(1) 指頭의 頂端에 발생하는 것을 蛇頭疔이라 한다.

　(2) 指甲旁에 발생하는 것을 蛇眼疔이라 한다.

　(3) 甲身의 內에 발생하는 것을 代指, 沿爪疔이라 한다.

　(4) 甲後에 발생하는 것을 蛇背疔이라 한다.

　(5) 手指의 지문에 발생하는 것을 螺疔이라 한다.

　(6) 手指肢節間에 발생하여 筋骨의 기능에 장애를 줄 수 있는 것을 蛀節疔이라 한다.

　(7) 指頭에 黃疱가 뚜렷이 있는 것은 찔러서 터트리면 낫는데 이는 水蛇頭(皮下瘭疽)라 한다.

　(8) 손가락 한개 전체가 붓는 것은 泥鰍疔(腱鞘瘭疽)이라 한다.

　(9) 指節이 魚腹과 같이 붓는 것을 魚肚疔 或은 蛇腹疔이라 한다.

　(10) 손가락 발가락사이에 발생하는 것을 手足Y疔이라 한다.

　(11) 手掌心에 발생하는 것을 托盤疔이라 한다.

　(12) 足掌心에 발생하는 것을 足底疔이라 한다.

　(13) 湧泉穴에 발생하는 것을 湧泉疔이라 한다.

2. 증상

1) 초기 : 膿頭가 없는 경우가 많으며, 麻木作痒이 나타나며 진행되면 焮熱疼痛이 나타나는데 紅腫은 뚜렷한 경우도 있고, 뚜렷하지 않은 경우도 있다.

2) 중기 : 腫勢가 점점 확대되며, 紅熱이 현저하고, 동통이 극렬하며 박동성이 있다. 환처가 手足部에서 肘, 腋, 胯部까지 파급된다. 환처를 눌러보아서 부드러우면 내부에 膿이 생성된 것이다. 惡寒發熱, 飮食減少, 睡眠不安, 苔薄黃膩, 脈弦滑數 등의 전신증상이 동반된다.

3. 후기

黃白色의 점조한 膿이 배출되며 점차 腫이 작아지고 통증이 그치며 전신증상도 점차 소실된다.

Ⅱ-3. 급성림프관염 紅絲疔

1. 개요

手足部 疔瘡뒤에 속발하는 질환으로 四肢 內則에 갑자기 紅色의 一線이 위로 뻗치는 급성 염증으로,《外科正宗.疔瘡論第十七》에 말하기를 "… 紅絲疔은 手掌節間에 발생하는데 초기에 형상은 小瘡과 같고 점차로 紅絲가 위로 팔뚝까지 퍼지는 것을 말한다 …." 고 하여 紅絲疔의 발병과정을 설명하였다.

2. 원인 및 병기

火毒이 안으로 凝聚되어 있는 상태에서 외부의 手足部에 疔이 발생하던가 발에 癬이 생겨 糜爛되던가 혹은 피부파손이 일어나 毒邪에 감염되고 毒氣가 經脈에 흘러 들어가 속발하는 증상이다.

3. 증상

1) 국부증상 : 手足의 疔이 발생한 부위나 혹은 피부파손처에 발생하는데 紅腫熱痛이 나타나고 뒤이어 上肢內側 이라던가 혹은 小腿內則에서 위로 붉은 한 줄의 선이 위로 퍼져서 上肢의 팔꿈치나 액와부까지 나타나고, 下肢에서는 오금이나 사타구니까지 나타난다.

2) 전신증상 : 輕者는 紅絲가 비교적 가늘고 전신증상은 없으며, 重者는 紅絲가 거칠고 惡寒發熱, 頭痛, 飮食不振, 全身無力, 苔黃, 脈數 등의 전신증상이 나타난다. 또한 紅絲가 비교적 가는 것은 1~2日에 치유가 되며, 만약 紅絲가 거친 것은 病이 重한 것으로 덩어리가 나타나며 한곳이 나으면 다른 곳이 발생하고 2~3개가 서로 이어져 있다. 病이 淺部에 있는 것은 덩어리가 여러 개이고 피부색도 비교적 붉으며, 病이 深部에 있는 것은 피부색이 暗紅하며 或 紅絲가 나타나지 않은 때도 있다. 그러나 患肢에 실이 뭉쳐있는 듯한 腫塊와 압통이 있다.

3) 합병증(화농) : 덩어리가 없어지지 않고 化膿되는 것은 腫瘡疼痛이 아주 심하고 化膿은 발병후 7~10日 내외에 되며, 터진 후에는 쉽게 아문다. 그러나 2~3개가 이어져 관통되어 있는 것은 아무는 것이 더디다.

(4) 합병증(패혈증) : 만약 高熱, 神昏譫語, 胸痛, 咳血 등의 증상이 나타나는 것은 패혈증(走黃)의
  징조이다.

4. 치료

1) 內治 : 淸熱解毒을 爲主로 한다.
2) 外治 : 먼저 원발병을 치유한 다음 砭鐮法을 쓴다.

Ⅱ-4. 가스괴저병 爛疔

1. 개요

  가스 괴저병은 클로스트리디움(Clostridium) 종의 세균이 주로 근육층을 침범하여 조직을 괴사시
켜 썩게 만들면서 가스를 생성하는 감염 질환이다. 이 병의 원인균은 주로 상처가 난 피부를 통해 침
투하므로 상처가 없는 상태에서는 아주 드문 경우를 제외하고는 잘 발생하지 않는다.
  水疗, 卸肉疗, 脫靴疗이라 하며, 주로 농민과 군인에게 잘 발생하며, 발병전에 이미 手足의 創傷
이 있으며 진흙과 더러운 물건에 접촉한 적이 있고 2~3일 정도의 잠복기를 지나서 발생한다. 皮肉
사이에 발생하는 급성 괴사성 질환으로, 발병이 신속하고 국부가 湯傷을 입은 듯한 熱感과 腫脹疼
痛이 있으며, 피부색이 暗紅하고 그 이후 검게 되던가 혹은 白瘢이 나타나며 빠르게 腐爛되고 범위
가 커진다. 瘡型은 타이어 형태를 나타내고 곪은 후에는 밝은 膿液이 흐르는데 냄새가 나고 주위에
는 염발음이 있다.

2. 원인 및 병기

  대다수가 피부가 파손된 상태에서 진흙, 더러운 옷, 물건 등을 접촉하고 나서 毒氣에 감염되고 이
어 濕熱火毒이 안에서 쌓이면 毒이 肌膚에 쌓여 氣血이 凝滯되고 熱勝하면 肉腐하여 발생한다.

3. 증상

1) 국부증상

환부는 약간의 흑색을 나타내고 곪은 후에 膿水가 흐르고 瘡形은 움푹 패여 있으며, 쉽게 腐爛된다. 瘡面은 빨리 확대되고 더러운 냄새가 나며 주위에는 염발음이 들린다.

(1) 초기 : 처음 膿이 생기기 전에 갑자기 患肢가 묶여 있는 것처럼 무거운 느낌이 있고, 계속하여 "脹裂樣"의 동통이 있으며 瘡口 주위의 피부에 심한 水腫이 있으며 피부는 긴장되고 누르면 움푹 들어가고 다시 나오지 않으며 水腫이 주위로 빨리 퍼져서 단독과 같으나, 단 皮膚顔色은 暗紅하다.

(2) 중기 : 發病하고 1~2일 후에 종창동통은 극렬하고 이어 피부상에 홍색의 분비물이 있는 소수포가 발생하고 여러 개가 이어져 대수포가 된다. 瘡口주변의 피부온도가 하강하거나 차게 느껴지고 중앙 皮肉의 대부분이 腐爛되며 괴사된 근육은 옅은 황색을 나타낸다. 주위 피부는 자흑색으로 변하고 瘡面은 凹形을 나타내며 약간 누르면 염발음이 들린다. 세게 누르면 膿液이 瘡口에서 흘러나온다. 악취가 나고 기포가 섞여 있다.

(3) 회복기 : 腐爛된 근육이 탈락되며 瘡口가 매일 커진다. 단 대다수는 점점 瘡口가 아물어 치유된다.

2) 전신증상

초기에는 高熱, 寒戰, 頭痛, 煩躁, 嘔吐, 面色蒼白, 或神昏譫語하고 하루 정도 지나면 비록 身熱이 떨어지더라도, 단 精神은 간혹 昏하고 맑은 상태가 섞여 나타나고 煩渴引飮, 飮食不振, 小便

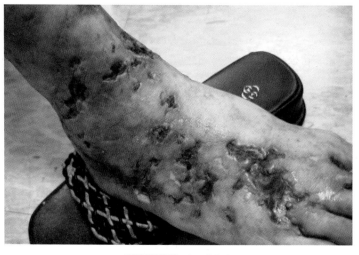

그림 10-2 가스괴저병

短赤, 苔黃焦糙, 舌質紅絳, 脈洪滑數 등의 濕熱火盛하고 營血을 손상시키는 증상이 나타난다.

Ⅱ-5. 탄저균에 의한 종기疫疔

1. 개요

주로 가축업을 하거나, 가축이나 가죽을 많이 접하는 농민과 수의사에 발생하며, 접촉 후 1~3일에 발병한다. 이는 가축의 毒을 접촉함으로써 발생하고 전염성이 있으며 형상이 疔과 같다하여 疫疔이라 하는데 현대의학에서는 탄저간균이 인체의 피부에 접촉하므로 발생하는 "피부탄저"라 한다. 瘡形이 臍凹와 같아서 고대문헌 중에는 魚臍疔이라고 칭하였다.

2. 원인 및 병기

이는 疫毒에 감염되어 皮膚之間에 머무르고 氣血이 凝滯되어 毒邪가 蘊結하여 발생한다.

3. 증상

1) 호발부위 : 頭面, 頸項, 팔뚝의 노출부위에 잘 발생한다.
2) 초기 : 피부상에 작은 紅色斑의 구진이 발생하고 많이 가려우나 동통은 없고 벌레가 문것과 같으며 전신에 경미한 발열이 있다.
3) 중기 : 2일째 구진의 꼭대기가 황색의 액체를 함유한 수포로 변하고 주위가 종창하고 열감이 심하다. 3, 4일째 수포가 빨리 건조하여 암홍색 혹은 흑색의 괴사상태가 되며 괴사조직의 주위에는 녹색의 소수포가 형성되며 瘡形은 臍凹型과 같다. 또한 뚜렷한 發熱, 全身不適, 頭痛骨楚, 苔黃, 脈數 등의 증상이 있다.
4) 후기 : 10~14일 후에 중앙의 腐爛된 筋肉과 正常 筋肉사이에 구분이 되는데 혹 소량의 膿水가 나오고 주위의 腫勢가 빨리 좁아지며 身熱이 점점 물러가면 順症이고, 단 腐爛된 筋肉의 脫落이 완만한 것은 일반적으로 3~4주에 유합이 된다.
5) 합병증(走黃) : 만약 국부의 腫勢가 계속적으로 발전하여 壯熱神昏, 痰鳴喘急, 身冷脈細者는 合併走黃이다.

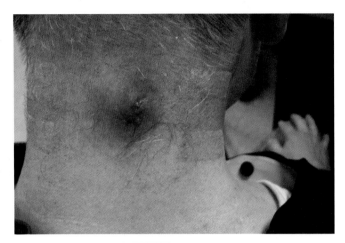
그림 10-3 경부의 농종

Ⅲ 피부의 농양, 종기 및 큰 종기癰

1. 개요

體表의 皮肉之間에 발생하는 급성 화농성 질환의 일종인 癰은 氣血의 邪毒이 壅塞하여 不通으로 발생한다. 현대의학에서 "피부천표농종", "급성 화농성 임파선염"에 해당된다.《外科正宗.癰疽門》에서 "成癰者壅也, 爲陽, 屬六腑毒騰于外, 其發暴而所患浮淺, 因病原稟于陽分中. 盖陽氣輕淸浮而高起, 故易腫, 易膿, 易腐, 易斂, 誠爲不傷筋骨易治之症也."라 하여 癰의 특징을 설명하고 있다.

癰은 크게 內癰과 外癰으로 나누는데, 內癰은 臟腑에 생기는 것이고, 外癰은 體表에 발생하는 것이다. 특징은 부위가 浮淺하며 국부가 光軟無頭하며 紅腫疼痛하고(소수에서는 초기에 피부색의 변화가 없다), 덩어리의 범위가 9~12㎝ 내외이다. 발병이 신속하고 易腫, 易膿, 易潰, 易斂하며 혹 惡寒, 發熱, 口渴 등 전신증상이 나타날 수 있다. 일반적으로 근골을 손상하지 않고, 陷證을 쉽게 나타내지 않는다.

【분류】

　(1) 頭部에 발생하는 癰을 頂門癰이라 한다.

　(2) 아래턱 부근에 발생하는 癰을 頦癰이라 한다.

　(3) 胸部에 발생하는 癰을 幽癰이라 한다.

(4) 腰部에 발생하는 癰을 腰癰이라 한다.

(5) 上腹部에 발생하는 癰을 中脘癰이라 한다.

(6) 下腹部에 발생하는 癰을 腹皮癰, 少腹癰이라 한다.

(7) 上肢에 발생하는 癰을 肩癰(肩風毒), 臑癰(藕包毒), 臂癰(冬瓜串), 腕癰이라 한다.

(8) 下肢에 발생하는 癰을 坐馬癰, 大腿癰(肚門癰, 箕門癰, 陰包毒), 膝癰, 黃鰍癰이라 한다. 이는 淺表膿腫에 속한다.

(9) 耳部에 발생하는 癰을 耳根癰(耳根毒)이라 한다.

(10) 頸後에 발생하는 癰을 魚尾毒이라 한다.

(11) 頸部에 발생하는 癰을 頸癰이라 한다.

(12) 腋下에 발생하는 癰을 腋癰이라 한다.

(13) 肘部에 발생하는 癰을 肘癰이라 한다.

(14) 胯腹部에 발생하는 癰을 胯腹癰(왼쪽에 발생하는 것을 上馬癰, 오른쪽에 발생하는 것을 下馬癰)이라 한다.

(15) 膕部에 발생하는 癰을 委中毒이라 한다. 모두 급성 화농성 임파선염에 속한다.

이외에 臍癰, 囊癰, 鎖喉癰, 急 慢性子癰, 脫囊癰, 肛癰, 乳癰 등이 있다.

2. 원인 및 병기

1) 대부분 癰은 外感六淫, 膏粱厚味 섭취로 발생한다.

(1) 평소 膏粱厚味를 과다하게 섭취하여 안으로 濕熱火毒이 쌓여 있을 때 營衛가 不和하고 邪熱이 壅聚하여 경락이 막혀서 氣血이 凝聚되어 발생한다.

(2) 六淫邪毒에 접촉하면 肌表가 울체되고 경락의 순행에 영향을 미쳐 氣血凝滯에 이르러 癰을 이룬다.

(3) 外來傷害로 毒氣에 감염되어 體表가 직접 손상된 후 국소 經絡이 막히고 氣血이 失調되어 감염된 邪毒이 癰腫을 이루게 된다.

2) 癰의 형성에서 대다수가 火熱의 毒으로 발생한다.

(1) 六淫의 邪氣가 人體에 침입하면 肌表에 머물러 經絡의 흐름을 더디게 하고 이는 氣血을 凝滯시키게 된다. 이런 六氣의 邪氣는 모두 化火하고 火熱의 邪氣는 筋肉을 腐爛케 하여 膿을 형성하고 癰證을 발생시킨다.

(2) 평소 飮食不節과 膏粱厚味를 과다 섭취하면 脾胃의 기능이 실조되고 이로 인하여 안에서 노

폐물이 쌓여 濕濁을 발생하며 또한 쌓여서 化熱, 化火하면 癰腫을 형성한다.

(3) 外來傷害나 직접 체표에 손상을 받으면 국부가 막혀서 氣血이 운행을 잃어버리고 毒邪에 감염이 되며 혹은 瘀血이 化火하여 癰腫을 형성한다.

3) 癰의 발생 중에 熱毒을 제외하더라도 발생 위치에 따라 다른 종류의 감별사항이 있다. 《瘍科心得集 · 例言》에 말하기를 "대개 瘡瘍의 症狀은 上部에 발생하는 것은 대다수가 風溫, 風熱에 속한다. 왜냐하면 風의 성질이 위로 上行하기 때문이다. 下部에 발생하는 것은 대다수가 濕火, 濕熱에 속하는데 이는 水의 성질이 아래로 내려가기 때문이다. 中部에 발생하는 것은 氣鬱, 火鬱에 속한 것이 많은데 이는 氣火가 모두 중간에서 발생하기 때문이다."[1] 하였다.

3. 증상

1) 초기 : 환처의 皮肉之間이 갑자기 紅腫灼熱疼痛하고 光軟 無頭하며 빨리 덩어리가 생기고 범위는 3~4寸 내외이다.

(1) 輕者는 전신증상이 없고 치료 후 腫痛은 消退하고 癰이 消散된다.

(2) 重者는 惡寒發熱, 頭痛, 口渴, 舌苔黃膩, 脈象弦滑, 洪數 등의 증상이 발생한다.

2) 成膿期 : 癰은 대략 7~14일 내외에 成膿이 된다. 이때는 동통이 아주 극심하고 그 부위를 누르면 膿이 생긴 파동감이 느껴진다.

⇒ 체력이 충분한 사람은 쉽게 膿이 생기고, 허약한 사람은 화농시기가 비교적 느리다. 그러나 대체로 14일은 넘지 않는다. 癰은 성질이 陽에 속하므로 일반적으로 化膿도 급속하다.

3) 潰後期: 곪아 膿이 나오는데 膿液이 끈적끈적하고 황백색을 나타내면 氣血이 충족한 현상이고, 만약 적자색의 血塊를 동반하고 있으면 外傷血瘀의 징조이다. 膿이 나오고 10일 정도가 경과하면 낫는다.

1　"盖以瘍科之證, 在上部者, 俱屬風溫　風熱, 風性上行故也; 在下部者, 俱屬濕火　濕熱, 水性下越故也; 在中部者, 多屬氣鬱　火鬱, 以氣火之俱發于中也."

4. 치료

1) 內治

淸熱解毒과 流通氣血이 主가 되고, 더불어 질환부위와 병정단계를 나누어 치료한다.

(1) 初期 : 散風淸熱과 活血行瘀가 主가 된다. 一般的으로 仙方活命飮에 防風, 白芷, 貝母, 天花粉, 金銀花, 蓮翹, 當歸, 赤芍藥, 生甘草를 加減하여 사용한다.

- 上部에 발생하면 荊芥, 牛蒡子, 桑葉, 菊花를 加한다.
- 中部에 발생하면 龍膽草, 黃芩, 生山梔를 加한다.
- 下部에 발생하면 蒼朮, 黃柏, 草薢, 牛膝을 加한다.
- 上部의 癧은 거의 風溫, 風熱로 因하여 발생하므로 治法은 散風淸熱을 하고 銀翹散 或은 牛蒡解肌湯을 사용한다.
- 中部에 발생하는 癧은 氣鬱, 火鬱로 因하여 발생하므로 治法은 淸肝解鬱을 하고 柴胡淸肝湯을 사용한다.
- 下部에 발생하는 癧은 濕熱, 濕火로 因하여 발생하므로 治法은 淸熱利濕을 하고 五神湯, 草薢化毒湯을 사용한다.

(2) 成膿期 : 먼저 和營淸熱托毒(托裡透膿)을 하고 透膿散에 加減을 하며, 氣血不虛者는 去 生黃芪한다. 또는 仙方活命飮에 去 防風, 白芷 加 黃芩, 生梔子, 皂角刺, 穿山甲 하여 사용한다.

(3) 潰後期 : 일반적으로 내복약을 사용하지 않는다. 만약 膿泄이 과다하고 체질이 허약한 사람은 補益氣血하는데 氣虛者는 四君子湯을 사용하며, 血虛者는 四物湯, 當歸補血湯을 사용한다. 氣血兩虛者는 八珍湯을 사용한다.

2) 外治

(1) 初期 : 먼저 淸熱消腫하는데, 金黃膏나 玉露膏를 바른다. 또는 金黃散, 玉露散을 찬물이나 식초, 꿀, 사탕 등에 섞어 바른다.

(2) 成膿期 : 경락을 따라 절개하여 배농시킨다.

(3) 潰後期

① 初期 : 먼저 膿을 제거하고, 八二丹, 九一丹을 사용한다. 약이 흐르면, 金黃膏, 玉露膏를 바른다.

② 收口 : 膿이 이미 제거되면 生肌收斂한다. 太乙膏, 紅油膏, 生肌玉紅膏를 바른다.

③ 膿流不暢 : 瘡口가 收斂되었는데 안에 膿이 있으면 墊棉法으로 누르고 효과가 없으면 擴創術을 쓴다.

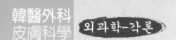

Ⅳ 연조직염發

1. 개요

1) 發은 毒邪가 肌膚에 쌓여 갑자기 주위로 퍼져서 발생하는 질환을 말한다. 혹은 癰, 疽(有頭疽), 癤, 疔毒邪로 인하여도 발생한다. 흔히 볼 수 있는 鎖喉癰, 臀癰, 腓腨發, 手發背, 足發背 등이 發의 범주에 속한다. 현대의학에서는 피하조직, 근막하, 기육층간의 급성 미만성 화농성 염증 즉 "연조직염"을 말한다. 發은 원발성과 속발성으로 나눌 수 있는데 원발성의 경우 초기에 無頭하고 紅腫하여 널리 片을 형성하며 중심은 뚜렷하고 주위가 비교적 맑고 경계는 뚜렷하지 않으며 灼熱疼痛하고 약 3~5일 후에 중심은 갈색을 나타내고 腐爛하며 중심이 비록 부드러워도 곪지 않고 전신증상은 명확하다. 속발성의 경우 癰, 疽가 발생한 부위에서 이어 발생한다. 원발성은 적은 편이고, 속발성이 비교적 많다.

2) 發頣는 열병 후에 餘毒이 頣頷사이에 발생하는 급성 화농성 질환이다. 이는 열병 후기 혹은 수술 후에 津液이 耗傷되어 氣血이 부족하고 腮腺(이하선)의 분비기능이 감퇴된 상태에서 毒邪가 이하선에 침입하여 발생한다.

　일반적으로 열병 후기에 흔히 한쪽의 턱에 발생한다. 초기에 입을 벌리기가 곤란하고 제2 어금니와 상대되는 점막상의 이하선 개구 부위에 점조한 분비물이 있으며, 口乾, 少津하는데 심한 경우 內陷으로 진행될 수 있다.

　현대의학의 급성 화농성 이하선염과 유사하며, 장티푸스, 폐렴, 홍역등의 전신감염 경과중 혈행성으로 발생하거나 또는 수술후의 탈수상태에 의한 타액분비의 감소, 유행성 이하선염, 구강내 감염에 속발하거나 희소하다. 전신이 쇠약한 사람이나 고령자에게 많다. 원인균은 대개 포도상구균이다.

2. 원인 및 병기

　대부분 傷寒 혹은 溫病 후에 汗出이 완전히 배출되지 않아서 餘邪熱毒이 少陽, 陽明經絡에 結聚하여 氣血凝滯되어 발생한다.

3. 증상

1) 호발부위

대부분 한쪽의 이하선에 발생하는데 양쪽에 같이 발생할 수도 있다.

2) 국부증상

(1) 초기

月臣頷 사이에 발생하는데 동통과 긴장감이 있으며 경미한 종창이 있어 입을 벌리기가 곤란하다. 종창이 점차로 뚜렷해지면서 귀 주위로 확산되는데 이때 입을 완전히 벌리기가 힘들며, 타액분비는 크게 감소한다. 만약 국소 부위를 압박하면 제2 어금니와 상대되는 부위의 이하선이 開口하는 곳에서 점조한 분비물이 분비된다.

(2) 성농기

발병 후 7~10일 내외에 이하선 부위에 심한 동통이 있으며, 피부색은 홍색을 나타내고 腫瘡이 갈수록 심해진다. 腫勢가 양측의 眼瞼, 頰部, 頸部 등에 파급되고 압통이 뚜렷하다. 국부를 누르면 파동감이 있고 동시에 頰部의 이하선이 開口되는 곳을 누르면 黃稠한 농성 분비물이 분비된다.

(3) 후기

만약 절개시기를 놓치면 腫瘡은 月臣頷部 혹은 구강 점막 또는 외이도로 파급된다. 냄새가 나는 더러운 농이 나온다.

3) 전신증상

초기에 경미한 발열이 있는데 심하면 체온이 40℃까지 올라간다. 口渴納呆, 大便秘結, 苔黃膩, 脈弦數 등이 나타난다. 만약 환자가 극도로 쇠약하거나 적당한 치료시기를 놓친 경우, 또는 과도하게 寒凉攻伐하는 약을 투약하면 腫勢가 咽喉로 퍼져서 痰涌氣塞하고 湯水難下, 神識昏迷 등 毒邪가 內陷한 증상이 보일 수 있다. 또한 일과성 面癱을 볼 수가 있는데 병이 치료가 되면 정상적으로 회복된다.

4. 진단요점

1) 일반적으로 상한, 마진(홍역), 성홍열 등 유행성 열병 후, 혹은 흉복부 대수술 후 장기간 금식한 사

람에게 생긴다.

2) 단측 혹은 양측에서 발병하면, 턱사이 구분선에 홍종열통이 뚜렷하여, 보통 서로 다른 정도의 개구 장애를 동반한다.

3) 환측 이하선 입구쪽이 빨갛게 부어올라 압박되어 농성 분비물이 넘쳐흐른다.

4) 발병이 급하며, 고열, 갈증 등 전신 증상을 동반한다.

【감별진단】

(1) 유행성 이하선염(mumps) : 한방명칭으로 痄腮에 해당하며 月臣頷之間에 발생하는데 대부분 양측으로 발생하고 色白濡腫, 痠多痛少하며 화농이 되지 않는다. 대다수가 5~15세의 아동에 많이 발생한다.

(2) 만성 감염성 이하선염 : 환자는 수개월에서 수년 사이에 반복 발생한 병력이 있다. 이하선 부위가 종창동통하고 누르면 條索狀의 물질이 있는 것과 같이 느껴지는데 음식을 삼킬 때 더욱 뚜렷하게 나타나나 음식을 다 삼키고 나면 점차 감소한다. 급성 발작 시에 증상은 급성 發月臣와 비슷하다.

5. 치료

1) 初期

清熱解毒이 主가 되고 普濟消毒飮加減을 사용한다.

2) 成膿期

托毒透膿이 主가 되고 普濟消毒飮에다 去 僵蠶, 牛蒡子 加 皂角刺, 穿山甲(炙) 한다.

3) 內陷神昏

清營解毒과 化痰泄熱, 養陰生津을 위주로 하고 清營湯 合 安宮牛黃丸加減을 사용한다.

V 상세불명의 큰 종기疽

V-1. 有頭疽

1. 개요

有頭疽는 肌膚間에 발생하는 급성 화농성 질환으로, 현대의학에서는 세균감염성 질환의 하나인 癰腫(carbuncle)과 유사하다. 초기에 피부상에 여러개의 粟米狀의 膿頭가 있고 焮熱紅腫脹痛하고 쉽게 深部 및 주위로 확산되며 膿頭가 서로 이어져 커지고, 潰爛後에 봉와와 같은 형상을 나타낸다. 손가락으로 눌러도 膿은 흐르지 않고 범위는 9~12㎝를 초과하며 큰 것은 30㎝이상이 된다. 나이가 들고 체력이 약한 사람에서 腦疽, 背疽는 쉽게 內陷이 될 수 있다.

【 분류 】
발생부위에 따라 여러 명칭이 붙어있다.
  (1) 頭頂部에 발생하는 것을 百會疽, 玉頂疽라 한다.
  (2) 頸後에 발생하는 것을 腦疽, 對口疽, 落頭疽라 한다.
  (3) 胸部에 발생하는 것을 蜂窩疽, 缺盆疽, 膻中疽, 中脘疽라 한다.
  (4) 背部에 발생하는 것을 背疽, 上發背, 中發背, 下發背라 한다.
  (5) 腹部에 발생하는 것을 少腹疽라 한다.

2. 원인 및 병기

1) 外因 : 風溫濕熱의 毒에 感受되므로 氣血이 정상적인 운행을 잃어버리고 毒邪가 皮肉之內에 凝聚되어 발생한다.
2) 內因 : 아래의 3가지 병인으로 臟腑에 毒이 쌓여서 발생된다.
  (1) 情志內傷으로 氣鬱化火하여 발생한다.
  (2) 房室不節로 精氣가 損傷을 받아 腎水가 虧損되므로 水火가 不濟하니 陰虛하게 되고 이로 인하여 火邪가 聚盛하여 발생한다.
  (3) 평소에 기름진 음식을 많이 먹으므로 脾胃運化失調하여 濕熱火毒이 안으로 발생한다. 또한 體虛한 사람에게도 쉽게 발생하는데, 消渴 환자에게 쉽게 나타난다. 陰虛한 사람은 水虧火積

169

함으로 인해서 熱毒이 蘊結하는 것이 더 심해질 수 있다.

3. 증상

1) 호발부위 : 피부가 단단하고 肌肉이 풍부한 곳으로 項, 背部에 많이 발생한다.
2) 연령 : 중년과 노년에 많다.
3) 병정 : 實證과 順證은 약 1개월 내외이다. 병변의 初期는 1주일째, 潰膿期는 제 2~3주일째, 收口期는 제 4주일째이다.
4) 實證은 중년인에 많고, 虛證은 대다수가 노인에 많고 혹은 당뇨병을 앓은 병력이 있다.
5) 疽毒內陷 : 만약 神昏譫語, 氣喘急促, 惡心嘔吐, 腰痛尿少, 尿赤, 發斑 등 전신증상이 심한 사람은 內陷을 겸할 수 있다. 四肢部에 발생하는 것은 쉽게 透膿이 되므로 병정이 일반적으로 가볍고 內陷으로 변하는 경우는 드물다.

4. 치료

1) 內治

(1) 實證

① 初期 : 散風淸熱利濕과 和營托毒을 爲主로 하고 仙方活命飮加減을 사용한다.

② 潰膿期 : 仙方活命飮에 加 黃連, 黃芩, 生山梔, 去 白芷, 防風

③ 收口期 : 일반적으로 내복약은 필요가 없지만 아무는 것이 느린 경우는 調補氣血을 하고 八珍湯加減을 사용한다.

(2) 虛證

① 陰液不足, 火毒聚盛證 : 滋陰生津과 淸熱托毒을 爲主로 하고 竹葉黃芪湯加減을 사용한다.

② 氣血兩虧, 毒滯難化證 : 扶正托毒을 爲主로 하고 托裏消毒飮加減을 사용한다.

2) 外治

(1) 初期 : 實證은 金黃膏, 玉露膏를 쓰고, 虛證은 衝和膏를 바른다.

(2) 潰膿期 : 위의 처방에 八二丹이나 九黃丹을 넣는다. 膿이 맑으며 회녹색을 띠면 七三丹을 넣는다. 살이 썩고 막히며 膿이 축적되어 나오기 힘들면 십자로 절개수술한다.

(3) 收口期 : 白玉膏에 生肌散을 넣어 쓴다. 瘡口에 공간이 있으면 피부와 새살이 일시적으로 접합하지 못하므로 墊棉法으로 싸서 압박한다. 효과가 없으면 수술한다.

(4) 氣血兩虧하여 瘡形이 일어나지 못하면 神灯照法이나 桑柴火烘法을 배합한다.

Ⅴ-2. 無頭疽

1. 개요

無頭疽는 骨格과 關節사이에 발생하는 급성 화농성 질환으로 초기에 無頭하기 때문에 이름이 붙여졌다. 骨骼과 肌肉深部의 腫瘍으로 발병처는 정해진 곳이 없으나 다수가 脇肋, 四肢에 발생한다. 병위가 深部이므로 漫腫하고 피부색의 변화가 없으며 동통이 아주 심하고 難消, 難潰, 難斂의 특징이 있다. 《外科正宗·癰疽門》과 《瘍醫大全·卷五》에서 "疽者, 沮也, 爲陰, 屬五臟, 毒攻于內, 其發緩而所患深沈, 因病原稟于陰分中, 盖陰血重濁, 性質多沈, 故爲傷筋蝕骨難治之症也."라고 하여 疽의 특징을 설명하고 있다. 四肢에 발생하면 長骨에 다발하고 附骨疽, 咬骨疽, 多骨疽, 股脛疽 등이며 筋骨을 쉽게 상한다.

현대의학에서 "화농성 골수염"에 해당된다. 관절에 발생하면 기형을 일으키기 쉽고 현대의학에서 "화농성 관절염"에 해당된다.

【分類】

크게 2가지로 骨에 부착되어 深部 膿瘍을 발생시키는 附骨疽와 股關節에 발생하는 環跳疽로 나뉜다. 附骨疽는 부위별로 여러 명칭이 있다.

(1) 大腿外側에 발생하는 것을 附骨疽이라 한다.

(2) 大腿內側에 발생하는 것을 咬骨疽이라 한다.

(3) 手足의 腿膊部位에 발생하여 潰破된 뒤에 썩은 骨이 나오는 것을 多骨疽이라 한다.

(4) 股脛部位에 발생하는 것을 股脛疽이라 한다.

2. 원인 및 병기

正虛邪實, 病後體虛, 餘毒의 血行感染으로 骨骼에 머물러서 발생한다.

1) 餘毒濕熱 : 餘毒濕熱 或은 疔瘡走黃, 有頭疽의 內陷 등 化膿性炎症 및 傷寒, 麻疹 등 病後에

餘邪가 완전히 제거되지 않아서 濕熱이 內盛하고 毒深하여 裏까지 들어가 筋骨에 머물러 발생한다. 혹은 皮膚粘膜의 毒邪가 虛한 틈을 타서 血絡에 들어가 經脈을 阻塞하게 하면 氣血이 凝滯하여 발생한다.

2) 外來傷害 : 外來傷害 특히 개방성 골절로 국부의 골격이 손상을 받고 이차적으로 毒邪에 감염되면 瘀血이 火熱하여 經絡을 阻塞하게 하고 筋骨에 凝滯하여 발생한다.

3) 風寒濕邪 : 體虛한 사람이 露臥風冷하거나, 혹은 목욕 후에 乘凉 하거나 해서 風寒濕邪가 침습해서 筋骨之間에 貯留하여 氣가 순조롭게 운행하지 못하면 陰血이 凝滯하여 발생한다.

4) 관절부근에 외상으로 인한 感染毒邪가 직접 들어가던가 혹은 附骨疽의 膿毒이 관절에 流注하여 環跳疽가 발생할 수 있다.

【 감별진단 】

(1) 附骨疽 : 병변의 대다수가 長骨에 발생하고 압통점이 骨骺端에 국한된다. 이는 특히 관절활동에 영향을 미치지 않고 치료후에 대다수가 후유증이 남지 않는다.

(2) 歷節風 : 關節이 紅, 腫, 熱, 痛하고 遊走性을 나타내며 化膿潰破가 없다. 항상 반복 발생을 한다.

(3) 髂窩流注 : 窩部의 肌肉處에 膿瘍이 있고 患肢는 펴지를 못하고 大腿는 內翻(環跳疽는 대략 外翻한다)하고 치료후 대다수가 후유증이 남지 않는다.

(4) 髖關節流痰 : 陰證으로 초기에 국부 및 전신증상이 뚜렷하지 않고 化膿은 病이 발생하고 반년에서 일년정도 걸린다. 潰後에 敗絮樣의 물질이 나온다.

(5) 臀部流注 : 다발성 농양에 속하며, 병소가 肌肉으로 쉽게 化膿하고, 潰하며 아문다. 나은 후에는 筋骨을 손상하지 않는다.

(6) 環跳流痰 : 초기에 국소나 전신증상이 뚜렷하지 않고, 병이 생긴지 반년에서 일년정도 후에 化膿된다. 潰後에는 솜같은 물질이 생긴다.

3. 치료

1) 內治

(1) 餘毒濕熱 및 損傷瘀血形

① 初期 : 消退를 중시하여 淸熱化濕과 行瘀通絡을 한다. 黃連解毒湯 合 五神湯加減을 사용한다.

② 成膿 : 淸熱化濕과 和營托毒을 하고 上方에다 加 穿山甲(炙), 皂角刺를 사용하고 潰後에 氣

血兩虛者는 調補氣血을 하고 八珍湯加減을 사용한다.

(2) 風寒濕邪形
  ① 初起 : 溫經散寒, 祛風化濕하고 獨活寄生湯加減을 사용한다. 초기에는 체력이 비교적 實하
     므로 일반적으로 補益藥은 사용하지 않는다.
  ② 成膿 : 祛風化濕, 和營托毒하고 上方에 加 生地黃, 穿山甲, 皂角刺, 桂枝, 細辛
  ③ 潰後 : 餘毒濕熱 혹은 損傷瘀血形과 동일하다.

2) 外治

(1) 初期

餘毒濕熱 및 損傷瘀血形은 金黃膏, 玉露膏를 바른다. 風寒濕邪形은 陽和解凝膏에 陰毒內消
散이나 桂麝散을 넣어 쓴다. 혹 回陽玉龍膏를 바르거나 隔薑灸, 雷火神鍼灸나 熨風散 溫慰法을
配合한다.

(2) 成膿期

조기에는 절개하고 혹 火鍼烙法으로 배농한다.

(3) 潰後期

七三丹과 八二丹을 均用하고 紅油膏, 衝和膏를 바른다.

Ⅵ 각 부위별 癰疽의 명칭

1. 頭部癰疽의 종류 및 발생부위 (B)

1) 百會疽　　　　⇨　百會穴
2) 透腦疽　　　　⇨　百會前 顖門近處(顖:신)
3) 侵腦疽　　　　⇨　五處穴
4) 佛頂疽　　　　⇨　上星穴
5) 額　疽　　　　⇨　前頭의 督脈經과 膀胱經
6) 勇　疽　　　　⇨　兩太陽穴(瞳子髎)
7) 鬢　疽　　　　⇨　手少陽三焦經과 足少陽膽經의 鬢角
8) 夭疽(左),銳毒(右)　⇨　左右耳後 1寸 3分(夭疽:左側後頭, 銳毒:右側後頭)
9) 玉沈疽　　　　⇨　腦戶穴
10) 腦後發　　　　⇨　風府穴
11) 腦　鑠　　　　⇨　風府穴(鑠:쇠녹일 삭)

2. 面部癰疽의 종류 및 발생부위 (B)

1) 顴　疽　　　　⇨　手太陽小腸經인 兩顴骨尖(顴:광대뼈 관)
2) 顴　瘍　　　　⇨　兩顴 骨尖
3) 鳳眉疽　　　　⇨　眉棱骨上
4) 眉心疽　　　　⇨　印堂穴
5) 龍泉疽　　　　⇨　水溝穴
6) 頰　瘍　　　　⇨　兩頰車骨間
7) 面發毒　　　　⇨　兩頰車骨間
8) 虎髭毒　　　　⇨　承漿
9) 面風毒　　　　⇨　印堂穴
10) 痄　腮　　　　⇨　鸛骨筋下部, 兩耳下(痄:부스럼 차, 腮:뺨시)
11) 發　頤　　　　⇨　頤頷間
12) 骨槽風　　　　⇨　耳前 및 腮頰(三焦.胃經)

3. 口脣舌部癰疽의 종류 ^(B)

1) 口瘡(大人口破, 口瘡, 口疳)(潰瘍性 口內炎)

2) 口糜爛(口內炎)

3) 鵝口瘡(雪口)

4) 脣疽(口面에 發生하는 脫疽)

5) 繭脣(입술부위의 癌腫)(繭:고치 견)

6) 舌疳(舌菌, 舌癌)

7) 重舌

8) 紫舌瘡

9) 舌痰包

10) 舌衄

11) 重顎

12) 上顎癰(懸癰, 垂癰)

13) 舌上痰核

4. 頸項部癰疽의 종류 및 발생부위 ^(B)

1) 腦癰및 腦疽 ⇨ 後頭 頸部 髮際 正中線上

2) 偏腦疽 ⇨ 腦後頸部 膀胱經上

3) 天柱疽 ⇨ 項後高骨 즉 天柱骨(大椎)

4) 百脈疽 ⇨ 側頸部 胸鎖乳突筋 近方(屬 手少陽三焦經.手太陰肺經)

5) 上石疽 ⇨ 側頸部(肝經)

6) 失營疽 ⇨ 耳下兩傍 및 項間

7) 結喉癰(猛疽) ⇨ 嗌外 正中인 咽喉 外面

8) 夾喉癰 ⇨ 結喉癰의 兩傍

9) 魚尾毒 ⇨ 項後 髮際兩傍角處

10) 時 毒 ⇨ 咽喉 頸項, 頷 腮, 頤

11) 瘰 癧 ⇨ 項後 全體(結核性淋巴腺炎)

5. 背部癰疽의 종류 및 발생부위 (B)

1) 上發背(脾肚癰)　　　⇨　大椎.陶道.身柱穴

　中發背(對心發)　　　⇨　神道.靈臺.至陽穴

　下發背(對臍發)　　　⇨　脊中穴

2) 上搭手(左右串)　　　⇨　肺兪穴

　中搭手(龍疽)　　　　⇨　膏肓穴

　下搭手　　　　　　　⇨　肓門穴

3) 蓮子發(太陰疽)　　　⇨　背脊 및 兩脇(膽과 膀胱經에서 火毒이 凝結되어 形成된다.)

4) 蜂窩發　　　　　　　⇨　背部 및 肩胛部

5) 蓮珠發　　　　　　　⇨　背部全面

6) 丹毒發　　　　　　　⇨　背部全面

7) 禽 疽　　　　　　　⇨　背部全面

8) 痰注發　　　　　　　⇨　背脊部

9) 黃瓜癰(肉龜)　　　　⇨　背部兩側

10) 串疽(老鼠鑽, 遊走血脾癰)　⇨　背部 脇肋間(鑽:송곳 찬)

11) 陰陽二氣疽　　　　⇨　背脊周圍

12) 酒毒發　　　　　　　⇨　背脊部

6. 肩部癰疽의 종류 및 발생부위 (B)

1) 肩中疽(疕癰)　　　⇨　左右의 肩中正(三焦經과 膽經에 屬)(疕:각기 비)

2) 乾 疽(疔疽)　　　⇨　左右 鎖骨外側 下(大腸經에 屬)

3) 過肩疽　　　　　⇨　上膊後面의 上部(小腸經에 屬)

4) 膠 疽　　　　　⇨　上膊後面의 上部 (肩貞穴)

5) 肩風毒　　　　　⇨　肩縫突起의 直下方(手陽明大腸經의[肩髃]穴)

　　　　　　　　　　初期에는 蠲痛無憂散을 投與한다.

6) 樂 疽　　　　　⇨　前腋上 骨縫開合處 陷凹部

7. 胸乳部癰疽의 종류 및 발생부위 (B)

1) 甘 疽   ⇨ 中府穴 直下

2) 膻中疽   ⇨ 膻中穴

3) 脾發疽   ⇨ 食寶穴

4) 井 疽   ⇨ 中庭穴

5) 蜂窩疽   ⇨ 胸側 乳房 上部, 全身

6) 缺盆疽(蠹疽　骨肯骨疽)   ⇨ 缺盆穴

7) 其癧癰   ⇨ 乳房周圍

8) 乳癰, 乳疽, 乳發   ⇨ 乳房

9) 乳中結核과 乳巖   ⇨ 乳房

10) 乳癆　乳漏   ⇨ 乳房

11) 內外乳吹   ⇨ 乳頭

8. 脇肋 및 腋部癰疽의 종류 및 발생부위 (B)

1) 脇癰, 脇疽   ⇨ 肋下 脇部

2) 肋疽(夾熒疽)   ⇨ 肋骨 사이

3) 淵疽   ⇨ 肋下

4) 內發丹毒   ⇨ 肋骨

5) 腋癰(夾肢癰 肢肢窩) ⇨ 胸部와 上膊部사이(腋際)(肢:흘)

6) 腋疽(米疽 疚疽 肢肢窩疽)   ⇨ 胸部와 上膊部사이(腋際)(疚:오랜병 구)

9. 臑臂部癰疽의 종류 및 발생부위 (B)

1) 臑 癰   ⇨ 上膊部

2) 石榴疽   ⇨ 上膊後面 天井穴

3) 肘 癰   ⇨ 肘關節 周圍

4) 魚肚發   ⇨ 上膊 內面, 靑靈穴

5) 臂癰, 臂疽   ⇨ 臂全面

6) 腕 癰 ⇨ 手腕背面

7) 兌 疽 ⇨ 太淵穴

8) 穿骨疽 ⇨ 間使穴

9) 骨螻疽 ⇨ 臂腕背側前面의 陽明經上

10) 螻蛄串 ⇨ 臂腕內側中央 心包經

10. 手部癰疽의 종류 및 발생부위 (B)

1) 手發背 ⇨ 手背面(手三陽經에 屬함)

2) 掌心毒 ⇨ 手掌心 勞宮穴

3) 虎口疽(又毒 擘蟹毒) ⇨ 合谷穴 (擘:나눌 벽)

4) 病 鰕 ⇨ 手背面

5) 手丫發 ⇨ 指骨과 指骨사이(大指 合谷穴은 除外)

6) 調 疽 ⇨ 手大指

7) 天蛇毒과 蛇頭疔 ⇨ 手指尖(十指尖)

8) 泥鰍疽 ⇨ 指部(十指發生)

9) 代 指(생인손) ⇨ 手指甲身 內面

10) 蜣螂蛀 ⇨ 手指骨節

11. 腹部癰疽의 종류 및 발생부위 (B)

1) 幽 癰 ⇨ 臍上 7寸 鳩尾穴

2) 臍 癰 ⇨ 神闕穴

3) 嚇 癰 ⇨ 臍上 3寸 建里穴

4) 腹皮癰 ⇨ 腹部의 皮裏膜外

5) 中脘疽(胃疽) ⇨ 臍上 4寸 中脘穴

6) 小腹疽 ⇨ 氣海(丹田), 石門, 關元의 三穴

7) 衝 疽(中發疽 壅腎瘡) ⇨ 臍上 2寸 下脘穴

8) 緩 疽 ⇨ 小腹兩傍

12. 內癰의 종류 및 발생부위 (B)

1) 肺 癰   ⇨ 中府穴
2) 大腸癰(蟲垂炎)   ⇨ 天樞穴(腹部臍傍 2寸)
3) 小腸癰   ⇨ 關元穴
4) 胃 癰   ⇨ 中脘穴(臍上 4寸)
5) 脾 癰   ⇨ 章門穴(肝經)
6) 肝 癰   ⇨ 期門穴(肝經)
7) 心 癰   ⇨ 巨闕穴
8) 腎 癰   ⇨ 京門穴
9) 三焦癰   ⇨ 石門穴(臍下 2寸)

13. 腰臀部 및 下部癰疽의 종류 및 발생부위 (B)

1) 腎兪發   ⇨ 腎兪穴
2) 中石疽   ⇨ 腰胯사이
3) 纏腰火丹   ⇨ 胸部, 背部, 腰部, 顔面部, 脇肋部
4) 鸛口疽(銳疽)   ⇨ 尾閭骨尖端(督脈經의 長强穴 上部) (鸛:황새 관)
5) 坐馬癰   ⇨ 尾閭骨尖端(督脈經의 長强穴 上部)
6) 臀 癰   ⇨ 臀部
7) 上·下馬癰   ⇨ 臀部 臀肉下 摺紋中(膀胱經에 屬함)(摺:접을 접)
                       (左發 上馬疽, 右發 下馬疽)
8) 涌泉疽   ⇨ 長强穴
9) 臟 毒   ⇨ 肛門周圍
10) 懸 癰   ⇨ 陰囊之後 穀道之前. 兩陰사이(會陰)
11) 穿襠毒   ⇨ 會陰穴 前面
                       (襠:배자 당→ 저고리 위에 덧입는 소매가 없는 옷)
12) 跨馬癰(騙馬墜) ⇨ 囊의 兩側(騙:말에 뛰어오를 편)
13) 腎囊癰(附子癰) ⇨ 囊에서 發生
14) 便毒(便癰 血疝) ⇨ 陰廉穴. 生於腿胯 小腹之間
                       (胯馬癰)(足厥陰肝經, 足少陰腎經에 屬)

14. 股 및 膝部癰疽의 종류 및 발생부위 (B)

1) 附骨疽와 咬骨疽　⇨ 附骨疽 → 大腿外側(足三陽經)
    咬骨疽 → 大腿內側(足三陰經)

2) 股陰疽(赤施發)　⇨ 股內合縫下 陰囊側

3) 橫痃疽 및 陰疽　⇨ 橫痃疽:左大腿內側上部 股動脈이 있는 部位
    陰疽 :右大腿內側上部 股動脈이 있는 部位

4) 伏兎疽　⇨ 大腿前面의 外側 伏兎穴

5) 股陽疽와 環跳疽　⇨ 股陽疽:股關節 大轉子의 後方上.
    環跳穴 後面上. (足少陽膽經)
    環跳疽:環跳穴

6) 肚門癰과 箕門癰　⇨ 肚門癰:大腿後側의 正中 股二頭筋의 筋間
    箕門癰:膝蓋骨 內側上端의 上方 8寸의 脈動部 箕門穴(脾經)

7) 靑腿牙疳　⇨ 大腿와 齒齦

8) 膝癰과 疵癰　⇨ 兩膝蓋骨上

9) 下石疽　⇨ 膝蓋骨 및 그 주위(足三陰經)

10) 緩 疽　⇨ 兩膝上 및 兩膝兩傍

11) 上水魚　⇨ 委中穴旁 摺紋兩梢(摺:접을 접) (梢:나무끝 초)

12) 委中毒　⇨ 委中穴

13) 膝眼風　⇨ 膝眼穴

14) 鶴膝風(遊膝風, 敧搥風, 痢風) ⇨ 膝蓋(搥:칠 추)

15. 足脛部癰疽의 종류 및 발생부위 (B)

1) 足發背(足附發)　⇨ 足背部

2) 湧泉疽(足心發, 穿窟天蛇, 病穿板) ⇨ 湧泉穴

3) 脫 疽　⇨ 手足十指(主로 足趾)

4) 敦 疽　⇨ 足趾, 간혹 手指에도

5) 甲 疽　⇨ 足趾爪甲邊

6) 足跟疽(脚攣根)　⇨ 足踵跟(膀胱經)(跟:발꿈치 근)

7) 厲癰.四淫　⇨ ① 厲癰:足趺兩傍, ② 四淫:足趺上下

8) 臭田螺(爛脚丫)　　　⇨　下腿橫靭帶部주위 卽 脚丫(丫:가장귀 아)

9) 牛程足蹇　　　　　⇨　足踵跟, 足掌皮內

10) 土 栗　　　　　　⇨　足跟兩旁

11) 田螺皰　　　　　　⇨　足底面(足掌)(螺:소라 라)

12) 三里發　　　　　　⇨　膝眼下 3寸 外側 三里穴(胃經)

13) 腓腨發　　　　　　⇨　腓腨 즉 下腿 腓腹筋주위(膀胱經)

14) 黃鰍癰(脛陰疽)　　⇨　下腿肚內側(鰍:미꾸리 추)

15) 靑蛇毒　　　　　　⇨　下腿肚部下(膀胱經)

16) 接骨發　　　　　　⇨　下腿肚 下部, 脛骨, 腓骨과 足後踵骨이 接合하는 部位(膀胱經)

17) 附陰疽　　　　　　⇨　三陰交穴

18) 內踝疽(走緩, 鞋帶疽)　⇨　足內踝 주위(三陰經)(鞋:가죽신 혜)

　　外踝疽(脚拐毒)　　⇨　足外踝 주위(三陽經)(拐:후릴 괴)

19) 穿踝疽　　　　　　⇨　足內踝, 足外踝

20) 鱔 漏　　　　　　⇨　下腿彎 或 脚彎(鱔:두렁허리 선)

21) 風 疽　　　　　　⇨　解谿穴

22) 濕毒流注와 瓜藤纏　⇨　下腿脛部 전체

16. 汎發性癰疽의 종류 및 발생부위 (B)

1) 多 骨 疽　　　　　⇨　腮頰, 牙牀, 眼胞, 頦下, 手足腿膊(=剩骨疽, 朽骨疽)

2) 瘰 疽　　　　　　⇨　手足指間, 臀, 臂, 口齒, 肚臍(=蛇瘴)

3) 瘡 發　　　　　　⇨　手足 或은 掌心, 腰, 臀部, 腿部의 伸縮活動을 하는 곳

4) 瘴 疽　　　　　　⇨　筋骨에 附着되어 發生

5) 産後癰疽　　　　　⇨　어디나 發生

6) 流 注　　　　　　⇨　신체 어느 부위나 發生(특히 四肢에, 肌肉이 많은 곳에)

7) 結 核　　　　　　⇨　皮膚內側 筋膜外面(婦人에 있어서는 項部, 耳의 前後, 胸脇등에
　　　　　　　　　　　　서 發生하는 수가 많다)

📖 참고문헌

1) 서울대학교병원. 가스괴저병, 서울대학교병원 의학정보. 네이버지식백과. www.naver.com
2) 서울대학교의과대학 피부과학교실. 의대생을 위한 피부과학. 고려의학; 2006.
3) 전국 한의과대학 피부외과학 교재편찬위원회. 한의피부외과학. 부산: 선우; 2007.
4) 중의외과학.인민위생출판사; 2011
5) 한의학대사전 편찬위원회. 한의학대사전. 정담; 2001.

第 **11** 章 단독

질병코드	한글명칭	영문명칭
A46	단독	erysipelas

1. 개요

피부가 갑자기 붉은 색을 칠한 것처럼 선홍색의 片을 형성하며 신속하게 퍼지는 급성 감염성 질환이다. 용혈성 연쇄구균에 의한 급성 표재성 봉소염에 해당되며 주로 진피의 림프관을 침범한다. 발병 초기에 惡寒壯熱과 국소 피부가 급격하게 붉게 변하면서 焮熱腫脹하며 신속하게 확대되어 주위와 경계가 뚜렷하다. 소퇴와 안면부에 잘 발생하며 수일내에 치료가 되지만 반복적으로 발생하기도 한다.

【 분류 】

안면과 소퇴에 호발한다.

(1) 頭面에 발생하는 것을《瘍科心得集》에서는 抱頭火丹

(2) 腰胯에 발생하는 것을《外科大成》에서는 內發丹毒

(3) 小腿, 足部에 발생하는 것을《外科大成》에서는 腿游風,《瘍醫大全 · 卷二十五 · 流火門主論》에서는 流火

(4) 유아에 발생하는 것을《醫宗金鑑 · 外科心法要訣 · 嬰兒部 · 赤游丹毒》에서는 赤游丹毒이라 한다.

2. 원인 및 병기

1) 血分熱毒

평소 血分에 熱이 있는 중에 외부적으로 火毒에 感受되어서 발생한다.

《聖濟總錄.卷第一百三十八.諸丹毒》"熱毒之氣가 皮膚之間에 暴發하여 밖으로 나가지 못하고 熱이 쌓인것을 丹毒이라 한다."[1]

2) 손상부위 감염

피부나 점막의 손상(鼻腔粘膜破碎, 皮膚擦破, 脚癬糜爛, 毒虫咬傷, 臁瘡 등)으로 毒邪에 감염되어 발생한다. 본병이 모두 血熱火毒으로 발생하나 발생 부위에 따라 해당 經絡이 다르므로 火熱에도 약간의 차이가 있다.

   (1) 頭面 : 風熱火毒

   (2) 腰胯 : 肝經火旺과 脾經濕熱이 相搏하여 발생

   (3) 下肢腿足 : 濕熱下注가 火毒으로 변하면서 발생

   (4) 小兒 : 胎毒胎火

3. 증상

1) 호발부위

小腿에 제일 많고 그 다음 頭面에 많이 발생한다.

2) 전신증상

발병 전 惡寒, 發熱, 頭痛, 骨楚, 胃納不馨, 便秘尿赤, 苔薄黃或黃膩, 脈數或滑數 등의 뚜렷한 전신증상이 나타난다.

3) 국부증상

   (1) 초기에 작은 紅斑이 나타나고 이어 신속하게 확대되어 선홍색의 큰 片을 형성한다. 피부 표면은 약간 융기되어 주변과 경계가 명확하며 손으로 누르면 피부의 홍색이 엷어졌다가 손을 떼면 다시 홍색으로 돌아온다.

   (2) 피부 표면은 긴장하고 光亮하며 觸痛이 있는데 이는 火毒이 血分으로 들어갔기 때문이다.

---

1 "熱毒之氣暴發于皮膚間, 不得外泄, 則蓄熱爲丹毒."

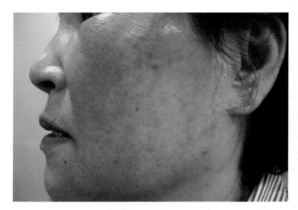

그림 11-1 단독(안면부)

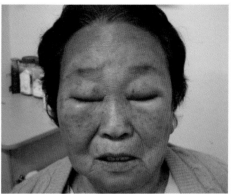

그림 11-2 단독(안면부)

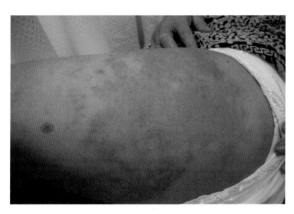

그림 11-3 단독(대퇴부)

(3) 심한 경우 紅腫한 부위에 紫癜, 瘀點, 瘀斑과 크기가 일정하지 않은 수포가 생기며 간혹 結毒
이 화농하여 피부가 괴사되기도 한다.

4) 경과

홍반이 전신으로 퍼지면서 동시에 중앙의 피부 병변부위가 선홍색에서 암홍, 혹은 황갈색으로 변
하며 5～6일 경과 후 인설이 떨어지면서 정상 피부색으로 돌아온다.

頭面, 四肢에서 胸腹部로 번져가는 것은 逆證이며, 만약 火毒이 內功하면 壯熱煩躁, 神昏譫
語, 惡心嘔吐 등의 증상이 나타난다.

5) 여러 부위에 발생한 단독의 특징

(1) 頭面部

① 鼻部 : 鼻額에 발생하고 이어 눈이 부으며 兩眼瞼이 腫脹하여 눈을 뜰 수가 없다.

② 耳部 : 먼저 귀의 상하좌우가 붓고 다음은 頭角이 붓는다.

③ 頭皮 : 頭額이 먼저 부어오르고, 다음은 腦後까지 영향을 미친다.

(2) 腿脛部

발가락 사이에 손상이 생기면 먼저 小腿가 붓고 大腿로 퍼진다. 반복적인 발생은 大脚風(象皮腿)을 형성한다.

(3) 신생아 단독

往往 遊走가 일정하지 않고 대다수가 피부 괴사가 있으며 高熱, 煩躁, 嘔吐 등의 심한 전신증상이 발생한다.

【 감별진단 】

(1) 發 : 국부의 색이 비록 홍색이더라도 중간의 융기부위는 색이 깊으며, 주위로 급격히 퍼진다.경계가 명확한 단독과는 차이가 있다. 脹痛은 지속성이 있고 화농시 跳痛이 있으나 대부분 괴사, 미란되며 전신증상은 단독 만큼 심하지 않고 반복적으로 발작하지 않는다.

(2) 접촉성 피부염 : 과민한 물질에 접촉한 병력이 있으며, 피부 손상은 종창, 수포, 구진이 주가 되고, 焮熱, 紅腫, 瘙痒이 있지만 觸痛이나 일반적인 전신증상은 없다.

4. 치료

일반적으로 凉血淸熱, 解毒化瘀의 치법을 사용하는데 발병 부위에 따라 치법과 치방이 다르다.

1) 頭面에 발생

風熱化火한 것이므로 散風淸火解毒이 主가 되고 普濟消毒飮을 加減한다.

大便乾結者는 加生大黃, 玄明粉. 咽痛者는 加生地黃, 玄蔘하여 사용한다.

2) 胸, 腹, 腰, 胯에 발생

肝脾濕火에 속하므로 淸肝瀉火利濕을 主로 하고 龍膽瀉肝湯, 柴胡淸肝湯 혹은 化斑解毒湯

加減을 사용한다.

3) 下肢에 발생

濕熱化火한 것이므로 利濕淸熱解毒이 主가 되고 五神湯 合 萆薢滲濕湯加減을 사용한다.

4) 신생아 단독

胎火胎毒에 속하므로 凉血淸營解毒이 主가 되고 犀角地黃湯 合 黃連解毒湯加減을 사용한다.

5) 邪入營血

단독의 毒邪가 內功한 경우로 凉血淸營解毒이 主가 되고 犀角地黃湯 合 淸瘟敗毒飮加減을 사용한다. 만약 精神昏迷者는 淸心開竅의 목적으로 安宮牛黃丸 혹은 紫雪丹을 복용한다. 陰虛 舌絳苔光者는 玄蔘, 麥門冬, 石斛等을 加한다.

【치료 재발성 단독6례 小結 朱秀超 湖北中醫雜誌 (1)23, 1986】

補氣滋陰活血化瘀法을 응용하여 재발성 단독을 치료하였다. 본방을 내복으로 15~25제정도를 사용하였고, 병변부위의 피부가 곧 정상으로 회복되었으며 2~7년 정도 재발을 하지 않았다. 처방 구성은 黃芪 15g, 黨蔘12g, 當歸12g, 熟地黃12g, 三稜10g, 蓬朮10g, 乳香8g, 沒藥8g을 한제로 정하여 아침 저녁으로 나누어서 복용하였으며, 약을 물 500㎖에 넣고 끓여 250㎖을 취하였다. 병이 上部에 있으면 川芎을 加하고, 下部에 있으면 牛膝을 加하였으며, 여자는 紅花를 加하였다. 便秘가 있는 사람은 桃仁을 加하였다.

📖 참고문헌

1) 서울대학교의과대학 피부과학교실. 의대생을 위한 피부과학. 서울: 고려의학; 2006.
2) 전국 한의과대학 피부외과학 교재편찬위원회. 한의피부외과학. 부산: 선우; 2007.

第 12 章 상세불명의 피부농양

질병코드	한방명칭	한글명칭	영문명칭
L0290	流注	상세불명의 피부농양	Cutaneus abscess,unspecified

1. 개요

肌肉의 深部에 발생하는 전이성 다발성 膿腫을 말한다. 피부색은 변화가 없으나 四肢와 軀幹의 肌肉이 풍부한 깊은 부위가 漫腫疼痛한다. 쉽게 이동하고 매번 이곳저곳에 발생하는데 이는 초기에 발병이 아주 빠르고 潰後에 쉽게 치료되는 外科 陽證의 기본특성을 보여준다.

【 분류 】
(1) 暑夏의 계절에 발생하는 流注를 暑濕流注라 한다.
(2) 기타 계절에 발생하는 것을 濕痰流注라 한다.
(3) 癤의 毒이 血로 들어가 발생하는 것을 餘毒流注라 한다.
(4) 산후에 瘀露가 정체되거나 혹은 跌打損傷으로 발생하는 것을 瘀血流注라 한다.
(5) 髂窩(腸骨部位)에 발생하는 것을 髂窩流注라 한다.

2. 원인 및 병기

正氣가 虛한 상태에서 染毒에 감수되면 毒氣를 제거하지 못해 결국 毒氣가 營血로 走散하여 전신으로 流注하고 邪毒이 뭉쳐서 흩어지지 않으므로 결국 經絡이 阻塞하고 氣血이 凝滯하여 流注를 형성한다.

1) 正虛

正氣가 충족하지 않으면 인체의 저항력이 떨어지고 어느 순간 邪氣에 감염이 되면 혈액을 타고 肌膚에 머물러서 발생한다.

2) 染邪

(1) 餘毒

疗瘡, 癤, 癰 혹은 跌撲損傷, 切開感染 등에 치료를 잘못 하던가 혹은 심하게 누르면 毒氣가 흩어져 발생한다.

(2) 暑濕

夏秋에 暑濕에 감수되어 暑濕濕熱이 營衛에 머물러 발생한다.

(3) 瘀血

산후에 瘀露가 정체되거나 혹은 跌撲損傷에 瘀滯된 것이 化熱하여 발생한다.

3. 증상

流注는 항상 인체에서 혈액의 흐름이 잘 안되는 부위, 즉 腰部, 大腿後部, 髂窩部, 臀部 등에 발생한다.

1) 初期

처음은 兩臂, 腿, 腰胯間, 胸, 背處의 한곳 혹은 여러 부위에 肌肉이 疼痛하고 漫腫微熱하는데 피부색에는 변화가 없다. 약 2~3일후 腫脹嫩熱疼痛이 나타나는데 날이 갈수록 심해지고 누르면 腫塊가 느껴진다. 寒戰高熱과 어느 정도의 간헐성 발작이 있으며 頭脹痛, 全身關節疼痛, 飮食不振 등 전신증상이 나타난다.

(1) 暑濕流注 : 夏秋에 暑濕에 감수되어 발생하는데 胸悶, 渴不多飮, 苔膩, 脈滑數 등 濕이 熱보다 重한 증상을 나타낸다.

(2) 餘毒流注 : 疗癰 등으로 발생하는데 火毒이 흩어져 血分으로 들어가 肌肉사이로 이동하므로 氣血이 정상적인 운행을 하지 못하여 발생하며, 발병이 아주 빠르다.

(3) 瘀血流注 : 산후에 瘀露停滯, 跌撲損傷으로 肌膚가 손상을 받고 濕熱火毒이 經脈에 流注하던가 혹은 瘀血이 停滯되어 化生火熱하여 經脈에 돌아다니다 발생한다. 간혹 가벼운 發熱과

苔薄膩 혹은 舌上에 瘀點瘀斑이 보이며 脈濡澁 등의 瘀血 증상이 나타난다.

2) 成膿期

腫塊가 점차로 커지고 疼痛도 심해진다. 약 2주 정도에 腫塊의 중앙은 微腫하고 부드러우며 누르면 파동감이 있다. 또한 高熱이 없어지지 않고 때때로 汗出이 있으며 胸腹에 白㾦이 나타나고 口渴欲飮, 苔黃膩, 脈洪數 한다. 瘀血流注는 舌邊에 瘀點 혹은 紫色이 보인다. 치료 경과 후에 腫塊의 波動感은 膿液이 흡수됨에 따라 소실된다.

3) 潰膿期

潰後에 黃稠한 膿液이나 白粘한 膿水가 나오는데 跌撲損傷으로 발생한 것은 膿에 瘀血塊가 같이 나타난다. 腫硬과 疼痛이 점차로 소실됨에 따라 身熱이 물러가고 식욕이 증가하며 약 2주 정도에 膿이 없어지면 瘡口가 愈合된다. 瘡口가 愈合 後 身熱이 제거되지 않으면 다른 곳에 새로이 발생할 수 있다.

4) 正虛邪戀

流注가 潰膿된 후 치료되지 않았는데 다른 곳에 발생하고 壯熱이 없어지지 않으며, 신체가 마르고 面色이 창백, 虛數한 脈象이 보이는 것은 正虛邪戀에 속한다.

5) 瘡毒內陷

만약 神昏譫語, 胸脇疼痛, 咳喘痰血 등의 증상이 보이면 이는 毒邪가 臟腑로 들어가 轉移性 膿腫을 형성한 것이다.

【 감별진단 】

(1) 環跳疽 : 동통이 髖關節(股關節) 부위에 있으며 둔부가 밖으로 돌출할 수 있다. 대퇴가 대략 外旋하고 하지는 펴거나 구부리지 못한다.(髂窩流注는 구부리는데 펴기가 어렵다) 환측의 漫腫은 위로는 腰胯와 아래로는 대퇴까지 이어진다. 필요에 따라 X선 검사를 시행하여야 한다.

(2) 歷節風 : 아픈 부위의 관절이 紅, 腫, 熱, 痛하고 또한 유주성이 있으며 반복 발작하는 기왕력이 있다. 化膿潰破하지 않고 환측의 대퇴는 수축과 굴곡이 비교적 가볍다. 전신증상도 流注에 비하여 가볍다.

(3) 髖關節(股關節)流痰 : 발생이 완만하고 결핵을 앓은 병력이 있다. 患肢는 펴지만 굴곡하기가 어렵다. 국부 및 전신증상은 뚜렷하지 않다. 화농은 대략 병 발생 후 6~12개월 정도가 걸린다. 대퇴 및 둔부의 肌肉이 위축하여 일어서면 둔부의 선이 비대칭이 된다.

4. 치료

1) 初期

淸熱解毒과 和營通絡을 위주로 하고 黃連解毒湯 合 五神湯을 加減한다.

■ 加減法

① 表證이 보이면 荊芥, 防風, 牛蒡子를 加한다.

② 腫塊가 있으면 當歸, 赤芍藥, 丹蔘를 加한다.

③ 夏秋에 暑濕에 감수되어 발생한 것은 鮮藿香, 鮮佩蘭, 六一散, 大豆黃卷 등 淸暑化濕藥을 사용하거나 또는 醒消丸, 新消片을 사용한다.

④ 疔, 癤로 발생한 것은 生地黃, 牧丹 등 凉血淸熱藥을 사용하고, 산후 또는 타박으로 인한 경우는 桃仁, 紅花, 丹蔘, 益母草 등의 活血藥을 加하고 淸熱解毒藥을 減한다.

⑤ 下肢와 髂窩部位에 발생하는 것은 蒼朮, 薏苡仁을 加한다.

⑥ 神昏譫語者는 安宮牛黃丸 혹은 紫雪丹을 사용한다.

⑦ 胸脇疼痛, 咳喘痰血은 象貝, 天花粉, 茅根, 蘆根를 加한다.

2) 成膿期

上方에다 當歸, 皂角刺, 穿山甲(炙)를 加하고, 醒消丸은 사용하지 않는다.

3) 潰膿期

일반적으로 내복약은 사용하지 않는다.

📖 참고문헌

1) 전국 한의과대학 피부외과학 교재편찬위원회. 한의피부외과학. 부산: 선우; 2007.

第13章 패혈증

질병코드	한방명칭	한글명칭	영문명칭
A419	走黃,內陷	패혈증	Septicamia

1. 개요

  패혈증은 감염에 대한 비정상적인 숙주 반응으로 인한 생명을 위협하는 장기 기능 장애로 정의된다. 임상적으로는 장기 기능장애는 SOFA 점수(호흡기계/신경계/순환계/간/응고/신장)로 평가하고 미생물 감염이 원인으로 확인될 경우 진단 가능하다.

  미생물이 생체내로 침입하게 되면 숙주는 다양한 신호체계와 반응을 신속하게 증폭시키며 이는 침입된 조직내에 국한되지 않고 확산될 수 있다. 발열 혹은 저체온, 빈호흡, 빈맥 등의 증후는 패혈증(spesis), 즉 미생물의 친입에 대한 전신반응을 시사하는 소견이 된다. 역조절기능이 과도하게 작동되면 항상성 유지가 불가능해지고 주요장기의 기능 부전을 유발하게 된다(중증패혈증). 심한 경우 패혈성 쇽으로 인하여 사망의 위험성이 증가되게 된다.

  패혈증에 해당하는 走黃과 內陷은 모두 陽證의 瘡瘍 과정 중에 毒邪가 走散하여 안으로 臟腑에 들어가 발생하는 위험증후를 말한다. 腫瘍이 융기하다가 갑자기 凹陷하거나 혹은 潰瘍이 腐爛된 것이 아직 깨끗해지지 않았는데 갑자기 膿이 없어지면서 깨끗해지거나, 또는 膿이 깨끗하고 紅活한 瘡面을 나타내다가 갑자기 光白하고 번들번들하여 진다. 동시에 毒氣가 營血로 들어가 臟腑를 傷하게 하여 전신 증후가 나타난다.

1) 주황

疔瘡의 火毒이 聚盛하여 조기 치료에 실패하여 毒勢를 제거하지 못하면 營으로 走散하여 안으로 들어가 臟腑를 공략하므로 走黃이라 한다.

2) 내함

疽毒이 발생하던가 혹은 疔 이외의 기타 瘡瘍에서 正氣가 邪氣를 이기지 못하여 毒氣가 반대로 裏로 들어가 營血에 머물러 안으로 臟腑에 傳하여 발생하는 것을 內陷이라 한다. 疽毒內陷은 病이 변하는 단계에 따라 임상표현이 3종으로 나누어진다.

(1) 火陷 : 毒盛期에 나타나는 것을 火陷

(2) 乾陷 : 潰膿期에 나타나는 것을 乾陷

(3) 虛陷 : 收口期에 나타나는 것을 虛陷이라 한다.

2. 원인 및 병기

1) 주황

(1) 疔毒이 聚盛할 시기에 失治하거나 혹은 그 부위를 계속 압박하였던가 또는 치료를 못하면 제때에 毒勢를 제거하지 못하여 火毒이 營血로 들어가 안으로 臟腑에 轉移하여 발생한다.

(2) 疔瘡의 膿이 未熟한데 조기에 切開를 하므로 인하여 疔毒이 비록 크지는 않더라도 직접 營血로 들어가 臟腑를 공격함으로 발생한다.

(3) 疔瘡 발생 시에 잘못하여 火灸法을 시행하여 안으로 毒氣가 침범하거나 혹은 맵고 뜨거운 음식, 술, 기름진 고기, 비린내 나는 생선을 과식하므로 인하여 疔毒이 發散되어 안으로 營血에 들어가고 이어 臟腑를 공격하여 발생한다.

2) 내함

內陷의 근본 발생 원인은 正氣內虛한데 火毒이 聚盛하고 여기에 치료가 적당하지 못하므로 正氣가 邪氣를 이기지 못하고 반대로 邪氣가 裏로 들어가 營血에 머물러 이러한 증상을 발생시킨다.

(1) 火陷

陰液이 부족하고 火毒이 聚盛한데 다시 瘡口를 누르던가 혹은 치료가 적당하지 못하여 正不勝邪하므로 毒邪가 內陷하여 入營한 때문이다.

(2) 乾陷

氣血이 虧損하여 正氣가 邪氣를 이기지 못해 膿이 형성되지 못하므로 결국 毒을 밖으로 배출하지 못하니 正氣는 더욱더 虛하고 邪氣는 더욱더 盛하여 內閉外脫을 형성한다.

(3) 虛陷

毒邪가 비록 衰退하더라도 氣血이 大傷하여 脾氣가 회복 되지 않고 腎陽도 역시 衰하여 陰陽이 다 竭한 상태이므로 餘邪가 다시 안으로 入營하여 內陷을 형성한다.

3. 증상

1) 走黃의 국부증상

일반적으로 顔面疔瘡과 같은 원래 病 발생 부위의 瘡頂이 갑자기 黑色으로 변하며 움푹 들어간다. 無膿하며 腫勢가 軟漫하고 신속하게 주위로 확산되며 피부색이 암홍색을 나타내는데 경계는 뚜렷하지 않다. 內陷의 경우는 대부분 노인에서 나타나는데 항상 腦疽 혹은 背疽 환자에게서 倂發한다. 혹은 당뇨병 환자에게서도 자주 발생한다.

2) 走黃의 전신증상

毒邪가 하나의 臟으로 傳하면 한개 臟病이 나타나고 혹 여러 개의 臟에 傳하면 여러 개의 臟病이 동시에 나타난다. 총괄적으로 말하면 火毒聚盛한 증상은 寒戰, 高熱, 舌紅絳, 苔黃糙, 脈洪數 등을 발생시키는데 毒邪가 어떠한 臟으로 轉移하던간에 이러한 症狀이 나타난다.

(1) 傳心

疔毒이 직접 心營으로 들어가므로 火熱이 神明을 혼란스럽게 하여 神志昏糊, 煩躁, 譫語 등이 발생한다. 營血로 들어가면 逼血妄行하여 외부로 孫絡으로 넘쳐서 斑疹을 발생하게 한다. 心이 血脈을 주관하므로 疔毒이 血을 따라 流注하면 流注, 附骨疽가 발생하고, 心熱이 小腸으로 이동하면 血尿가 나온다.

(2) 傳肺

火毒이 肺로 들어가면 肺氣가 퍼지지 못하여 胸悶氣急한다. 肺가 肅降을 잃어버리면 咳嗽가 나타난다. 咳는 肺絡을 傷하게 하므로 咯血이 발생하고 또한 肺津液을 傷하게 하므로 聲嘶咽乾이 발생한다.

(3) 傳肝

火毒이 肝으로 傳하여 熱極하므로 風을 발생하는데 肝은 筋肉을 주관하므로 四肢抽搐, 角弓反張이 발생한다. 肝은 目에 開竅하므로 양쪽 눈이 上視하게 된다.

(4) 傳脾

火毒이 脾로 傳하면 濁氣가 위로 올라가 脘悶, 惡心하고, 熱이 大腸으로 들어가면 便秘 혹은 腹瀉가 발생하며, 濕熱이 交蒸하면 黃疸이 발생한다.

(5) 傳腎

火毒이 腎으로 들어가 熱이 陰을 傷하게 하고 腎陰이 마르면 위로 눈에 기운을 공급하지 못하므로 目暗睛露가 발생하고, 熱邪가 막히면 陽氣도 쌓여서 퍼지지 못하므로 四肢厥冷이 발생한다. 壯火는 腎氣를 傷하게 하므로 膀胱失約하여 小便不禁을 발생한다.

3) 內陷의 단계별 증상

(1) 火陷證

疽 증상이 5~10일 정도 되는 毒盛期에 발생한다.

국부의 瘡頂은 높지 않고 根脚이 널리 퍼져 있으며 瘡色은 紫滯하고 瘡口는 乾枯하며 無膿하고 灼熱痛이 심하다.

전신은 壯熱口渴, 便秘尿赤, 煩躁不安, 神昏譫語 혹은 脇肋部位가 은은하게 아프며 苔黃膩 혹은 黃糙하고 舌質紅絳, 脈洪數, 滑數 혹은 弦數하다.

(2) 乾陷證

疽 증상의 10~15일 정도 되는 潰膿期에 발생한다.

국부의 膿이 흡수가 되지 않고 瘡口 중앙은 糜爛되며 膿이 적고 薄하며 瘡色은 灰暗色을 나타내고 腫勢가 平塌하며 널리 퍼져 있으며 胸脹疼痛 혹은 微痛한다.

전신은 發熱, 惡寒, 神疲, 食少, 自汗脇痛, 神昏譫語, 氣息粗促, 苔黃膩, 舌質淡紅, 脈虛數 등이 나타거나 혹은 體溫이 반대로 높지 않고 肢冷하며 大便溏薄, 小便頻數, 苔灰膩, 舌質淡, 脈沈細 등이 나타난다.

(3) 虛陷證

疽 증상의 20일 정도 되는 收口期에 나타난다.

국부의 腫勢가 이미 약해지고 瘡口의 腐肉도 이미 없어지며 灰色이나 약간의 綠色을 나타낸 稀薄한 膿水가 나온다. 새로운 살이 빨리 자라지 않고 형상이 鏡面과 같이 반질반질하며 疼痛을 모른다.

전신은 虛熱이 나오며 形神萎頓, 納食日減 혹은 腹痛便泄, 自汗肢冷, 苔薄白 或 無苔, 舌質淡紅, 脈沈細 或 虛大無力 등이 나타나고 오래지 않아 昏迷厥脫한 증상이 나타난다. 만약 舌이 鏡面과 같이 빛나고 口舌에 糜爛이 생기며 舌質이 紅絳하고 脈細數 등이 나타나면 이는 陰傷胃敗한 증상이다.

4. 진단감별

1) 패혈증의 진단 요점

(1) 체온 > 38℃ 또는 < 36℃

(2) 심박수 > 90/분

(3) 호흡수 > 20/분 또는 PaCO2 < 32㎜Hg

(4) 백혈구수 > 12,000/㎕ , < 4,000/㎕ 또는

(5) 간상핵 호중구 > 10%

2) 패혈증의 진행

(1) 감염

(2) 전신성염증반응증후군(systemic inflammatory response syndrome, SIRS)

발열 혹은 저체온, 빠른 맥박, 빠른 호흡, 백혈구 수 증가 등의 소견

(3) 중증 패혈증(severe sepsis)

장기기능장애, 저관류, 또는 저혈압을 동반하는 패혈증이다. 저관류와 관류이상은 lactic acidosis, 핍뇨(oliguria), 또는 정신상태의 급성 변화를 포함하는데 여기에만 국한되지는 않는다.

(4) 패혈쇼크(septic shock)

젖산산증(lactic acidosis), 핍뇨, 정신상태의 급성 변화를 포함하지만 여기에만 국한되지 않는 관류

이상을 동반하여 적절한 수액에 반응하지 않는 패혈증 기인성 저혈압이다. 강심제 또는 승압제를 투여받는 환자는 관류이상이 나타나도 저혈압은 나타나지 않는 경우가 있다.

(5) 다장기기능장애 증후군(MODS : multiple organ dysfunction syndrome)

급성 질환 환자에게서 나타나는 것으로 치료를 하지 않으면 항상성을 유지할 수 없을 정도로 장기기능장애가 나타난다.

(6) 사망

5. 치료

1) 走黃의 경우 養血淸熱解毒을 위주로 五味消毒飮, 黃連解毒湯, 犀角地黃湯 이 3가지를 合方하여 加減한다.
- 神識昏迷에는 紫雪丹, 安宮牛黃丸을 加한다.
- 咳吐痰血에는 象貝母, 天花粉, 藕節炭, 鮮茅根을 加한다.
- 咳喘에는 鮮竹瀝을 加한다.
- 大便溏泄에는 地楡炭, 黃芩炭, 金銀花炭를 加한다.
- 大便秘結, 苔黃膩, 脈滑數有力에는 生大黃, 元明粉을 加한다.
- 嘔吐口渴에는 竹葉, 生石膏, 生山梔를 加한다.
- 陰液損傷에는 鮮石斛, 玄蔘, 麥門冬을 加한다.
- 痙厥에는 羚羊角, 釣藤, 龍齒, 茯神을 加한다.
- 黃疸에는 生大黃, 生山梔, 茵蔯을 加한다.

2) 內陷證은 변화가 다양하나 邪盛正衰가 근본이므로 치료는 扶正達邪, 祛邪安正이 위주이고 증상에 따라 치료한다.

(1) 火陷證

涼血淸熱과 解毒養陰, 淸心開竅를 위주로 淸營湯 合 黃連解毒湯에 皂角刺, 穿山甲을 加하거나 紫雪丹, 安宮牛黃丸을 사용한다.

(2) 乾陷證

補養氣血과 托毒透邪를 위주로 하고 佐로서 淸心安神을 시킨다. 托裏消毒飮加減, 安宮牛黃丸을 사용한다.

(3) 虛陷證

脾腎陽衰者는 溫補脾腎을 위주로 附子理中湯加味를 사용한다.

- 自汗肢冷에는 肉桂를 加한다.
- 昏迷厥脫에는 直蔘, 龍骨, 牡蠣를 加한다.
- 陽傷胃敗者는 生津養胃를 위주로 益胃湯加減을 사용한다.

6. 예후

三陷證은 일반적으로 위험하고 사망률이 높다. 그 중에서도 邪盛熱極한 火陷證이 예후가 비교적 좋고, 그 다음이 邪盛正虛한 乾陷證이며, 正虛邪衰, 陰陽兩竭한 虛陷證이 예후가 제일 안 좋다.

참고문헌

1) 대한내과학회 해리슨내과학 편집위원회. HARRISON'S 내과학. 서울: MIP; 2003.
2) 전국 한의과대학 피부외과학 교재편찬위원회. 한의피부외과학. 부산: 선우; 2007.
3) 정담편집주. 해부 병태생리로 이해하는 SIM 통합내과학 2:감염. 서울: 정담; 2013.

第14章

결핵성 말초림프절병증

질병코드	한방명칭	한글명칭	영문명칭
A182	瘰癧	결핵성 말초림프절병증	tuberculous peripheral lymphadenapathy

1. 개요

결핵성 말초림프절병증의 하나로 경부 임파선에 발생하는 급,만성 감염성 질환인 瘰癧은 항상 결괴 여러 개가 연이어져 있어서 붙여졌다. "癧子頸", "老鼠瘡"이라고도 하는데 현대의학에서는 경부 임파선 결핵에 해당하며 폐외결핵 중 가장 흔하다. 대다수가 아동이나 청년에 다발한다. 병의 발생이 완만하고 초기에 콩과 같은 核이 생기고 피부색은 변화가 없으며 동통은 느끼지 못한다. 이후로 점차 커지고 서로 이어져 연결된다. 주로 경부와 쇄골위의 림프절 부위를 침범한다. 진단은 미세침 흡입 또는 수술적 생검으로 한다. 膿이 형성될 때 피부색은 暗紅色으로 변한다. 潰後에 膿水가 淸稀하고 겸하여 敗絮樣 物質이 있고 흔히 이곳이 나으면 저곳이 발생하여 竇道를 형성한다.

본병의 결핵이 수년 동안 지속되나 누르면 움직이고 潰破가 되지 않으며 크기가 현저히 증대되지 않으면 병이 비교적 가벼운 것이다. 만약 초기에 여러 개가 이어져 있는 형상을 하고 堅腫하여 움직이지 않으며 서로 이어져 한 개 처럼 일어나면 병이 비교적 重한 것이다. 본병의 예후는 일반적으로 양호하다. 단 體虛하면 자꾸 반복 발생하는데 이는 더욱이 산후에 많이 볼 수 있다.

【분류】
  (1) 經絡의 부위에 따른 분류
    ① 頸前의 陽明經에 발생하는 것: 痰癧,
    ② 頸項兩側의 少陽經에 발생하는 것을: 氣癧
  (2) 病因에 따라 風毒, 熱毒으로 분류한다.

(3) 形態에 따른 분류

　① 여러 개가 이어져 있는 것: 瘰癧

　② 여러 개가 층층이 쌓여져 있는 것: 重瘰癧

2. 원인 및 병기

1) 肝鬱化火, 傷脾生痰 : 情志가 不暢하면 肝氣가 鬱結되고 氣滯하여 脾를 傷하며 脾가 정상적인
　運行을 잃어버리면 痰熱이 안으로 발생하고 이것이 頸項에 쌓여서 이 증상이 발생한다. 병의 후
　기에 肝鬱한 상태가 火로 변하면 아래로 腎陰을 태우고 熱이 旺盛하면 肉이 썩고 膿을 형성한다.
　혹은 膿水가 조금씩 나오고 氣血을 耗傷하면 때로 轉하여 虛損하게 된다.
2) 肺腎陰虧, 虛火灼津爍液爲痰 : 肺腎陰虧하면 陰虛하여 火가 旺盛하고 肺津이 輸布를 할 수
　없으며 진액이 말라 痰이되고 痰火가 凝結하여 이 병이 발생한다.
3) 한살 정도의 아동이 BCG Vaccine 접종 후 이 병이 발생할 수 있다.

3. 증상

1) 부위

　頸項, 耳前, 耳後의 한쪽 혹은 양쪽에 발생하고 모두 턱 아래나 鎖骨上凹, 腋部까지 이어진다.

2) 국부증상

(1) 초기

　결핵이 指頭정도로 커지고 한 개 혹은 여러개가 있으며 피부색은 변화가 없고 누르면 단단하고 밀
면 움직이며 열감이나 동통은 없다.

(2) 중기

　頸部의 核이 점차로 커지고 인근의 核들은 서로 이어져 塊를 형성하며 밀어도 움직이지 않고 점
차로 동통을 느낀다. 가령 피부색이 암홍색으로 변하고 누르면 미열과 약간의 파동감이 있는 것은
膿이 안에 이미 형성된 것이다.

(3) 후기

破潰後에 膿은 淸稀하고 敗絮樣의 물질이 있다. 瘡口는 潛行性 (空殼)을 나타내고 주위는 자암색을 나타내며 이곳이 나으면 저곳에 발생하고 竇道를 형성하기도 한다. 만약 膿水가 稠하게 변하고 瘡口의 피부색이 자홍색으로 변하면 收口하게 되는 것이다.

(4) 전신증상

- 초기에는 일반적으로 전신의 불편한 증상은 없다.
- 중기에는 경미한 발열과 胃納不佳 등이 나타난다.
- 후기에는 날이 지나도 낫지 않고 肺腎陰虧 (潮熱骨蒸, 咳嗽 盜汗), 혹 氣血兩虧 (面色無花, 精神倦怠, 頭暈, 失眠, 經閉), 혹은 脾虛失健(腹脹便溏, 形瘦納呆)등의 증상도 나온다.
- 만약 처음부터 肺腎陰虧로 인한 경우는 초기에도 어떤 전신 증상이 나타날 수 있다.

4. 치료

1) 초기 : 疏肝養血과 解鬱化痰을 위주로 하고 淸肝化痰丸 或은 逍遙散 合 二陳湯加減을 사용한다.
2) 중기 : 托毒透膿을 위주로 하고 上方에다 加 生黃芪, 皂角針, 穿山甲(炙)
3) 후기 : 肺腎陰虧者는 滋腎補肺를 위주로 하고 六味地黃湯加減을 사용한다.
4) 氣血兩虧者는 養營化痰을 위주로 하고 香貝養榮湯加減을 사용한다. 겸하여 脾虛失運者는 加 山藥, 木香, 砂仁
5) 已潰 未潰를 막론하고 小金片, 芩部丹片, 內消瘰癧丸, 消癧丸을 복용할 수 있다.

✎ 참고문헌

1) 대한내과학회 해리슨내과학 편집위원회. HARRISON'S 내과학. 서울: MIP; 2003.
2) 전국 한의과대학 피부외과학 교재편찬위원회. 한의피부외과학. 부산: 선우; 2007.

第15章 결핵관절염

질병코드	한방명칭	한글명칭	영문명칭
M011	流痰	결핵관절염	Tuberculous arthritis

1. 개요

결핵관절염은 혈행성 전파에 의한 병소의 재활성화 또는 주변의 척추주위 림프절 병변이 진행하면서 발생한다. 체중부하관절에 주로 발생하는데 化膿된 후에 병변부근의 틈 사이로 이어져 膿腫을 형성하며 潰破 후에 濃液은 痰과 같이 稀薄하여 流痰이라 한다. 즉, 流痰은 骨과 關節사이에 발생하는 결핵성 화농성 질병이다. 또 後期에 虛勞 증상이 나타나서 "骨癆"라고도 한다. 병의 발생이 완만하고 漫腫酸痛, 不紅不熱하며 化膿이 느리다. 곪아 터진 후에 膿水는 淸稀하고 豆腐化樣 物質이 끼여있다. 竇道형성후에 낫는 것이 더디고 쉽게 근을 손상하고 골을 썩게 한다. 가벼우면 약간의 손상이 있고 중하면 虛勞를 형성하여 생명이 위험하다. 潰後에 陰虛火旺한 것은 점차로 骨癆를 형성하므로 예후가 비교적 나쁘고 아직 脾胃가 敗하지 않은 것은 치료 가능성이 있다. 병변이 대관절에 있는 것은 치료율이 비교적 낮고, 소관절에 있는 것은 치료율이 비교적 높다. 부위에 따라 각각 다른 명칭을 가지고 있지만 병인, 증상, 치법, 예방은 기본적으로 일치하므로 총칭하여 流痰이라 한다.

(1) 背脊에 발생: 龜背痰
(2) 腰椎兩傍에 발생: 腎兪虛痰,
(3) 髖關節部位에 발생: 環跳痰, 附骨痰
(4) 膝關節에 발생: 鶴膝痰
(5) 足髁에 발생: 穿拐痰
(6) 手指關節에 발생: 蜣螂蛀

2. 원인 및 병기

1) 腎虧骼空
- 아동 : 선천적으로 腎精이 부족하므로 골수가 충분하지 않고 골격이 아직 미숙하여 발생한다.
- 성인 : 후천적으로 잘못 조리한 때문인데 房事가 절도가 없던가 遺精滑泄하던가 帶下多産하면 腎精이 虧損되어 經閉血枯하여 肝腎虧損을 發生하고 골격이 空虛하므로 발생한다.

2) 痰濁凝聚
風寒侵襲이 標인데 다음과 같은 경우에 風寒濕痰의 邪氣가 들어와 血脈이 瘀滯되면 寒痰이 筋骨骼 사이에 流注하여 흩어지지 못하므로 발생한다.
- 飮食失調(脾胃를 傷하여 氣滯痰生)
- 혹은 跌撲損傷
- 혹은 小兒를 너무 오래 앉아있게 함 (氣血이 調和를 잃어버림)

3) 氣血兩虛
化膿이 될 때에 虛寒이 化火하여 陰液을 말리고 膿이 이미 제거되었는데 오래되도 낫지 않으면 氣血을 傷하고 陰이 더욱더 虧損되므로 이에 따라 火도 더욱 旺盛하여져 陰虛火旺이 나타나니 氣血이 兩虛한 證候다.

3. 증상

1) 호발연령
아동과 청년에 많이 보인다.

2) 호발부위
脊椎가 최대로 많고 그 다음이 下肢, 膝, 環跳, 踝이고 또한 上肢, 肩, 肘, 腕, 指 등 골관절에 발생한다. 일반적으로 단발성인데 단 원발부위에 번져서 頸, 胸, 脇, 腰, 腹, 腿로 퍼질 수 있다.

3) 병정
병이 완만하고 化膿이 역시 느리며 潰後에 흔히 쉽게 아물지 않으며 병정이 몇 년씩 오래 끈다.

4) 병정에 따른 증상변화
- 초기 : 腎虛寒痰凝聚한 증상
- 중기(成膿期) : 寒邪가 化熱한 현상.
- 후기(潰後期) : 氣血兩虛 혹은 陰虛火旺의 현상

(1) 初期

骨內에 비록 병변이 있지만 초기증상은 뚜렷하지 않다. 겨우 환처에 은은한 酸痛을 느끼며 국부의 피부색은 여전하고 不紅, 不熱하며 관절의 활동이 장애를 받고 전신반응은 아직 뚜렷하지 않다. 혹은 겨우 경미한 寒熱정도 느낀다.

(2) 成膿

날이 지날수록 원발 혹은 속발부위가 점차로 융기하고 身熱이 旱輕冒重하는데 이는 寒이 化熱하는 것이고 이는 釀膿의 단계로 가는 것이다. 가령 膿이 이미 成熟하면 환처에 紅一點이 나타나고 누르면 파동감이 있다.

(3) 潰後

潰破 後에 瘡口 안에는 때때로 稀膿이 흘러 나오고 혹은 敗絮樣의 물질(乾酪樣 괴사)이 나온다. 오래되면 瘡口가 凹陷하고 주위의 피부색은 紫暗하며 漏管을 형성하고 쉽게 收口가 되지 않는다.
- 병변이 四肢에 있는 것은 肌肉이 날이 갈수록 위축된다.
- 병변이 頸椎, 胸椎, 腰椎에 있는 경우는 四肢가 强直하며 혹은 癱瘓하여 쓰지 못하고 심하면 二便이 失禁된다.
- 병이 오래되어 元氣가 받쳐주지 않으면 신체가 날이 갈수록 마르고 정신이 萎頹하여 面色無華하고 形體畏寒, 心悸, 失眠, 自汗, 舌淡紅, 苔薄白, 脈細 或은 虛大한데 이는 氣血兩虛한 상태이다.
- 午後潮熱, 夜間盜汗, 口燥咽乾, 食慾減退, 혹은 咳嗽痰血, 舌紅少苔, 脈細數한 것은 陰虛火旺한 것이다.

【결핵관절염의 부위별 특징】
(1) 경추부 : 항상 斜頸의 기형이 발생하고 환자는 머리가 앞으로 기울어지고 목이 짧으며 양손은 턱에 받치는 것을 좋아한다. 頸部를 옆으로 회전시키는 것이 제한되며 膿腫은 咽후벽 및 頸部 兩側에 발생한다.
(2) 흉추부 : 환자는 서 있을 때나 거리를 걸을 때 양손으로 腰脇을 지지하고 머리와 추간은 뒷쪽으

로 치우친다. 앉을 때는 손을 의자에 의지하여 앉기를 좋아한다. 椎體의 압력으로 體重이 감소하고 脊椎는 凸의 형상을 나타내며 부은 것은 梅李와 같고 신체의 길이는 적어지며 점차로 背傴, 背蛇모양을 하며 鷄胸龜背의 형상을 나타낸다. 膿腫은 脊椎兩側에 나타나고 겸하여 二便이 貯留하던가 혹은 失禁되며 兩足은 痿弱軟癱하여진다.

(3) 요추부 : 腰背는 판때기 같이 뻣뻣하며 끊어질 듯한 통증이 있고 髀腿는 굴곡을 할 수 없다. 해당부위에 결핵이 있는 경우는 물건을 위로 올릴 때는 최대한 무릎과 髖關節을 구부려 허리가 구부러지는 것을 피하고 기립시에는 손을 대퇴전방에 부축하여 요추가 앞으로 약간 기울어지고 뒤가 펴지도록 한다. 側彎하면 활동에 제한이 있다. 소아 환자에 이 증상이 있을 때 엎드려서 가령 양 허벅지를 위로 들어 올리면 요부가 어느 정도의 正常前凹曲線으로 유지하고 이 때 대퇴를 일제히 위로 들어올리는 자세를 취한다. 膿腫은 腎兪穴과 下腹部의 二側과 髂凹과 腰3角, 腹股溝 및 大腿에 파급된다.

(4) 고관절부 : 腿足의 屈伸이 어렵고 兩臀部의 肌肉은 비대칭을 나타낸다. 患肢는 먼저 길다가 짧아지고 조금은 파행걸음을 걸으며 동통이 있을 때도 있고 동통이 없을 때도 있다. 환처는 동통을 느끼지 못하고 동통은 膝部에 나타나며 骨瘦漫腫하고 점점 부드러워지며 膿腫은 원발부위나 大腿外側部에 발생한다.

(5) 주슬완관절 : 관절의 腫大는 梭形을 나타내며 上下筋肉은 위축되고 굴곡이 자유롭지 못하고 寒性膿腫이 관절부근에 나타난다.

(6) 지관절부 : 중지의 지장관절이 비교적 큰대 관절의 종대가 매미 복부와 같이 붓고 펴고 구부리기가 어렵다. 膿腫은 관절근처에 발생한다.

4. 치료

1) 流痰은 만성 소모성 질병으로 적극 치료 외에 영양보충을 증강하여 扶正培本하고 휴식 및 활동을 적게 하는데 주의한다.
2) 流痰은 陰證, 虛證, 寒證, 裏證이므로 溫補하는 것이 방법이다.
  (1) 初期 : 腎經이 虛寒하고 寒痰이 凝聚하는 現像이 나오므로 補養肝腎이 主가 되고 溫補經絡하고 散寒化痰하는 것이 輔가 된다. 陽和湯 合 苓部丹加減을 使用한다.
  (2) 成膿期 : 寒邪가 化熱하는 현상이 나타나므로 補托을 한다. 溫補托毒을 하여 빨리 潰하도록 한다. 透膿散 合 苓部丹加減을 한다.
  (3) 潰後 : 氣血이 兩虛하고 陰虛火旺하는 현상이 나오므로 補益氣血 혹은 滋陰降火를 한다. 培補가 主가 되고 收口를 促進한다.

📖 참고문헌

1) 대한내과학회 해리슨내과학 편집위원회. HARRISON'S 내과학. 서울: MIP; 2003.
2) 전국 한의과대학 피부외과학 교재편찬위원회. 한의피부외과학. 부산: 선우; 2007.

第 16 章

갑상선 질환

질병코드	한방명칭	한글명칭	영문명칭
E01	氣瘿	요도드 결핍과 관련된 갑상선장애 및 동류의 병태	Iodine-deficiency-realeted throid disorders and allied condition
E059	肉瘿	갑상선기능항진증	Hyperthyroidism
E06	瘿癰	갑상선염	Thyroiditis
C73	石瘿	갑상선의 악성신생물	Malignant neoplasm of parathroid gland

1. 개요

瘿은 갑상선종대 등 갑상선 질환 혹은 腫塊類의 질병을 지칭하는 한방명칭으로 광의로는 頸肩部의 腫塊를 다 지칭하고 협의로는 頸部의 腫塊를 지칭한다.

발병부위가 頸前 結喉兩側에 발생하고 혹 結塊되거나 혹 漫腫하고 대다수는 피부색의 변화가 없으며 음식물을 삼키는 동작을 따라서 上下로 이동한다. 갑상선에 문제가 생기게 되면 心悸, 振顫, 月經量少하고 심지어 經閉의 증상이 나온다. 일반적으로 氣瘿, 肉瘿, 石瘿, 瘿癰의 4종으로 나눈다.

1) 筋瘿과 血瘿은 頸部 혈관류에 속하고 또한 氣瘿과 石瘿의 합병증이다.
2) 氣瘿 : 단순성 갑상선종
3) 肉瘿 : 腺瘤, 囊腫, 石瘿은 갑상선암
4) 瘿癰 : 급성·아급성 갑상선염

2. 원인 및 병기

1) 肝鬱氣滯

肝은 疎泄을 주관하고 肝氣는 暢達과 升發을 한다. 그러므로 肝氣가 鬱滯하면 각 臟腑氣機의 失調가 발생하여 각종 外邪에 侵入을 당하고 또한 안으로 발생한 내부적인 요인과 합쳐져서 병이 발생한다. 가령 氣病은 血에 영향을 미쳐서 氣聚血結하고 혹은 氣와 痰濕이 서로 합쳐져서 腫塊를 形成한다. 足厥陰肝經은 肝에 屬하고 膽에 絡하여 喉嚨을 經過하므로 頸部의 結塊를 발생하고 癭病을 일으킨다.

2) 氣虛痰瘀

氣는 陽이고 血은 陰이다. 氣와 血은 서로 보완하며 의존하는 관계이다. 氣는 血을 溫煦하게 하고 生化, 推動, 統攝하는 작용을 한다. 氣虛하면 血을 生化하지 못하므로 血은 반드시 虛少하여진다. 氣衰하면 推動을 하지 못하여 血도 반드시 瘀阻하여진다. 요오드가 결핍된 지역에 오래 살아서 생긴 癭病 환자는 대다수가 山瘴邪氣로 인하여 발생하고 이는 氣血虛小를 일으켜 瘀阻하고 成塊한다.

3) 痰飮

痰의 생성은 肺, 脾, 腎, 肝과 밀접한 관계가 있다. 脾는 生痰의 根源이고 肺는 貯痰器官이다. 肝氣가 鬱滯하면 氣機가 不暢하고 腎火가 부족하면 溫煦를 못하고 氣化가 안되어 津液이 積聚하여 痰이 된다. 足太陰脾經, 手太陰肺經, 足少陰腎經, 足厥陰肝經은 後頸部로 순환하므로 痰도 經絡을 따라서 순행하다가 頸部에 맺히면 癭이 되는 것이다.

4) 衝任失調

衝脈은 모든 경락에 있는 氣血의 요충으로서 十二經의 氣血을 조절한다. 任脈은 一身의 陰經을 관리한다. 衝任의 失調는 肝木失養과 腎陰不足을 일으키고 갑상선의 기능과 관련된 임상증상을 발생시킨다.

5) 痰火鬱結

肝鬱胃熱, 風溫, 風火가 肺에 머무르면 痰火가 서로 凝聚하여 經에 머물러 癭癧을 발생한다.

3. 치료

1) 利氣解鬱

발병이 정신적인 요인과 유관한 질환에 적용하고 병변이 肝經부위에 있고 結塊가 滿腫하여 솜과 같고 혹은 堅硬如石하며 胸脇脹痛, 舌苔薄白, 脈弦滑하다. 예를 들면 氣癭이 있다. 이는 逍遙散主之하고 상용약물로는 柴胡, 川楝子, 軟柴胡, 香附子, 靑皮, 陳皮, 木香, 八月札, 砂仁, 枳殼, 鬱金 등이 있다.

2) 活血祛瘀

腫塊의 色이 紫色이고 단단하며 혹은 腫塊의 표면이 靑筋盤曲 혹은 网布上의 紅絲가 있으며 통처가 일정하며 舌質紫暗, 瘀點瘀斑, 脈濡澁하다. 예를 들면 石癭이 있다. 이는 桃紅四物湯主之하고 상용약물로는 桃仁, 紅花, 赤芍藥, 丹蔘, 三稜, 莪朮, 當歸尾, 澤蘭, 王不留行, 乳香, 沒藥, 自然銅, 地鱉蟲, 石見穿, 血竭 등이 있다.

3) 化痰軟堅

結塊의 부위가 皮裏膜外에 있어, 환처가 不紅不熱하며 누르면 견실하거나 囊性感이 있고, 舌苔黃, 脈滑하다. 예를 들면 氣癭, 肉癭 등이 있다. 이는 海藻玉壺湯主之하고 상용약물로는 海藻, 昆布, 海帶, 夏枯草, 海蛤殼, 半夏, 貝母, 黃藥子, 山慈姑, 白芥子 등이 있다.

4) 調和衝任

氣癭이 漫腫하고 面色이 晄白無火하며, 肢冷腰痠하고 月經稀少하며 舌質淡, 脈沈細 등 腎陽虛 혹은 命門火衰한 경우이다. 右歸飮主之하고 상용약물로는 熟地黃, 仙茅, 仙靈脾, 附子, 肉桂, 杜冲, 肉蓯蓉, 枸杞子 등이 있다.

5) 淸熱化痰

癭癧에 적용하고 환부가 腫脹疼痛하며 發熱, 舌質紅, 苔黃, 脈弦數 등이 있다. 柴胡淸肝飮主之하고 상용약물로는 柴胡, 夏枯草, 梔子, 浙貝母, 靑皮, 黃芩, 海蛤粉, 連翹, 瓜蔞仁, 天花粉 등이 있다.

I　요오드 결핍과 관련된 갑상선장애 및 동류의 병태

1. 개요

氣癭은 단순성갑상선종 및 요오드결핍에 따른 갑상선의 병태적인 병변에 해당된다. 이는 바닷가와 많이 떨어져 있는 요오드가 많이 결핍되는 고원지구에서 많이 볼 수 있다. 요오드 결핍지역에서 갑성선이 커지는 것은 호르몬 합성이 불충분한 상황에서 요오드를 받아들여 호르몬 생성을 높여주기 위한 보상적인 노력을 반영한 것이다.

頸部가 滿腫하고 腫塊가 부드러우며 통증이 없고 喜怒를 따라서 消長하는 특징을 가지고 있다.

2. 원인 및 병기

본병의 병인은 첫째가 憂恚이고 둘째로 氣候風土이다. 주요 요인은 憂恚로 인한 것인데 情志內傷하면 肝脾氣逆, 氣滯, 臟腑失和를 일으켜서 본병이 발생한다. 또한 이와 더불어 생활지구와 평소 먹는 수질도 유관하다. 산악지역에 거주하는 사람에 많이 발생하고 청춘기 때 호발하며 여자가 남자보다 많고, 임신기나 포유기의 여성에 많이 보인다. 이 시기에 요오드 요구량이 많아지기 때문이다. 미취학 아동에서도 많이 볼 수 있다. 매번 정서변화가 병을 증감시킨다. 정리하면 본병의 형성은 평소 먹는 음식에 요오드가 부족한 것과 憂怒의 비조절과 定志不暢과 유관하다.

3. 증상

초기에 일반적인 전신증상은 뚜렷하지 않고 頸部가 彌滿性종대가 있으며 점차로 腫이 증가한다. 주변은 뚜렷하지 않고 피부색은 정상이며 동통도 없다. 누르면 皮寬하면 부드럽고 腫脹이 과대하여 下垂가 된다. 느낌은 국부가 沈重하다. 혹 腫脹이 커져서 기관을 압박하여 輕하면 심한 활동시에 호흡곤란을 느끼고 重하면 안정을 취하여도 喘鳴을 느낀다. 혹 頸部에 심부 대정맥을 압박하면 頸, 胸部의 천부정맥은 뚜렷이 확장된다(소위 赤脈交結한 것을 血癭이라 한다). 혹 후반신경을 압박하면 聲啞證 發聲障碍를 일으킨다. 경부의 彌滿性 腫大를 제외하더라도 하나 혹은 여러 개의 크기가 일정하지 않은 결절이 있으며 삼키는 동작을 따라서 상하로 이동한다.

1) 肝鬱脾虛

頸部가 腫大되고 四肢가 困乏하며 善太息, 氣短, 食減體瘦, 面色晄白, 苔薄, 脈弱無力感 등이 있다.

2) 肝鬱腎虛

頸部의 腫塊가 皮寬質軟하고 神情呆滯, 倦怠畏寒, 行動遲緩, 肢冷, 性慾下降, 舌質淡, 脈沈細 등이 있다.

4. 치료

1) 肝鬱脾虛

舒肝解鬱, 健脾益氣한다. 四海舒鬱丸에 柴胡, 靑皮, 貝母를 加한다.

2) 肝鬱腎虛

疎肝補腎, 調攝衝任하고 四海舒鬱丸 合 右歸飮을 使用한다.

Ⅱ 갑상선기능항진증

1. 개요

肉癭은 갑상선선류 및 갑상선선류에 병발한 갑상선기능항진을 말한다. 종괴가 비교적 국한되어지고 부드러운 특징을 가지고 있다. 頸前結喉의 한쪽 혹은 양측에 結槐가 발생하며 부드럽고 둥근 것이 고기 덩어리와 같다. 만지면 음식물을 삼키는 동작을 따라서 상하로 이동하며 발전이 완만하고 청년과 중년인에게서 그리고 여성이 남성보다 많고 40세 이하에 다발한다.

2. 원인 및 병기

憂思鬱怒로 인하여 痰濁이 凝結하여 발생한다. 肝은 剛臟이고 謀廬를 主管하며 條達을 좋아한다. 情志抑鬱하면 肝이 條達을 잃어버리고 肝旺하게 되어 氣滯가 內結하게 하고 肝旺하면 土를 업신여기고 이로 인하여 脾가 運化를 잃어버리면 음식이 위에 들어가더라도 精微를 化生할 수 없어서 食滯하면 안으로 濁痰이 內蘊하게 된다. 頸前은 任脈이 통과하는 부위이고 또한 督脈도 분지되어 있다. 任脈과 督脈은 모두 肝腎에 이어져 있다. 氣鬱하여 濕痰이 內生하면 經絡을 따라서 結喉에 머무르고 氣血이 壅滯하여 쌓이면 肉癭을 형성한다.

3. 증상

頸部의 종물이 어느 정도 구상 或은 반구상을 나타내며 경계가 뚜렷하고 質은 부드럽다. 밀면 이동한다. 일부의 환자는 腫塊가 喜怒를 따라서 消長한다. 腫塊가 점차로 커져서 부근을 압박하면 삼키는 동작을 할 때는 불편하다.

1) 肝氣鬱結
성격이 急하고 쉽게 화를 내며 胸悶脹痛, 苔薄, 脈弦 等이 있다.

2) 肝腎陰虧
心悸頭暈하고 煩躁易汗, 手顫肉瞤, 月經量少 或은 閉經, 舌質紅, 脈弦數 等이 있다.

3) 胃熱脾弱
多食易饑, 體瘦便溏, 舌苔薄膩, 脈濡 等이 있다.

4) 痰瘀凝結
頸部結槐의 質이 단단하고 或은 疼痛이 있으며 舌質暗紅 或은 瘀斑이 있고 脈細澁하다.

4. 치료

理氣解鬱, 化痰軟堅을 爲主로 하고 海藻玉壺湯으로 辨證加減한다.

1) 肝氣鬱結
疏肝解鬱, 軟堅散結을 爲主로 하고 逍遙散 合 海藻玉壺湯加減을 사용한다.

2) 肝腎陰虧

滋陰降火를 하고 知柏地黃丸을 사용한다. 症狀에 따라서 夏枯草, 珍珠母, 茯神, 白芍藥, 釣藤, 棗仁 等을 加한다.

3) 胃熱脾弱

疏肝解鬱, 淸胃滋陰을 爲主로 하고 海藻玉壺湯 合 玉女煎을 加減한다.

4) 痰瘀凝結

化痰軟堅, 開鬱行瘀하고 海藻玉壺湯 合 小金片을 사용한다.

Ⅲ 갑상선염

1. 개요

癭癰은 급성 혹은 아급성 갑상선염에 해당한다. 結喉兩側에 結槐가 있고, 腫脹, 灼熱, 疼痛, 급성발병을 특징으로 한다. 頸中兩側에 結槐가 있고, 피부색의 변화가 없으며 微熱灼熱하고 疼痛이 耳後枕部까지 뻗치고 發熱, 頭痛 等의 증상이 겸하며 비교적 化膿이 적다. 병정이 비교적 淺表膿腫보다 길다. 중년 여성에 다발하고, 발병 전 흔히 상부호흡기염증, 감기, 인후통 등을 앓은 병력이 있다. 頸部腫脹은 갑자기 발생하고 寒戰, 高熱後에 頸部腫痛이 발생한다.

2. 원인 및 병기

흔히 外部로는 風溫, 風火가 肺胃에 머무르고, 內部로는 肝鬱胃熱한 積熱이 上壅하고 挾痰蘊結하므로 氣血이 凝聚하여 발생한다.

3. 증상

頸前 양측에 腫塊가 대칭성이고 瀰滿性腫大를 나타내며 피부색의 변화가 없고 약간의 열감이

있고 腫塊의 質은 견실하며 경계가 뚜렷하지 않고 압통과 동통이 耳後枕部까지 뻗친다. 頸部의 활동을 하던가 혹은 음식물을 삼키는 동작을 따라서 동통이 가중된다. 아주 重한자는 聲嘶, 氣促, 음식물을 삼키기가 곤란하고 口渴, 咽乾, 舌苔黃, 脈浮數 或은 滑數 等 風溫, 風熱의 증상을 나타내며 일반적으로 消散吸收되고 化膿되는 것은 적다. 發熱畏寒者는 表證이 아직 풀리지 않은 것이고, 또 惡風寒이 없는 것은 表證이 이미 풀린 것이다. 만약 氣促聲嘶, 음식물을 삼킬 때 동통이 발생하는 것은 熱鬱肺經한 것이다. 口苦咽乾, 苔黃 或 舌光無苔者는 胃經鬱熱하여 陰液이 이미 傷한 것이다. 硬塊가 날이 갈수록 難消者는 邪熱과 痰瘀가 서로 합친 것이다.

4. 치료

1) 表證이 뚜렷한 것은 消風淸熱化痰을 위주로 하고 牛蒡解肌湯加減을 사용한다.
2) 表證이 소실한 뒤에는 舒肝淸熱, 化痰消腫을 위주로 하며 柴胡淸肝湯加減을 사용한다.
3) 熱鬱肺經한 것은 疏肝氣淸肺熱을 위주로 하고 柴胡淸肝湯에 加 桔梗, 射干, 玄參, 藏靑果한다.
4) 胃經鬱熱者는 疏肝氣淸胃熱하고 柴胡淸肝湯에 加 石斛, 生地黃, 麥門冬한다.
5) 瘀熱相結하여 腫塊가 難消者는 疏肝化瘀淸熱을 위주로 하고 柴胡淸肝湯에 加 海藻, 昆布, 丹參, 赤芍藥 등을 한다.

Ⅳ 갑상선의 악성신생물

1. 개요

癭病에서 頸部의 結槐가 돌과 같이 단단하고 움직일 수 없는 것을 石癭이라 하며 현대의학의 갑상선암에 해당한다. 頸中의 양측에 발생한 結槐가 돌과 같이 단단하고 높낮이가 일정하지 않으며 음식물을 삼키는 동작을 따라서 상하로 이동하지 않는다. 40세 이상에서 다발하고 한 개정도의 肉癭이 있는 환자가 많다.

2. 원인 및 병기

情志內傷하여 肝脾氣가 逆上하므로 氣鬱, 濕痰, 瘀血의 凝滯를 일으켜 발생한다. 痰瘀한 것이 오래되면 化熱하고 熱盛하면 陰液의 虧損을 일으킨다. 또한 肉瘿이 오래되어 변화하여 발생할 수 있다.

3. 증상

수년간 한 개의 肉瘿이 갑자기 증대하고 단단하여진다. 음식물을 삼키는 동작을 따라서 上下로 이동하는 것이 감소하고 아울러 耳, 枕部 및 肩部로 동통이 파급된다. 腫物은 증대하여 浸潤하고 압박증상이 발생하여 呼吸困難, 음식물을 삼키기가 곤란하며 목소리가 쉬는 증상이 발생한다. 晚期에 骨, 肺 頭蓋骨內로 轉移된다. 骨痛, 胸痛, 咳嗽, 痰血, 頭痛, 複視, 동공이 고르지 않는 등의 증상이 나타난다.

1) 痰瘀內結

硬塊의 증대가 단기간에 빠르고 돌과 같이 단단하며 높낮이가 일정하지 않으며 활동성에 차이가 있다. 단 전신증상은 아직 뚜렷하지 않으며 舌苔薄, 脈弦 등의 증상이 나타난다.

2) 瘀熱傷陰

晚期의 石瘿 혹은 潰破時에 血水가 흐르고 혹 頸部에서 다른 곳으로 腫塊가 전이되며 形倦體瘦 或 목소리가 쉬며 舌紅, 質紫暗 或은 瘀斑이 보이고 脈沈 或은 澁하다.

4. 치료

1) 痰瘀內結

解鬱化痰, 活血消堅을 爲主로 하고 海藻玉壺湯에 加 三棱, 莪朮, 白花蛇舌草, 山慈姑, 蛇六谷, 石見穿 等을 한다.

2) 瘀熱傷陰

和營養陰을 爲主로 하고 通竅活血湯 合 養陰淸肺湯을 한다.

📖 참고문헌

1) 대한내과학회 해리슨내과학 편집위원회. HARRISON'S 내과학. 서울: MIP; 2003.

2) 서울대학교의과대학 피부과학교실. 의대생을 위한 피부과학. 서울: 고려의학; 2006.

3) 전국 한의과대학 피부외과학 교재편찬위원회. 한의피부외과학. 부산: 선우; 2007.

第17章 양성 신생물

KCD 코드	한글 상병명	영문 상병명
D10-D36	양성 신생물	Benign neoplasms
Q85	달리 분류되지 않은 모반증	Phakomatoses, NEC
Q85.0	신경섬유종증(비악성)	Neurofibromatosis(nonmalignant)
Q85.0	신경섬유종증(비악성) 1형, 2형	Neurofibromatosis(nonmalignant) type 1, type 2
D18	모든 부위의 혈관종 및 림프관종	Haemangioma and lymphangioma, any site
D18.0	혈관종, 모든 부위	Haemangioma, any site
D18.0	딸기혈관종	Strawberry hemangioma
D18.00	피부 및 피하조직의 혈관종	Hemangioma of skin and subcutaneous tissue
D18.00	피부 및 피하조직의 딸기혈관종	Strawberry hemangioma of skin and subcutaneous tissue
D18.01	두개내 구조물의 혈관종	Hemangioma of intracranial structures
D18.01	두개내 구조물의 딸기혈관종	Strawberry hemangioma of intracranial structures
D18.02	간담도계의 혈관종	Hemangioma of hepatobiliary system
D18.02	간담도계의 딸기혈관종	Strawberry hemangioma of hepatobiliary system
D18.03	소화계의 혈관종	Hemangioma of digestive system
D18.03	소화계의 딸기혈관종	Strawberry hemangioma of digestive system
D18.04	귀, 코, 입 및 목구멍의 혈관종	Hemangioma of ear, nose, mouth and throat
D18.04	귀, 코, 입 및 목구멍의 딸기혈관종	Strawberry hemangioma of ear, nose, mouth and throat
D18.08	기타 부위의 혈관종	Hemangioma of other sites
D18.08	기타 부위의 딸기혈관종	Strawberry hemangioma of other sites
D18.09	상세불명 부위의 혈관종	Hemangioma unspecified site
D18.09	상세불명 부위의 딸기혈관종	Strawberry hemangioma unspecified site

D17	양성 지방종성 신생물	Benign lipomatous neoplasm
D17.0	머리, 얼굴 및 목의 피부 및 피하조직의 양성 지방종성 신생물	Benign lipomatous neoplasm of skin and subcutaneous tissue of head, face and neck
D17.1	몸통의 피부 및 피하조직의 양성 지방종성 신생물	Benign lipomatous neoplasm of skin and subcutaneous tissue of trunk
D17.2	사지의 피부 및 피하조직의 양성 지방종성 신생물	Benign lipomatous neoplasm of skin and subcutaneous tissue of limbs
D17.20	팔의 피부 및 피하조직의 양성 지방종성 신생물	Benign lipomatous neoplasm of skin and subcutaneous tissue of upper limb
D17.21	다리의 피부 및 피하조직의 양성 지방종성 신생물	Benign lipomatous neoplasm of skin and subcutaneous tissue of lower limb
D17.29	상세불명 사지의 피부 및 피하조직의 양성 지방종성 신생물	Benign lipomatous neoplasm of skin and subcutaneous tissue of limbs, unspecified
D17.3	기타 및 상세불명 부위의 피부 및 피하조직의 양성 지방종성 신생물	Benign lipomatous neoplasm of skin and subcutaneous tissue of other and unspecified sites
D17.4	흉곽내기관의 양성 지방종성 신생물	Benign lipomatous neoplasm of intrathoracic organs
D17.5	복강내기관의 양성 지방종성 신생물	Benign lipomatous neoplasm of intra-abdominal organs
D17.6	정삭의 양성 지방종성 신생물	Benign lipomatous neoplasm of spermatic cord
D17.7	기타 부위의 양성 지방종성 신생물	Benign lipomatous neoplasm of other sites
D17.7	복막의 양성 지방종성 신생물	Benign lipomatous neoplasm of peritoneum
D17.7	후복막의 양성 지방종성 신생물	Benign lipomatous neoplasm of retroperitoneum
D17.9	상세불명의 양성 지방종성 신생물	Benign lipomatous neoplasm, unspecified
D17.9	지방종 NOS	Lipoma NOS
D17.9	혈관지방종	Angiolipoma
I83	하지의 정맥류	Varicose veins of lower extremities
I83.0	궤양을 동반한 하지의 정맥류	Varicose veins of lower extremities with ulcer
I83.0	궤양, 또는 궤양성으로 명시된 I83.9에서의 모든 병태	Any condition in I83.9 with ulcer or specified as ulcerated
I83.0	정맥류성 궤양(하지, 모든 부분)	Varicose ulcer(lower extremity, any part)
I83.1	염증을 동반한 하지의 정맥류	Varicose veins of lower extremities with inflammation
I83.1	염증, 또는 염증성으로 명시된 I83.9에서의 모든 병태	Any condition in I83.9 with inflammation or specified as inflamed
I83.1	정체피부염 NOS	Stasis dermatitis NOS

I83.2	궤양과 염증을 동반한 하지의 정맥류	Varicose veins of lower extremities with both ulcer and inflammation
I83.2	궤양과 염증이 있는 I83.9에서의 모든 병태	Any condition in I83.9 with both ulcer and inflammation
I83.9	궤양 또는 염증이 없는 하지의 정맥류	Varicose veins of lower extremities without ulcer or inflammation
I83.9	하지[모든 부분] 또는 상세불명 부위의 정맥확장	Phlebectasia of lower extremity[any part] or of unspecified site
I83.9	하지[모든 부분] 또는 상세불명 부위의 정맥류정맥	Varicose veins of lower extremity[any part] or of unspecified site
I83.9	하지[모든 부분] 또는 상세불명 부위의 정맥류	Varix of lower extremity[any part] or of unspecified site
D16	**골 및 관절연골의 양성 신생물**	**Benign neoplasm of bone and articular cartilage**
D16.0	견갑골 및 팔의 긴뼈의 양성 신생물	Benign neoplasm of scapula and long bones of upper limb
D16.1	팔의 짧은뼈의 양성 신생물	Benign neoplasm of short bones of upper limb
D16.2	다리의 긴뼈의 양성 신생물	Benign neoplasm of long bones of lower limb
D16.3	다리의 짧은뼈의 양성 신생물	Benign neoplasm of short bones of lower limb
D16.4	두개골 및 안면골의 양성 신생물	Benign neoplasm of bones of skull and face
D16.5	아래턱뼈의 양성 신생물	Benign neoplasm of lower jaw bone
D16.6	척주의 양성 신생물	Benign neoplasm of vertebral column
D16.7	늑골, 흉골 및 쇄골의 양성 신생물	Benign neoplasm of ribs, sternum and clavicle
D16.8	골반골, 천골(薦骨) 및 미추의 양성 신생물	Benign neoplasm of pelvic bones, sacrum and coccyx
D16.9	상세불명의 뼈 및 관절연골의 양성 신생물	Benign neoplasm of bone and articular cartilage,unspecified
C40-C41	**골 및 관절연골의 악성 신생물**	**Malignant neoplasms of bone and articular cartilage**
C40	**사지의 골 및 관절연골의 악성 신생물**	**Malignant neoplasm of bone and articular cartilage of limbs**
C40.0	견갑골 및 팔의 긴뼈의 악성 신생물	Malignant neoplasm of scapula and long bones of upper limb
C40.1	팔의 짧은뼈의 악성 신생물	Malignant neoplasm of short bones of upper limb
C40.2	다리의 긴뼈의 악성 신생물	Malignant neoplasm of long bones of lower limb
C40.3	다리의 짧은뼈의 악성 신생물	Malignant neoplasm of short bones of lower limb

C40.8	사지의 골 및 관절연골의 중복병변의 악성 신생물	Malignant neoplasm of overlapping lesion of bone and articular cartilage of limbs
C40.9	상세불명 사지의 골 및 관절연골의 악성 신생물	Malignant neoplasm of bone and articular cartilage of limb, unspecified
C41	**기타 및 상세불명 부위의 골 및 관절연골의 악성 신생물**	**Malignant neoplasm of bone and articular cartilage of other and unspecified sites**
C41.0	머리골 및 안면골의 악성 신생물	Malignant neoplasm of bones of skull and face
C41.1	하악골의 악성 신생물	Malignant neoplasm of mandible
C41.1	아래턱뼈의 악성 신생물	Malignant neoplasm of lower jaw bone
C41.2	척주의 악성 신생물	Malignant neoplasm of vertebral column
C41.3	늑골, 흉골 및 쇄골의 악성 신생물	Malignant neoplasm of ribs, sternum and clavicle
C41.4	골반골, 천골(薦骨) 및 미추의 악성 신생물	Malignant neoplasm of pelvic bones, sacrum and coccyx
C41.8	골 및 관절연골의 중복병변의 악성 신생물	Malignant neoplasm of overlapping lesion of bone and articular cartilage
C41.8	항목 C40-C41.4 어디에도 분류할 수 없는 골 및 관절연골의 악성 신생물	Malignant neoplasm of bone and articular cartilage whose point of origin cannot be classified to any one of the categories C40-C41.4
C41.9	상세불명의 골 및 관절연골의 악성 신생물	Malignant neoplasm of bone and articular cartilage, unspecified
L72	**피부 및 피하조직의 모낭낭**	**Follicular cysts of skin and subcutaneous tissue**
L72.0	표피낭	Epidermal cyst
L72.1	털집낭	Trichilemmal cyst
L72.1	모낭	Pilar cyst
L72.1	피지낭	Sebaceous cyst
L72.2	다발피지낭종	Steatocystoma multiplex
L72.8	피부 및 피하조직의 기타 모낭낭	Other follicular cysts of skin and subcutaneous tissue
L72.9	피부 및 피하조직의 상세불명의 모낭낭	Follicular cyst of skin and subcutaneous tissue, unspecified
D22	**멜라닌세포모반**	**Melanocytic naevi**
D22	모반 NOS	Naevus NOS
D22	색소모반	Pigmented naevus
D22	유모모반	Hairy naevus
D22	청색모반	Blue naevus

1. 개요

瘤는 瘀血, 痰飮, 濁氣가 체표의 조직에 머물러 형성된 贅生物을 말한다.《諸病源候論·卷三十一·瘤候》에 "瘤는 皮肉이 갑자기 腫起하는데 초기에 梅李大와 같고 점차로 커지며 不痛不痒하고 또 단단하지는 않는다. 말하자면 뭉쳐는 있지만 흩어지지 않는 것을 瘤라 한다. 치료를 안 하면 곧 堰大하여지고 없어지지 않으며 사람은 다치게 하지 않는다. 역시 신중히 하더라도 곧 消散되지 않는다."하였다. 瘤는 체표에 발생하고 발전이 완만하며 일반적으로 자각증상은 없고 장기간 쉽게 消散이 되지 않는 일종의 국한성 종괴를 말하며 대다수가 양성신생물에 속한다.《靈樞·刺節眞邪論》에는 筋瘤, 腸瘤, 昔瘤, 肉瘤, 骨瘤 등으로 분류하고 있으며 증상은 나와 있지 않다. 그 중에 腸瘤는 內臟腫瘤에 속하는데 후세에 婦人內科의 癥積의 범주에 소속시켰다. 체표의 外科腫瘤는《三因極一病證方論》에 骨瘤, 脂瘤, 氣瘤, 肉瘤, 膿瘤, 血瘤의 6종으로 분류하였으며,《薛氏醫案·外科樞要》및《外科正宗》등에서는 瘤를 조직(皮, 脈, 肉, 筋, 骨)에 따라 五臟에 배합하여 氣瘤, 血瘤, 肉瘤, 筋瘤, 骨瘤의 5종으로 분류하였다. 후세에 이 5종외에 五臟의 腫瘤에 소속시키지 않은 脂瘤, 胎瘤, 膠瘤, 發瘤, 紅絲瘤 등이 있다.

2. 원인 및 병기

瘀血, 痰飮, 濁氣가 체표의 조직에 머물러 형성된다.

3. 증상

"肉"은 해부학적으로 기육과 피하지방을 포괄한다. "筋"은 筋瘤에 의거하여 "靑筋疊疊"의 특징이 있는데 천표정맥을 가리키고 肌腱, 인대의 "筋"을 가리키는 것은 아니다. 또한 다른 특징은 가령 氣瘤는 피부가 腫起하고 누르면 浮軟하며 탄성이 있다. 血瘤는 血脈이 腫起하고 붉은 혹은 청, 자색의 실핏줄이 있다. 筋瘤는 "筋"이 腫起하여 靑筋이 쌓여 지렁이 같이 구불구불하고 骨瘤는 骨이 腫起하는데 돌과 같이 단단하며 밀어도 움직이지 않는다.

4. 진단

국부의 주 증상에 기초를 하며 흔히 다른 병에 같은 證의 원인으로 인하여 一種의 瘤도 여러 종류의 질병을 포함할 수 있다. 가령 骨瘤의 主證은 疙瘩이 층층이 쌓여 돌과 같이 단단하여 밀어도 움직이지 않는데 여러 종류의 骨組織腫瘤를 포함한다.

5. 치료

瘤의 치료에는《外科樞要》에 나와 있듯이 六味地黃丸, 四物湯, 歸脾湯, 補中益氣湯類의 補劑方을 사용하였고 특별히 정확한 치료처방은 없다. 脂瘤를 제외하고 瘤의 치료는 消散이 위주가 된다. 국부의 病理用藥을 살펴보면 破瘀消腫, 行氣散結, 化痰軟堅의 3대법이 제일 많다. 가령 六軍丸, 琥珀黑龍丹, 小金丹類가 이에 속한다. 장기간 攻消하여 낫지 않으면 후기에는 補益扶正이 위주가 되어 養氣血, 健脾胃, 補腎氣 등을 사용한다.

⇒ 攻消의 약물은 아래와 같다.

行氣散結藥 : 靑皮, 陳皮, 木香, 香附子, 沈香, 烏藥, 麝香 등

散瘀消腫藥 : 三稜, 莪朮, 鬼箭羽, 穿山甲(炮), 地鱉虫 등

化痰軟堅藥 : 昆布, 海藻, 南星, 半夏, 山慈姑, 僵蠶, 白芥子 등이 있다.

6. 예후

대다수가 양성신생물에 속하여 발전이 완만하며 장기간 쉽게 消散되지 않는다.

【 총괄 】

(1) 瘤는 瘀血, 痰飮, 濁氣가 조직 중에 머물러 발생한 贅生物이다.

(2) 특징은 체표에 발생하고 발전이 완만하며 일반적으로 자각증상은 없다. 장기간 쉽게 消散되지 않으며 대다수가 양성신생물에 속한다.

(3) 瘤는 氣, 血, 肉, 筋, 骨의 5종이 있다.

I 신경섬유종 Neurofibroma

1. 개요

신경섬유종에 해당하는 氣瘤는 氣가 腠理間에 뭉쳐서 형성된 다발성 腫瘤이다. 종괴가 피부의 浮淺한 곳에 위치하고 유연하여 탄성이 있으며 마치 氣가 안에 머물러 있는 것과 같이 손으로 눌러 떼면 손을 따라 나오기 때문에 氣瘤라 한다.

신경섬유종은 슈반세포, 신경다발막세포, 신경섬유막의 섬유모세포, 비만세포 등이 과오종성 증식을 하는 질환으로, 성인에서 발생하는 가장 흔한 피부 종양 중 하나이다. 임상적으로 무증상의 표면이 부드러운 피부색의 융기된 구진이나 결절의 형태로 나타난다. 유전 질환인 제1형 신경섬유종증에서 흔히 동반된다.

2. 원인 및 병기

肺는 氣를 주관하고 皮毛에 合한다. 勞倦過度하여 肺氣가 손상을 받으면 衛氣가 失固하여 腠理가 치밀하지 못하고 외부로는 寒邪가 들어와 氣結하여 腫이 된다. 혹은 장기간의 憂思가 풀어지지 않으면 肺氣가 울체하여 衛氣가 운행을 하지 못하므로 氣가 腠理間에 머물러 쌓이므로 발생한다.

3. 증상

瘤는 피부가 스스로 腫起하고 생장이 완만하며 수년에 걸쳐 변화가 없는 경우도 많다. 또 면부 및 사지에도 나타난다. 瘤의 크기는 일정하지 않고 적은 것은 豆粒과 같고 큰 것은 계란과도 같다. 심한 경우는 주먹과 같으며 체표로 돌출하는 것이 뚜렷하다. 腫瘤의 질이 유연하고 커지면 下垂한다. 瘤는 공기가 들어있는 공과 같고 손으로 누르면 들어가고 손을 떼면 바로 융기한다. 瘤의 피부색은 변화가 없거나 혹은 색소침착이 있으며 표면은 光滑하며 痛感은 없다. 瘤의 숫자는 적으면 한개 정도이고 많으면 여러 개가 체표에 球狀으로 배열되어 퍼진다. 환자가 급격하게 활동 시에, 急怒時에는 몸의 근육이 긴장하므로 瘤가 뚜렷하게 팽대되고 氣緩後에는 瘤는 약간 적어진다.

4. 진단감별

1) 감별질환

(1) 脂肪腫 : 피하에 호발하며 단발 혹은 다발성이다. 보통 타원형, 원형을 나타내며 질은 유연하고 자각증상이 없다.

(2) 纖維腫 : 섬유조직으로 이루어진 양성종양이다. 신체 어느 부위에도 발생할 수 있으나 사지에 주로 나타난다. 생장은 완만하나 크기는 매우 커질 수 있으며 腫物의 이동성은 양호하고 일반적으로 疼痛과 기능장애는 없다.

(3) 結節性 筋膜炎 : 四肢와 軀幹部에 호발한다. 腫塊의 성장은 빠르며 크기는 1.5~3 ㎝로 피하 깊은 곳에 위치한다. 腫物의 이동성은 근막과의 유착 정도에 의해 결정된다. 일반적으로 압박감이나 기능장애는 없다.

5. 치료

瘤는 다발성으로 숫자가 비교적 많으므로 內治가 위주이다. 치료법은 의당 調肺氣, 解鬱散結하고 通氣散堅丸 或은 十全流氣飮을 사용한다. 二方은 辛香理氣藥이 주가 된다.

6. 예후

동통은 없으며 생장은 완만하다. 만약 돌연히 증대되면 출혈, 감염 혹은 악성화를 고려해야 한다.

Ⅱ 혈관종 Hemangioma

1. 개요

혈관종에 해당하는 血瘤는 체표의 血絡이 확장되어 종횡으로 이어져 형성된 一種의 瘤를 말한다. 《外科樞要 · 論瘤贅》에 말하기를 "血瘤는 肌肉이 스스로 腫起하고 오래되면 붉은 실 같은 것이 생기며 혹은 피부가 모두 적색으로 변한다."하였고,《醫宗金鑑 · 外科心法要訣》에는 "瘤는 피부색이 홍색을 나타내고 가운데 血絲가 있다."에서 "紅絲瘤"와 血瘤는 같은 질병이고, 또한 같은 책에서 "초기에 홍색을 띄고 사마귀와 같이 나타나며 점차로 豆같이 커지고 건드려 터지면 鮮血이 나온다."하였는데 이도 血瘤의 범주에 속한다.

유아 혈관종은 내피세포의 증식에 의해 형성되는 양성 혈관종양으로 모든 신생아의 10~12%에서 발생하는 유아기에 가장 흔한 종양이다. 임상소견에 따라 얕은 혈관종과 깊은 혈관종으로 나누지만 병리조직학적 소견, 치료에 대한 반응, 임상경과에 있어 차이가 없다.

표 17-1. 유아 혈관종의 분류

특 징	얕은 혈관종	깊은 혈관종
색깔	선홍색 또는 적자색	청색 또는 정상 피부색
위치	유두진피	망상진피와 지방층

2. 원인 및 병기

유아혈관종이 발생하는 이유에 대해서는 아직 잘 알려지지 않았다. 단지 여아에서 남아에 비해 3배 정도 흔하며 미숙아에서 좀 더 흔한 것으로 알려져 있다.

心은 血脈을 주관하는데 心火가 妄動하면 逼血하여 絡에 들어가고 혈액이 정상적인 흐름을 失調하면 脈絡이 확장되고 종횡으로 이어져 형성된다. 血痣는 肝經怒火가 鬱結하여 형성된 것이다.

3. 증상

대개 출생 첫 2주 내에 발생한다. 얕은 혈관종은 딸기 혈관종으로도 불릴 만큼 색과 모양이 딸기와 유사하다. 깊은 혈관종은 피하 결절 또는 종양의 형태를 보인다. 호발부위는 머리와 목, 몸통, 팔다리 순이다. 혈관종의 가장 큰 특징은 성장기와 퇴화기를 보인다는 점이다.

4. 진단감별

1) 진단

진단에서 가장 중요한 것은 병력이다. 특징적인 경과를 보일 때 진단이 가능하며 불확실할 때 수주간의 경과를 관찰하면 대부분은 진단할 수 있다.

2) 감별질환

淋巴管肉腫: 대부분 上肢에 발생하며 유선암 등의 수술 후 상지에 발생한 만성 림프부종의 기초 상에서 발생한다. 少數는 下肢에서 발생하며 原發性 혹은 續發性 만성 림프부종에 기초하여 발생 한다. 초반에는 水腫이 심해지거나 혹은 觸痛이 있다가 후에 紅斑, 丘疹, 水疱와 다수의 자홍색 小結節을 형성한다. 結節은 융합하거나 피하조직을 따라서 나타난다.

5. 치료

清火凉血, 散瘀通脈이 위주이고 芩連二母丸을 사용한다. 이 처방에서 芩, 連, 二母, 羚羊角, 地骨皮, 甘草는 清火하고 蒲黃, 生地黃, 側柏葉은 凉血祛瘀하며 當歸, 川芎, 芍藥은 活血通脈 한다. 《醫宗金鑑》에 血痣를 치료하는 凉血地黃湯은 芩, 連, 梔子, 甘草, 元蔘은 清火하고 生地黃, 當歸는 凉血祛瘀한다.

6. 예후

성장기는 대개 생후 9~12개월간이며 이후 1~12년에 걸쳐 퇴화한다. 약 20% 정도의 혈관종은 합병증을 초래한다. 입술과 항문-성기부의 얕은 혈관종의 급격한 성장은 궤양과 출혈을 일으키며 눈, 코, 입, 기도 근처의 혈관종은 주요 기관을 막아 문제를 일으킨다.

Ⅲ 양성 지방종성 신생물Benign lipomatous neoplasm

1. 개요

양성 지방종성 신생물에 해당하는 肉瘤는 지방조직이 증가하여 형성된 腫瘤를 말한다. 종괴가 솜과 같이 부드럽고 무덤과 같이 튀어나오는 것이 근육이 융기되는 것과 같다하여 肉瘤라 한다.

지방종은 성숙된 지방세포로 구성된 양성종양으로 얇은 피막으로 둘러싸여 있다. 우리 몸 어느 부위에서나 발생할 수 있지만 보통 몸통, 허벅지, 팔 등과 같이 정상적인 지방 조직이 있는 피부 아래 조직에 가장 많이 발생한다. 연부조직에 생기는 양성 종양 중에서 가장 흔한 종양으로 주로 40대에서 60대 사이 성인에게 발생하나 어린이에게도 발생할 수 있다.

2. 원인 및 병기

脾는 肌肉을 주관하는데 思慮過度 혹은 飮食勞倦하면 鬱結하여 脾를 傷하고 脾氣가 不行하면 津液이 뭉쳐서 痰이 되고 痰氣가 鬱結하여 腫이 된다. 瘤의 발생부위는 肌肉이 薄弱한 부위에 발생한다.

3. 증상

대다수가 성인에 발생하는데 특별히 중년여성에 많다. 瘤는 肌肉이 스스로 腫起하고 숫자가 일정하지 않으며 크기도 일정하지 않다. 누르면 솜과 같이 부드럽고 외관상 무덤과 같이 볼록 튀어 나오고 손으로 만져보면 扁球形 或은 分葉狀을 나타내고 때때로 미만성 片塊狀을 나타낸다. 힘을 주어 누르면 손가락 자국을 만들 수 있고 밀면 움직인다. 피부색은 똑같고 동통은 없다. 頸肩, 背, 臀 等 處에 호발한다. 瘤는 커져서 일정한 정도까지 이르고 정지하며 수년 간 뚜렷한 변화가 없다. 또한 거대한 脂肪瘤는 압력 때문에 체표가 쳐지는 경우가 있다.

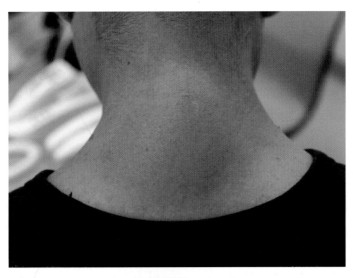

그림 17-1 지방종

4. 진단감별

1) 진단

지방종은 만져보는 것만으로 진단하는 경우가 많다. 그러나 다른 종양과의 감별, 정확한 크기와 주변 조직과의 관계를 평가하기 위해 초음파 검사를 시행하며 지방 육종과의 감별을 위해 CT, MRI, 조직검사를 시행하기도 한다.

2) 감별질환

(1) 擔肩瘤 : 頸後, 肩部에 지방이 쌓여 발생하는데 장기간 무거운 것을 들어 압박되어 지방이 增生한 것으로 肉瘤의 증상과 비슷하다. 주요 감별은 腫塊 주위가 뚜렷하지 않고 국부의 피부가 항상 두텁다.

(2) 神經纖維腫 : 신체 각 부위의 神經末梢에 발생할 수 있다. 주로 피부 혹은 피하조직에서 보이며 單發 혹은 多發性으로 나타난다. 腫塊는 結節狀을 나타내며 胞膜이 없다. 皮下에 위치한 경우 경계가 불분명하며 皮內에 위치한 경우 경계가 뚜렷하다. 單發性 신경섬유종은 무증상이 많다.

(3) 外傷性 神經腫 : 증식성 腫塊로 신경 절단 후 切斷部 말단에 疼痛性 結節을 형성하며 壓痛이 있다.

5. 치료

加味歸脾丸 혹은 十全流氣飮을 사용하는데 加味歸脾丸 중에 蔘, 茶, 出, 草, 歸, 芪, 棗仁, 遠志는 調養心脾하고 烏藥, 香附, 木香, 貝母, 陳皮는 順氣化痰한다. 十全流氣飮에서 白芍藥을 除外하고 모두 辛香理氣藥(그 중에 當歸, 川芎은 血藥이지만 調氣作用도 한다.)으로 氣順하면 痰少한다.

6. 예후

지방종의 대부분을 차지하는 피하 지방종은 양성 질환이다. 그러나 오랜 시간에 걸쳐 서서히 커질 수가 있으며 미용상 문제와 주변 조직과 붙어서 통증이나 운동에 영향을 줄 수 있다. 드물지만 위장관이나 장간막에 발생하는 경우 출혈, 궤양, 장폐색 등을 일으킬 수 있다. 지방종이 악성으로 변하는 경우는 매우 드물며 악성 지방종(지방 육종)은 대부분의 경우 양성 지방종과 무관하게 발생한다.

【 총괄 】

(1) 이는 지방조직이 增生하여 형성된 腫瘤를 말한다.

(2) 특징은 솜과 같이 부드럽고 무덤과 같이 불룩 튀어 나온다.

(3) 脾虛氣鬱痰凝하여 형성된다.

(4) 健脾化痰을 하는 加味歸脾丸, 行氣化痰을 하는 十全流氣飮을 사용한다.

Ⅳ 하지의 정맥류 Varicose veins of lower extremities

1. 개요

하지의 정맥류에 해당하는 筋瘤는 체표정맥이 曲張交錯하여 형성된 병변을 말한다. 천표정맥병변 중에 瘤狀을 형성하는 것인데 심한 下肢靜脈曲張으로 團塊를 형성한 것이다.

하지정맥류는 선천적 혹은 후천적으로 약화된 정맥벽과 판막의 지속적인 기능부전에 따른 정맥압 상승으로 인해 복재대퇴정맥 문합부의 판막기능 부전증을 초래하여 혈류가 역류하게 되거나, 심부정맥의 폐쇄로 인해 순환장애가 생겨 하지의 표재정맥이 점차 확장되어 발생하는 혈관질환이다.

2. 원인 및 병기

下肢筋脈(정맥)이 薄弱한데 장시간 서있든가 항상 하중이 많이 쏠리게 하든가, 여자가 임신을 하는 등의 요인으로 인하여 혈액이 아래로 쏠려서 筋脈(정맥)이 擴張充盈되고 屈曲交錯하여 생긴다. 혹은 과로 후에 血脈이 充盈하거나 오랫동안 질퍽질퍽한 길을 많이 걸으면 寒濕이 침습하여 筋攣血瘀하여 형성된다.

3. 증상

瘤는 筋이 스스로 腫起하고 靑筋이 지렁이 같이 첩첩히 쌓여 굴곡을 이루어 團을 형성하며 표면은 청남색을 나타낸다. 肝은 筋을 주관하고 그 색은 청색이므로 筋瘤는 肝에 속한다. 瘤의 질은 유연하고 단단하다. 병정이 長久하며 血瘀氣滯를 일으키므로 피부가 위축되고 안색도 褐黑色을 나타낸다. 濕疹과 膿瘡을 겸하여 발생하기도 한다. 환자는 중년인에 많다. 일반적으로 서 있거나 달리기를 오래한 후에 하지가 沈重하고 發脹하며 麻木과 隱痛이 있으며 쉽게 피로를 나타내고, 患肢는 가벼운 水腫을 나타낸다. 단 환자가 느끼는 자각증상은 많지 않다.

4. 진단감별

1) 진단

하지정맥류는 서 있을 때 정맥류가 생긴 부위를 관찰하여 진단할 수 있으며 도플러 초음파 검사 (Duplex ultrasound)를 통해 정확한 진단을 내릴 수 있다.

2) 감별질환

先天性 靜脈瘻: 청년과 아동에 다발한다. 患肢의 피부는 비교적 열감이 있으며 皮毛가 거칠고 길다. 때로는 박동이 있거나 염발음을 들을 수 있다. 血管瘤를 동반하기도 하며 거의 대부분 一側性으로 나타난다.

5. 치료

이 질환의 특징은 筋을 굴신하지 못하기 때문에 活血散瘀하여 근육을 풀어주어야 한다. 일반적으로 活血散瘀湯을 通用한다. 환자의 체질과 유발인자는 다르다. 가령 火旺하여 血燥筋攣者는 淸肝蘆薈丸을, 寒凝血虛筋攣者는 當歸四逆湯加減을 사용한다. 淸肝蘆薈丸은 筋瘤의 專用方으로 四物湯은 養血舒筋하고 蘆薈, 黃連은 淸肝火하며 靑皮, 昆布, 海粉, 牙皂, 甘草節 등은 消腫散結시킨다.

하지 정맥류의 치료는 크게 보존적 요법, 압박 경화요법, 수술적 요법으로 나눌 수 있다. 보존적 요법은 탄력 스타킹을 사용하여 발이나 하지의 정맥에 외부적 지지를 제공하는 것으로 병의 진행과 합병증의 발생을 예방하는데 큰 도움이 된다. 압박 경화요법은 경화용액을 정맥 내로 주입하고 그 부위를 압박함으로써 병변 정맥을 폐쇄시키고 영구적인 섬유화를 일으키는 것이며, 수술적 요법은 복재 정맥을 고위결찰하거나 정맥류와 관통혈관을 제거하는 것이다.

6. 예후

하지정맥류는 주사경화요법, 수술, 레이저 및 고주파 등으로 치료하고 있으나 수술 후 재발률은 6~60%이며, 수술 후 재발한 환자의 25% 정도는 임상적인 증상을 호소한다. 하지정맥류는 병력기간이 길고, 치료 후에도 재발이 잘 되기 때문에 개인의 꾸준한 관리가 필요하다.

【총괄】

(1) 이는 淺表靜脈이 充盈하고 曲張交錯하여 형성된 일종의 병변이다.
(2) 심한 下肢靜脈曲張으로 형성된 團塊를 의미한다.
(3) 肝은 筋은 주관하므로 筋瘤는 肝에 속한다.
(4) 肝火血燥筋攣과 寒凝血虛筋攣으로 나눈다.
(5) 淸肝蘆薈丸과 當歸四逆湯을 사용한다.

V 골 및 관절연골의 양성 신생물, 골 및 관절연골의 악성 신생물

Benign neoplasm of bone and articular cartilage, Malignant neoplasm of bone and articular cartilage

1. 개요

骨瘤는 골 조직의 국한성종대로 형성된 腫瘤를 말한다. 골 조직이 腫大하고 疼瘩壘起하며 돌과 같이 단단하고 骨에 꼭 붙어 있어 밀어도 움직이지 않는다. 위의 특징에 비추어 볼 때 골 및 관절연골의 양성 신생물, 악성 신생물은 모두 骨瘤의 범주에 들어간다.

2. 원인 및 병기

腎은 骨을 주관하므로 이 병의 근본은 腎에 있다. 가령 房慾過多로 傷腎하면 腎火가 장기간 鬱遏되어 氣血瘀滯가 되어 이 병이 발생한다. 또한 先天不足하여 골격이 空虛한데 우연히 손상을 받으므로 氣滯, 血虛하고 痰凝하여 형성된다.

3. 증상

骨瘤는 실질감이 있고 질은 단단하며 경계가 뚜렷하고 기저부와 골 점막은 서로 이어져 이동할 수 없다.

1) 전신반응

양성 骨瘤는 환자의 일반적인 정황이 비교적 좋고 동통이 적다. 악성 腫瘤는 환자가 점차로 마르고 빈혈, 面色晦暗, 발열이 제거되지 않고 不思飮食, 국부 동통이 있다.

2) 발전 속도

양성 腫瘤는 일반적으로 발전이 완만하고 발전이 일정한 나이에 이르면 발전이 정지한다. 악성 腫瘤는 종괴의 발전이 빠르고 심지어 거대한 종괴를 형성하며 표면의 靑筋이 뚜렷이 튀어 나온다.

3) 전이유무

양성 腫瘤는 일반적으로 전이를 하지 않고 악성 腫瘤는 비교적 쉽게 내장 혹은 기타 骨로 전이를 한다.

4) 혈액검사

양성 腫瘤의 체온, 血象, 血沈은 정상이고, 악성 腫瘤는 정상이 아니다.

5) X-선검사

양성 腫瘤의 한계는 비교적 뚜렷해서 정상 골조직과의 경계가 명확하다. 일반적으로 골막반응이 없다. 가령 반응이 있다면 骨膜新骨이 비교적 규칙적으로 배열되어 있다. 악성 腫瘤는 경계가 뚜렷하지 않고 골막반응이 문란하여 심하면 日光放射狀으로 형성된다.

4. 진단감별

1) 감별질환

(1) 骨髓炎 : 화농성 골수염 초기에는 국부 疼痛, 腫脹, 灼熱感, 체온 상승, 백혈구수 증가와 같은 骨肉腫과 유사한 증상이 나타난다. X-ray상 骨端部 骨質破壞 및 骨膜反應을 볼 수 있으며 골수염에서 나타나는 骨質破壞와 骨膜反應은 비교적 규칙적이며 항염증 치료 후 증상이 경감된다.

(2) 軟骨腫 : 20~30세 청년에게 호발하며 手足短骨, 주로 指節骨과 中手骨에서 가장 많이 나타난다. 股骨, 上腕骨, 骨盤, 肋骨 등에서도 일부 발견된다. 생장은 완만하며 임상증상은 대개 없다. 때때로 국부기형 혹은 압박증상이 나타나거나 골절이 발생할 수 있다.

(3) 骨軟骨腫 : 발생빈도가 높은 질환이며 11~30세에 호발하고 남성에게 많다. 대부분 多發性이며 가족력이 있다. 四肢長骨 骨端部가 호발부위이다. 또한 股骨 上下端部, 脛骨 上下端部, 上腕骨 上端部에서도 많이 관찰된다. X-ray상 경계가 명확하게 돌출된 骨性 腫塊가 관찰된다.

(4) 骨囊腫 : 20세 이내의 청소년에게 많이 보이며 10~15세에 가장 많다. 上腕骨 上端部와 上腕骨 幹에 호발하며 다음으로는 股骨 上部와 脛骨 中下部에 많이 발생한다. 일반적으로 무증상이며 간혹 미약한 통증이 있다.

5. 치료

역대문헌에는 양성과 악성의 치료방법에 구별이 없다. 증상에 따라 辨證施治하였다. 調元腎氣丸으로 滋補腎元하는 것이 위주이다. 方中에 六味地黃湯이 기초가 되어 蔘, 歸를 加하여 大補氣血하고 鹿角膠, 龍骨을 사용하여 補腎壯骨하며, 地骨皮, 知, 柏을 배합하여 淸腎中伏火하였으며 木香, 砂仁을 佐藥으로 하여 補藥의 성질을 잘 통하게 하였다. 이 처방은 消瘤하는 方劑가 아니고 培本을 위주로 하는 처방이다. 六軍丸과 琥珀黑龍丹은 骨瘤를 치료하는 통치방으로 方中에 琥珀, 血竭, 京墨, 五靈脂, 山甲, 夜明砂, 蜈蚣, 蟬蛻는 破瘀消腫하고, 昆布, 海藻, 僵蠶, 南星은 化痰軟堅하며 木香, 麝香은 行氣散結한다.

6. 예후

良性 骨瘤의 예후는 양호하며 惡性 骨瘤의 예후는 발현시기, 악성 정도, 치료의 적절성 여부와 관련이 있다.

【총괄】

(1) 骨瘤의 특징은 疙瘩壘起하고 돌과 같이 단단히 골에 붙어 있으며 밀어도 움직이지 않는다.

(2) 양성과 악성의 腫瘤를 포괄한다.

(3) 培補腎元이 위주이고 여기에 攻消之劑를 배합한다.

(4) 調元腎氣丸, 六軍丸, 琥珀黑龍丹 등을 사용한다.

Ⅵ 피지낭, 표피낭 Sebaceous cyst, Epidermal cyst

1. 개요

脂瘤는 피지낭 또는 표피낭에 해당하며 일명 粉瘤라고도 한다. 표피낭종(Epidermal cyst)은 진피 내에 표면 표피세포가 증식한 결과 생기며 피부의 표피로 둘러싸인 각질과 그 부산물을 함유한 낭종 이다. 피지낭종(Sebaceous cyst)은 피지선 중의 피지가 쌓여서 발생하는 囊性腫瘤로서 感染化膿後 에 국부가 紅腫하므로 문헌에서는 膿瘤라 한다.

2. 원인 및 병기

1)《外科正宗》에는 痰氣가 凝結하여 발생한다고 나와 있다.
2)《景岳全書 · 外科鈴 · 瘤贅》에는 "이것은 대개가 腠理에 津沫(피지)이 쌓여서 흩어지지 않아 점 차로 瘤를 형성한다. 이는 粉刺에 속하는데 단 淺深의 차이가 있다. 깊숙이 있는 것은 皮裏에서 점차로 커져서 瘤를 형성한다."하였다.

3. 증상

표피낭종은 대부분 얼굴, 목, 몸통에 호발한다. 직경은 1~5 ㎝이며 피부에 반구형 돌출물을 만들 고 촉진 시 말랑하며 하부조직으로부터 가동성이 있다. 瘤가 있는 피부 상의 중심에 한 개의 藍黑色 의 小点이 있으며 때때로 小点을 누르면 냄새가 나는 脂粉樣의 내용물이 나온다. 피지낭종은 별다 른 증상이 없는 다수의 매끄럽고 단단한 피부 병변이 주로 가슴에 생기며 배, 윗팔, 겨드랑이, 음낭 등에 생길 수 있다. 크기는 대부분 2~6 ㎜ 정도로 작으나 2~3 ㎝ 정도로 큰 병변도 관찰될 수 있다. 안에는 노란색의 기름기 있는 크림 같은 내용물이 차 있다.

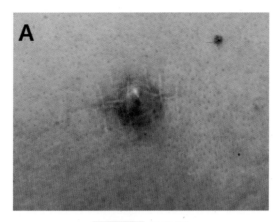

그림 17-2 표피낭종

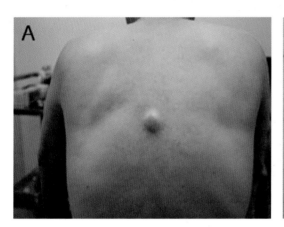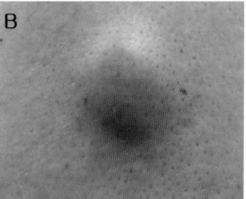

그림 17-3 표피낭종

4. 진단감별

1) 진단

특징적인 임상 양상으로 진단할 수 있으며, 일부에서는 조직검사를 시행해서 진단을 내린다.

(2) 감별질환

(1) 皮脂腺腫 : 유년기에 주로 발생하며 출생 시 혹은 그 이후에도 발생할 수 있다. 병변은 鼻側部, 鼻脣溝, 頰部, 頭皮에 호발하며 밀집되나 융합하지 않고 針頭, 黃豆大 혹은 더 크게 나타날 수 있으며 半球形의 堅實性 結節로 피부색, 黃白色 혹은 짙은 홍색을 나타낸다. 표면은 光滑하거나 사마귀양을 띄며 항상 모세혈관 확장을 동반한다.

235

5. 치료

1) 內治

(1) 肝脾鬱滯證 : 치료는 마땅히 疏肝理脾, 消導化積해야 한다. 처방은 保和丸加減을 사용한다. 상용약물은 香附子, 青皮, 九香蟲, 厚樸, 神麯, 山楂, 茯苓, 法半夏, 甘草, 萊菔子, 麥芽, 薏苡仁, 穿山甲, 檳榔, 蕪荑 등이다.

(2) 瘀毒結聚證 : 치료는 마땅히 清熱利濕, 解毒化瘀해야 한다. 처방은 四妙散加味를 사용한다. 상용약물은 黃芪, 當歸, 銀花, 甘草, 萆薢, 虎杖, 十大功勞, 半枝蓮, 全蠍, 蜈蚣, 紫草, 板藍根 등이다.

2) 外治

(1) 初起 : 陽和解凝膏 合 麝桂散을 붙일 수 있다.

(2) 化膿感染된 것은 金黃膏 或 玉露膏를 外敷할 수 있다. 紅腫消退 후에는 各半丹藥線을 瘤體에 삽입하여 囊壁을 부식시키고 囊壁이 완전 파괴되고 부식이 끝나면 生肌外用藥을 다시 사용한다.

3) 手術治療

외과적 치료를 위해서는 수술 중 낭종과 부착된 피부를 완전히 제거해야 하며, 재발 및 2차 감염을 방지하기 위해 낭종이 터지지 않도록 해야 한다. 농양이 생기면 절개와 배액을 할 수 있으며 회복 후 2~3 개월 후에 절제를 할 수 있고 항생제 등의 치료도 할 수 있으며 염증을 조절한 후 수술적 절제를 할 수 있다.

6. 예후

일부 병변에서 낭종은 더 커질 수 있으며 화농성 감염을 병발하여, 농양 또는 낭종 주위 봉와직염을 형성할 수 있고 반복적인 감염은 주변 결합조직을 증식하게 하여 국부 硬變을 일으킬 수 있다. 또한 낭종이 석회화되고 건조되어 硬性腫物을 형성할 수 있으며 염증 등의 만성 자극으로 인해 극소수의 환자에서 국부 악성변화가 발생하여 편평상피암이 될 수 있다.

VII 멜라닌세포모반 Melanocytic naevi

1. 개요

멜라닌세포모반(Melanocytic naevi)은 검은 색깔의 사마귀모양 융기를 말하며, 청색모반(Blue naevus), 유모모반(Hairy naevus), 색소모반(pigmented naevi) 등에 해당한다. 家族歷이 있으며 治癒가 어렵고 서로 다른 형태의 모반이 倂發할 수도 있다. 대개의 경우 흑갈색을 띠는 양성 종양으로 태어날 때부터 있는 경우는 적고, 차츰 그 빈도가 증가하다가 사춘기에 급속히 증가한다. 40대에서 노년기까지는 퇴행하는 경향이 있다. 생김새는 여러 가지인데 돗바늘 머리 크기로 피부면과 거의 같은 높이의 색소반에서 약간 솟아오른 모습을 나타내는 것, 반구상으로 융기한 것, 몸의 대부분을 차지하는 광범위한 것까지 볼 수 있다. 병소부의 털이 굵고 긴 유모성 색소성 모반, 병소의 표면이 들쭉날쭉한 사마귀 모양인 우상 색소성 모반, 다수의 작은 점 같은 병소가 한데 모여서 병소를 형성하는 점상 집족성 모반, 몸통의 대부분을 차지하고 유모성인 수피양 모반, 모반의 너비에 일치하여 손발톱에 흑갈색 선상이 생기는 조갑선상 모반 등 그 특징에 따라 여러 가지 명칭이 있다.

병리조직적인 면으로 보면 모반세포가 胞巢를 형성하여 증식하고 있는데, 모반의 시기적 경과에 따라서 경계모반, 복합모반, 진피내 모반으로 나뉜다. 모반세포 모반에서 악성 흑색종이 발생할 수 있다. 악성 흑색종의 25%에서 모반세포 모반이라고 생각되는 흑갈색 종양의 전구증상이 인정되며, 때로는 병리조직에서 모반세포 모반과 악성 흑색종이 동시에 발견되는 경우도 있다.

이는 한의학 문헌에서의 흑지(黑痣)와 유사하다. 《醫宗金鑒》에 "痣名黑子"라 표현되어 있다. 痣는 身體上에 나타나는 특수한 母斑을 말하는 것으로 先天 或 後天으로 발생하는 국소성의 크기가

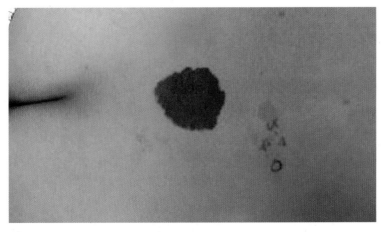

그림 17-4 멜라닌세포모반

일정치 않은 皮膚色素의 이상을 말한다. 형태에 따라 疣狀痣, 系統性痣, 黑頭粉刺痣, 暈痣, 色素性毛痣, 皮脂腺痣, 交界痣, 混合痣, 皮內痣, 獸皮樣痣, 靑痣, 藍痣, 鮮紅斑痣, 貧血痣 등이 있다.

2. 원인 및 병기

이 질환에 영향을 주는 요인으로 유전적 요인, 어린 시절 태양광선 노출 정도, 옅은 피부색 등이 관련 있는 것으로 알려져 있다.

한의학에서는 氣血이 衰弱하거나 臟腑가 虛損한 경우 특히 腎虛하거나 肝鬱로 인하여 氣血의 정상적인 運行이 失調되면 肝火 혹 腎의 濁氣가 經絡에 阻滯하여 黑痣를 형성한다고 보고 있다.

3. 증상

대부분 母斑과 같이 날 때부터 있으나 뒤늦게 思春期를 지나 老年期에 나타나는 것도 있다. 흔희 顔面과 四肢部에 흔히 발생하며 흑갈색의 편평한 隆起상태를 나타낸다. 다발성인 것도 있고 드물게는 범발성인 것도 있다. 흩어져 분포하며 豆大 혹은 卵大 크기며 간혹 굵은 털이 난 것도 있다. 脚底나 要部등 마찰되기 쉬운 부위는 갑자기 크면서 악성화될 수 있다.

4. 진단감별

흑색세포모반의 진단은 임상 양상을 기반으로 한다. 다만, 비정형적 특징이 있는 흑색세포모반은 흑색종과 구별되어야 한다. 직경 > 6mm, 불규칙한 경계, 비대칭, 다양한 색소 침착 및 오랜 색소 병변의 외형 변화 등을 포함할 경우 흑색종을 의심해 볼 수 있다.

5. 치료

1) 內治
(1) 肝腎虧損한 경우는 滋補肝腎하는 방법으로 六味地黃湯에 澤蘭 冬瓜仁 細辛을 加하여 사용

하여 治한다.

(2) 火鬱孫絡한 경우는 涼血瀉火하는 방법으로 涼血地黃湯를 사용하여 治한다.

2) 外治

針으로 痣頭를 挑損하고 点痣膏를 3~4일 붙여두고 結痂가 생기면 스스로 脫落되면 치유된다.

6. 예후

대부분의 후천성 흑색세포모반은 평생 동안 양성으로 남아 있으며 지속적 추적 관찰 외에는 치료가 필요하지 않다. 그러나 후천성 흑색세포모반의 수가 많으면 흑색종의 위험성이 높아지므로 후천성 흑색세포모반이 다발성인 경우에는 주기적인 전신 피부 검사를 실시해야 하고 자외선 차단에 대해 상담해야 한다.

참고문헌

1) 서울대학교병원. 지방종, 피지낭종, 서울대학교병원 의학정보. 네이버지식백과. www.naver.com

2) 서울대학교의과대학 피부과학교실. 의대생을 위한 피부과학. 서울: 고려의학; 2006.

3) 전국 한의과대학 피부외과학 교재편찬위원회. 한의피부외과학. 부산: 선우; 2007.

4) 中医外科学 編写委員會(譚新华, 何清湖 主編). 中医外科学 第二版. 北京: 人民卫生出版社; 2016.

5) Aalborg J, Morelli JG, Byers TE, et al. Effect of hair color and sun sensitivity on nevus counts in white children in Colorado. J Am Acad Dermatol 2010.

6) Aalborg J, Morelli JG, Mokrohisky ST, et al. Tanning and increased nevus development in very-light-skinned children without red hair. Arch Dermatol 2009.

7) Bauer J, Garbe C. Acquired melanocytic nevi as risk factor for melanoma development. A comprehensive review of epidemiological data. Pigment Cell Res 2003.

8) JH J, DI Kim, HS Chang, S Huh, CH Lee, ES Kim, JY Moon, YI Kim, BB Lee. A Clinical Analysis of the Treatment of Primary Varicose Vein of the Lower Limbs. Annals of Surgical Treatment and Research. 1998.

9) Korean dermatological association. Textbook of Dermatology. Seoul: daehan medical book, Inc; 2015.

10) Oshman RG, Phelps RG, Kantor I. A solitary neurofibroma on the finger. Arch Dermatol 1988.

11) Simon JP, Kim DC, Jonathan AM, Angela MT, Varicose veins a qualitative study to explore expectations and reasons for seeking treatment. J of Clinical Nursing. 2004.

12) Tierncy LM, Mcphee SJ, Papadakis MA. CURRENT MEDICAL DIAGNOS I. Seoul: Hanwoori; 1999.

13) Yim JH, Park HJ, Lee JY, Cho BK. A case of solitary neurofibroma on the palm. Korean J Dermatol. 2006.

第18章 악성 신생물

KCD 코드	한글 상병명	영문 상병명
C00–C97	악성 신생물	Malignant neoplasms
C00–C14	입술, 구강 및 인두의 악성 신생물(C00–C14)	Malignant neoplasms of lip, oral cavity and pharynx(C00–C14)
C15–C26	소화기관의 악성 신생물(C15–C26)	Malignant neoplasms of digestive organs(C15–C26)
C30–C39	호흡기 및 흉곽내기관의 악성 신생물(C30–C39)	Malignant neoplasms of respiratory and intra-thoracic organs(C30–C39)
C40–C41	골 및 관절연골의 악성 신생물(C40–C41)	Malignant neoplasms of bone and articular cartilage(C40–C41)
C43–C44	흑색종 및 기타 피부의 악성 신생물(C43–C44)	Melanoma and other malignant neoplasms of skin(C43–C44)
C45–C49	중피성 및 연조직의 악성 신생물(C45–C49)	Malignant neoplasms of mesothelial and soft tissue(C45–C49)
C50	유방의 악성 신생물(C50)	Malignant neoplasm of breast(C50)
C51–C58	여성생식기관의 악성 신생물(C51–C58)	Malignant neoplasms of female genital organs(C51–C58)
C60–C63	남성생식기관의 악성 신생물(C60–C63)	Malignant neoplasms of male genital organs(C60–C63)
C64–C68	요로의 악성 신생물(C64–C68)	Malignant neoplasms of urinary tract(C64–C68)
C69–C72	눈, 뇌 및 중추신경계통의 기타 부분의 악성 신생물(C69–C72)	Malignant neoplasms of eye, brain and other parts of central nervous system(C69–C72)
C73–C75	갑상선 및 기타 내분비선의 악성 신생물(C73–C75)	Malignant neoplasm of thyroid and other endocrine glands(C73–C75)
C76–C80	불명확한, 이차성 및 상세불명 부위의 악성 신생물(C76–C80)	Malignant neoplasms of ill-defined, second-ary and unspecified sites(C76–C80)

C81–C96	림프, 조혈 및 관련 조직의 악성 신생물 (C81–C96)	Malignant neoplasms of lymphoid, haemato-poietic and related tissue(C81-C96)
C97	독립된(원발성) 여러 부위의 악성 신생물 (C97)	Malignant neoplasms of independent (pri-mary) multiple sites(C97)
D00–D09	제자리신생물	In situ neoplasms

1. 개요

1) 종양의 정의

종양이란 우리 몸을 구성하는 기본 단위인 세포가 정상적인 조직 기능의 범주와 주위 장기의 정상적인 영향력에서 벗어나 몸에 불리하게 과잉 성장하는 것을 의미한다. 종양은 아직도 그 발생원인과 기전이 명백히 밝혀져 있지 않고 또 그 생물학적 성상이 복잡하기 때문에 적절한 정의를 내리기는 어렵지만 일반적으로 다음의 정의를 인용하고 있다. 즉 종양이란 조직의 자율적인 과잉성 성장이며 이것은 개체에 대하여 의의가 없거나 이롭지 않을뿐더러 정상조직에 대하여 파괴적인 것을 말한다.

2) 근현대 이전의 의학

(1) 문헌고찰

악성종양은 인류의 생명과 건강에 커다란 위협이 되고 있으며 인류는 근현대 이전부터 이 질병을 수 천년동안 다루어오면서 변증론치 방면에서 비교적 풍부한 경험과 지식을 쌓아왔다.

문헌적 고찰을 보면 일찍이 殷虛의 갑골문에 '瘤'라는 병명이 기록되어있고《周禮》에서는 의사를 '食醫' '疾醫' '瘍醫' '獸醫' 등 4가지로 나누어 '瘍醫'가 주로 종양을 치료하였다. 漢代의《黃帝內經》에서는 종양에 대해 비교적 폭넓게 기술하였는데 昔瘤, 腸覃, 石瘕, 積聚, 癥痂, 噎嗝, 反胃 등의 증상 및 병인 병기에 대한 기록이 있는데 현대 종양의 임상증상과 비교하여 볼 때에 유사한 점이 많다.

또《黃帝內經》에서는 四診八綱에 의한 진단과 정체관념에 따라 종양을 인식하고 辨證論治 방법으로 종양을 치료하는 방법이 기록되어 있다.

《甲乙經》에서는 방대한 양의 침구치료에 대해 기록하였고《肘後備急方》에서는 보통의 증상들은 서서히 나타나는데 갑자기 크고 딱딱한 무엇이 느껴지게 되면 고치기 어렵다. 종양의 발전과정과 말기상태에 대해 설명하고 있다.

隋代의《諸病源候論》에서는 현대 종양과 유사한 병증을 비교적 풍부하게 기록하고 있다.

唐代의《千金要方》에는 瘤를 7가지로 나누고 '肉瘤는 치료하지 말라 치료하면 죽는다'고 하였다.

《晋書》에는 외과수술을 이용하여 안과의 瘤疾을 치료한 기록이 있고, 宋代의《聖濟總錄》에 '瘤는 꽉 막혀서 제거되지 않는 것을 의미한다'고 하여 기혈의 흐름이 막히면 종양이 발생함을 설명하였고 元代의《外科精義》에 瘰, 瘤, 贅 등의 양성종양도 세월이 흐르면 궤양이 생기고 악성종양으로 바뀔 수 있음을 설명하고 있다. 宋代《衛濟寶書》와《仁齋直指附遺方論》에 '癌은 겉으로는 높이 솟아 있고 속으로는 깊이 파여 있는데 마치 바위가 땅에 박혀있는 것과 같아 뿌리가 깊다'라고 하여 癌이라는 글자를 직접 사용하였다.

《瘡瘍經驗全書》에 乳岩에 대한 기술이 있다. 金元시대 張從正은《儒門事親》에서는 積은 暴怒, 暴喜, 暴悲, 暴思, 暴恐에 의해서《瘍科心得集》에서는 癌瘤는 음양의 정기가 아닌 것들이 뭉쳐서 된 것이나 五臟瘀血, 濁氣痰滯에 의하여 형성된다고 하였다

明, 淸代《醫宗銓監》,《外科正宗》에 乳癌의 초기부터 말기까지의 증상과 전변과정에 대해 자세히 기술되어 있다. 淸代《醫林改錯》에 "肚腹結塊는 반드시 血에 의한다"라고 하여 복강내 종양은 氣滯 血瘀 積聚에 의해 생성됨을 설명하고 있다.

근현대 이전의 종양과 관련된 병명은 噎膈(食噎, 膈證)은 식도암과 유사하고 反胃(翻胃)는 위암, 유문경색증상과 유사하고 癥瘕, 積聚는 복강내 종괴를 가리키며 위, 장, 간, 담, 췌, 비, 골반강, 복막후 종괴를 포함한다.

乳癌은 유방암을 말하고 失榮(石疽, 惡核)은 악성림프종, 이하선염, 경림프종, 전이암을 말하고 繭脣은 脣癌을 말하고 舌菌은 舌癌을 말하고 癭瘤는 갑상선종을 말하는데 五瘿六瘤로 나누는데 그중에서 단단하고 밀어서 움직이지 않는 것은 악성종양에 해당된다.

(2) 종양병명의 비교
① 악성종양
- 噎膈 : 식도암, 식도하단분문암
- 反胃(翻胃) : 위전정부암
- 癥, 積 : 복강내 악성종양
- 脾積(痞氣) : 간암 및 간비종대
- 肝積(肥氣, 癖黃, 肝着) : 간의 종양
- 肺積(息賁) : 폐암
- 心積(伏梁) : 위암 및 간, 담, 췌장종양
- 失榮 : 악성림프종, 이하선암, 경림프절전이암
- 上石疽 : 경림프질전이암, 악성림프종
- 乳癌(乳石癰) : 유방암
- 石癭 : 갑상선암

- 腎癌 : 음경암
- 繭脣 : 구순암
- 舌菌 : 설암
- 喉百葉 : 후두암
- 五色帶下 : 자궁경부암, 골반강내악성종양
- 骨疽 : 뼈의 악성종양 및 양성종양
- 石瘕 : 자궁근종 및 골반 자궁체, 복막후의 양성 악성종양
- 緩疽(肉色疽) : 연조직악성종양
- 石疔, 黑疔, 靑疔, 翻花瘡 : 체표의 악성종양, 흑색종, 암성궤양
- 腸覃 : 난소낭종, 골반내종양
- 肉乳 : 연조직악성종양

② 양성종양

- 痰包 : 설하낭종
- 痰核 : 지방종, 만성림프절염과 경부림프절결절
- 脂乳 : 지방종, 피지선낭종
- 血瘤 : 혈관종
- 氣瘤 : 연조직종양
- 筋瘤 : 연조직종양
- 耳菌 : 외이도유두상종
- 骨瘤 : 뼈의 양성종양
- 肉瘤 : 양성종양
- 疣, 痣, 息肉, 贅生物 : 피부양성종양

3) 현대의학

(1) 종양의 정의(Defintion of neoplasm)

R.A Willis가 제창하고 E.T.Bell이 수정한 정의

진성종양(True tumor) 즉 신생물(neoplasm)은 조직의 독립적인 혹은 자율적(autonomic)인 과잉성장을 말하며 이것은 개체에 전혀 유익하지 않을 뿐 아니라 일반적으로 정상조직에 대하여 파괴적이다.

(2) 양성종양과 악성종양의 특징

표 18-1. 양성종양과 악성종양의 비교

특 징	양성(benign)	악성(malignant)
성장속도(growth rate)	지연	신속
세포분열상(mitoses)	적음	많음
핵염색소(nuclear chromatin)와 핵염색소성(hyperchromatism)	정상	증가
국소성장(local growth)	팽창성	침윤성
피막화(encapsulation	있음	없음
조직의 파괴(destruction of tissue)	적음	많음
혈관침범(vasculon invasion)	없음	흔함
전이(metastases)	없음	흔함
개체에 대한 영향(effct on host)	흔히 유의치 않음	흔히 유의함

※ 많은 종양이 상기의 특성들 중 하나 또는 그 이상의 예외를 보여준다.

(3) 종양의 병명 및 분류

종양은 그 발생에서 그 조직 또는 세포학적 근원에 따라 결체조직성 종양과 상피성 종양으로 대별될 수 있으나 그 외 혼합성 및 복합성 종양 또는 기형종으로 구분되며 양성과 악성으로 나눈다.

(4) 우리나라와 중국의 종양연구 현황

① 한국

1980년부터 1996년까지 우리나라 한의학계 학회지에 발표된 논문 중 종양 및 면역과 관련된 논문은 약 174편이 보고 되었는데 종설논문, 실험논문, 임상논문으로 나눌 수 있다. 연도별로 보면 1988년대 36편, 1990년대에 138편이 발표되었고 실험논문이 118편으로 67.8%였고 종설논문 50편으로 28.7%, 임상논문은 56편으로 3.5%를 차지했다. 논문의 내용은 한약재 투여에 의한 종양억제나 면역증강 등의 내용이 84.8%였고 약침, 온침, 레이저침, 호침, 뜸, 봉침 등이 종양에 미치는 영향을 연구한 내용이 15.2%를 차지하였다.

최근 1991년 1월 1일부터 2008년 6월 30일까지 보고된 한의학의 암 치료에 관련된 연구들 중 임상 연구에 대한 논문들을 분석해 보면 연구 설계는 case report가 총 59편으로 제일 많았고, case series study는 총 8편, cohort study는 총 17편, clinical trial은 총 2편이었다. 암의 부위는 폐암 환자를 대상으로 하는 임상 논문이 총 16편으로 제일 많았으며, 위암 환자는 14편, 간암환자는 11편이었고, 자궁암 환자는 7명, 유방암 환자는 6편, 혈액암 환자는 5명, 대장암 환자, 담도암 환자는 각각 3편, 췌장암 환자는 2명, 기타가 9편이었다. 그리고 전체 암환자를 대상으로 임상 논문은 12편이었다. 연구 내용으로는 암환자의 증상 호전이나 삶의 질에 관련된 임상논문이 총 32편으로 제일 많았으며, 암의 축소나 완전 퇴축에 관련된 임상 논문은 총 15편, 암의 유지에 관련된 임상 논문은 총 10편이었으며, 통상치료 부작용 감소와 관련된 임상 논문은 총 9편, 치료받은 암환자의 치료효과 및 생존율 분석에 대한 임상 논문이 15편, 암환자의 치료효과 분석이 4편이었으며, 치료약물의 안정성과 관련된 논문이 1편이었다. 주 치료 방법으로는 항암단을 주 치료법으로 사용한 임상 논문이 28편으로 제일 많았으며, 그 다음은 약침으로 8편이었다. 알러젠 제거 옻나무 추출물은 6편, 소적백출산은 3편, 수기요법은 2편이었으며, 기타 탕약을 이용한 한방요법을 주 치료법으로 사용한 논문은 39편이었다.

② 중국

중국에서는 1950년대부터 중의약으로 암종을 치료한 임상보고 등이 있고 1960년에는 항암작용이 있는 중약이나 복합처방을 찾아내는 연구를 하여 1963년에는 358종의 중초약복방의 항암작용에 대한 연구결과를 보고하였으며 1970년대에는 종양의 예방과 치료를 위한 의료기관이 잇달아 설립되어 중의약으로 악성종양을 치료하는 연구가 시작되었다. 1978년에 '全國一次 中國 中西醫結合 腫瘤 防治 研究 學術 協作會議'가 북경에서 개최되어 전국적으로 활발한 연구가 이루어지게 되었다. 1980년대에는 중의약으로 악성종양을 치료하는 연구가 활발하게 진행되어 비약적인 발전을 하게 되었다.

최근 2001년부터 2003년까지 중국의 종양에 대한 연구경향을 보면 117종의 잡지에 발표된 385편의 논문 가운데 207개 기관이 1편 이상의 논문을 발표하였는데 가장 많이 발표한 기관은 상해중의약대학과 광주중의약대학의 병원과 기초학 교실이었고 북경중의연구원 광안문의원과 남경중의약대학이 그 다음을 차지하였다.

논문내용을 보면 중성약을 이용한 논문이 42편이고 중약을 이용한 논문 228편, 노중의 치료경험이 17편, 치법, 진단, 병증, 병인, 예방, 중의이론 등에 관한 논문이 71편, 침, 기공, 열료, 무화흡입이 5편이고 호리와 음식이 12편이며 통계논문도 10편이 발표됐다. 385편의 논문 중 166편이 임상논문이었고 194편이 종설논문이며 25편이 실험논문이었다.

(5) 암질환의 분포

2000년도 전까지는 뇌혈관질환과 심장질환을 포함한 순환기계 질환으로 인한 사망률이 암으로 인한 사망률보다 높았지만 2000년도 이후로는 암(28.2%)으로 인한 사망률이 가장 높고 그 다음으로는 뇌혈관 질환(10.4%), 심장 질환(9.2%) 순으로 높았다.

2017년 새로 발생한 암환자 수는 남자 122,292명, 여자 109,963명으로 총 232,255명으로 집계되었다. 모든 암의 연령군별 발생률을 보면, 50대 초반까지는 여자의 암발생률이 더 높다가, 후반부터 남자의 암발생률이 더 높아지는 것으로 나타났다. 주요 암종별 연령군별 발생률을 살펴보면, 남자의 경우 44세까지는 갑상선암이, 45세~64세까지는 위암이, 64세 이후에는 폐암이 가장 많이 발생하였으며, 여자의 경우 39세까지는 갑상선암이, 40세~69세까지는 유방암이, 69세 이후에는 대장암이 가장 많이 발생하였다. 남녀의 암 발생 성비는 1.11로 나타났고 연령군별로 0~14세는 1.10으로 비슷하나, 15~34세는 0.50, 35~64세는 0.85, 65세 이상은 1.58로 암 발생 성비의 차이가 컸다. 연령군별 암 발생은 0~14세는 백혈병(남녀 모두), 15~34세는 갑상선암(남녀 모두)이 높게 나타났다. 35~64세에서는 갑상선암 · 유방암(여성), 대장암 · 위암(남성)이, 65세 이상에서는 폐암(남녀 모두), 대장암(여성), 위암 · 전립선암(남성)이 많이 발생하였다.

2009년도에 남녀 모두 통틀어 가장 많이 발생한 암은 갑상선암(16.6%), 위암(15.4%), 대장암(13%), 폐암(10.2%), 간암(8.3%) 순이었으며 남자에서는 위암(20.1%), 대장암(15.2%), 폐암(14.1%), 간암(12.0%), 전립선암(7.4%)의 순으로 호발했고, 여자에서는 갑상선암(28.7%), 유방암(14.4%), 대장암(10.6%), 위암(10.5%), 폐암(6.1%)의 순으로 발생하였다. 2013년 가장 많이 발생한 암은 갑상선암(18.9%)이었으며, 이어서 위암(13.4%), 대장암(12.3%), 폐암(10.3%), 유방암(7.7%), 간암(7.2%), 전립선암(4.2%)의 순으로 많이 발생하는 것으로 나타났다. 남자의 경우 위암(17.8%), 대장암(14.6%), 폐암(14.2%), 간암(10.6%), 전립선암(8.4%) 순이었으며, 여자의 경우 갑상선암(30.5%), 유방암(15.4%), 대장암(9.9%), 위암(8.9%), 폐암(6.3%) 순이었다. 2017년 남녀 전체에서 가장 많이 발생한 암은 위암(12.8%)이었으며, 이어서 대장암(12.1%), 폐암(11.6%), 갑상선암(11.3%), 유방암(9.6%), 간암(6.6%), 전립선암(5.5%)의 순으로 많이 발생하는 것으로 나타났다. 남자는 위암(16.3%), 폐암(15.3%), 대장암(13.6%), 전립선암(10.5%), 간암(9.4%) 순, 여자는 유방암(20.3%), 갑상선암(18.3%), 대장암(10.4%), 위암(8.9%), 폐암(7.6%) 순으로 많이 발생하였다.

2010년도의 암 사망률은 인구 10만명당 144.4명으로 폐암(31.3명), 간암(22.5명), 위암(20.1명) 순으로 높았다. 2014년에 암으로 사망한 사람은 총 76,611명으로 전체 사망자의 28.6%가 암으로 사망하였고 사망률이 가장 높은 암종은 폐암(전체 암 사망자의 22.8%인 17,440명)이었으며, 다음으로는 간암(15.1%), 위암(11.6%), 대장암(11.0%), 췌장암(6.7%) 순이었다.

2. 원인 및 병기

2-1. 원인
1) 근현대 이전의 의학
역대 의사들은 종양의 병인을 外因과 內因으로 개괄하였다.

外因은 外邪要因과 飮食要因을 내인은 情志要因과 臟腑虧虛를 포함한다.

원발성 병인과 속발성 병인으로 분류하여 설명한다.

(1) 원발성병인

① 외감병인

風, 寒, 暑, 濕, 燥, 火의 六氣는 자연계의 여섯 가지 다른 기후의 변화로 사시와 상응하여 사람에게 병을 일으키지 않지만 갑작스런 이상변화와 인체저항력이 저하되면 병인이 되어 六淫을 이루고 인체를 침범하여 질병을 발생시킨다.

② 내상병인

㉮ 정지요인 七情(喜, 怒, 憂, 思, 悲, 恐, 警)이 太過하거나 不及하면 체내기혈의 운행이 실상되고 장부의 기능도 실조되어 질병을 일으킨다.

칠정이나 기타 병인으로 인하여 장부가 虧虛하고 기혈이 실조되는 상태에서 발암인자의 작용으로 체내에서 氣滯血虛하고 痰凝毒結하므로써 종양이 발생한다.

㉯ 음식요인

㉠ 飮食不節 : 음식을 절제 없이 너무 배부르게 먹거나 굶주리게 먹거나 불규칙한 식사를 하면 비위가 손상을 받아 음식물의 소화와 영양분의 공급이 실조되어 장부의 정상적인 기능이 훼손되고 기혈의 순환장애가 생기며 어혈이 적체하여 통하지 않게 되고 어혈이 한 곳에 오래 머물러 종양을 형성하게 된다.

㉡ 飮食不潔, 偏食, 膏粱厚味 : 오염된 음식이나 소금에 절이거나 태운음식 등을 먹게 되면 열이나 독소를 내뿜거나 자극이 되어 궤양이 발생되거나 종양을 일으키기도 한다.

또 음식을 편식하거나 너무 뜨거운 음식이나 찬 음식을 즐겨 먹게 되면 부족한 영양분이 나타나고 한열이 실조되어 인체의 음양과 장부에 偏盛偏衰가 발생되어 나쁜 병을 일으킨다.

㉲ 過勞 : 과로하면 氣를 소모시킨다. 피로가 지나치게 누적되면 正氣를 상하게 하고 기혈이 虧虛하면 邪氣가 침범하여 종양이 발생될 수 있다.

(2) 속발성병인

① 痰飮

담음은 체내 수액대사가 국소적으로 장애를 일으켜 발생한 병리산물로 직·간접적으로 체내의 장부조직에 작용하여 각종질병을 일으키는 발병인자이다.

담음이 오래도록 경락에 阻滯되어 흩어지지 않으면 癭瘤, 瘰癧, 失榮, 痰核, 石疽, 惡核 등 병이 된다.

② 瘀血

血은 氣를 따라 운행되는데 기의 기능이 실조되면 혈도 따라 운행이 阻滯되어 경맥에 울체되거나 맥외로 흘러나와 조직사이나 장부기관에 축적되어 흩어지지 않으면 어혈을 형성한다.

어혈이 형성되고 나면 기혈의 운행에 영향을 미치고 장부의 기능을 실조케하여 항병능력을 저하시켜 毒邪의 침범을 받으면 응결되어 종괴를 형성한다.

2) 현대의학

(1) 내적인 요인

① 지리적 인종적 요인

남자와 여자에서 위암의 사망률은 미국보다 일본에서 7배나 더 높다.

반대로 폐암으로 인한 사망률은 미국이 일본보다 2배 더 높다. 실제로 스코틀랜드는 미국보다 거의 2배이다. 대개 흑색인종으로 인한 피부암 사망률은 아이스랜드보다 뉴질랜드에서 6배 더 흔하다. 이것은 아마 태양노출에 기인하는 것으로 보인다.

② 나이와 유년기암, 유전적요인

대부분의 암은 55세 이상의 연령에서 발생한다.

그러나 15세 이하에서도 급성백혈병과 중추신경계암, 신경아세포종, 윌름스 종양 등은 많이 발병한다.

③ 폐암, 유방암, 망막아세포종 등의 암은 가족력과 유관하다는 보고가 있다.

(2) 생활양식과 관련된 요인

① 흡연 : 폐암, 후두와 구강, 식도, 방광과 신장 등의 발생률을 높인다.

② 음주 : 식도암, 구강암, 후두암, 폐암, 간암, 대장암, 직장암 등의 발생빈도를 높인다.

③ 식이 : 소금에 절인 음식, 절이거나 훈제된 음식, 상한음식, 튀긴 음식 등의 장기간 섭취는 암 발생을 증가시킬 수 있다.

④ 직업적 요인 : 석면흡입은 늑막과 복막의 중피종과 기관지원성암종과 관련된 것으로 보인다. 금 철광에서 일하는 사람들은 폐암에 걸릴 위험이 높다. 아닐린염료공장에서 일하는 사람들은 방광암의 발생률이 높고 전체 암의 약 4% 정도가 직업적인 요인과 관련이 있다.

(3) 외적인 요인

① 화학적발암원

㉮ 알킬화합물, 다환식방향족 탄화수소 : 방향족아민 및 아조색소, 자연 발생 발암물질과 같은
물질들은 직접작용 발암물질이거나 발암전구물질들이다.

㉯ 바이러스 : 바이러스 감염은 암을 발생시키는 보조인자로 매우 중요하고 인간면역 결핍바이
러스(HIV), 단순포진바이러스-2형(HSV-2)은 자궁경부암과 B형간염바이러스는 원발성 간암
과 관련이 있다.

㉰ 이원화방사선과 자외선 : 진단 및 치료방사선, 원자폭탄, 지나친 자외선조사

㉱ 약물 : 항암제, 성호르몬 등도 암 발생과 관련이 있다.

2-2. 병기

1) 근현대 이전의 의학

근현대 이전의 병리는 실제 임상을 바탕으로 辨證論治의 원칙과 審證求因에 근거하여 유추된 것
이며 종양환자의 병리변화는 瘀滯, 毒, 痰濕, 虛가 가장 많이 보이며 氣滯血瘀, 熱毒內蘊, 痰濕結
聚, 臟腑失調, 氣血虧虛, 經絡瘀阻 등의 5가지로 귀납하였다.

(1) 氣滯血瘀

어떤 원인으로 氣의 운행이 실조되면 氣鬱, 氣滯, 氣聚하므로써 氣滯則血瘀 氣塞不通, 血擁不
流하는데 氣滯가 오래되면 血瘀하고 氣滯血瘀가 오래되면 종괴를 형성한다.

(2) 熱毒內蘊

인체가 外邪에 침범되거나 內傷七情등으로 장부기능이 실조되면 熱과 火를 만들고 熱(火)毒이
內蘊하면 종양이 형성되는데 血이 火熱을 만나면 응집되고 진액이 火를 만나면 痰이 되며 氣血痰
濁이 경락과 장부를 막게 되어 종양이 발생한다.

(3) 痰濕結聚

脾의 운화작용이 실조되면 水濕의 운화와 진액의 還流가 느려져서 水가 內에 모여서 복수를 생
기게 하거나 내부의 水濕이 津液으로 전화되지 못하여 쌓이게 되어 오래되면 濕毒을 형성하고 濕
毒이 六淫의 침습을 받으면 창양이 생겨 오래도록 낫지 않는다.

(4) 臟腑失調

종양의 발생은 장부 기능실조와 관련이 있으며 장부기능의 실조는 脾腎虛損을 위주로 하는데 脾는 후천의 근본이고 腎은 선천의 근본으로서 脾腎이 허술하면 정기가 허약해져 항병능력이 저하되어 종양이 발생되는 것이다.

(5) 經絡瘀阻

경락이 외감풍한이나 濕邪 등의 침범으로 손상을 받고 痰, 食, 毒, 血瘀, 氣滯 등에 의해 瘀阻되어 不通하게 되면 내장의 생리기능이 실상되어 經氣가 울체되거나 부족하게 되어 病邪와 瘀毒이 체표나 체내에 머물러서 오래되면 결국에는 종양을 형성하게 된다.

2) 현대의학
(1) 종양의 일반적인 형태
① 육안적 형태
㉮ 양성종양은 통상 구형이거나 난형이고 비교적 국한되어 있어 주위 비종양성조직과 명료하게 구분된다. 종괴가 고정되어 있지 않다.

㉯ 악성종양은 양성종양에 비하여 형태가 불규칙하며 국한되어 있지를 않아 주위 비종양정조직과 경계가 불명확하고 종괴가 고정되어 있다.

㉰ 어떤 악성종양들은 그들의 특이한 색조를 지닌다. 흑색종은 흑색을 유암은 황색조를 나타낸다.

② 현미경적 구조
㉮ 암세포의 일반적 형태
　㉠ 다양한 형태
　㉡ 상승된 핵과 세포질비
　㉢ 핵과 염색소성
　㉣ 현저한 핵소체
　㉤ 빈번한 핵분열상
　㉥ 종양거대세포
㉯ 전자 현미경적 특징
㉰ 상피내암종

(2) 종양의 성장

　　① 단세포성과 이질성

　　② 종양세포 성질의 역사

　　③ 종양의 성장속도

　　④ 종양성장에 영향을 주는 숙주들

　　⑤ 시험관내에서 종양세포

　　⑥ 종양의 성장양식

(3) 침입과 전이

　　① 종양세포와 세포의 기질과 상호작용

　　② 종양세포의 혈관파종과 귀소

　　③ 전이경로

　　　㉮ 직접파종성 전이

　　　㉯ 림프성 전이

　　　㉰ 혈행성 전이

　　　㉱ 이식성 전이

(4) 발암현상

　　① 화학적 발암물질에 의한 발암현상

　　　㉮ 다단계 다타격

　　　㉯ 화학적 발암개시

　　　㉰ 종양촉진

　　② 자외선과 방사선의 발암현상

　　　㉮ 자외선

　　　㉯ 방사선

　　③ 바이러스의 발암현상

　　　㉮ DNA바이러스

　　　㉯ RNA바이러스(retrovirus)

　　④ 종양 내에서 핵형의 변화

⑤ 암의 병인 종합 및 요약

(5) 종양유전자
　① 정상세포분열과정에서 신호전달체계
　② 원종양유전자의 작용과 종양유전자의 활성화
　③ 암 억제 유전자(항종양유전자)

(6) 종양면역학
　① 면역감시
　② 종양특이항원
　③ 종양세포에 대한 면역반응

3. 진단

종양에 대한 진단방법은 기본적으로 다른 질병을 검사하는 방법과 동일한데 병력과 전면적인 신체검사와 일반적인 이화학검사 및 특수한 검사(필요한 생화학, X선, 내시경, 세포학, 병리학, 동위원소, 초음파, 면역학 등의 검사항목)이다.

1) 종양의 조기 진단

종양의 정확한 조기진단은 성공적인 치료의 관건이 된다.
악성종양을 조기 발견, 조기진단, 조기치료하면 치료율을 높일 수 있다 .
초기진단을 하기 위해서는 다음과 같은 노력을 한다.

(1) 암의 예방을 위한 홍보활동을 통해 암의 최초증상(경고신호)에 대한 설명과 조기치료의 중요성을 알게 하고 암에 대한 집단검진을 실시한다.
(2) 의료인들은 癌前병변과 조기 암의 증상을 잘 숙지하여 암전병변이 암으로 전변되는 과정을 조기 진단해냄으로써 치료효과를 높인다.
(3) 의사들은 일반검사와 특수검사를 포함한 종양의 조기진단 방법을 잘 활용하여 조기에 암을 확신하고 배제시킨다.

2) 종양에 대한 진단

四診八綱 변증의 원칙에 근거하여 검사를 진행한 다음 임상적 검사결과와 종합하여 분석하게 되면 종양의 부위, 병리유형, 임상분기 등의 상황을 정확히 진단할 수 있고 동시에 종양환자가 가지는 음양, 표리, 한열, 허실의 변증유형 및 기혈 장부 기능실조의 상황을 파악함으로써 辨病과 辨證의 결합 방안을 도출해 낼 수 있다.

(1) 問診

寒熱, 汗出, 머리나 몸에 나타나는 여러 가지 증상들을 묻고 耳目에 나타나는 증상, 음식섭취, 대소변, 부녀의 월경, 대하, 출산 등에 관해서도 묻는다.

(2) 望診

일반적으로 환자의 정신, 색택, 몸의 형태나 동작, 설태, 피부점막 등의 변화를 관찰한다.

① 종양 특유의 망진 조건

소화기나 생식기 계통의 종양환자에게는 下口脣에 자반이 출현하거나 설면전반부 혹은 舌邊에 나타나는 불규칙한 원형자반은 소화기계통이나 간암, 여성생식기계통의 종양환자에게서 眼部에 특이한 혈관변화가 관찰된다.

간암이나 소화기계 여성생식기계 종양환자의 손톱에 紫紋이 나타나기도 한다.

(3) 舌診

舌質의 변화는 장부기혈의 한열과 허실, 舌苔에서는 病邪의 深淺과 寒, 熱, 濕, 燥의 변화, 소화기능의 변화를 볼 수 있다. 舌은 心之竅지만 五臟이 모두 舌과 유관하다. 舌尖은 心肺, 舌中은 脾胃, 舌邊은 肝膽, 舌根은 腎에 속한다.

① 舌質

㉮ 舌色

紅舌은 熱證, 實證이고 건조한 것은 胃의 津液이 상한 것임. 담홍색은 氣血虛이고 絳舌 深紅하면 榮血에 熱이 있음.

舌紫하고 瘀班이 모이는 것은 피하출혈이 나타날 징조이다.

舌態가 胖大한 것은 脾腎氣虛, 薄而瘦小 色淡紅하면, 心脾氣血兩虧, 舌紅絳하고 裂紋이 나타나면 血分熱盛. 舌邊에 齒痕이 있으면 모두 虛證. 芒刺는 邪熱內結.

② 舌苔

舌苔의 생성은 胃氣, 邪濁이 상승, 飮食積滯와 관련이 있다.

舌苔의 厚薄으로 邪氣의 深淺을 관찰하고 舌苔의 潤燥로 진액의 존망을 알며 舌苔의 腐膩로 腸胃의 濕濁을 알고 舌苔의 偏全으로 병변의 소재를 진단하며 舌苔가 白薄滑은 外感風寒, 白厚滑은 寒痰內蓄, 白膩는 濕濁蘊內, 薄乾은 肺胃津傷, 白厚乾은 熱傷津液 濕濁不化이다.

黃苔는 열이 있음을 나타낸다. 薄黃滑은 外感化熱入裏하여 아직 津을 상하지는 않은 상태에서 많이 보이고, 黃膩는 습열이 氣分에 있는 것이고, 黃厚膩는 습열이 重한 것이고 黃厚乾은 裏熱津傷으로 大便乾燥 小便短赤할 때 나타난다. 灰褐色苔는 白, 黃苔가 바뀌어 생성되는데 苔灰黑而乾, 舌質深紅한 것은 邪熱灼傷津液에 속하고 灰滑苔, 舌質淡, 苔淺黑而滑潤한 것은 陰寒過盛한 표현이다. 黑苔乾燥한 것은 津枯火盛이다.

黑苔燥裂하고 芒刺가 있고 진액이 마른 것은 심신의 精血이 장차 마르려는 것이므로 병세가 위중하다.

(4) 聞診

聞診은 환자의 성음을 듣거나 냄새를 맡는 진단을 말한다. 성음을 듣는 것은 청각에 의해 환자의 말소리 호흡, 기침 소리 등을 듣고 진찰하는 것이고 냄새를 맡는 것은 환자와 병실의 냄새와 배설물 등의 냄새를 맡아 질병을 감별하는 것이다.

(5) 切診

切診은 손을 이용하여 신체 각 부위와 脈象을 직접 검사하는 脈診과 의사가 按, 壓模등의 방법으로 환자 신체 피부의 일정부위나 종괴의 軟硬, 冷熱, 大小, 壓痛 그리고 肌膚와 兪穴 등의 이상변화를 검사하는 것이다.

3) 종양의 八綱辨證

八綱은 表裏, 寒熱, 虛實, 陰陽으로 변증표치의 기초이론이며 임상에서 병리변화의 파악과 치료의 결정에 대하여 중요한 의미를 가진다. 종양의 증후는 매우 복잡하므로 四診에서 얻은 자료를 참고하여 질병에 대해 간결하게 파악하는 요령을 얻어야 하는데 이때 어떤 병증이든 모두 팔강변증을 사용하여 귀납시킬 수 있다.

즉 질병이 陰에 속하지 않으면 陽에 속하며 질병부위가 表에 속하지 않으면 裏에 속하고 질병의 성질이 寒에 속하지 않으면 熱에 속하며 인체와 병인과의 관계에 있어서 正虛가 아니면 邪實이라고 표현할 수 있다.

같은 질병이라도 체질과 각종 발병인자의 차이, 初病과 久病이 차이가 있으면 八綱辨證의 결과도 달라지고 치료방법도 달라진다.

4. 치료

1) 변증원칙

(1) 審證求因

四診 八綱에 따라서 먼저 종양환자의 八綱辨證을 한 후에 종양의 원인 및 발생기전에 근거하여 기혈, 장부, 경락의 실조증상을 살펴 이를 종합 분석하여 병기와 병인을 명확히 밝힌다.

(2) 辨證과 辨病의 결합

변증과 변병을 결합하여 질병을 파악하는 이유는 질병을 종으로 살펴 어떤 암인지를 명확히 진단하고(辨病) 치료와 예후를 파악하는 외에도 별도로 橫으로 살펴(辨證) 환자의 질병표현이 어떤 證型인지와 체내의 실조상태, 체내의 기혈, 음양, 장부, 경락이 손상된 변화 등을 명확히 함으로써 보다 낳은 치료효과를 거두고자 함이다.

(3) 국소와 전체의 상호관계

질병의 과정에서 국소와 전체는 밀접한 관계를 가진다. 국소의 질환은 장부기관조직에 손상을 입히고 전신에 영향을 미쳐 전신 각 계통의 기능실조와 형태 변화를 일으킨다. 이와 반대로 전신의 상태가 치료의 성패와 국소에 대한 치료효과를 좌우한다. 암환자의 경우 치료 전에 환자의 전신 기능상태, 정신정서, 체력의 강약, 식사상태 각 장부와 기혈의 상태를 밝히는 것이 전신상태의 측정내용이다.

그리고 종양의 국소상태의 크기, 종류, 발전 침윤상태와 종양의 성질을 상세히 파악하여 병소의 제거여부 및 기타 치료방법을 찾는다.

전신의 상태가 비교적 좋을 때는 국소병변의 攻伐에 치중하나 말기환자가 전신이 쇠약하거나 종양이 너무 커졌거나 광범위하게 전이 되었을 경우에는 반드시 전체기능을 지키는 것에 치중하며 특히 脾胃를 調理하고 補氣養血하여 後天之本을] 보호하여 환자의 항암능력을 증강시켜 생명을 연장시키는 데 주안점을 둔다.

(4) 標本緩急을 변별한다.

병에는 標와 本의 구분이 있다. 질병을 치료하는 과정에 내외의 발병인자를 제거하고 이미 실조된 기혈, 장부기능을 조정하여 종양의 병변을 억제 제거하는 것은 모두 근본을 치료하는 것에 속한다.

악성종양의 각종 병변증과 질병과정 중에 출현하는 급박한 증상은 심지어 환자의 생명을 위협하는 것도 있으며 이런 것들은 모두 표에 속한다. 예를 들어 출혈, 감염, 동통, 복창, 설사, 탈수 흉수, 복수, 발열 등은 제 때에 치료를 필요를 하는데 이것이 治標이다.

2) 治療原則

(1) 同病異治와 異病同治

같은 병이라도 병인 병기가 달라 변증이 달라지면 치법을 달리 할 수 있고 다른 병이라도 병인 병기가 비슷해 변증이 같으면 같은 치료를 할 수 있다.

(2) 虛實補瀉의 치료원칙

虛則補之 實則瀉之 虛則補其母 등의 補瀉原理에 입각해서 종양환자를 치료할 때 臟腑 사이의 相互 生剋關係를 이해하여 補瀉를 행한다.

(3) 後天之本을 補하고 先天之本을 확고히 한다.

(4) 치료방법의 결합
  ① 내치와 외치의 결합
  ② 전통 변증론치와 單, 偏, 驗方치료의 결합
  ③ 전통의학과 현대의학의 상호결합

(5) 扶正과 祛邪의 관계

정기가 허해진 환자에게는 부정의 치료를 하여 정기를 북돋아주고 사기가 실해진 환자에게는 사기를 억제하는 치료를 한다.

3) 常用治法

(1) 扶正培本

종양의 형성은 정기가 먼저 허해지고 그 후에 사기가 머물러 병을 일으키므로 정기를 북돋아 근본을 배양하는 것이 종양치료의 중요한 치법이다.

(2) 理氣活血

한의학에서 종양은 어혈과 밀접한 관계가 있고 積聚, 結塊 등의 범주에 속하며 기체혈어가 오래되어 종괴를 형성한다고 인식하고 있으므로 理氣活血이나 活血祛瘀法 또한 종양치료의 치법이 된다.

(3) 淸熱解毒法

淸熱解毒法은 종양을 직접 일깨우거나 종양세포를 살해하며 인체의 면역능력을 증강시켜 치료 효과를 발휘하므로 淸熱解毒法은 악성종양치료에 비교적 많이 응용되고 있다.

(4) 軟堅散結法

종양은 뭉쳐져서 단단해지므로 짠맛이 나는 약을 사용하며 부드럽게 하고 맺힌 것을 풀어 헤친다.

(5) 化痰祛濕法

종양이 형성되는 병인은 氣滯와 血瘀 외에 痰飮과 濕聚가 중요한 병인이 되므로 化痰祛濕 위주로 용약하며 처방해서 치료한다.

(6) 以毒功毒法

瘀積邪毒이 오래되어 癌毒內結한 경우에 功毒法을 사용해서 암의 치료를 하기도 한다.

(7) 養陰淸熱法

熱毒으로 인해 陰虛內熱하므로 생긴 종양은 養陰淸熱法을 이용해서 종양을 치료한다.

(8) 建脾益腎

腎은 先天之精을 간직하고 脾는 後天之精을 운화하므로 脾腎을 補益하고 精氣를 도와주는 것은 정기의 회복, 사기의 저항, 방사선요법, 화학요법 그리고 수술요법에 유리하게 작용하여 인체의 항병능력과 적응능력을 높일 수 있다.

(9) 對證療法

종양은 장부조직 기관에 손상을 입히는 외에도 항상 전신기능에 영향을 미쳐 전신 수반증을 나타내거나 인접한 조직기관에 국부증후를 나타내는데 예를 들면 발열, 동통, 출혈, 빈혈, 혼미, 황달, 흉복수, 해수, 구토 등의 증상에 대해서 적절하게 치료를 해야 한다.

4) 鍼灸治療

辨病과 辨證을 하여 경락침이나 오행침, 체질침 등을 사용한다.
암세포가 열에 약하므로 일반구법이나 격구법, 왕뜸 등을 활용한다.

5) 기공요법

(1) 기혈을 소통시켜 경기운행을 촉진시킨다.

(2) 장부기능을 조절한다.

(3) 단전호흡을 통해 투병의지가 강화된다.

(4) 암환자의 저항력을 증가시킨다.

참고문헌

1) 대한외과학회. 외과학 제2판. 서울: 군자출판사; 2017.

2) 보건복지부 중앙암등록본부, 2009년, 2013년, 2017년 국가암등록통계, 2011, 2015, 2019, http://www.cancer.go.kr

3) 전국 한의과대학 피부외과학 교재편찬위원회. 한의피부외과학. 부산: 선우; 2007.

4) 통계청, 2010년 사망원인통계 결과, 2011, http://www.kostat.go.kr

5) Park BK, Lee JH, Cho CK, Shin HK, Eom SK, Yoo HS. Systemic Review of Clinical Studies about Oriental Medical Treatment of Cancer in Korea. Korean J. Orient.Int. Med. 2008.

질병코드	한글명칭	영문명칭
A35	파상풍	Tetanus

1. 개요

외상이나 特殊邪毒의 감염후에 內風이 動하여 근긴장의 증가와 연축이 특징인 신경학적 질환으로, 파상풍균(Clostridium tetani)이 생산한 독소가 상처부위에 오염되면 운동계의 활동항진(경련성 마비)을 초래하고, 이어서 흥분성시냅스 차단을 일으켜 근경축 상태가 된다.

대개 파상풍이 발병하기 전에 外傷이 먼저 있고, 임상특징으로 근육의 강직성 경련과 진발성 抽搐을 보이며, 발병이 빠르고, 변화가 신속하며, 병정이 위중하다. 주요 합병증으로 호흡근 경련으로 호흡기능을 유지하지 못하여 중요기관, 조직에 산소결핍을 일으켜 엄중한 합병증을 발생시킨다.

2. 고대문헌

1) 傷痙, 金瘡痙, 中風痙이라 한다.
2) 隋代의 巢元方《諸病源候論》에서는 파상풍의 病因病理 분석이 매우 잘 되어 있으며, 파상풍의 牙關緊閉, 頸項强直, 角弓反張, 呼吸困難, 陣發性 筋痙攣, 喘鳴音 등의 주요 증상에 대해 심각하게 인식하고, 예후에 관해서는 불량하다고 명확히 설명하였다.
3) 宋代에는 王懷隱《太平聖惠方》에서 파상풍의 증상을 잘 설명하고 있으며 병사의 체내 침입 경로에 대한 기록도 있고, 파상풍이란 병명이 자세히 기록되어 있다.
4) 金代의 劉完素는《河間六書》에서 "破傷風論"이라는 章을 두었고, 傷寒證으로 파상풍을 이해하

는데 쉽게 하고, 瘡毒陽熱鬱結, 熱甚生風의 병리와 毒鬱于表, 鬱于裏, 鬱于半表半裏의 변증 분류를 상세히 밝혔다. 파상풍의 구체적 辨證施治에도 비교적 계통적 분석을 하였다.

5) 元代 朱震享의《丹溪心法》에서 파상풍에 의한 사망률이 많고 이를 해결하기 위하여 파상풍 치료에 防風, 全蝎 사용을 매우 강조하였다.

6) 明代에는 파상풍에 대해 기록한 醫家가 매우 많았다.

- 虞搏《醫學正傳》: 파상풍과 여러 外傷과의 관련성을 지적하였고, 임상적 경험이 많이 축적되어 증상에 대한 설명도 매우 상세하게 기록되어 있다.
- 薛己《正體類要》: 파상풍 치료의 支持療法에 대해 주로 유동식 음식을 통한 환자의 섭생을 강조한 기록이 있다.
- 《素問病機氣宜保命集》: 파상풍에 邪氣가 體表에 있는 병증을 치료할 때 羌活防風湯을 뜨겁게 복용한다고 설명하고 있다.
- 陳實功《外科正宗・破傷風》: 파상풍에 대해 간명하게 요점을 논하였다. 또 玉眞散으로 破傷風의 牙關緊閉, 角弓反張, 咬牙縮舌 등이 나타날 때에 응용하였는데 玉眞散은 後世醫家가 파상풍을 치료하는 第一方이라 소개하고 있다.
- 《瘍醫大全》: 天麻散으로 파상풍을 치료한 내용이 있다.
- 沈金鰲《雜病源流犀燭》: 葛根, 竹瀝으로 파상풍을 치료하였다.
- 吳謙《醫宗金鑑》: 파상풍의 임상표현과 각종 主證의 치료에 관하여 총괄하여 설명하였다.

3. 원인 및 병기

파상풍균은 말, 사람, 기타 동물의 장관에 상재하고 있고 토양이나 동물분변에서 존재하고 있다가 사람의 오염된 외상으로 균의 아포가 들어가서 발병한다. 이외에도 열상이나 불결한 외과적 조작으로 침입할 수 있다.

본 병의 成因은 2가지로 첫째는 개방성 傷口(창상이나 궤양을 포괄)가 있는 경우이며 둘째는 特殊風邪나 內風을 動하게 하는 病邪에 感受된 경우이다.

1) 金瘡創傷, 風邪入侵

개방성 創傷으로 腠理不蜜한데 風邪가 乘虛以入하여 由表入裏하여 邪가 經絡에 들어가거나 심지어 臟腑에 內侵하여 발병된다.

2) 潰瘍失于調理, 病邪內犯

궤양에 外治가 부당하여 特殊病毒이 瘡面을 통해 內侵되거나 궤양에 失治하여 熱이 裏에 鬱閉되어 外透되지 못하여 內外合邪하여 發痙한다.

3) 肝血不調, 筋失營養

肝은 藏血하고 主筋하며, 筋膜은 關節, 筋肉과 聯絡하여 運動組織을 專司한다. 筋膜은 肝血의 滋養에 의지하는데 肝血이 充盈하면 筋膜이 濡養을 얻어 정상적 운동을 유지한다. 만약 風邪가 入裏하여 傳肝하면, 肝血不足, 血不養筋하여 手足震顫, 屈伸不利가 나타난다. 만약 熱邪가 津血을 劫傷하여 血不養筋하면 四肢抽搐이 나타나거나 심하면 牙關緊閉, 角弓反張 등이 나타난다. 《素問 · 至眞要大論》의 "諸風掉眩, 皆屬於肝", "諸暴强直, 皆屬於風"과 같다.

4. 증상

1) 잠복기

잠복기는 24시간에서 60일에 이르기까지 일정하지 않다. 평균 8~14일이고, 길게는 몇 달, 몇 년 걸리기도 한다. 또 몸 안에 있는 오래된 총알을 제거하거나, 재차 受傷후에 증상이 발생하기도 한다. 잠복기가 짧을수록, 병정이 엄중할수록 예후가 나쁘다.

2) 전구기

전구기의 증상은 乏力, 頭暈, 頭痛, 咀嚼乏力, 反射亢進, 局部疼痛, 筋肉牽拉感, 搐搦과 强直이다. 혹은 傷口가 乾陷無膿하고 주위 피부 暗紅, 創口疼痛, 煩躁不安 등이 있다.

3) 발작기 전형증상

(1) 筋肉强直性 痙攣

발병 후에 제일 먼저 나타나는 증상이다. 독소가 혈류를 따라 전신에 퍼져 가는데 혈액이 풍부하고 활동이 빈번한 근육군이 먼저 침범되니, 최초에 咀嚼筋, 이후는 臉面, 頸, 背, 腹, 四肢, 최후에 橫膈膜이다. 橫膈膜은 혈액의 흐름이 더디기 때문에 늦게 침범되나 일단 경련되면, 곧 호흡곤란이 발생하여 위험이 크다. 환자의 증상 출현의 순서는 일반적으로 咀嚼不便感, 咀嚼筋緊張, 刺痛이 있은 후에 疼痛性 强直, 張口困難, 牙關緊閉가 출현한다. 臉部는 表情筋이 수축하여 눈썹을 찌푸리고, 口角이 下外方을 향해 수축하게 된다. 頸部筋群의 긴장성 수축으로 頸項强直되어 頭向後伸, 고개를 끄덕이는 동작 등을 못한다. 腹, 背筋은 동시에 수축하나 背筋群의 역량이 비교적 강하여 背部가 前屈하고, 頭足이 後屈하여 形如背弓하니 角弓反張이라 칭한다.

이외에 각종 筋群 수축정도가 病例에 따라 다르니 임상에서는 각종 不同한 자태의 扭屈상태를 보인다. 膀胱排尿筋의 痙攣이 있으면 排尿困難, 심하면 尿貯留가 있고, 肋間筋, 橫膈膜의 痙攣은 呼吸困難, 심하면 窒息이 발생한다.

(2) 陣發性 抽搐

긴장성수축의 병리에 기초하여 대뇌 등 주요장기와 근육에 산소결핍으로 근육의 과민성이 증강되어 경미한 자극(빛, 시끄러운 소리, 가벼운 접촉, 물을 마시는 것)에도 강렬한 발작성 경련이 유발된다. 경련 발작시 환자는 大汗淋漓하고 표정이 매우 고통스럽고, 流涎, 嘔吐白沫, 牙齒摩擦音, 頭頻頻後仰, 手足搐搦不止가 있다. 발작은 수초에서 수분까지이고, 간헐기의 長短도 일정치 않다. 병정이 심한 경우에는 발작이 발꿈치로부터 있고, 발작기 사이에 폐렴, 후두경련, 호흡불리가 계속 있다. 극렬한 抽搐은 근육의 파열, 골절을 초래할 수 있다.

(3) 병발증

① 肺部幷發症 : 호흡근 돌연 완전경련, 후두경련이 가장 많다. 이는 호흡성 산중독, 후두경련, 호흡불리 기인, 기관지내 분비물과 장기간 臥床 등에 의하여 발병한 까닭이다.

② 呼吸窒息 : 근육파열, 출혈, 골절, 탈골, 변비, 뇨저류의 所致이다.

③ 酸中毒 : 긴장성 수축으로 장기간 발작성 근경련이 된다. 이외에 돌연, 강렬한 근경련으로 긴장성 수축, 발작성 전신 근경련이 발생할 수 있다.

(4) 파상풍의 分度와 예후

① 輕度 : 긴장성 수축을 예를 들면, 억지로 웃는 모습처럼 얼굴이 변하는 경우와 牙關緊閉, 角弓反張 등이 있다. 발작성 근경련은 없다.

② 中度 : 이미 긴장성 수축, 발작성 전신 근경련이 있다.

③ 重度 : 경도가 호흡근에 일어나면 엄중한 기관지근과 횡경막의 경련으로 질식의 위험이 있다. 輕度와 中度의 예후는 비교적 좋으나 重度의 예후는 비교적 나쁘다. 잠복기가 짧고, 受傷部位가 뇌와 가까울수록 병정은 엄중하다.

【 예후가 불량한 경우 】

(1) 조기에 진발성 경련이 출현하거나 정도가 엄중하다.

(2) 고열이 있다.

(3) 폐렴, 肺不張을 병발한다.

(4) 조기에 기관지근과 횡격막의 경련이 있다.

5. 치료

1) 진전기

일단 확진이 되면 증상의 輕重에 관계없이 祛風鎭痙과 淸熱解毒을 주요 치료원칙으로 하여 玉眞散 2劑를 매일 4회로 나눠 내복하거나 코로 먹인다.

(1) 玉眞散《外科正宗·破傷風》:方中의 南星과 防風은 祛風邪, 化痰濕하여 主藥이다. 白附子는 定搐解痙, 能祛頭面之風한다. 羌活과 白芷, 天麻는 祛風藥으로 그중 羌活은 능히 肩背로 上行하고, 白芷는 胸中을 통하고 天麻는 兩脇으로 入하고 合하여 全身의 風을 祛하고, 全身之痙을 止한다.

(2) 五虎追風散《晋南史全恩家傳方》: 만약 증세가 극렬하고, 痙攣抽搐이 빈번할 경우 배합하여 祛風鎭痙作用을 증강시킨다. 方中에 天南星은 祛風化痰하고, 天麻, 全蝎은 熄風鎭痙한다. 僵蠶, 蟬退는 祛風淸熱, 止痙化痰한다. 朱砂는 安神定驚한다.

本方과 玉眞散을 비교하면 玉眞散은 祛風作用이 강하고, 本方은 止痙作用이 강하다.

(3) 栝石湯《醫宗金鑒》: 만약 邪毒이 內傳하여 攻心하면 사용하여 祛風止痙, 解毒淸心시킨다. 方中의 栝蔞仁은 淸熱生津, 潤養筋脈하고, 黃芩, 黃連, 黃柏은 苦寒堅陰, 淸心解毒한다. 南星은 祛風化痰하고, 赤芍은 活血通絡하고, 滑石은 淸熱止渴, 滲濕한다. 蒼朮, 白芷는 化濕祛風하고, 陳皮는 理氣化痰하고, 生薑은 和胃止嘔하고, 甘草는 調和諸藥, 解毒한다.

(4) 參附湯은《校注婦人良方》: 만약 陽脫症이 보이면 먼저 參附湯을 써서 扶正救逆하여 正氣回復을 기다린 후 攻邪한다. 方中에 人參은 大補元氣하고, 附子는 溫壯眞陽한다. 藥味는 비록 적으나 大溫大補, 回陽救脫한다.

(5) 葛根湯 : 項强症, 頭痛, 惡寒, 發熱, 無汗, 舌苔薄白, 脈浮緊 등 外邪阻絡證이 있는 경우 祛風散寒, 解肌和營시킨다.

(6) 增液承氣湯 : 項强, 角弓反張, 發熱, 煩躁, 口噤齘齒, 腹滿便秘, 舌苔黃膩, 脈弦數 등 邪熱傷津證이 있는 경우 生津養筋, 通便泄熱시킨다.

(7) 加減法
- 高熱者 : 生石膏, 金銀花, 連翹 등
- 痙攣頻發者 : 蜈蚣, 地龍 등
- 痰涎壅盛者 : 竹瀝汁, 天竺黃을 傷津煩渴者는 北沙蔘과 玉竹 등
- 便秘者 : 大黃, 玄明粉, 枳實, 厚朴을 選加

• 尿少 혹 血尿者: 車前草, 白茅根 등

2) 회복기

(1) 증상 : 津液虧損, 筋失濡養으로 食欲不振, 乏力, 筋肉痠痛, 麻木 등

(2) 치법 : 益胃養陰과 疏通經絡 위주

(3) 처방 : 沙參麥冬湯에 川木瓜, 葛根, 白芍 등을 加한다.

참고문헌

1) 대한내과학회 해리슨내과학 편집위원회. HARRISON's 내과학. 서울: MIP; 2003.
2) 전국 한의과대학 피부외과학 교재편찬위원회. 한의피부외과학. 부산: 선우; 2007.

第20章 욕창

질병코드	한글명칭	영문명칭
L89	욕창궤양 및 압박부위	Decubitus ulcer and pressre area

1. 개요

오래 착석하여 혹은 병상에서 움직임이 적은 상태로 지속될 경우 마찰로 瘡이 쉽게 발생하게 되는데 이를 褥瘡이라 칭한다. 席瘡이라 하기도 한다. 즉 지속적이고 일정한 압력을 받는 부위의 피부, 피하지방, 근육부위에 혈액순환이 장애를 받아 허혈상태가 되면서 이로 인해 궤양이 발생되는 경우이다.

2. 고대문헌

《瘍醫大全》에서 褥瘡의 成因, 發病部位, 治療에 대해 상세히 말하였고, 馬勃을 褥瘡에 바르면 生肌作用外에 褥瘡을 예방하는 효과가 있다고 하였다. 당시에 욕창으로 사망하는 경우도 있었다는 내용도 있다. 증상에 대한 설명은 주로 "昏迷, 半身不遂, 下肢癱瘓한 상태에서 臥床不起者의 背脊, 尾骶, 足跟 部位에 紅斑이 생기고, 이어 糜爛되어 최후에 쉽게 愈合되지 않는 潰瘍을 형성한다."고 하여 비교적 상세하게 적어놓고 있다.

3. 원인 및 병기

만성적 질환이나 외상으로 인하여 오랫동안 침대에서 자세 변화를 할 수 없는 쇠약해진 사람에게 생기는데 이는 久病으로 氣血大虧한데 장기간 臥床不起하면 氣血運行이 失常되어 肌膚를 營養하지 못한데 마찰로 染毒되어 형성되는 것이다.

4. 증상

신체의 어느 부위에도 생길 수 있으나, 천골, 둔부, 척추, 발뒤꿈치 등 체중에 의한 압박을 잘 받는 부위에 가장 잘 생긴다. 압력을 받는 장소에는 초기에 국소적으로 홍반이 생기고 이어 파손면이 출현한 후 곧 흑색 潰部를 형성하고, 주위의 皮膚腫勢가 점차 심해지면 붓고 腐肉이 脫落되어 潰瘍을 형성하면 오래되어도 수렴되지 않는데 악취가 나고 분비물이 나온다. 동통을 자각하는 경우도 있고, 동통이 없는 경우도 있다.

潰瘍 중앙의 腐肉이 정상 皮肉과 분리되고 소량의 膿液이 유출되고, 주위의 腫勢가 점차 국한되면 예후가 양호하다. 腐黑하고 蔓延不止하고, 腫勢가 지속적 발전하고 혹은 潰한데 냄새가 나고 稀薄한 膿이 나와 粉漿汚水같고, 주위에 形成空殼, 形神萎靡, 不思飮食 등의 전신증상이 있으면 예후가 비교적 나쁘다.

5. 치료

1) 內治

치료원칙은 補益氣血, 和營托毒이다. 아울러 원발성 질환의 구체적 정황을 살펴 辨證施治를 진행한다. 일반적인 상용약물은 黃芪, 白朮, 黨參, 茯苓, 當歸, 赤芍藥, 丹蔘, 銀花, 蒲公英, 生甘草 등이다.

2) 外治
(1) 初期

紅瘀未潰者는 국부를 가볍게 안마하여 氣血通暢을 촉진시키고, 아울러 감염 방지를 위하여 청결하게 유지하고 소독을 철저히 하며 소독 후에는 滑石粉을 外敷한다. 자주 자세 변화를 주어야 하며 병변 부위에 가해지는 압력을 반드시 해소하여야 한다. 위생 청결에 관심을 두고 자주 목욕시키

며 욕창으로 인하여 피부조직의 괴사가 심각하게 진행된 경우 외과적 절제와 복원술이 필요할 경우
도 있다.

(2) 潰腐期

黃連煎湯液 혹은 淸熱解毒藥의 單味 煎液을 局部에 濕敷하고, 만약 壞死下積膿者는 외과적
처치술로 괴사된 부위를 제거해야 한다.

(3) 收口期

生肌效能이 있는 生肌散 혹은 黃芪煎湯液을 매일 2회씩 外敷한다.
만약 膿水過多하거나 四周에 皮膚炎이 발생하면 증상을 살펴보고 대증치료한다.

 참고문헌

1) 전국 한의과대학 피부외과학 교재편찬위원회. 한의피부외과학. 부산: 선우; 2007.

第21章 교상

질병코드	한방명칭	한글명칭	영문명칭
T140	蟲咬皮傷	곤충물림	Insect bite(nonvenomous)
T630	毒蛇咬傷	뱀독의 독성효과	Toxic effects of snake venom

I 곤충물림 蟲咬皮傷

1. 개요

수많은 곤충 중에서 사람을 물어 피부과적으로 문제가 되는 것은 모기, 벼룩, 벌, 이, 빈대, 나방 종류이다. 서로 다른 곤충 교상에 의해 유사한 피부 반응이 유발되는 경우가 많기 때문에 병변의 모양만으로 원인 곤충을 규명하는 것은 매우 어렵다. 또한 특정 곤충에 물렸을 때 나타나는 피부 반응의 정도와 양상은 사람에 따라 차이가 많다.

소양감을 동반한 홍반이나 구진이 가장 흔한 병변으로 병변 중심부에 물린 부위가 확인되는 경우가 많으며 대개 지속기간은 일시적이다. 드물게 수포, 담마진, 출혈성 병변, 결절, 궤양등이 발생할 수 있다. 절대적인 것은 아니지만 곤충의 종류에 따라 모양이 따르게 나타날 수 있다. 곤충 교상으로 인한 소양감 때문에 병변을 계속 긁을 경우 찰상, 미란, 궤양, 태선화 등 이차적인 피부병변을 초래할 수 있으며 이차 감염을 유발하는 주요 요인이 된다.

치료는 소양증에 대한 대증 요법을 위주로 진행한다.

2. 고대문헌

1) 晋代 葛洪《肘後備急方》: 물에 사는 곤충으로부터 발생하는 피부교상에 대해 기록함.
2) 隨代《諸病源候論》: 피부에 발생되는 구진에 대한 자세한 형태적 기술이 있음.
3) 明代《證治準繩》: 식물이 다시 돋아나는 봄과 식물이 성장하는 여름철에 발생되는 곤충에 의한
   피부병에 대해 기록함.

3. 원인 및 병기

昆蟲咬傷後에 그 毒液에 접촉되거나 혹은 蟲體의 粉毛로 인해 邪毒이 침입하여 肌膚를 阻하여
형성된다.

4. 증상

皮疹은 구진, 피부색소침착 혹은 瘀点이 가장 많이 보이며, 홍반이나 수포를 형성할 수 있다. 곤
충 咬傷 부위에는 자주 針頭大의 瘀点, 소구진 혹은 수포가 있다. 疱破후에는 미란되며 속발성 농
포를 형성 할 수 있다. 산재성 분포를 하며 자각증으로 소양, 焮熱하며 혹 동통이 있다. 일반적으로
전신불편감이 없다. 만약 속발성 감염이 있으면 부근에 붓고 아프며, 輕度의 발열과 納呆, 便秘, 苔
薄黃, 脈數 등의 증상을 수반한다. 임상에서 蟲類의 종류에 따라 증상에 차이가 있다.

5. 치료

1) 內治
淸熱解毒利濕 : 五味消毒飮에 加減한다.
關節紅腫疼痛者 : 淸熱和營祛風通絡시키며 桂枝芍藥知母湯에 加減한다.

2) 外治
1% 薄荷三黃洗劑를 外敷한다. 속발 감염자는 靑黛膏를 外敷한다.

(附) 毒虫咬傷

(1) 오공에 쏘인 경우 : 상처가 紅腫하고, 동통이 비교적 重하다. 肢體麻木, 頭痛, 眩暈, 惡心, 嘔吐 등의 전신 증상을 수반할 수 있다.

(2) 벌에 쏘인 경우 : 상처에 燒灼感이 있고, 혹은 현저한 痛痒感이 있다. 물린 자리는 소독하고 독이 퍼니는 것을 늦추기 위해 얼음찜질을 해야 한다. 만약 여러 벌에 쏘이면 넓은 면적이 腫脹되며, 頭暈, 惡心, 嘔吐 등의 증상이 있고, 嚴重者는 暈厥한다.

(3) 치료 : 金黃散 혹은 玉露散을 냉수에 개어 調敷한다. 嚴重者는 毒邪咬傷을 참고하여 치료한다.

Ⅱ 뱀독의 독성효과 毒蛇咬傷

1. 개요

인체에 각종 파충류, 포유류 등 특히 뱀에게 咬傷후 독소가 체내에 침입하여 기인된 국부와 전신 증상을 말하며 위해가 비교적 큰 증후군을 통틀어 咬傷이라 한다. 특히 독을 갖고 있는 뱀에게 물렸을 때 증상이 발생하는데 神經毒은 동통이 극렬하지 않으나 항상 호흡마비로 인하여 중요기관에 산소결핍을 일으켜 사망에 이르게 되고 血液循環障碍에 미치는 毒은 동통이 극렬하고 환처가 쉽게 괴사되어 기능장애를 유발하는 경우도 있다.

2. 고대문헌

1) 晋代 葛洪《肘後備急方·卷七》: 의사가 毒蛇咬傷을 치료한 것이 기재되어 있고, 靑竹蛇의 형태와 생활환경이 묘사되어 있다. 또 血循毒類 毒蛇와 유사한 毒蛇 咬傷후 발생한 광범한 출혈에 虻虫灰로 解毒止血하는 방법을 썼으며, 치료에서도 많은 경험이 누적되어 있음을 알 수 있다. 많은 外用藥에 대한 기재가 있다.

2) 隋代 巢元方《諸病源候論·蛇毒病諸候·蝮蛇螫候: 蝮死(살모사)의 형태와 생활환경과 독성에 대하여 상세히 기재되었다.

3) 明代 王肯堂《證治準繩·諸虫獸螫傷》蛇傷을 치료하는 外用, 內服 藥方이 많이 수록되었다.

4) 陳實功《外科正宗·惡虫叮咬第一百二十七》: 毒蛇咬傷을 치료한 경험이 적혀있다.

270

5) 許克昌《外科證治全書 · 蛇咬傷》: 蛇傷의 病情 진행을 분석하였고, 祛毒散中하는 白芷, 生甘草, 夏枯草, 公英, 紫花地丁, 白礬 등은 현재도 毒蛇咬傷을 치료하는데 常用하는 약이다.

6) 吳謙의《醫宗金鑒》에서 五靈脂에 雄黃을 배합하여 蛇傷을 치료하는 것을 제시하였다.

3. 원인 및 병기

毒蛇咬傷 後, 毒液이 傷口를 통해 營血에 들어가 臟腑를 內攻하여 발생한 中毒이다. 혹 肢體筋脈을 侵蝕하여 기인된 상처로 국소부위의 潰爛, 壞死등이 나타나기도 한다.

蛇毒의 주요성분은 神經毒(風毒)과 血循毒(火毒)이고, 각종성분의 다소와 유무는 뱀의 종류에 따라 다르다.

4. 증상

1) 국부증상

毒蛇咬傷 後에 환부에는 일반적으로 粗大하고 깊은 毒牙痕이 있다. 無毒蛇 咬傷의 牙痕은 작고 배열이 가지런하다. 환부가 오염되거나 처치를 하면 牙痕은 분별하기 어렵다. 神經毒 毒蛇 咬傷후에는 국부가 不紅不腫하고, 삼출액이 없고 微痛하며, 심하면 麻木하나 대개 무시하고 제때 치료하지 않아 임파선종대와 觸痛을 일으킨다.

2) 전신증상

毒蛇咬傷 後 中毒이 비교적 輕하고 응급처치가 제때 이루어지고, 신체저항력이 비교적 강하면 단기간에 건강이 회복될 수 있다.

(1) 神經毒 毒蛇의 咬傷의 주요표현 : 신경계통의 손상으로 대개 咬傷후 1~6시간후에 출현한다. 輕者는 頭暈, 出汗, 胸悶, 四肢無力하고, 嚴重者는 瞳孔散大, 視力模糊, 言語不淸, 流涎, 牙關緊閉, 呑咽困難, 昏迷, 呼吸減弱 혹 停止, 脈象遲弱 혹 不整, 血壓下降, 최후에 呼吸麻痺로 사망한다.

(2) 血循毒 毒蛇 咬傷의 주요표현 : 혈액계통의 손상으로 寒戰發熱, 全身筋肉痠痛, 皮下에 혹은 內臟出血 (尿血, 血紅蛋白尿, 便血, 衄血과 吐血)이 계속되면 貧血, 黃疸이 나타난다. 嚴重者는 의식장애, 循環衰竭이 출현한다.

(3) 混合毒 毒蛇咬傷의 주요표현 : 神經과 血循 계통의 손상으로 頭暈頭痛, 寒戰發熱, 四肢乏

力, 惡心嘔吐, 全身筋肉痠痛, 瞳孔縮小, 肝大, 黃疸, 脈遲 혹數, 嚴重者는 心機能衰竭, 呼吸停止가 출현한다.

5. 치료

1) 風毒者는 마땅히 活血祛風 위주로 해야 한다. 活血祛風에는 川芎, 當歸, 紅花, 白芷, 細辛, 吳茱萸, 威靈仙, 桂枝 등을 選用하여 쓴다.

2) 火毒者는 淸熱解毒, 凉血止血 위주로 해야 한다. 淸熱解毒, 凉血止血에는 黃連, 黃芩, 金銀花, 大黃, 穿心蓮, 白花蛇舌草, 一枝黃花, 半枝蓮, 鬼針草, 乾地黃, 牡丹皮, 白茅根, 仙鶴草 등을 選用하여 쓴다.

3) 風火毒者는 活血祛風, 淸熱解毒과 凉血止血을 合用한다. 風火毒者는 上述한 약물 중 選用한다.

4) "治蛇不泄, 蛇毒內結, 二便不通, 蛇毒內攻"의 상태에서는 解毒, 利尿, 通便의 방법을 응용한다. 半邊蓮20g, 虎杖20g, 白花蛇舌草50g, 大黃15g, 萬年靑20g, 靑木香20g을 사용하는데 風毒者는 白芷, 吳茱萸, 細辛을 加하고, 火毒者는 黃連, 黃芩을 加한다.

5) 그 외에 發熱者는 金銀花, 連翹를 加하고, 熱甚傷津에는 玄蔘, 天門冬을 加한다. 惡心嘔吐에는 竹茹, 生薑을 加하고, 尿頻尿閉에는 白茅根, 車前子를 加한다. 出血에는 旱蓮草, 蒲黃을 加한다. 痰多에는 貝母, 半夏를 加한다. 咽痛에는 山豆根, 射干을 加한다.

📖 참고문헌

1) 강원형. 피부질환 아틀라스. 한미의학; 2002.
2) 전국 한의과대학 피부외과학 교재편찬위원회. 한의피부외과학. 부산: 선우; 2007.

第22章 동상

질병코드	한글명칭	영문명칭
D357	동상	Frostbite

1. 개요

인체에 저온침습으로 인해 기인된 전신성 혹은 국부성 손상을 동상이라 한다.

한냉에 의한 손상은 크게 2가지로 나누어 전신적인 경우와 국소적인 경우로 분류할 수 있다.

1) 전신적인 경우

저온증과 같은 경우를 말하며, 이는 인체가 장시간 동안 빙점 이하 온도에서 노출되기 때문에 발생하는 것으로 동결동상이라 부르기도 하며 저온의 작용으로 체온이 35℃이하로 내려간 것으로 '凍僵'이라고 칭한다. 인체는 빙점 이하의 온도에 장기간 노출되면 피하조직에 산재한 혈관이 점차 폐쇄되어 혈류가 차단되므로 연부조직에 국소 혈액공급이 원활하지 못하게 되는 경우가 발생할 수 있다. 주로 귀, 코, 뺨, 손가락, 발가락 등이 가장 자주 침범된다. 이때 동상이 발생하게 된다.

2) 국소적인 경우

빙점 이상의 온도에서 발생하는 비동결손상이 있는데 受冷時의 환경조건에 근거하여 다음과 같은 3종류의 형태를 포괄한다.

(1) 침수족(immersion foot)이나 참호족(trench foot)처럼, 습냉한 참호에서 병사의 하지부위가 동상에 걸리는 것으로 저온 상황에 반복적으로 노출되어 신경과 내피세포가 손상되고, 혈액순환 장애로 인하여 발생한다.

(2) 手足이 장시간 빙점 이상의 냉수에 浸積한 후에 발생한 水浸足, 水浸手, 인체의 指, 趾, 耳,

鼻 등의 노출부위에 저온과 다습한 영향을 받아 紫癜, 水腫, 炎症 등의 반응이 출현하는 동창이며 이는 주로 한냉에 대한 노출기회가 적은 온대지방의 다습한 기후에 거주하는 사람들에게서 잘 발생한다. 어느 연령층에나 올 수 있으나 특히 노약자와 어린이에 호발하며 찬 온도에 노출되었을 때 비정상적인 국소적 염증반응이 나타날 수 있는 가벼운 형태의 한냉성 손상상태를 말하며 한랭에 과민한 사람에 주로 발생한다.

(3) 선단 청색증(acrocyanosis), 홍색 청람증(erythrocyanosis), 망상 청피반(livedo reticularis), 한랭 지방층염, 한랭 두드러기 등과 같이 한랭 이외에 다른 부가적 인자가 합쳐져서 발생하는 것 등이다. 혈관수축, 영양상태, 국소 패혈증, 호르몬 변화 및 전신질환 등이 관계하며 유전적 요소도 중요하다.

2. 고대문헌

明朝에 이르러 동상의 원인, 병기, 증상에 대해 비교적 상세한 서술이 있었다.

(1) 《外科啓玄》에는 凍瘡이 일반적으로 寒冷 侵襲의 所致이나 그 외 體質의 强弱과 氣血凝滯와 유관함을 설명하였다.

(2) 《外科正宗》에서는 凍傷의 일반증상에 대해 자세하게 기록하였다. 특히 凍傷의 치료 말기에는 生肌할 수 있는 약물의 사용을 권하는 내용은 특이한 점이다.

(3) 《外科秘錄》에서는 嚴重한 凍傷은 指(趾)節이 脫落될 수 있음을 설명하였다.

(4) 《醫宗金監》에서 重症凍傷의 病因, 病理와 症狀에 대한 서술과 處理를 잘못하면 病情을 加重시킬 수 있음을 지적하였다.

3. 원인 및 병기

한랭은 동상의 형성에 있어서 직접원인이 되지만 다음과 같은 원인들이 영향을 미칠 수 있다.

1) 저온, 풍속

온도가 낮을수록, 풍속이 빠를수록 쉽게 동상에 걸린다. 暴風雪 중에 걸으면 쉽게 동상에 罹患되니, 주요 요인은 풍속이 빠른 것이다.

2) 다습

다습은 체온의 발산을 가속시킨다. 다습한 공기는 열의 전도를 빠르게 하여, 체표열의 발산을 빠르게 한다. 수족에 땀이 나서 피부가 젖으면 체표면의 열의 상실이 빨라진다.

3) 방한설비 부족

의복이 적절하지 못하여 체온을 유지하지 못하고 외부의 찬 공기를 잘 막아내지 못할 경우이다.

4) 의복 및 신발의 협소

의복이나 신발이 협소하여 국부의 혈액순환이 압박을 받아 조직혈액순환이 장애되어 동상의 발생을 촉진할 수 있다.

5) 장시간 불활동

전쟁 중에 동상은 항상 활동 안하는 사람이나 혹은 정지상태의 병사 예를 들면, 화력에 제압되어 이동하지 않거나 참호에 엎드려 있는 병사에 발생하였다.

6) 과도피로

체력과 정신적인 소모와 피로가 동상을 일으키는 중요 소인이다.

7) 기아와 영양불량

기아 혹 영양불량한 상태에서 추위에 노출되면 열을 생산하여 한냉에 적응하는 능력이 떨어지게 되어 동상이 발생하게 된다.

8) 한랭에 대한 과민성

장기간 극한 지역에 거주하는 사람, 혹은 충분히 耐寒에 단련된 사람은 한냉 저항력이 비교적 크다. 반대로 溫帶에서 寒帶로 가거나 혹은 耐寒 단련이 부족한 사람은 한랭에 비교적 민감하여 동상의 발생이 쉽다.

4. 증상

1) 전신성 동상

체온하강에 따라 환자는 동통성 냉감, 지각둔마, 근장력감퇴, 마비, 보행장애, 시력 혹은 청력감퇴, 의식모호, 환각, 인사불성, 동공확대, 광반응감약, 疲乏, 嗜睡, 脈搏細弱, 呼吸變遷 등이 출현한다. 점차 僵硬과 假死상태로 진행되며 시기를 놓쳐 치료하지 못하면 사망하기 쉽다.

2) 국부성 동상

(1) 호발부위

신체의 말초부위와 노출부위 즉 手, 足, 鼻尖, 耳廓과 面部에 다발한다.

(2) 국부증상

조직이 동상 후에는 혈관이 수축되었다가 溫暖한 후에 혈관이 이완되어 각종 증상이 점차 출현한다. 증상출현 이전을 전구기라 부르고, 증상출현기간을 반응기라 한다.

- 전구기 : 증상이 매우 미약하여 최초에는 冷感, 疼痛感, 肢端麻木 등이 있다. 또한 소양감, 皮膚發白, 發驚, 감각이상 혹 소실 등이 있으며, 손으로 만지면 차고 단단하며 피부탄력이 없다.
- 반응기 : 紫紅色瘢, 輕度腫脹, 灼熱刺痛麻木, 혹 水疱, 潰爛이 있고, 심하면 壞疽되어 肢端이 脫落한다.

3) 경증 중증 감별

(1) 輕症

초기에 동상부위의 피부가 창백하고, 麻木冷感이 있고, 이어서 水腫 혹은 청자색의 瘀斑을 형성하고, 자각증으로 灼痛, 瘙痒이 있다. 국부적으로 水腫과 크고 작은 水疱, 疼痛, 微痒하다. 감염이 없으면 점차 乾枯되어 黑痂를 형성하여 오래지 않아 탈락하며 낫는다.

(2) 重症

초기에 동상부위의 피부가 역시 창백하고, 冷痛麻木하고, 촉각상실되고 이어서 暗紅漫腫이 형성되며, 수포가 파괴 후에 創面은 紫色을 띄고, 腐爛 혹은 潰瘍된다. 심하면 손상된 肌肉筋骨이 건조하고, 흑색이며 괴사되어 환부의 감각과 운동기능이 완전 상실된다.

(3) 嚴重

감염이 있는 경우에 해당되며 寒戰, 高熱 등의 전신증상이 있고, 毒邪가 內陷하면 생명도 위급하게 된다. 피부와 피하, 기육, 골격 등이 손상된 것이다.

5. 치료

동상은 일반적으로 증상이 반복하여 나타나기 쉽기 때문에 예방이 무엇보다 중요하며 따뜻한 의복을 착용하여 보온에 노력하고 한랭에의 노출을 피하고 규칙적인 운동을 해야 한다. 냉동된 조직을 순환하는 37~40도의 물에 담가서 신속하고 완전하게 녹여야 한다. 빠르게 가온하다 보면 흔히 초기 충혈이 생긴다. 조기에 원위부에 크고 맑은 수포가 형성되는 것은 근위부에 크기가 작고 출혈성의 수포가 형성되는 것보다 더 좋은 소견이다. 관류 회복시 극심한 동통이 있다고 해도 중단해서는 안된다. 피부가 말랑말랑해지고 홍조가 생길 때까지 시행하며 외상을 받지 않도록 주의해야 하고 만일 수포가 생기면 터뜨리지 말고 그냥 두고 병변 부위가 세균에 감염되지 않도록 예방하여야 하며, 휴식을 취하게 한다.

1) 內治
(1) 重度者 : 溫陽散寒, 調和營衛 하는 桂枝湯 加 當歸湯 加 黃酒하여 調服한다.
(2) 氣血虛弱者 : 調補氣血, 流通血脈하는 人蔘養榮湯을 먹인다.

2) 外治
(1) 輕症 : 紅腫痛痒未潰者는 薑汁을 取하여 환부에 바르고 매일 2~3회 가볍게 안마를 한다. 수포가 있으면 터트리거나 주사기로 뽑고, 蜂蜜과 猪油를 7 : 3으로 혼합하여 油膏를 만들어 外敷한다.
(2) 重症 : 초기에 식염수로 세척한다. 潰爛時에는 淸熱解毒 효능이 있는 藥劑의 煎湯液을 外敷한다. 腐脫新生時에는 生肌散의 煎湯液을 外敷하고 필요시 피부이식한다.

📖 **참고문헌**

1) 전국 한의과대학 피부외과학 교재편찬위원회. 한의피부외과학. 부산: 선우; 2007.

第23章 화상

질병코드	한글명칭	영문명칭
T301	1도 화상	First degree burn
T302	2도 화상	Second degree burn
T303	3도 화상	Third degree burn

1. 개요

火焰, 熱水, 熱氣, 熱油 혹은 기타 온도가 높은 액체, 섬광, 방사능, 전기, 화학물질(강산, 강염기)이 신체 표면에 작용하여 기인된 손상을 말한다. 즉 열에 의한 피부의 손상을 말하며 심한 경우 피부뿐 아니라 그 하부 조직도 파괴된다.

2. 고대문헌

燙火傷, 燒傷, 湯火瘡, 水火燙傷으로 한의서적에 의하면 이미 화상의 創面이 오염되면 火邪가 骨에 이르고, 筋이 썩는 嚴重한 결과가 생김을 인식하였다.

1) 唐代
  ① 孫思邈《備急千金要方》: 화상의 辨證論治에 일정한 경험이 축적되어 "火瘡用梔子, 黃芩, 白薇煎湯以淋瘡, 會溜去火熱毒"라고 하였다. 특히 환부를 차갑게 유지하도록 한 내용이 보이는데 지금도 행해지고 있는 치료방법 중 하나이다.
  ② 王燾《外臺秘要》: 瘡에 膠類藥物을 外用하였고 약을 瘡傷에 발라 瘡面을 보호하여 愈合하

도록 하였다. 이런 내용은《千金要方》에 수록된 내용과 거의 대동소이한 편이다.

2) 明代에는 外治法상 충실한 발전 외에 "火毒內攻"으로 多種變症이 발생하는 것을 주의하였으니 치료법은 調氣血, 健脾胃, 淸熱解毒, 排膿生肌 등의 多種 치료원칙으로 모아진다.

(1) 薛己《正體類要》: 燒傷의 辨證을 매우 상세하게 기록하고 있으며 關節部에 손상되면 기능 장애를 일으키고, 氣道 火傷과 유사한 화상의 구급치료 방법을 제시하였다.

(2) 李梴《醫學入門》: 火傷感染 外治의 경험에 대해 總結하였으며 화상이 가볍고 중한 경우에 대한 인식이 있어서 구분하여 치료에 임하고 있었음을 알 수 있다. 후세 의가가 화상 치료할 때 外用藥을 사용했던 기록이 적지 않으나 기본원칙은 黃柏, 黃連, 黃芩, 山梔, 大黃, 赤石脂, 氷片散으로 散火解毒하는 원칙을 벗어나지 않는다.

(3) 王肯堂《證治準繩》: 상당히 많은 外用方을 수록한 것 외에 파상풍과 燒傷의 관계에 대해 제시하였다. 화상 환자에서 파상풍의 발생을 방지하는 것이 화상 치료의 중요한 치료원칙 중 하나라고 주장하고 있다.

(4) 陳實功《外科正宗》, 汪機《外科理例》: 火傷에 대한 증상기록이 자세하게 기록되어 있다.

3) 淸代에는 溫熱病 학설의 학술사상 영향으로 화상의 원인병기, 예후판단과 치료방법에서 균등하게 진일보가 있었다.

(1) 陳士鐸《外科秘錄》: 심각한 燒傷은 주요 사망원인이 火毒內攻이고 重症火傷에서 內外同治의 중요성을 제시하였다. 또 변증논점이 매우 상세하고, 처방이 매우 精妙하다.

(2) 吳謙《醫宗金鑑》: 湯火傷의 증상, 치료원칙, 예후를 개괄적으로 논하였고 注에서 水疱를 터뜨리는 外治法과 二便을 通利시켜 毒熱을 제거하는 방법의 중요성을 제시하였으니 이 관점은 현재도 임상에서 응용된다.

3. 원인 및 병기

熱은 陽邪로 傳變이 빠르고 쉽게 火毒攻心, 傷陰耗液한다. 그러므로 沸水, 烈火 등의 소인이 일단 신체에 침범하면 肌膚를 灼潰하며, 熱毒의 邪가 內侵하여 국부에 병리변화 뿐 아니라 심하면 熱毒內攻하여 嚴重한 전신증상이 발생한다.

인체의 화상에 대한 반응은 嚴重정도에 따라 다르다.

1) 1도 화상

주로 표피에만 화상이 발생한 경우로 주요 변화는 진피 모세혈관확장 충혈과 피부홍반, 경미한 부종, 작열감이 있지만 수포는 거의 없는 경우를 말하며 반흔이 없이 치료된다. 일반적으로 2~3일에 표피가 자연 탈락되며 낫는다.

2) 2도 화상

표재성과 심부성으로 나눌 수 있으며 혈관으로부터 혈장이 빠져 나와 표피와 진피 사이에 쌓여 수포가 형성된다. 수포가 파괴되면 혈장양 체액이 체외로 빠져 나오는데 燒傷面積이 클수록 체액상실이 많아져서 수분, 전해질평형이 문란하게 되어 의식장애가 발생할 수 있다. 진피손상의 淺深에 따라 국부 임상표현에도 차이가 있다.

(1) 輕한 2도 화상 : 전체 피부 천층에 파급된 것이며 수포기저는 홍색을 띄고, 부근의 피하조직도 명현한 水腫이 있고, 감각신경이 자극을 받아 劇痛이 있다. 감염이 없으면 1~2주내에 유합되며 반흔은 남기지 않으나 회색의 색소침착이 있을 수 있다.

(2) 重한 2도 화상 : 전체 피부 심층에 파급된 것이며 피부층 괴사가 많아 피부잔유물이 많다. 수포가 파괴되면 표피가 탈락되며 기저의 창백색을 볼 수 있다. 중앙에 밀도가 다른 홍색의 小斑點이 있는데 이는 유두층이 충혈된 것으로 燒傷후 12~24시간에 다시 현저하게 된다. 1~2일후 瘡面이 건조되며, 皮內에 세밀한 혈관망을 볼 수 있다. 국부 감각신경이 이미 부분 파괴되어 感覺鈍麻가 있으나 3~4주내에 瘡面이 유합된다. 유합후에는 輕度의 반흔이 있고, 괴사조직이 많고, 감염이 쉬우며 감염이 深部로 발전하면 3도 화상으로 변하게 된다.

3) 3도 화상

피부전층, 심지어 피하조직, 기육, 근골까지 손상된다. 피부와 피하조직이 괴사되며 焦白色, 焦黃色을 띄며 피혁양이며 심하면 탄화된다. 創面은 乾燥堅硬하며, 수포가 없고, 감각신경이 이미 파괴되어 통감이 없고, 創面이 건조 후에 피하정맥이 栓塞되어 樹枝狀을 보인다. 가피는 일반적으로 2~4주내 溶解되며 탈락한다. 만약 創面이 다습하며, 감염이 있으면 焦痂가 溶解가 가속되어 탈락된다. 痂皮溶解시 국소와 전신감염을 일으킬 수 있다. 創面은 피부이식으로 융합이 가능하며 현저한 반흔을 형성한다. 3도 화상은 비록 외부로는 삼출물이 많지 않으나 조직내에 대량의 삼출액이 있어 燒傷面積이 크면 수분, 전해질의 평형의 문란을 발생시켜 의식불명상태에 놓일 수 있다.

이외에 수분, 전해질평형문란, 신장손상, 위장기능문란, 내분비문란을 일으킬 수 있다.

4. 증상

1) 假死期 (失神)

燒傷후 48시간 내의 시간을 假死期라 한다. 대개 소아 燒傷면적이 5%이상이거나 성인 燒傷면적이 10%이상일 때 假死가 발생한다. 假死期는 극렬한 통증자극과 대량의 체액상실로 기인된다. 燒傷부위의 모세혈관이 확장되고 투과성이 증가되어 대량의 혈장양 액체가 創面과 조직 간극으로 새어나오는데, 화상 후 최초 8시간에 삼출이 가장 많다. 이때 50%이상의 혈장이 상실되면 혈액이 농축되고 순환 혈액량이 하강하여 假死狀態가 발생한다. 이때, 국부와 전신에 반응성 수종이 출현하고, 創面에 수포와 대량의 삼출액이 나오며 口乾, 尿少, 煩躁不安, 심하면 皮膚蒼白, 神疲肢冷, 血壓下降, 脈微細而數 등의 傷津氣脫, 亡陰亡陽의 危候도 나타난다. 燒傷 면적이 클수록, 假死의 발생이 빠르다. 일반적으로 燒傷 발생 6~12시간전후에 넓은 면적에 화상을 입은 환자는 假死발생의 예방과 이에 대한 적절한 치료가 중요하다.

2) 감염기

燒傷 후에 피부의 방어기능이 파괴되고 체액이 다량 상실되어 여러 장기에 손상과 기능장애를 초래하며, 전신 저항력이 떨어져 세균의 침입이 용이하게 된다. 화상 후부터 創面 유합까지 모두 감염의 가능성이 있으며 패혈증이 발생하기 쉽다. 일반적으로 화상 후 10일내(水腫回收期)와 3~4주(溶痂期)에 감염의 발생율이 가장 높고, 정도도 중하다. 이 기간에 체내저항력과 항균작용을 증강시켜 패혈증을 예방하는 게 관건이다.

3) 회복기

燒傷創面의 회복은 燒傷의 깊이와 감염의 정도와 밀접한 관계가 있다. 표재성 2도 화상은 일반적으로 2주 이내 신속히 회복된다. 심부성 2도 화상은 일반적으로 良好하게 露出下에서 가피가 생기며 유합된다. 일반적으로 가피탈락이후 잔류한 상피세포의 生長에 의해 점차 유합된다. 만약 치료가 부당하고, 감염이 병발하면 3도 創面으로 변성되어 유합시간이 연장될 수 있다. 3도 화상은 焦痂의 탈락을 기다리거나 조기에 焦痂절제 후에 肉芽創面에 피부이식한다.

4) 傷情判斷

(1) 燒傷面積 계산법

① 9%法 : 전신체표면적을 11개로 등분한다. 두, 면, 경부는 9%, 양상지 2×9%=18%, 체간전후 (둔부포함) 2×18%=36%, 외음부 1%, 양하지 4×9%=36% 이 방법은 계산이 빠르고 사용이 간편하여 기억이 쉽기 때문에 응급상태에 활용된다. 단, 아동에는 적당하지 않다.

② 手掌法 : 五指와 手掌의 면적은 전신체표면의 1%이다. 이 방법은 간편하여 적은 면적이나 여러 부위에 생긴 火傷을 계산할 때 쓰인다.

③ 小兒燒傷 면적계산법 : 영아와 아동의 연령에 따라 신체 각 체표면의 백분율이 다르다. 연령이 적을수록 머리가 전신체표면적에 비해 상대적으로 크고, 하지는 작다. 기타부위의 상대적체표면적은 성인과 같다. 계산법은 다음과 같다.

頭頸面部 : 9 + (12−연령) = %

兩下肢　 : 41 − (12−연령) = %

(2) 燒傷深度 분류법

分度		深度	創面表現	創面無感染時愈合過程
1도 (홍반)		達表皮角質層	紅, 腫, 熱, 痛, 感覺過敏, 表面乾燥	2~3일후 脫屑痊愈, 無瘢痕
2도 (수포)	淺2도	達陳皮淺層, 部分生發層健在	劇痛, 感覺過敏, 有水疱, 基底部呈均勻紅色, 潮濕, 局部腫脹	1~2주 유합, 無瘢痕, 有色素沈着
	深2도	達陳皮深層, 有皮膚附件殘留	痛覺遲鈍, 有水疱, 基底蒼白, 間有紅色斑點, 潮濕	3~4주 유합, 可有瘢痕
3도 (焦痂)		達皮膚全層,甚至傷及 皮下組織, 肌肉和骨格	痛覺消失, 無彈力, 堅硬如皮革樣, 蠟白, 焦黃 或 炭化, 乾燥, 乾後皮下靜脈阻塞如樹枝狀	2~4주 焦痂脫落, 形成肉芽創面, 除小面積外, 一般均需植皮才能愈合, 可形成瘢痕和瘢痕攣縮

(3) 傷情分類

① 輕度燒傷 : 총 면적 10%(아동5%)이하의 2度燒傷

② 中度燒傷 : 총 면적 11~30%(아동 6~15%)의 2度燒傷, 혹 3度燒傷면적 10%(아동 5%)이하

③ 重度燒傷 : 총 면적 31~50% 혹 3度燒傷 11~20%, 소아 총 면적 15~25% 혹 3度燒傷면적 5~10%이며 燒傷 면적이 31%가 되지 않더라도, 아래 상황에서는 重度燒傷이다.

㉮ 전신정황이 비교적 나쁘거나 혹 이미 의식불명상태에 있다.

㉯ 嚴重한 創傷이나 화학중독을 합병

㉰ 重度 호흡도 燒傷

㉱ 頭面頸, 手, 會陰燒傷

④ 嚴重燒傷 : 총 면적 51~80%(아동 26~40%), 혹 3도면적 21~50%(아동 11~25%)

⑤ 特重燒傷 : 총 면적 80%이상(아동 40%이상), 혹 3도면적이 50%초과(아동 25%)

4. 치료

熱力이 침습후에는 受傷한 부위에는 紅, 腫, 熱, 痛, 水疱 등의 外症이 발생한다. 만약 熱毒熾盛하면 臟腑에 內侵하여 內症이 출현한다. 따라서 嚴重燒傷으로 火毒熾盛하면 반드시 臟腑氣血에 영향을 미쳐 陰陽이 평형을 잃게 되어 火熱傷津, 傷陰陽脫, 火毒內陷, 氣血兩傷 등의 전신증상이 나타난다. 燒傷輕證은 일반적으로 內治가 불필요하다. 重證의 경우 반드시 內外治를 겸한다. 치료 원칙은 淸熱解毒, 益氣養陰 위주이다.

1) 火熱傷津證
(1) 병기 : 熱은 陽邪이고, 반드시 津液을 耗傷한다. 發熱,
(2) 증상 : 口乾引飲, 便秘, 尿短赤, 脣紅乾, 舌質紅乾, 苔黃, 黃糙 혹 舌光無苔, 脈洪數 혹 弦細 而數한 症이 보인다.
(3) 치법 : 養陰淸熱 위주이다.
(4) 처방 : 黃連解毒湯, 銀花甘草湯, 淸營湯, 犀角地黃湯을 변증을 하여 加減하여 사용한다.

2) 陰傷陽脫證
(1) 병기 : 火盛傷津의 발전과정 중 역시 熱甚厥甚하여 陰液涸竭되어 陽無所附, 陰陽離決의 危 重證候를 나타낸다.
(2) 증상 : 體溫不升, 呼吸氣微, 表情淡漠, 神志恍惚, 嗜睡, 言語含糊不淸, 四肢厥冷, 汗出淋漓, 舌質紅絳或紫暗, 舌面光剝無苔 혹 舌苔灰白, 脈微欲絶, 혹 脈伏不起 등의 症이 보인다.
(3) 치법 : 扶陽救逆, 固護陰液시킨다.
(4) 처방 : 蔘附湯合生脈散, 四逆湯, 만약 冷汗淋漓者는 煆龍骨, 煆牡蠣을 加한다.

3) 火毒內陷證
(1) 병기 : 火熱蘊毒이 肌膚를 적셔 毒熱熾盛하여 臟腑를 內侵하면 變證이 産生된다.
(2) 증상 : 壯熱煩渴, 躁動不安, 口乾脣焦, 大便秘結, 小便短赤, 舌質紅, 혹 紅絳而乾, 苔黃 혹 黃糙, 혹 焦乾起刺, 脈弦數 등의 症狀을 보인다.
(3) 치법 : 淸營凉血解毒위주이다.
(4) 처방 : 淸營湯, 黃連解毒湯合犀角地黃湯, 淸瘟敗毒飲을 加減한다.
　　① 熱毒傳心 : 煩躁不寧, 神昏譫語하니 淸心開竅하는 약을 배합하니 安宮牛黃丸 혹 紫雪丹을 쓴다. 만약 熱毒傳肺하면 呼吸氣粗, 鼻翼煽動, 咳嗽痰鳴, 痰中帶血하니 淸肺降氣하는 약을 배합하고 生石膏, 知母, 貝母, 桔梗, 魚腥草, 桑白皮, 海浮石등을 加한다.

② 熱毒傳腎 : 尿閉浮腫者는 車前子, 淡竹葉, 白茅根, 猪苓, 澤瀉를 加한다. 血尿者는 大小薊, 白茅根, 琥珀, 乾地黃등을 加한다.

③ 熱毒傳肝 : 痙攣抽搐, 頭搖目竄하니 平肝熄風하는 약을 배합하고, 羚羊角, 鉤藤, 龍齒, 石決明 등을 加한다.

④ 熱毒傳脾 : 腹脹便秘者는 大黃, 玄明粉, 枳實, 厚朴, 蘿蔔子, 大腹皮 등을 加한다. 便溏粘臭而頻者는 廣木香, 葛根, 白頭翁, 神麴등을 加한다. 嘔血便血者는 三七, 白芨, 側柏炭, 槐花炭, 地楡炭 등을 加한다.

4) 氣血兩虛證

(1) 병기 : 邪熱이 점차 물러가나 氣陰이 未復되었다.

(2) 증상 : 低熱 혹 不發熱, 形體消瘦, 面色無華, 神疲乏力, 食欲不振, 夜臥不寧, 自汗, 盜汗, 創面皮肉難生, 舌淡紅 혹 胖嫩, 舌邊齒印, 舌苔薄白 혹 薄黃, 脈細虛數 혹 濡緩 등의 症狀이 보인다.

(3) 치법 : 調補氣血 위주로 한다.

(4) 처방 : 八珍湯에 黃芪를 加하거나 托裏消毒散에 加減한다.

5) 脾胃虛弱證

(1) 병기 : 邪熱은 이미 물러갔고, 脾胃가 손상되었다.

(2) 증상 : 口舌生糜, 口乾津少, 噯氣呃逆, 納呆食少, 腹脹便溏, 舌質暗紅, 光剝無苔, 혹 舌質淡胖, 苔白, 脈細數 혹 細弱 등의 症이 보인다.

(3) 치법 : 調理脾胃 위주로 한다.

(4) 처방 : 益胃湯, 四君子湯合蔘苓白朮散에 加減한다. 人蔘, 石斛, 淮山藥, 扁豆, 野薔薇를 加한다. 呃逆噯氣者는 竹茹, 法半夏, 柿蒂를 加한다.

✎ 참고문헌

1) 전국 한의과대학 피부외과학 교재편찬위원회. 한의피부외과학. 부산: 선우; 2007.

第24章 창상 및 출혈

질병코드	한글명칭	영문명칭
R58	출혈	Hemorrhage
T140	타박상	Contusion
	찰과상	Abrasion
T141	열상	Laceration
W34	총상	Gunshot wound
X99	칼에 찔림에 의한 가해	Assult by stabbed

1. 상처와 출혈

상처는 피부나 체표면에 발생한 비정상적인 균열을 말한다. 상처의 대부분은 몸 밖으로 개방되어 있으며 상처를 통한 혈액이나 체액의 손실과 세균 침범으로 염증을 일으킨다. 몸 밖으로 출혈은 없으나 순환계에서 혈액유출이 되는 폐쇄성 상처는 내출혈이라고 불리기도 한다. 유발기전에 따라 발생하는 상처의 종류가 다르며 이에 따라 치료법에도 차이가 있다.

【응급처치자가 해야 할 것】
- 상처를 압박하고 상처부위를 높이 들어서 출혈을 감소시킨다.
- 심한 출혈에 의한 수 발생을 최소화하도록 치료한다.
- 감염이 안 되도록 상처치료를 해서 자연치유를 촉진시킨다.
- 체액에 세균이 있을 가능성이 있으므로 환자와 구조자의 감염 방지에 조심한다.

2. 상처의 종류

1) 절창

칼이나 유리조각 등 날카로운 물체에 의해 갈라진 깨끗한 상처. 혈관이 상처에서 절단되므로 출혈이 많다. 사지절창은 힘줄 등 심부조직 절단이 동반되는 경우도 있다.

2) 찰과상

피부가 박탈되어 통증이 심한 부위가 노출된 표재성 상처를 말하며 넘어지거나 마찰에 의한 타박상에서 많이 발생한다. 염증을 유발하는 세균에 오염되는 경우가 많다.

3) 열상

기계 등에 의해 울퉁불퉁하게 찢어진 상처. 절창보다 출혈은 적으나 조직손상과 타박상은 심하다. 열상은 세균감염이 잘 되고 염증도 잘 생긴다.

4) 타박상 (멍)

주먹 등에 의한 둔한 가격은 피부 밑 모세혈관을 파열시키면서 조직으로 혈액이 유출되어 멍이 든다. 대부분 피부손상은 없으나 찢어지는 경우도 있다. 멍이 심한 경우는 골절이나 내출혈 같은 심부 조직 손상을 의심해야 한다.

5) 자상

손톱, 바늘, 칼등에 찔린 상처 같이 입구는 작지만 내부손상이 깊은 상처를 말한다. 상처 속으로 더러운 물질과 세균이 유입되기 쉬우므로 염증발생이 잘 된다.

6) 총상

총알 등이 체내에 박히거나 관통한 상처로 심한 내부손상과 세균오염을 유발한다. 상처 입구는 작고 깨끗하지만 출구는 크고 지저분하다.

3. 출혈의 종류

동맥, 정맥, 모세혈관 등 혈관에 따라 출혈을 분류할 수 있다. 동맥출혈이 위험해 보이지만 심한 정맥출혈이 더욱 위험하다.

1) 동맥출혈

심장박동에 따라 산화된 붉은 혈액이 밀려 나온다. 잘려진 동맥으로부터 수십 ㎝ 높이로 혈액이 밀려 나와서 갑자기 순환혈액량 감소가 발생하는 경우도 있다.

2) 정맥출혈

조직에서 산소를 소모한 정맥혈은 검붉은 색이다. 정맥은 동맥보다 압력은 낮지만 쉽게 팽창하기 때문에 혈액이 잘 고이므로 큰 정맥이 잘린 곳에서 출혈이 심하다.

3) 모세혈관 출혈

상처 전체에서 줄줄 흘러나오는 출혈이 특징이다. 처음에 출혈이 심하게 보여도 출혈량은 대부분 매우 적다. 타박상으로 피하의 모세혈관이 파열되어 조직내 출혈이 발생하기도 한다.

4. 창상 드레싱

1) 개요

드레싱은 창상치유 속도를 증진시키로 반흔을 최소화하기 위해 사용하며 "창상을 덮는다" "창상을 가린다"는 의미를 가지고 있다. 드레싱을 하는 목적은 외부 자극으로부터의 보호하여 감염을 방지하고, 삼출액, 농액 등의 흡수를 촉진하며, 창상부위를 압박 및 지혈하고 약물의 투여를 용이하게 하기 위함이다. 그로 인하여 창상치유 속도를 증진하고, 반흔을 최소화하는 것을 목표로 한다.

2) 분류

(1) 건조드레싱
  ① 천, 솜, 거즈 사용
  ② 삼출액을 흡수하고 건조되어 창상부에 고착
  ③ 교환시 창상표면의 정상적 육아조직을 손상치유 지연
  ④ 감염없는 일차 봉합창이나 가벼운 창상에 적용

(2) 습윤드레싱
  ① 특수소재 사용
  ② 습윤환경이 상피재생을 촉진
  ③ 과량의 삼출액 및 수분으로 정상 피부의 침연유발

④ 대부분 창상에 적용

3) 드레싱 방법의 선택

(1) 삼출물의 양에 따라

마른 창상의 경우 바셀린거즈, 하이드로겔(hydrogel)이나 하이드로콜로이드 (hydrocolloid) 등 습기를 제공해 줄 수 있는 드레싱제를, 삼출물이 많은 상처의 경우는 하이드로파이버(hydrofiber)나 폼 (foam) 드레싱제 등을 선택한다.

(2) 괴사조직의 유무

괴사조직 제거가 필요한 상처에는 괴사조직을 녹일 수 있는 겔(gel) 드레싱제나 교원질분해효소 (collagenase) 등이 포함된 드레싱제를 사용한다.

(3) 감염의 유무

감염이 있는 경우에는 은(silver) 등 항균제가 함유된 제품을 사용하면 효과적일 수 있어 감염된 욕창 등에서 많이 사용하는데 무작정 사용하면 세포독성으로 인해 오히려 회복을 방해할 수도 있다.

(4) 상처의 치유 단계에 따라

Epithelialization stage(상피화 단계)에서는 하이드로콜로이드제를 사용하고, Granulation stage(육아조직 형성단계)에서는 폼 드레싱제를, Deridement stage(괴사조직 단계)에서는 하이드로겔제제를 사용하는 것이 좋다.

종류	특징	주의사항
필름	· 드레싱을 고정하기 위한 접착제가 있는 필름형태 · 촉촉한 치유 환경 조성 · 탄성, 내구성 및 순응성 · 방수 및 투명 · 수증기 및 가스에 반투과성 · 박테리아 불침투성 · 상처 액과 같은 액체에 불침투성	· 비흡수성, 삼출성이 높은 상처에 제한적으로 사용 · 접착력이 있어 새로 형성된 상피는 제거 중에 파괴될 수 있음
하이드로콜로이드	· 습윤상처 드레싱 · 상처 삼출물 흡수가능 · 일반적으로 자가 접착제가 있음 · 삼출물 흡수 시 팽창하는 카르복시메탈셀룰로오스, 젤라틴, 팩틴을 함유하고 있음 · 물과 가스에 불침투성	· 감염되거나 삼출물이 많은 상처에는 제한적으로 사용 · 불투명하여 사전 제거없이 치유과정을 확인하기 어려움

폼	· 습윤상처드레싱 · 우수한 흡수력 · 쉽게 제거	· 삼출이 적은 상처에는 적합하지 않음 · 2차 드레싱이 필요할 수 있음
하이드로겔	· 습윤상처드레싱 · 수분 유지 · 일반적으로 비접착성이므로 제거하기 쉬움 · 항균제 및 여러 활성 상처 치유제를 넣을 수 있음	· 일반적으로 팽윤 상태에서 기계적으로 약함 · 2차 드레싱이 필요할 수 있음
하이드로파이버	· 삼출물과 접촉시 젤 형성 · 높은 흡수성	· 건조한 상처에는 제한적으로 사용

4) 창상 드레싱의 순서

(1) 생리식염수를 이용한 창상부위 세척

충분량의 0.9% 생리식염수를 생리식염수 종지에 덜어두고, 실린지에 필요한 양만큼 담는다. 보통 18G 주사바늘(angiocath)과 20cc 주사기를 사용하여 이물을 제거하는데 더 높은 수압이 필요하다면 앞의 needle을 부러뜨려서 배출구를 좁혀줌으로 해서 이물질을 제거할 수 있다. 즉, 주사기를 이용해서 생리식염수로 세척과 이물을 제거하는 것이 이 세척방법의 목적이라 할 수 있겠다.

(2) Povidone-iodine을 이용한 창상주변부위 소독

Povidone-iodine은 피부에 문지른 뒤 1분 경과 후에는 세균을 감소시키지 못하나, 3분 경과 후 의미 있는 균주 수의 감소를 보인다. 따라서 Povidone-iodine을 사용하고 빨리 세척하는 것은 좋지 않다.

(3) 창상부위 이물질 제거

실린지의 수압을 이용하여 물리적인 방법을 통해 이물질을 제거하거나, 부식제를 이용하거나, 외과적으로 지저분한 상처 부위를 깔끔하게 정리해주는 방법이 있다.

(4) 재세척

생리식염수를 이용하여 다시 한번 세척을 진행한다.

(5) 창상부위 소독

Povidone-iodine을 이용하여 다시 한번 상처부위를 소독한다.

(6) 창상부위 보습 및 폐쇄드레싱

바세린이나 일반 항생제 연고 등을 이용하여 보습해주고, 적당한 크기의 거즈를 일정한 간격으로 부착하여 움직이지 않도록 잘 고정하여 마무리한다.

(7) 드레싱의 교환

1일 1회 교환 원칙을 원칙으로 하나 삼출물의 정도에 따라 교환 주기 결정한다. 다량의 경우 1일 수회 교체가능하고 소량의 경우 수일 1회 교체하는 걸로 한다.

참고문헌

1) 부산대학교 한의학전문대학원. 2013학년도 한의학기본교육 임상술기지침.
2) 전국 한의과대학 피부외과학 교재편찬위원회. 한의피부외과학. 부산: 선우; 2007.
3) 진성규. 상처 드레싱제의 연구개발 동향. BRIC View 2021-T20. Available from http://w w w.ibric.org/myboard/read. php?Board=report&id=3796 (Jun 08, 2021)
4) 창상치료연구회. 새로운 창상치료. 고려의학; 2002.

第 25 章 항문질환

KCD 코드	한글 상병명	영문 상병명
K64	치핵 및 항문주위정맥혈전증	Haemorrhoids and perianal venous thrombosis
K64	치질	Piles
K64.0	1도 치핵	First degree haemorrhoids
K64.0	1등급/기 치핵	Grade/stage I haemorrhoids
K64.0	항문관 밖으로 탈출되지 않은 치핵(출혈)	Haemorrhoids (bleeding) without prolapse outside of anal canal
K64.1	2도 치핵	Second degree haemorrhoids
K64.1	2등급/기 치핵	Grade/stage II haemorrhoids
K64.1	배변 시에 탈출되었다가 스스로 항문 속으로 들어가는 치핵(출혈)	Haemorrhoids (bleeding) that prolapse with straining, but retract spontaneously
K64.2	3도 치핵	Third degree haemorrhoids
K64.2	3등급/기 치핵	Grade/stage III haemorrhoids
K64.2	배변 시 탈출되어 항문관 안에 손으로 밀어 넣어야 하는 치핵(출혈)	Haemorrhoids (bleeding) that prolapse with straining, but require manual replacement back inside anal canal
K64.3	4도 치핵	Fourth degree haemorrhoids
K64.3	4등급/기 치핵	Grade/stage IV haemorrhoids
K64.3	조직이 탈출되어 있어 손으로 밀어 넣을 수 없는 치핵(출혈)	Haemorrhoids (bleeding) with prolapse tissue that cannot be manually replaced
K64.5	항문주위정맥혈전증	Perianal venous thrombosis
K64.5	항문주위혈종	Perianal haematoma
K64.8	기타 명시된 치핵	Other specified haemorrhoids
K64.9	상세불명의 치핵	Haemorrhoids, unspecified
K64.9	치핵(출혈) NOS	Haemorrhoids (bleeding) NOS
K64.9	정도에 대한 언급이 없는 치핵(출혈)	Haemorrhoids (bleeding), without mention of degree

K60	항문 및 직장부의 열창 및 누공	Fissure and fistula of anal and rectal regions
K60.0	급성 항문열창	Acute anal fissure
K60.1	만성 항문열창	Chronic anal fissure
K60.2	상세불명의 항문열창	Anal fissure, unspecified
K60.3	항문루	Anal fistula
K60.4	직장루	Rectal fistula
K60.4	직장에서 피부로의 누공	Fistula of rectum to skin
K60.5	항문직장루	Anorectal fistula
K61	항문 및 직장부의 농양	Abscess of anal and rectal regions
K61	누공을 동반하거나 동반하지 않은 항문 및 직장부의 농양	Abscess of anal and rectal region with or without fistula
K61	누공을 동반하거나 동반하지 않은 항문 및 직장부의 연조직염	Cellulitis of anal and rectal region with or without fistula
K61.0	항문농양	Anal abscess
K61.0	항문주위농양	Perianal abscess
K61.1	직장농양	Rectal abscess
K61.1	직장주위농양	Perirectal abscess
K61.2	항문직장농양	Anorectal abscess
K61.3	좌골직장농양	Ischiorectal abscess
K61.3	좌골직장와의 농양	Abscess of ischiorectal fossa
K61.4	괄약근내농양	Intrasphincteric abscess
K62	항문 및 직장의 기타 질환	Other diseases of anus and rectum
K62.0	항문폴립	Anal polyp
K62.1	직장폴립	Rectal polyp
K62.2	항문탈출	Anal prolapse
K62.2	항문관의 탈출	Prolapse of anal canal
K62.3	직장탈출	Rectal prolapse
K62.3	직장점막의 탈출	Prolapse of rectal mucosa
C20	직장의 악성 신생물	Malignant neoplasm of rectum
C20	직장팽대의 악성 신생물	Malignant neoplasm of rectal ampulla
C21	항문 및 항문관의 악성 신생물	Malignant neoplasm of anus and anal canal
C21.0	상세불명의 항문의 악성 신생물	Malignant neoplasm of anus, unspecified
C21.1	항문관의 악성 신생물	Malignant neoplasm of anal canal
C21.1	항문괄약근의 악성 신생물	Malignant neoplasm of anal sphincter

C21.2	총배설강대의 악성 신생물	Malignant neoplasm of cloacogenic zone
C21.8	직장, 항문 및 항문관의 중복병변의 악성 신생물	Malignant neoplasm of overlapping lesion of rectum, anus and anal canal
C21.8	항목 C20-C21.2의 어디에도 분류할 수 없는 직장, 항문 및 항문관의 악성 신생물	Malignant neoplasm of rectum, anus and anal canal whose point of origin cannot be classified to any one of the categories C20-C21.2
C21.8	항문직장의 악성 신생물	Malignant neoplasm of anorectum
C21.8	항문직장접합부의 악성 신생물	Malignant neoplasm of anorectal junction
L29	**가려움**	**Pruritus**
L29.0	항문가려움	Pruritus ani
L29.1	음낭가려움	Pruritus scroti
L29.2	외음가려움	Pruritus vulvae
L29.3	상세불명의 항문생식기가려움	Anogenital pruritus, unspecified
L29.8	기타 가려움	Other pruritus
L29.9	상세불명의 가려움	Pruritus, unspecified
L29.9	가려움 NOS	Itch NOS
R15	**대변실금**	**Faecal incontinence**
R15	유분증 NOS	Encopresis NOS

1. 항문 · 직장의 해부

1) 구조

직장은 S결장의 腸間膜이 끝나면서 이어지는 부분으로 제3 천골 앞에서 시작되어 밑으로 항문과 연결되는 13~15 ㎝가량의 고정된 기관이다. 직장이 결장과 다른 점은 腸間膜이 없고 結腸膨起가 없고 腹膜水가 없는 점이다. 직장의 상부 1/3은 복막에 덮여있고 중간 1/3은 전면만 복막에 덮여있고 하부 1/3은 복막에 덮여있지 않다. 직장의 주행을 보면 전후로는 3개의 측방경사를 갖는데 이 경사에 따라 3개의 주름 즉 휴스톤판을 갖는데 상부와 하부의 것은 좌측에, 중간 판은 우측에 있다. 항문과 직장은 해부학적으로는 齒狀線이 경계지만 외과적인 기능상으로는 肛門直腸環에서 肛門緣까지를 외과적 항문 혹은 항문직장으로 다룬다. 치상선은 항문직장 경계선으로 여러 중요한 의미를 갖는데 첫째, 그 상부는 점액분비 원주세포로 덮여있고 하부는 점액을 분비하지 않는 편평세포로 덮여있으며 치상선 주변 즉 치상선 상부 0.5~1 ㎝가량은 이행세포로 덮여있다. 둘째, 치상선 상부는 교감신경만 분포되어 통각을 못 느끼고 하부는 下齒核神經이 분포되어 통증을 느낀다. 셋째, 內痔

核은 이 상부에서 外痔核은 이 하부에서 생긴다. 넷째, 림프주행을 보면 하부에서 서혜부 림프선으로 간다. 다섯째, 발생학적인 결손으로 항문이 남는 것도 이 부위이다. 여섯째, 이 치상선에는 8~14개의 판막이 있고 8~12개의 肛門陰窩(anal crypt)가 있고 肛門線이 肛門陰窩에 개구하고 있어 cryptitis, papillitis, 痔漏가 여기서 시작된다.

2) 근육

이 부위의 근육을 보면 항문거근의 치골미골근과 장골미골근이 회음부로 나가는 장기의 pelvic hiatus의 양편을 싸면서 골반강과 회음부로 나눈다.

치골직장근들은 직장을 U자 모양으로 싸는 근육으로 직장항문각을 유지케 하는 강한 괄약작용을 한다. 항문의 활동근중 내괄약근은 대장의 輪狀筋이 두꺼워진 부분으로 항문관의 상부 2/3을 싸고 있으며 1인치 가량의 길이를 갖고 있다. 외괄약근은 深部, 淺部, 皮下 세부분으로 되어 있다.

괄약근을 3개의 U자 모양의 고리로 설명하면 첫째로 상부고리는 치골직장근과 심부외괄약근이 하나의 근으로 합쳐져 이루는데 이것은 수축시 항문관을 전방으로 당긴다. 둘째, 중간고리는 천부외괄약근인데 미골부분에서 나와 상부고리 밑에서 항문관을 U자 모양으로 싸는 고리로써 수축시 항문관을 뒤로 당긴다. 셋째, 하부고리는 피하외괄약근으로서 중앙선의 전방피부에서 나와 항문관을 싸는 고리로서 수축시 항문을 전방으로 당긴다. 이들이 배변자제에 독립적으로 작용한다.

내괄약근과 외괄약근 사이에는 종으로 달리는 縱橫紋筋이 있는데 이것이 항문거근과 치골직장근에서 섬유를 받아 연합으로 하여 縱橫紋을 이루고 이것이 밑으로 가서 펴져서 피부에 닿으면 항문주위에 중격을 이룬다. 이들의 역할은 항문관을 고정시키고 배변시 외번시킨다.

3) 혈관

직장은 3종류의 동맥으로부터 혈액을 공급받는다. 하장간막동맥(inferior mesenteric artery)의 최종지인 상직장동맥(superior hemorrhoidal artery)과 내장골동맥(internal artery)의 최종지인 하직장동맥이다. 정맥은 거의 동명의 동맥과 함께 주행하지만 직장 및 항문의 정맥환류는 하대정맥과 문맥으로 간다.

직장의 상부와 중간부의 림프는 上痔核 림프관을 따라 하장간 림프선으로 간다. 하부직장과 상부 항문관의 림프는 上痔核 림프관과 中痔核 림프관을 따라 간다. 치상선 이하의 항문관은 上痔核 림프관이나 골반의 측방벽이나 서혜부 림프선으로 배액된다.

4) 신경

직장의 신경 중 교감신경은 2, 3, 4요추 교감신경에서 나와 하장간막신경총과 천골전신경총을 만든 후 거기서 유래하며, 부교감신경은 천골신경 2, 3, 4발기신경에서 유래한다. 교감신경이 완전히 잘리면 사정에 이상이 오고 부교감 신경이 잘리면 방광의 기능장애와 발기부전이 온다.

항문에 대한 운동신경 분포를 보면 내괄약의 교감신경과 부교감신경은 직장과 같고 상부고리와 하부고리는 下痔核神經지배를 중간고리는 제4 천골신경지배를 받는다. 항문부 감각신경은 下痔核神經을 통해 전달된다. 따라서 下痔核神經麻醉로 이 부분은 감각이 없게 된다.

2. 원인 및 병기

직장항문 질환의 병인은 많으나 風, 濕, 燥, 熱, 氣虛, 血虛 등으로 나눌 수 있으며 단독 혹은 여러 원인이 혼합되어 동시에 병을 발생시키기도 한다.

3. 증상

1) 便血

직장항문 질환에서 가장 흔히 볼 수 있는 증상으로 주로 內痔, 肛裂, 直腸息肉, 肛門直腸癌 등에서 볼 수 있다. 일반적으로 內痔는 血이 다량으로 點滴 또는 噴射型을 나타내나 동통은 거의 없다. 便血이 적고 동통이 심한 것은 肛裂의 특징이다. 小兒 便血은 直腸息肉이 많다. 만약 색이 晦暗 하고 혈액과 점액이 혼재되어있고 명료한 肛門重墜感이 있으면 항문직장암이 의심된다. 그 외 便血이 선홍색이고 血이 화살처럼 나오면 風熱腸燥의 증후이다. 便血이 淡하고 안면에 화색이 없으면 血虛腸燥의 증후이다.

2) 腫脹

肛癰이나 外痔가 염증을 발하여 內痔까지 파급되어 국소 腫脹이 발생하면 허실에 주의하여 변증한다. 일반적으로 腫脹이 高突하고 脈大有力하면 실증이고, 腫脹이 散漫平塌하고 微痛微熱, 脈細無力하면 正氣가 부족한 것이 허증이다.

3) 疼痛

疼痛은 항문의 氣血이 壅滯되어 不通則痛한 것이다. 外痔와 肛癰의 疼痛은 지속적이고 拒按하며 국부종창을 동반한다. 肛裂은 배변시에 통증이 극렬하고 배변 후에는 통증이 점점 감소된다.

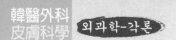

4) 脫垂

脫垂는 內痔, 脫肛, 直腸息肉의 공통적인 증상이다. 氣血虛弱 中氣下陷 不能攝하여 발생하며 面色無華, 頭暈, 眼花, 心悸, 氣短, 自汗, 盜汗, 舌質淡, 脈細弱 등의 증상이 동반된다.

5) 分泌物

항문분비물, 농양분비물, 혈성분비물, 점액 등을 말한다. 농양의 성질을 판별하여 인체의 氣血·虛實과 邪氣盛衰를 해석한다. 만약 膿液이 黃燥하고 臭氣가 있고 發熱, 口苦, 身重体倦, 飲食不振, 小便赤, 苔黃膩, 脈滑數자는 濕熱이 壅盛하고 正氣 또한 實한 증이다. 만약 膿水가 蒼稀하고 반대로 身疲納呆, 面色萎黃, 舌質淡, 脈濡緩자는 氣血이 虛弱하고 濕熱이 未盡한 症이다. 膿液이 稀薄하고 開口주위에 空腔이 보이고 午後潮熱, 盜汗, 咳嗽, 喀血, 舌紅少苔, 脈細數자는 陰虛火旺이고 結核·肛瘻가 여기에 속한다. 脫垂에는 점액분비물이 비교적 많고, 直腸息肉, 內痔, 直腸癌은 혈성분비물이 많다.

6) 便祕

腹滿, 脹痛, 拒按, 大便秘結에 面紅, 目赤, 口臭, 身熱, 心煩, 小便短赤, 舌質紅, 苔黃燥, 脈數實자는 熱結腸燥다. 腹滿乍脹, 喜按, 大便秘結, 面白蒼白, 頭暈, 心悸, 身疲乏力, 舌質淡紅, 脈細無力등은 血虛腸燥이다. 便意가 있을 시 難以排出하거나 排出不暢하고 肛門墮脹, 頭暈, 疲倦乏力, 舌質淡, 脈虛無力 등은 氣虛便祕다.

4. 치료

1) 內治

肛門直腸 疾病에 자주 사용되는 內治法에는 아래와 같은 몇 가지 종류가 있다.

(1) 淸熱祛風凉血

風熱腸燥 便血에 활용한다. 상용방으로는 涼血地黃湯, 槐角丸이 있다.

(2) 淸熱利濕

肛癰의 實證 중에서 濕邪偏盛者에게 활용한다. 상용방으로는 萆薢滲濕湯, 三妙丸이 있다.

(3) 淸熱通便

熱結腸燥 변비에 활용한다. 처방으로는 大承氣湯 혹은 脾約麻仁丸加減이 있다.

(4) 養血潤燥

血虛津虧 변비에 활용한다. 상용방으로는 潤腸湯, 五仁湯, 增液湯加減이 있다.

(5) 補氣養血

氣血不足者에게 활용한다. 처방으로는 十全大補湯加減이 있다.

(6) 補中益氣

소아 혹은 연로한 身體虛弱者나 經産婦의 氣虛下陷으로 인한 直腸下垂 혹은 內痔脫出에 활용한다. 처방으로는 補中益氣湯을 쓴다.

(7) 養陰淸熱

肛瘻의 陰虛有熱者에게 활용한다. 상용방으로는 靑蒿鱉甲湯을 쓴다.

2) 外治

(1) 熏洗法

活血, 消腫, 止痛, 收斂 등의 작용이 있는 약재는 모두 응용할 수 있다. 煎湯하여 뜨거운 증기를 쐬거나 좌욕을 매일 2~3차례 30분정도 하거나 혹은 면 수건에 뜨거운 전탕액을 적셔 환부에 붙이고 식으면 다시 갈아준다. 痔瘡에 염증으로 腫痛하거나 肛裂, 肛癰 등에 활용한다.

(2) 外敷藥物

병정의 차이에 따라 熏洗療法을 행한 후에 각종 약재를 환부에 붙임으로 치료효과를 증강시킨다. 예를 들어 肛癰.外痔 腫痛에는 金黃膏를 붙이고, 內痔.嵌頓에는 五倍子散 등을 부착한다.

(3) 手術

항문직장 질병에 수술적인 방법이 자주 사용되며 결찰요법, 절개요법 등이 있다.

I 치핵 Hemorrhoid

치핵에 해당하는 痔는 직장하단 점막하와 肛門管 피하의 정맥총이 확대되어 굽어서 형성되는 靜脈性 團塊이다. 조사 자료에 의하면 우리나라 성인 중 痔 발생률은 60%정도로 일반인에게 자주 볼 수 있는 병증의 하나이다. 痔는 內痔와 外痔로 나뉘는데, 함께 痔라고 이른다. 素問.生氣通天論에서 처음 "因而飽食筋脈橫解, 腸澼爲痔."라는 언급이 있은 이래로 많은 문헌에서 치질에 대한 서술을 찾아 볼 수 있으며 동의보감에서는 "痔有內外. 脈痔 腸痔 氣痔 血痔 酒痔屬內. 牡痔 牝痔 瘻痔 屬外."라 하여 구분하고 있다. 내치핵은 항문관 및 하부직장의 점막에 덮여있는 확장된 정맥총과 정맥류가 반복되는 통변과 복압상승으로 간문맥압의 상승과 항문괄약근의 이완이 초래되어 항문 내외로 돌출된 것이다.

원인으로는 간경화, 간문맥혈전증, 복강내 종양, 임신 등으로 인한 복압상승이나 정맥혈류차단 등이 있다. 치핵의 정도에 따라 총 4도로 분류할 수 있다.

치료는 간헐적으로 미약한 증세가 잇는 경우는 보존적 요법과 더불어 내과적 치료로 증상의 잠정적인 완화를 얻을 수 있으나 증상이 자주 나타나거나 심해지는 경우는 외과적 수술이나 이의 보조술식이 요구된다.

치핵에 대한 보조술식으로는 부식제 등의 주입치료, 환상고무결찰술, 항문수지확장술, 한랭수술 및 적외선응고법 등이 있다.

치핵수술은 치핵의 증세가 심하거나 보존요법 및 보조술식에 효과적으로 치료되지 않을 경우에 시행하는 가장 근본적인 술식으로 주로 치핵절제 및 결찰술과 점막하절제술이 시행되고 있다.

표 25-1. 내치핵의 분기

분기	치핵 돌출	증상
1기	없음	출혈
2기	배변과 함께 돌출되나 자연 환원	돌출, 출혈, 경증 불쾌감
3기	배변 전에 돌출, 도수환원 흔히 활동 시에도 돌출	돌출, 출혈, 불쾌감, 속옷 버림 때때로 소양감 및 분비물
4기	계속적 돌출, 환원불가능	돌출, 출혈, 통증, 혈전, 분비물과 속옷 버림

외치핵은 항문개구부 밖의 피부로 덮인 부위에 나타나며 통증이 심하고 급성 혈전성 외치핵 또는 항문혈종과 만성 항문췌피로 분류된다. 혈전성 외치핵은 외치혈맥총 또는 점막하정맥총의 정맥 내

에도 발생하며 대개 배변 시 무리한 힘을 주는 경우에 외치정맥 하나가 파열되어 혈액이 피하조직으로 유출되고 응고되어 팽팽한 융기부를 형성하는 것으로 이를 항문혈종이라고 한다.

증상은 항문에 갑자기 통증성 덩어리가 나타나며 대개 변비로 인해 무리한 힘을 주기 때문인데 통증은 지속적이지만 배변 시나 앉을 때 더 심해진다. 시간이 경과할수록 저절로 용해되어 통증이나 융기부가 소실되며 흔히 췌피를 형성하지만, 가끔 혈종의 피부가 파열되기도 하며 이 부위가 감염되어 농양이나 치루를 형성할 수도 있다.

치료는 보존적인 치료나 혈액의 응고된 덩어리를 제거한 후 보존치료를 할 수 있다. 항문췌피는 매우 흔하며 한 개 또는 여러 개로 나타나고 원발성인 경우는 뚜렷한 원인이 없지만 대개 용해된 혈종의 잔재로, 2차성인 경우는 치열이나 항문소양증과 연관되어 나타난다.

원발성인 경우는 치료를 요하지는 않으나 항문청결에 지장이 되거나 불편할 경우는 절제하며 2차성인 경우는 그 원인을 치료해야 한다.

Ⅰ-1. 內痔

1. 개요

內痔는 직장정맥총의 확대로 인해 굽어서 형성된다. 齒狀線 윗부분에 위치하고 左中, 右前, 右後 세 부위에 호발한다. 주요증상은 무통성 변혈, 大便秘結, 腫脹疼痛, 후기에는 치핵 탈출이 나타난다.

2. 원인 및 병기

본병의 발생은 일반적으로 臟腑本虛와 氣血陰陽失調에 기인한다. 혹은 음식의 부조화 즉 辛辣厚味를 과식하여 濕熱이 발생하며 이 濕熱이 대장에 내려가 발생한다. 또한 오래 앉아 있거나 오래 서있거나 무거운 것을 지고 빠르게 걷는 것 등이 원인이 되기도 한다.

오랜 기간 설사를 하거나 변비로 인해 대변을 오래 참거나 여성의 임신 등이 원인으로 작용하기도 한다. 內傷七情, 風, 濕, 燥, 熱의 外感 등으로 氣血凝滯와 經絡의 疏通이 원활하지 않아 치질이 발생하게 된다.

3. 증상

초기 주요증상은 無痛性 便血이다. 便血은 間歇性이고, 大便乾燥, 腹瀉, 음주와 辛辣하고 자극적인 음식물의 섭취로 인해 유발된다. 혈색은 선홍색이고 분변과 섞여있지 않다. 출혈은 帶血 혹은 滴血의 형태로 나타나는데 변보기를 마치면 저절로 그친다. 치핵의 체적이 증가함에 따라 배변 시 서서히 항문이 탈출하기 시작하는데, 이때는 滴血이 비교적 많고 간혹 분사형 출혈도 있다. 배변 후에는 치핵이 저절로 회복되고 출혈도 그친다.

후기가 되면 탈출 후 회복되지 않고 손으로 밀어 넣어야 들어가고 중한 경우에는 기침을 하거나, 힘을 쓰거나, 걸을 때도 탈출하게 된다. 치핵이 반복적으로 탈출하면 장 점막에 마찰자극이 가서 분비물이 증가하고, 항문 주변의 피부에도 자극으로 濕痒이 발생한다.

만약 치핵이 탈출한 후에 항문괄약근이 파열되어 항문 밖에서 들어가지 못하면 瘀血腫脹이 발생하는데, 暗紫色을 띠고 통증이 극렬하며, 糜爛되어 삼출액이 나오고 괴사하게 된다.

환자가 배변 시 출혈과 항문탈출을 두려워하여 제때에 대변을 보지 않으면 습관성 변비가 되는 경우가 많은데, 大便乾燥로 痔核脫出과 출혈이 가중되어 악성순환을 반복하게 된다.

이외에 병력이 비교적 오래고 출혈이 심한 경우는 빈혈, 消瘦, 乏力 등을 나타낸다.

1) 證型
內痔의 주요증상은 便血, 脫出, 腫痛과 便秘이다.

(1) 便血
實證 : 출혈이 선홍색이고 便前 혹은 便後에 나타나고 양은 많거나 적다. 噴射狀 또는 滴血의 형태이다. 濕熱下注의 경우는 색이 혼탁하고 苔黃膩, 脈弦滑하다.

虛證 : 출혈색이 淡淸한데 혹은 어둡고 신선하지 못하다. 面色에 광채가 적고 神疲倦怠, 舌質淡, 脈細弱하다.

(2) 脫出
氣虛 : 치핵이 탈출하여 들어가지 않고 肛門下垂感이 있다. 氣短懶言, 食少乏力, 舌質淡紅, 脈弱無力하다.

血虛 : 치핵이 탈출하고 便血 양이 많고 色淸하다. 頭暈目眩, 面色光白, 心悸, 脣舌色淡, 脈細하다.

(3) 腫痛

實證이 主이다. 痔核脫出嵌頓이 나타나는데 표면색이 어둡고 糜爛되어 있으며 점액이 삼출되고 全身發熱不適, 口乾, 便秘, 小便短赤, 苔黃, 脈數하다.

(4) 便祕

實證 : 腹脹滿疼痛, 拒按, 口乾, 噯氣, 心煩, 苔黃燥, 脈數實하다.

虛證 : 腹脹喜按, 頭暈眼花, 心悸汗出, 咽乾, 唇白, 舌質淡, 胎中剝, 脈細數하다.

4. 진단감별

1) 진단

진단은 기본적으로 병력청취, 항문진찰소견, 내시경으로 한다.

2) 감별질환

(1) 息肉 : 아동에게서 많이 나타나는데, 腫物이 포도모양과 같고 꼭지가 가는 편이다. 鮮紅色이고 質이 연약하며 출혈하기 쉽다.

(2) 脫肛 : 노인 혹은 신체가 허약한 사람에게 많이 나타난다. 직장 혹은 직장점막이 탈출하여, 나선형 또는 방사상의 주름이 생기는 것이다. 痔核은 없고 淡紅色이며 일반적으로 출혈 없이 다량의 점액을 분비한다.

(3) 直腸癌 : 대변횟수가 증가하고 명확한 裏急後重感이 있으며 대변이 가늘다. 혈변 중에 미란된 조직이 섞여있다. 항문수지검사 시 딱딱한 腫物을 발견할 수 있다. 울퉁불퉁하여 평평하지 않거나 꽃 모양을 나타낸다. 필요시에는 조직절편검사로서 확진을 해야 한다.

5. 치료

1) 內治

1, 2기의 內痔, 혹은 內痔嵌頓에 속발성 감염을 수반할 때, 연로하여 체질이 허약한 경우 또는 內痔에 다른 중병 또는 만성질환을 겸하여 수술이 부적절한 경우에 다용한다.

出血의 實證에는 淸熱凉血祛風이 마땅하여 凉血地黃湯加減을 쓴다. 만약 濕熱下注한 경우라면 淸熱利濕해야하니 臟速丸加減을 쓴다. 虛證에는 養心健脾해야하므로 歸脾湯 또는 十全大補

湯을 쓴다.

脫出의 氣虛에는 補氣升提하기 위해 補中益氣湯을 쓴다. 血虛에는 補血養血하는 四物湯을
加味하여 쓴다.

腫痛은 淸熱除濕, 祛風活血이 마땅하니 止痛如神湯을 쓴다.

便秘의 實證에는 通腑泄熱해야 하므로 大承氣湯을 쓴다. 虛證에는 潤腸通便해야하므로 五仁
丸을 쓴다.

2) 外治

외치요법으로는 熏洗, 外敷法, 결찰요법 등이 있다.

훈세요법은 荊芥, 防風, 地楡, 苦蔘, 芒硝, 花椒 등을 1~2味선택하여 煎湯하여 훈세한다.

外敷法은 內痔후기에 치핵 표면이 糜爛되어 삼출액이 나와, 우선 수술치료가 불가능할 때 먼저
훈세법을 쓴 후에 五倍子散 또는 九華枯礬紛을 外敷한다.

결찰요법은 2, 3기의 內痔에 적용하며 外痔, 嵌頓性內痔, 항문 직장에 급성염증이 있는 경우, 설
사, 임신 등이 있을 때는 금한다. 시술은 국소 마취 후 內痔가 항문 밖으로 충분히 노출되게 한 후 겸
자로 치핵을 잡고 지혈겸자로 치핵의 기저부를 단단히 끼운다. 지혈 겸자 아래 齒狀線에 가위로 작
은 구멍을 내고 圓針으로 기저부 중앙을 두 번 뚫어 8자로 結紮한다.

3) 기타치료

(1) 鍼刺療法

① 적응증 : 1기 內痔 혹은 2, 3기 內痔에서 수술이 불가능한 경우.

② 穴位 : 長强, 承山, 八髎穴을 主穴로 하고 足三里, 三陰交, 大腸兪를 配伍한다.

③ 補瀉 : 濕熱이 重하면 瀉法을 쓰고 脾虛下陷한 자는 補法을 쓴다.

(2) 예방

좋은 배변습관을 길러 변비를 예방해야 한다. 불필요하게 오래 머물지 않음으로써 항문부에 瘀血
이 생기지 않도록 한다. 채소를 많이 섭취하고 辛辣하고 자극적인 음식을 줄인다.

오래 앉아 있거나, 오래 서서 일하는 직업에 종사하는 사람은 규칙적으로 항문 괄약근 운동을 해
야 하는데, 예를 들어 한 번에 3~5분씩 매일 수차례 발끝으로 서있으면 항문직장의 정맥 순환을 촉
진시켜 어혈을 감소시키고 치질을 예방할 수 있다.

6. 예후

1도, 2도의 치핵의 경우 보존적 요법으로 완화되는 경우가 많으나 3도, 4도로 진행하는 경우도 있다. 이러한 경우는 수술을 시행하는 것이 원칙이며 수술을 하더라도 재발하는 경우가 있다.

Ⅰ-2. 外痔

1. 개요

外痔는 下痔核靜脈叢이 확대되거나 혹은 반복해서 염증을 일으켜 형성된 것을 말하며, 齒狀線 이하에 위치한다. 그 특징은 다음과 같다. 항문에 불필요한 皮瓣이 생기고, 그 형태는 같지 않으며 일반적으로 통증이나 출혈이 없고 항문에 이물감을 자각할 수 있다. 각각 다른 형태와 증상에 따라 結締組織外痔, 靜脈曲脹外痔, 血栓性外痔, 炎症性外痔로 나눌 수 있다.

2. 원인 및 병기

항문의 열상으로 인해 외부의 독소에 감염되고 氣血의 운행이 순조롭지 못하게 되면 筋脈이 阻滯되어 발생한다. 혹은 濕熱이 下注됨으로써 脈絡이 막혀 氣滯血瘀가 되고 瘀血이 맺혀 흩어지지 않아 형성된다.

3. 증상

항문에 불필요한 皮瓣이 생기는데 그 크기와 형태는 일정치 않으며 표면이 光滑하고, 환자는 重墮하고, 불편한 느낌을 받으며 항문에 이물감을 느끼게 된다. 일반적으로 통증과 출혈은 없다. 과로, 손상, 감염 등으로 腫脹과 疼痛이 발생된다. 肛門 前後正中位에 발생하는 것은 대체로 肛裂이 동시에 존재하고 肛門 左側中間, 右側前後位置에 발생하는 것은 대개 2, 3기의 內痔가 함께 발생한다.

1) 證型

(1) 靜脈曲脹外痔

下直腸靜脈叢이 확장되어서 형성되는 痔이다. 평소에는 아무런 증상이 없지만 서 있거나 비교적 장시간 보행 후에 항문부에 重墮된 불편한 느낌을 받게 된다. 검사 시에는 항문주변에 타원형 혹은 고리형태의 융기가 생긴 것을 볼 수 있다. 쪼그리고 앉거나 무리하게 힘을 줬을 때 융기는 커져서 청자색을 띄게 되며 만지면 유연하고 탄성이 있다. 많은 경우 2, 3기의 內痔가 수반된다.

(2) 結締組織外痔

贅疲痔라고도 한다. 항문주변피부주름에 피부 군더더기가 형성된 것으로 결체조직이 늘어서 생기고 확장된 정맥총은 뚜렷하게 나타나지 않는다. 일반적으로 통증은 없고 출혈 또한 없다. 다만 항문부위에 이물감을 느끼고, 염증이 생겨 腫脹이 되어야 비로소 동통 증상이 있다. 肛門 前後正中位의 군더더기 피부에 발생하고, 肛裂을 수반하는 경우가 많으며 또한 哨兵痔라고도 한다.

(3) 血栓性外痔

항문주변의 小靜脈이 파열되서 피부 밑에 생긴 혈전으로 인해 형성된다. 갑작스럽게 발병하게 되며 동통이 극렬하다. 포도상의 腫塊가 뚜렷하게 나타나는데 청자색이고, 만지면 딱딱하며 아프고 움직인다. 대개의 경우 저절로 흡수되나 어떤 것은 군더더기 피부아래에 남아 結締組織外痔를 형성한다.

(4) 炎症性外痔

많은 경우 結締組織外痔가 감염되어 발생한다. 발병은 비교적 빠르고 항문이 붓고 아픔이 뚜렷하다. 검사 시 국부 충혈과 수종이 보이고 원형 혹은 타원형의 종괴가 있으며 누르면 통증이 뚜렷하다.

4. 진단감별

1) 감별질환

(1) 肛緣皮下膿腫(炎症性 外痔와 감별) : 炎症性 外痔는 일반적으로 잘 화농되지 않으며 혈전을 형성할 수 있고 혈전은 점차 흡수된다. 肛門皮下膿腫은 염증이 국한된 경우 파동성이 뚜렷하며 潰破時 농액이 유출된다.

(2) 肛門 脂肪瘤, 粉瘤, 纖維瘤(血栓性 外痔와 감별) : 血栓性 外痔는 발병이 急하며 疼痛이 극렬

하고 국부 염증반응이 뚜렷한 청자색 圓形腫物이다. 脂肪瘤는 발병이 완만하고 염증반응이 없으며 腫物이 유연하고 觸痛이 없다. 粉瘤는 감염이 없는 경우 뚜렷한 염증반응이 없으며 발병이 완만하고 病程이 긴 腫物이다. 纖維瘤는 病程이 길고 뚜렷한 염증반응이 없으며 표면이 光滑하고 이동성이 있다.

(3) 肛乳頭肥大, 항문 첨형콘딜롬(結締組織 外痔와 감별) : 結締組織 外痔는 항문 가장자리의 贅皮로 형상은 불규칙하며 質은 유연하다. 肛乳頭肥大는 치상선 상부에 위치하며 항상 삼각형 혹은 꼭지(蒂)를 형성한다. 質은 단단하고 색은 회백색이다. 항문 첨형콘딜롬은 質이 단단한 피부 표면 贅生物이다.

(4) 肛門水腫(靜脈曲張外痔와 감별) : 靜脈曲張外痔는 복압이 증가하는 상황에서 발생하며 腫物은 비교적 단단하며 누워서 휴식하면 緩解되고 消散될 수 있으며 급성 염증반응이 없다. 肛門水腫은 便秘, 內痔, 直腸脫垂 등으로 인한 염증반응으로 腫物은 유연하며 압통이 있고 점차 吸收, 消失될 수 있다.

5. 치료

1) 內治

(1) 炎症性外痔

濕熱이 아래로 넘친 것에 속하는 증상으로 淸熱利濕解毒시킨다. 升陽除濕湯에 加減하여 사용한다.

(2) 血栓性外痔

瘀血이 凝結된 증에 속하며 活血化瘀시킨다. 活血散瘀湯을 사용한다.

2) 外治

훈세, 敷藥요법이 있다.

훈세의 경우 外痔에 염증과 수종이 발생하고 墮脹疼痛한 느낌이 들며 아플 때는 荊芥水에 씻거나 苦蔘湯 끓인 물에 훈세를 한다.

敷藥은 훈세 후 국부에 消炎止痛膏를 펴 발라 통증을 멈추고 부종을 가라앉히는 데 사용한다.

Ⅰ-3. 混合痔

混合痔는 內外痔를 말한다. 內外靜脈叢과 그 문합이 동시에 확장됨으로써 형성된 痔이다. 그 병인병리는 內痔, 外痔와 동일하며 증상은 內痔와 外痔의 각종 증상이 겸하여 나타나고, 辨證施治 또한 기본적으로 동일하다.

Ⅱ 항문열창Anal fissure

1. 개요

항문열창에 해당하는 肛裂은 항문관 皮膚全層이 찢어져 개방된 곳이 감염되어 생긴 궤양이다. 항문관 後正中位에 생기는 경우가 많으며, 前方에 생기는 경우가 그 다음이다. 임상특징은 다음과 같다. 전형적인 배변 시에 생기는 주기적인 동통이 있고 大便秘結하고 변혈이 있다. 보통 청장년층에 보이고 직장항문 질환 중 일반적인 병이다. 《醫宗金鑑 · 外科心法要訣 · 痔瘡》에서는 "肛門圍繞, 折紋破裂, 便結者, 火燥也"라고 기재되어 있다. 항문열창은 배변과정에서 변비로 인한 과도한 긴장 또는 항문 내 괄약근압의 상승으로 인해 항문관의 손상으로 발생한다고 보고 있다. 항문열창의 증상은 통증과 출혈이다. 출혈은 대부분 소량이며 감염되면 분비물이 증가하고 치루가 생기면 고름이 나온다. 급성 항문열창은 변비가 없도록 약을 사용하며 국소 마취연고나 온욕을 하면 2주정도면 치유가 된다. 만성 항문열창의 치료는 수술적 치료가 주가 되며 수술은 수지 확장술, 내괄약근 절개술, 피부이동술 등 크게 세 가지로 나눌 수 있다.

2. 원인 및 병기

血熱腸燥, 大便秘結, 排便時 努力으로 발생하는 항문의 손상이다. 발병과 이하의 소인과는 관계가 있다.

1) 解剖素因

肛門管 前後位의 기육이 얇고 약한 경우, 탄성이 좋지 못한 경우, 혈행이 충분치 못한 경우, 항문관과 직장이 형성된 자연적인 각도에 이상이 있는 경우, 항문 전후의 위치가 대변 배출 시 충격을 받

기 쉬운 방향에 있어 파열이 발생되는 경우, 계속되는 감염으로 형성되는 陣舊性潰瘍이 있다.

2) 外傷素因

건조하고 딱딱한 분변으로 인한 항문관의 피부손상, 이것이 肛裂 발생의 기초가 된다.

3) 感染素因

肛門陰窩의 감염이 항문관 피하로 확장되어 농종을 형성하여 궤파된 후에는 즉시 潰瘍創面이 드러나게 된다.

4) 肛門 內括約筋痙攣 素因

만성적으로 자극을 받아 항문 내괄약근이 경련상태에 이르게 되고 피부점막이 확장되어 항문관이 쉽게 파열되는 원인이 된다.

3. 증상

肛裂의 주요 증상은 동통, 변혈과 大便秘結이다.

동통은 배변과 많은 연관이 있는데 배변 시 항문이 확장되고 찢어진 부위가 분변의 자극을 받게 되어 극렬한 동통이 일어난다. 분변 배출 후 동통은 잠시 후에 완화되는데 이것을 疼痛間歇期라고 한다. 다만 반복된 항문괄약근 경련으로 인해 지속적으로 극렬한 동통이 나타나기도 하는데, 보통 괄약근이 이완된 후에야 비로소 동통이 소실되게 되며, 이것을 肛裂疼痛周期라고 한다.

변혈은 배변 시에 다발하는데 血은 선홍색을 띠고 일반적으로 출혈은 많지 않다.

배변 시 일어나는 극렬한 동통은 환자로 하여금 평상시에 대변을 오래 참게 하여 습관성 변비에 이르게 한다. 이로 인해 변비가 악화되면 동통이 가중되는 악순환이 이루어진다.

1) 證型

(1) 早期肛裂

병정 짧고 손상된 裂口는 얕으며 손상면의 색이 紅光滑하고 裂口 가장자리는 정돈되고 가지런하며 탄성이 있다. 합병증은 없고 치료가 쉽다.

(2) 陣舊性肛裂

병정이 비교적 오래되었고 裂口가 깊고 손상 면은 회백색이고 열구 가장자리가 융기되어 硬堅하고 보통 贅皮痔, 齒狀線 肥厚乳頭, 瘻管 등이 같이 나타나고 치료가 어렵다.

4. 진단감별

1) 진단

환자는 배변 시 찢어지는 것 같은 통증을 느끼게 되며 배변 후 극심한 항문 경련이 지속된다. 항문 내압 검사와 직장 수지 검사에서 항문 내 괄약근의 긴장도가 높아져 있으며, 근육이 비후된 것을 확인할 수 있다. 시진으로는 특징적으로 궤양 안쪽으로 항문유두가 비후된 것이 관찰되고 궤양 바깥쪽으로 피부가 늘어진 전초퇴가 관찰되는 경우도 있다. 항문 궤양은 간혹 크론병, 결핵, 항문암, 항문 농양, 항문루, 거대세포 바이러스, 헤르페스 바이러스와 감별을 필요로 한다.

2) 감별질환

(1) 肛門管 結核性潰瘍 : 궤양 형상은 불규칙하며 궤양 底部는 汚灰色 苔膜을 나타내며 膿血 분비물이 섞여있다. 疼痛은 가벼우며 痔裂은 없고 대부분 결핵 병력을 가진다. 조직검사 시 結核結節과 乾酪壞死를 볼 수 있다.

(2) 肛門管 上皮癌 : 궤양이 불규칙하며 주변은 堅硬하게 융기되어 있고 주위와 底部는 염증침윤으로 편평하지 않다. 표면은 대개 괴사조직으로 덮여있으며 특이한 냄새가 난다. 지속적인 疼痛이 있으며 괄약근 침범 시 항문이 늘어지거나 대변실금이 나타난다. 조직검사에서 암세포를 발견할 수 있으며 대부분 편평세포암이다.

(3) 肛門管 上皮缺損 : 內痔 절제수술 과거력이 있으며 대변 시 출혈이 있으나 疼痛은 없고 항상 감각성 변실금이 있다. 천표궤양과 같은 형상이나 創面이 아닌 정상 직장점막으로 되어 있다.

(4) 肛門皸裂 : 항문주위 피부습진, 피부염, 소양증을 기반으로 하여 피부가 변성되고 苔癬化된 후의 속발성 병변으로 裂口가 다발하고 위치는 고정되어 있지 않다. 裂口는 피부 淺表부터 皮下까지 나타나고 痔裂과 肛門乳頭肥大는 없다. 疼痛은 경미하며 출혈은 적다. 겨울과 봄에 심해지며 여름에는 비교적 가볍다.

(5) 肛門管損傷 : 肛門鏡 검사 시 조작이 잘못되거나 대변이 乾硬하거나 外傷으로 肛門管을 손상시켜 나타나며 創面과 淺表의 찢어진 傷口가 관찰된다. 선홍색으로 출혈이 있다. 항문관 어느 부위에도 발생할 수 있으며 일반적으로 正後方에서 주로 관찰된다.

5. 치료

1) 內治

肛裂은 외치위주로 한다. 하지만 환자에게 熱結腸燥의 증후가 있으면 清熱涼血, 潤腸通便시키고 涼血地黃湯合脾約麻仁丸加減을 상용한다. 陰虛腸燥한 자에게는 養陰生津을 위주로 하고 增液湯合潤腸湯加減을 사용한다.

2) 外治

배변 후에 荊芥水로 씻고 훈세한다. 매번 20~30분을 한 후에 生肌玉紅膏 또는 黃連膏를 상처 외부 면에 발라주면 치료효과를 높일 수 있다.

3) 예방

大便通暢을 유지하여 변비를 막아야 한다. 대변건조가 있을 때 일반적으로 蜂蜜, 麻油, 혹은 麻仁丸 등의 緩瀉劑를 복용하고 분변을 매끄럽게 하여 항문의 손상을 막는다.

항문부위의 위생에 주의하여 직장항문부의 염증을 치료하고 항문관 피부의 탄성을 유지하고 외상으로 인해 파열에 이르는 것을 감소시킨다.

6. 예후

病因에 대한 예방과 증상에 대한 보존적 치료로 대부분 치료된다. 보존적 치료에 효과가 없고 자각증상이 엄중한 만성 肛裂에 수술적 치료를 적용할 수 있다.

Ⅲ 항문직장농양 Anorectal Abscess

1. 개요

항문직장농양인 肛癰은 항문직장 주위조직의 화농성질환이다. 어떤 연령에서든 호발하며, 20~40세 청장년층에 가장 많이 나타나는데, 남성이 여성보다 많다. 역대 의학서적에서는 발생부위에 따라 각기 다른 명명을 하였다. 예를 들어 항문 안팎으로 생긴 것을 臟毒, 肛門癰이라 했고, 會陰

穴에 생긴 것을 懸癰, 海底癰이라 했고, 항문 뒷쪽 미골의 약간 위쪽에 생긴 것을 跨馬癰이라 했다. 임상적 특징은 항문주위가 紅腫熱痛하며, 대부분 뚜렷한 전신증상을 수반하고 저절로 터지거나 절개하여 배농 후 肛門瘻가 되어 膿과 진물이 나고, 이것이 오래 지속되면 치료가 어렵다. 크론병, 혈액질환 등의 환자에서 항문주위농양이 생기기 쉽고 치열, 혈전성 치핵, 항문부위의 수술이나 외상후에도 올 수 있다. 그러나 가장 흔한 원인은 항문선의 감염으로 여겨진다. 처음에는 항문주위 및 내부에 가벼운 통증을 느끼는 것으로 시작하여 염증이 진행됨에 따라 점점 심해지는데 누르면 통증이 더 심하다. 항문주위 피부에 가까울수록 통증이 심하고, 농양이 항문 깊은 곳에 생기면 어느 정도 진행되기 전에는 통증이 그렇게 심하지 않고 둔통인 경우가 많다. 저절로 터지거나 절개하여 배농되면 통증은 빠른 속도로 소실된다. 항문주위 피부에 가까운 농양에서는 벌겋게 부어오르는 경우가 많지만 농양이 항문 깊은 곳에 생기면 전혀 표시가 나지 않을 수도 있다. 고열이 나는 경우도 있지만 열이 전혀 없는 경우도 있다. 농양이 피부, 항문상피, 직장점막에 이르면 저절로 터져서 배농이 된다. 진단이 되면 즉시 절개배농을 해야 한다. 처치가 늦어지면 농양이 광범위하게 퍼질 가능성이 있고, 심한 경우에는 패혈증에 빠지게 된다. 배농만 시행한 경우 1개월 이상 분비물이 계속되고 상처가 낫지 않으면 치루에 대한 수술을 고려해야 한다.

2. 원인 및 병기

飮食不節, 過食肥甘, 辛辣, 醇酒 등으로 해서 脾胃를 손상하여 濕熱이 內生하고, 下注大腸하며 蘊阻肛門하여 생긴 것이다. 혹은 항문이 파열되어 독성물질에 오염되어 이것이 肌腠를 침입하여 氣滯瘀血 鬱而化熱 腐敗成膿에 이르게 된 것이다. 혹은 臟腑本虛하여 脾, 肺, 腎의 三陰이 虧損되어 濕痰이 항문에 凝聚함으로써 經絡阻塞 氣血壅滯 血敗肉腐하게 된 것이다.

3. 증상

병인과 발병부위가 다르므로 肛癰의 증상은 꽤 많은 양상을 띤다. 급성 감염인 경우 발병하는 것이 급하고 증상이 뚜렷하며 농이 일찍 생긴다. 만성 감염인 경우 발병하는 것이 느리고 증상이 경미하며 농이 늦게 생긴다. 淺部 肛癰이 있는 경우 국소적 증상이 매우 뚜렷한데, 환부의 딱딱한 종괴가 볼록 솟아나며 피부에 발적 발열 증상이 나타나며, 심한 통증과 압통이 있고 농이 생긴 후에 그 부위에서 파동감이 느껴지고, 대부분 눈에 띄는 전신 증상은 없다. 深部 肛癰인 경우 발병위치가 깊기 때문에, 항문에 국소적 변화는 없으며 단지 직장 내 下垂 腫脹 혹은 작열감이 있다. 항문 내 수지검사 시, 환측 직장 점막에 침윤성 종괴가 만져지고, 압통이 있으며, 돌출감 및 파동감이 느껴지고 전신증상이 뚜렷하며 대부분 발열, 오한, 두통, 身痛 등의 증상이 나타난다.

1) 證型

(1) 實證

국소적 紅腫熱痛 증상이 나타나며 증상 변화가 빠르고, 쉽게 농이 생기고, 궤파 후에 흘러나온 농이 黃稠하고 糞臭가 난다. 자주 寒熱往來, 頭身疼痛, 口渴喜飮, 便秘尿赤, 舌質紅, 苔黃膩, 脈滑數하는 증상이 나타난다.

(2) 虛證

국소적 미만성 종괴로 표면이 편편하며, 피부 발적은 없으며 통증은 경미하고 농 형성이 느리고, 궤파 후 흘러나온 농이 묽고 지독한 냄새는 없으며 궤파된 부위의 색이 어둡고 움푹 들어갔다. 低熱 혹은 午後潮熱을 동반하고 全身倦怠無力, 舌質淡, 苔薄膩, 脈細無力 등의 증상이 나타난다. 예를 들어, 肺虛자는 咳嗽, 喀血, 骨蒸盜汗이 같이 나타나고, 脾虛자는 身疲納呆, 大便溏薄이 같이 나타나며, 腎虛자는 腰膝酸軟, 耳鳴不寐가 같이 나타난다.

4. 진단감별

1) 진단

진찰 시 항문주위에 미만성 종창이 있으며 때로 파동이 있다. 수지직장검사상 항문관이나 직장벽에 압통이나 경화(경결)를 발견할 수 있다. 때로 통증은 심한데도 원인을 알 수 없는 경우는 마취 하에서 검사해 볼 수 있다.

2) 감별질환

(1) 肛門옆 癰腫 : 항문주위 피하조직에 생긴 것이다. 종괴가 볼록하며 중앙에 膿塊가 있다. 대부분 저절로 궤파되고 잘 나으며 肛門瘻는 형성되지 않는다.
(2) 肛門옆 粉瘤 : 둥근 종괴로 표면은 매끄러우며 통증은 없다. 합병증이 있는 경우 紅腫熱痛하며, 궤파되면 米飮같은 것이 흘러나오고, 肛門瘻는 형성되지 않는다.

5. 치료

1) 內治

(1) 實證 : 淸熱解毒, 活血祛瘀해야 한다. 仙方活命飮, 黃蓮解毒湯을 加減하여 쓴다.

(2) 虛證 : 養陰淸熱, 健脾祛濕해야 한다. 靑蒿鱉甲湯合三妙丸을 加減하여 쓴다.

2) 外治

(1) 初期 : 實證에는 金黃膏, 大靑膏로 外敷하고 虛證에는 沖和膏로 外敷한다.

(2) 成膿 : 바로 절개하여 膿이 나오게 한다. 肛癰의 部位, 深淺, 病情의 緩急에 따라 적합한 수술방법을 선택한다. 수술은 一次切開法, 一次切開結紮法, 分次切開法등이 있다.

一次切開法은 淺部肛癰에 적절하며 一次切開結紮法은 深部肛癰에 적합하다. 分次切開法은 허약체질이거나 外來診察治療時에 하는 深部肛癰에 적합한 방법이다.

(3) 潰破後 : 먼저 환부를 깨끗이 소독한 다음 生肌散, 玉紅膏로 生肌하여 治療한다.

3) 기타

예방 : 항문의 청결에 주의하고 변비를 예방해야 한다. 적극적으로 항문염증을 치료하여 항문주위 감염을 예방한다.

肛癰이 생긴 후 곧 바로 정확한 처치를 함으로써 肛門瘻를 예방한다.

6. 예후

항문직장농양이 있는 경우 대부분 쉽게 가라앉지 않으며 膿이 형성되어 潰破된 후 膿水가 흐르고 오랫동안 그치지 않아 肛門瘻를 형성하기 쉽다. 수렴되는 경우에도 재발하기 쉬우며 虛證인 경우 이후에 결핵을 형성하기 쉽다.

IV 항문루 Anal fistula

1. 개요

肛門瘻는 항문직장 및 주위조직의 비정상적인 통로로 肛癰의 후유증이다. 치루라고도 한다. 항문 직장 질환 중 치질 다음으로 호발하는 것이다. 임상 특징으로는 瘻口가 있고 농이 흐르며 반복발작 하고, 저절로 치유되지 않는 것 등이 있다. 본 병은 어떤 연령에서든 가리지 않고 발생하나 청장년층 에서 주로 볼 수 있다. 치루는 항문샘의 염증이 시작되어 항문 주위나 직장 주위에 염증을 일으키고 농양을 형성한 후에 염증이 회복되며 회음부와 연결이 되면서 누공이 생긴다고 보고 있다.

가장 많은 원인은 항문샘의 감염에 의하여 생기나 그 이외의 여러 가지 원인에 의하여 생길 수 있다. 항문의 제 질환에 의하여서도 치루가 생길 수 있는데 가장 흔한 경우는 치열에 의하여 치루가 생기는 경우이다. 이외에 치핵도 치루의 원인이 될 수 있다. 전형적인 증상은 동통이 선행한 후에 항문 주위가 붓고 농양이 생기거나 항문주위에 농이 외공을 통하여 흘러나오는 것이며 항문질환의 병력이 많으며 항문주위염증의 병력을 찾을 수 있다.

치루는 괄약근과의 관계에 따라 괄약근 사이 치루, 괄약근 관통 치루, 괄약근 외부치루, 괄약근 상부치루, 마제형 치루로 나누며 일반적으로 수술요법을 시행한다.

2. 원인 및 병기

肛癰潰破 후에 餘毒이 未盡하여 蘊結不散하고 때때로 농혈이 있고 오랫동안 잘 낫지 않아서 항문루가 되는 것으로, 항문루의 기본 병인은 肛癰과 같다. 肛癰 潰破後 대부분 항문루가 되는 원인은 아래와 같다.

감염으로 肛門洞이 생성된 것에 內口가 여전히 존재하여 분변 등의 장 내용물이 끊임없이 內口를 따라 농이 생긴 곳으로 들어가 반복감염을 유발한다.

膿潰破後에 內口는 빠르게 수축되면 이 때문에 농 부위가 굴곡 되어 분비물이 잘 빠져나오지 못하게 되므로 유합되지 않은 만성 감염성 瘻管이 남게 된다.

배변 시 괄약근의 수축이완으로 환부가 안정을 취하지 못하게 되어 상처의 유합에 영향을 끼치게 된다. 또한 항문직장 주위의 지방조직이 과다하여, 수복능력이 떨어지는 것 등도 원인이 된다.

3. 증상

항문루에는 주로 국소적 증상만 있는데, 급성염증과 만성 반복성 항문루가 있을 때는 전신증상을 동반한다. 예를 들어 발열, 빈혈, 체중감소 및 식욕부진 등이 있다.

1) 流膿

瘻內口의 반복 流膿은 항문루의 주요 증상이다. 처음 생긴 항문루에는 농이 많으며, 黃稠하고 糞臭가 난다. 만성기가 되면 농액이 稀薄하고 자주 瘻管에 약간의 분비물 혹은 농이 흘러나와 옷을 더럽힌다. 때로는 瘻外口가 일정 시간 내에 자연 봉합되는데, 오래되지 않아 또 다시 궤파되어 더 많은 농이 흘러나온다. 만약 원래의 환부를 따라 뚫고 나가 궤파시키지 않으면 支管이 생기게 된다. 반복 발작하게 되면 복합성 항문루가 된다.

2) 腫痛

만성기 항문루는 일반적으로 통증이 없거나 肛門內 墜脹感만이 있다. 급성발작이 있는 경우 국소적으로 紅腫熱痛과 뚜렷한 압통이 있으며 아울러 전신 불편감이 동반된다. 농이 배출되면 통증 또한 점차 경감 또는 소실된다.

3) 瘙痒

분비물의 자극으로 인하여, 항문이 축축해지고 소양감이 있으며, 항문습진이 동반된다.

4) 外口

항문루가 체외로 통하는 開口로서 병변성질이 다르므로 內口의 수와 형태도 다르다. 단순성 항문루에는 하나의 外口만이 있고, 항문주위 피부에 위치하고 있으며 약간 함몰된 것 또는 융기된 결절 모양을 띠고 있다. 결절 혹은 함몰된 것의 중앙에 있는 작은 구멍에서 농이 흘러나온다. 복합성 항문루의 外口 수는 다 다른데, 적으면 2개 많으면 열개에서 수십 개까지 되며, 둔부에 분포하고 피부에 凹凸이 생기고 瘻口형태는 제각각이다. 만약 瘻口가 잠재성 궤양형태를 띠면 주위피부는 어두운 색을 띤다. 분비물이 묽은 것은 결핵성 항문루의 특징이다.

5) 瘻管

이것은 항문루의 주된 것이며 항문촉진을 통하여 자세한 진단을 할 수 있다. 低位 항문루의 부위는 표부이며, 이것의 주요 管道는 대부분 항문 직장과 평행 혹은 거의 평행으로 주행하는데 항문외 촉진으로는 만질 수 없다. 반드시 항문 내 수지검사와 probe검사를 결합해야만 확진할 수 있다.

6) 內口

內口는 항문루의 원발성 병소이다. 內口를 절제 또는 절개하는 것은 항문루를 치료하는 관건이 며, 만약 확실하게 검사되지 않거나 혹은 위치 확정에 착오가 있을 경우엔 반드시 치료 상의 실패를 낳게 된다.

4. 진단감별

1) 진단

환자는 수개월 내지 수년간 항문 주위에 반복해서 농양이 생기거나 분비물이 있었던 병력이 있다. 항문을 육안으로 봤을 때 바깥쪽으로 난 구멍으로부터 고름이 배출되는 것을 확인할 수 있다. 또한 직장수지 검사만으로도 진단이 가능한데, 촉진 시 누관이 지나는 길이 만져진다. 누관을 확실히 확 인하기 위해 치루 조영술, 항문 초음파, MRI 검사 등을 추가로 시행하기도 한다.

2) 감별질환

(1) 化膿性 汗腺炎 : 肛門瘻로 誤診하기 가장 쉬운 질환이다. 이 질환의 주요 특징은 膿腫 형성과 竇道를 남기는 것이다. 化膿性 汗腺炎의 병변은 피부와 피하조직에 위치하며 병변 범위가 광 범위 하고 무수히 많은 竇道 開口가 있을 수 있으며 結節狀 혹은 彌滿性으로 나타난다. 竇道 는 얕아 직장과 통하지 않으며 竇道를 절개한 후 膿腔과 瘻管이 나타나지 않는다.

(2) 骶前竇道 : 천골 전과 직장 사이의 竇道로, 하나의 外口가 있으며 外口 주위는 피부로 덮여있 다. lipidol을 사용하여 조영 시 단일 竇道가 명확하게 관찰된다. 직장과 통하지 않으며 반복성 腫痛과 膿血 등의 병력이 없다.

(3) 骶前畸胎瘤 : 胚胎발육이상으로 나타나는 선천성 질환으로 주로 청장년기에 발병한다. 肛門 後 尾骨 前에 外口가 있으며 肛管은 直腸 後와 骶前으로 주행하고 內口는 없다. 항문수지검 사 상 骶前의 腫物을 촉진할 수 있다. 바륨 관장 시 直腸과 骶骨 간격이 넓어진 것을 볼 수 있으 며 수술 시 腔內의 모발, 치아, 骨質을 관찰할 수 있다.

(4) 骶尾部骨結核 : 발병이 완만하며 급성 염증 증상이 없고 潰破 후 淸稀한 膿液이 흐른다. 오랫 동안 아물지 않으면 創口가 陷凹되고 食慾不振, 低熱, 盜汗, 消瘦가 나타나고 적혈구 침강속 도는 증가되며 X선 상 骶尾部 骨質損害와 결핵병변이 관찰된다.

(5) 晩期 肛管直腸癌 : 潰爛 후 肛門瘻를 형성할 수 있으며 특징적인 점은 腫塊가 堅硬하며 膿 血 분비물, 악취, 지속적인 疼痛, 꽃양배추양 궤양이며 병리학적 검사에서 암세포를 발견할 수 있다.

5. 치료

1) 內治

항문루에는 외치법을 주로 쓴다. 내치법은 급성 염증기에 쓰는데, 증상을 경감시키고, 감염 정도를 억제할 수 있다. 구체적인 치료법은 肛癬 치료법을 참고하면 된다.

2) 外治

훈세, 결찰요법이 있다. 훈세는 급성염증기의 국소적 紅腫熱痛에 사용한다.
결찰요법은 항문에서 4cm이내의 低位性 단순성 항문루에 주로 쓴다.

3) 예방

항문의 청결을 유지한다. 만약 肛癬이 발견되면 곧바로 膿部位와 內口를 手術切開하여 항문루가 되는 것을 막아야 한다. 이미 항문루가 생긴 자는 바로 치료를 해야 하며, 단순성 항문루가 복잡성 항문루로 되는 것을 막아야 한다.

6. 예후

농이 흐르며 반복발작하고, 저절로 치유되지 않는다. 일반적으로 수술요법을 시행한다. 장기간 치료하지 않고 방치해 두는 경우 드물지만 항문암으로 발전할 수 있다.

Ⅴ 항문탈출, 직장탈출 Anal prolapse, Rectal prolapse

1. 개요

脫肛은 항문탈출(anal prolapse), 직장탈출(rectal prolapse)을 말하는데, 이것은 직장점막, 肛管, 직장과 S상 결장부위가 항문 밖으로 탈출한 질병이다. 소아 · 노인과 신체허약한 자에게 많이 나타난다. 임상특징으로는 배변 시 用力, 기타 복압이 증가하는 상황 하에 腫物이 탈출되고 墜脹感 혹은 小腹疼痛하고 다량의 점액분비를 수반하며 탈출된 것은 점막미란출혈을 야기할 수 있다. 배변 시 과도한 용력, 출산 시의 난산에 따른 후유증, 유전, 노화로 항문 괄약근이 쇄약해진 경우, 신경학적인 질환이 직장탈의 원인이 될 수 있다. 탈항에는 내치핵이 오래되어 빠지는 내치 탈항, 항문유두가 커져서 빠지는 유두치 탈항, 섬유종이 자라서 빠지는 섬유치 탈항, 용종이 길게 줄처럼 매달려 빠지는 용종 탈항, 직장점막이 늘어나서 빠지는 직장점막 탈항이 있다. 치료는 결찰과 절제술이 가장 효과적이다. 결찰법의 경우 노인의 내치 탈항에 많이 사용되고 있다.

2. 원인 및 병기

氣血不足, 臟腑虛損이 氣虛下陷하게 하여 固攝無力해지는 것이 주요 병인이다. 소아에 있어서는 氣血未旺하여 미저골의 각이 較直하거나 항문괄약근이 薄弱하고, 啼哭과 腹瀉 등으로 항상 탈항을 야기하여 된 부분 탈항이 비교적 많고 성인에 있어서는 완전 탈항이 많은데 年老하여 氣血衰退하고 中氣不足하여 된 것이다. 부녀들은 분만 시 用力耗氣하고 氣血虧損하여 된 것이고, 또한 만성설사 · 이질, 습관성 변비, 장기해수 등의 증상으로 氣虛下陷을 초래하여 固攝失常하여 된 것이다.

3. 증상

초기증상으로는 배변 시 腫物이 항문으로 탈출하는데, 배변 후에 자동 復位한다. 오래 쪼그리고 앉아있거나 오래 서 있거나 원거리를 걷는 사람, 해수 시 用力 등으로 탈출할 수 있는데, 손으로 위로 올려주면 復位 가능하고, 肛門 墜脹感 혹은 배변 不盡感, 배변횟수 증가의 증상이 있고 小腹疼痛도 가능하다. 반복탈출로 인한 점막 자극 · 마찰로 腫脹이 충혈되거나 미란 · 궤양 등이 형성되고 점액 분비도 비교적 늘어나 항문을 적시어 옷을 오염시킬 수 있다. 항문 주위 피부의 계속되는 분비물 자극으로 습진성 피부염, 소양감 등이 발생한다.

항문괄약근이 늘어져 배변을 제어하는 것이 쉽지 않고 경도의 요실금도 가능하다. 때때로 배뇨곤란과 뇨의빈삭 증상이 있다. 만약 탈출 후 다시 復位되지 않는 것이 갑자기 항문을 막으면 腫脹 · 疼痛 등의 증상과 괴사가 발생할 수도 있다.

1) 證型

脫垂 정도에 따라 3도로 나눈다.
(1) 1도脫垂 : 직장점막이 탈출하여 길이 3~5㎝, 탈출물은 淡紅色, 만지면 유연하고 변 후 자연 復位한다

(2) 2도脫垂 : 직장전층이 탈출하여 길이 5~10㎝, 원추형, 담홍색, 표면이 环狀이고 점막주름이 잡혀있다. 만지면 비교적 肥厚하고 탄성이 있으며 항문은 늘어져있다. 배변 후 손을 사용하여 復位가 가능하다.

(3) 3도脫垂 : 직장과 S상 결장이 탈출하여 길이 10㎝이상, 원주형, 만지면 매우 肥厚하고 항문이 늘어져 무력하다

4. 진단감별

1) 진단

웅크린 상태에서 배변 시처럼 힘을 주면 직장벽 탈출이 일어나면서 동심성 주름이 보인다. 직장 수지검사를 할 때 괄약근 약화, 항문 직장각 소실을 느낄 수 있다. 대장 조영술 등을 시행할 수 있다.

2) 감별질환

(1) 內痔脫出 : 脫出은 顆粒狀을 나타내며 색은 暗紅 혹은 靑紫色으로 쉽게 출혈한다.

(2) 直腸息肉 : 탈출된 腫塊는 紅色을 나타내며 꼭지(蒂)가 있다. 質은 유연하고 탄성이 있으며 쉽게 출혈한다.

(3) 乳頭狀腫 : 絨毛狀腺腫이라고도 한다. 直腸에 많이 발생하며 中老年人에게 많이 보인다. 특징은 基底가 넓고 꼭지(蒂)가 없거나 粗短하다. 항상 單一性으로 나타나며 瘤體는 비교적 크고 최대 직경은 15 ㎝에 이를 수 있다. 위치가 비교적 낮은 경우 항문 밖으로 탈출할 수 있다. 외관은 絨毛狀을 띠며 만지면 부드럽고 瘤體 표면에서 대량의 점액이 분비될 수 있다.

(4) 晩期直腸癌 : 脫出物의 형상은 불규칙하며 표면은 편평하지 않고 質은 堅硬하다. 潰瘍面이 있으며 점액혈성분비물이 있고 뚜렷한 악취와 肛門墜脹感, 疼痛이 있다.

5. 치료

內外약물치료 · 주사 · 수술치료로 나뉜다. 내외약물로 골반 내 장력을 증가시키고, 직장 지지 · 고정작용을 강화시킬 수 있다. 1도 脫垂는 소아에 있어 더욱 좋은 효과를 보이고, 2 · 3도直腸脫垂 역시 능히 증상을 개선시키나 치료는 더욱 어렵다. 주사와 수술요법은 通過注射와 결찰요법이 있는데, 직장과 주위조직 혹은 직장 각층의 조직점막을 고정하여 직장이 다시 下脫되지 않게 하는 것이 치료의 목적이다.

1) 內治

補氣 升提 固攝해야 하는데 補中益氣湯加減으로 한다.

2) 外治

훈세, 敷藥, 소작요법이 있다.

훈세는 苦蔘湯加石榴皮, 明礬, 五倍子등의 전탕액으로 훈세한다.

敷藥은 탈항이 腫痛하고 피가 묻어나올 때 五倍子散으로 外敷하여 收斂 · 消腫 · 止血한다.

소작요법은 粘膜脫垂에 적용하는데, 고주파 電灼器 혹은 이산화탄소레이저광선을 사용한다.

3) 예방

장기간 복압이 증가하는 활동을 피하고, 화장실에서 오래 쪼그리고 앉아 있거나 오래 걷는 습관 등을 고친다. 변비 · 설사 등은 빨리 치료한다.

年老體弱 中氣不足者는 補中益氣, 補氣健脾藥을 응용하면 발병한 것은 치료하고 예방할 수 있다.

6. 예후

수술 후 잔존 변실금의 빈도는 26~81% 정도로 나타나고, 배변 조절 기능이 돌아오기까지는 1년 정도 기다려 보아야 한다. 탈출 상태가 지속되면 원상회복되지 않는 상태(감돈)가 되거나, 궤양 출혈, 직장 파열 등의 합병증이 생길 수 있다.

Ⅵ 직장폴립, 항문폴립 Rectal polyp, Anal polyp

1. 개요

直腸息肉은 직장 내 贅肉이 생기는 것을 가리키는데, 직장 내 일종의 양성종양으로 볼 수 있다. 직장폴립(rectal polyp), 항문폴립(anal polyp)과 유사하다. 임상 특징으로 배변 후 출혈하는데 선홍색이고 腫物은 과일 꼭지만큼 작고(蒂小) 質은 軟한데, 소아에서 많이 나타난다. 하나만 생길 수도 있고 다발할 수도 있다.

만약 매우 많은 息肉이 한 부위 혹은 대장 내 전부위에 집중되어 있다면 息肉病이라 말하고 이는 암을 유발 할 수 있다. 용종은 여러 가지 종류가 있는데 용종이 중요한 이유는 대장암과의 관계 때문이므로 대장암의 선행질환이 될 수 있는 신생물성 용종과 대장암과 관계없는 용종으로 크게 나눌 수 있다. 대부분 직장출혈이나 배변습관의 변화가 가장 흔히 나타나는 증상이다. 용종의 크기가 클수록 출혈양은 많으며 특이 증상이 없는 경우도 13~27%정도 된다고 보고되고 있다.

이외에도 하복부동통 및 불쾌감, 변비, 설사, 장중첩증, 체중감소 등의 증상이 나타날 수 있다.

양성종양의 경우 현재 결장경(colonoscope)을 이용한 용종제거술이 널리 이용되고 있다. 용종의 제거 후 문제가 되는 것은 용종의 재발에 있다. 즉 용종 제거 후 지속적인 검사를 통해 용종의 재발을 조기에 발견, 치료하도록 한다.

2. 원인 및 병기

濕熱이 대장으로 下迫하여 腸道氣機가 不利하고 경락이 阻滯되어 瘀血濁氣가 항문에 凝聚되어 이루어진다.

3. 증상

직장점막 상에 小肉이 돌출한 것이 크기가 고르지 않고 작은 것은 완두, 큰 것은 매실, 호두만하고, 적은 것은 한 개, 많게는 십여 개, 심하면 실로 꿰어놓은 포도알 같다.

腫物의 질은 연하고 선홍 혹 암홍색이며 마찰로 쉽게 파열·출혈된다. 위치가 비교적 높은 곳에 있는 小息肉은 대부분 자각 증상이 없고, 염증으로 표면이 미란되면 배변 시 가끔 선혈이 있거나 점액을 수반한 변을 배출한다. 자동 復位되지만 큰 것은 배변 후 손으로 밀어 넣어야 한다.

항상 복통·복사를 수반하며 심하면 묽은 변내 포말과 더러운 냄새가 나고, 농혈·점액을 띠고 있고 裏急後重한다. 병이 오래된 사람은 形體消瘦, 體弱無力, 面色蒼白 등의 증상을 보인다.

1) 證型
(1) 胃腸濕熱證 : 대변이 시원하지 않고 小腹脹痛, 便內 鮮血이나 점액이 있고 氣味臭穢, 舌紅, 苔黃膩, 脈滑數하다.
(2) 脾胃虛弱證 : 腹痛綿綿, 大便稀薄, 항상 포말과 점액을 수반하고, 肛門下墜, 便血淡紅, 息肉이 탈출되면 다시 들어가는 것이 쉽지 않고, 面色萎黃, 食欲不振, 四肢不溫, 形體消瘦, 舌淡苔

白, 脈細弱하다.

4. 진단감별

1) 진단
대장내시경 검사가 대장 전체를 관찰하고 조직검사도 가능한 가장 정확한 검사라고 볼 수 있다.

2) 감별질환
(1) 內痔 : 양자 모두 탈출된 것인데, 內痔는 齒線上에 생기는 것으로 左中, 右前, 右後 세 곳에 많이 위치하고, 基底가 비교적 넓고, 꼭지 같은 것이 없으며(無蔕), 배변 시 출혈이 비교적 많고 성인에게 많이 발생한다.

(2) 만성 이질 : 만성 이질 또한 복통, 설사, 배변 시 膿血 · 裏急後重 등이 있으나 배변 시 항문으로 탈출하는 腫物이 없고 대변의 횟수로 비교적 많다.

5. 치료

1) 內治
(1) 胃腸濕熱證 : 淸熱利濕하는데 秦芃蒼朮湯 加黃芩 · 梔子 · 牧丹皮를 한다. 변혈이 많을 때는 槐角丸을 복용한다.

(2) 脾胃虛弱證 : 補益脾胃하는데 四君子湯加減을 한다.

2) 外治
관장법, 주사법, 電烙法, 수술요법이 있다.

관장법은 다발성 直腸息肉에 수렴 · 軟堅 · 散結作用하는 데 적용하며, 電烙法은 비교적 높은 부위에 있는 小息肉에 적용한다.

6. 예후

용종, 특히 선종성 용종은 치료하지 않으면 대장암으로 발전한다. 선종에서 대장암으로 진행하는데 걸리는 시간은 약 5년에서 10년이라고 알려져 있다. 용종의 크기가 클수록, 조직검사에서 융모 형태의 세포가 많은 경우, 세포의 분화가 나쁜 경우는 암으로 진행하는데 걸리는 시간이 짧아지고, 암 발생률이 높아진다.

Ⅶ 항문직장의 악성 신생물Malignant neoplasm of anorectum

1. 개요

肛門直腸癌은 항문직장의 악성 신생물(Malignant neoplasm of anorectum)에 해당하며 항문관 직장암은 병이 후기에 이른 것으로 항문이 협착으로 인해 항문 폐쇄가 흔히 일어나므로 鎖肛痔, 腸癖 疽라고 한다. 外科大成에서는 "鎖肛痔, 肛門內外如竹節鎖緊, 形如海虫折, 裏急後重, 便糞細而 帶匾, 時流臭水......"라 하여 본병의 증상과 예후에 대해 상세한 서술을 하고 있다. 한다.

대략적인 대장의 각 부위 별 암 발생률은 맹장과 상행결장 25%, 횡행결장 15%, 하행결장 5%, S 결장 25%, 직장-S 결장 접합부 10%, 직장 20% 정도로 알려져 있다. 대장암의 원인은 아직까지 확 실히 밝혀지지는 않았지만 음식의 섭취와 관계가 있다. 대장암의 발생은 동물성 지방 특히 쇠고기의 섭취와 비례한다. 일반적으로 대장암의 선행질환이나 대장암에 많이 걸릴 수 있다고 알려져 있는 질 환으로는 염증성 장염으로 불리는 궤양성 대장염, 크론씨병, 가족성 용종증, 방사선 치료를 받은 경 우, 가족 중에 대장암을 가진 환자가 있는 경우 등이며 대장암으로 수술을 받은 경우 남아 있는 대장 에 또 다른 대장암이 생기는 경우가 많다.

대장암의 흔한 증상은 변비와 설사 형태의 배변습관의 변화, 혈변이나 점액변 복통 소화불량, 복 부팽만감, 복부 종괴 촉지, 체중과 근력의 감소, 빈혈 등이다. 그러나 부위나 암의 진행 정도에 따라 달라진다.

대장암의 치료에는 절제술과 수술 전후의 방사선치료, 보조적인 항암제의 투여 그리고 면역요법 등이 있다 대장암이 발견되면 암이 생긴 대장부위를 포함해서 전체 대장의 반 정도를 절제한다.

2. 원인 및 병기

憂思가 抑鬱됨으로 인해 氣滯血瘀, 濕熱蘊結, 乘虛下注에 이르게 되거나 혹은 嗜酒함으로 인해 久瀉, 久痢 등을 유발하게 된다. 임상상 부분적으로 발현된 直腸 息肉은 전변되어 암이 될 수 있다.

직장암은 腺癌에 해당하며 직장의 상단 및 S자 결장의 경계부에 호발한다. 肛管癌은 肛管의 피부에 원발성으로 발생하며 대부분 鱗狀細胞癌이 된다. 항문부 把痕組織, 濕瘡, 痔瘻 등의 병변은 암성 변화를 유발한다.

1) 直接 蔓延

먼저 연접하는 점막에서 직접 주위 및 심층으로 만연되고 아울러 연접 장관에 環狀으로 진행하므로 쉽게 장관 협착을 형성한다. 직접 만연되는 경우 그 전파속도는 비교적 완만하다. 임상에서 보면 암종이 침습하여 장벽의 1/4을 둘러싸게 되는 데에는 약 6개월의 시간이 소요되며 장관을 한 바퀴 둘러싸는 데에는 18~24개월 정도 소요된다. 후기에는 장벽을 투과하여 인근기관에까지 전이된다.

2) 淋巴轉移

상부를 향해 연접한 직장상정맥을 따라 주행하는 임파절에 까지 전이되며 항관암은 서혜부 임파절에 까지 전이될 수 있다.

3) 血行轉移

암세포는 직장상정맥, 장간막하정맥, 문정맥 등을 통해 肝에까지 전이될 수 있다.

3. 증상

초기에는 직장 점막이나 혹은 피부에 하나의 소결절이 돌출되어 있고, 뚜렷한 증상은 없다. 병이 진행됨에 따라 이하의 증상이 나타날 수 있다.

1) 배변 습관의 변화

직장암에서 흔히 볼 수 있는 조기증상으로 배변 횟수가 증가하고 변의가 빈삭하나 대변은 보지 못하는 경우가 흔히 발생한다. 때로는 변비와 동시에 항문이 下垂되는 감각이 있다.

2) 便血

직장암 초기 증상이다. 대변에 帶血하고 血은 선홍 혹은 암홍색이며 양은 많지 않고 항상 점액을 수반하고 있는데 이때는 항상 痔瘡으로 오인된다. 병이 진행됨에 따라 대변 횟수가 증가하고 裏急後重이 있으며 대변을 다 보지 못한 것 같은 느낌이 남는다. 분변 내에는 혈, 농, 점액이 있으며 아울러 특수한 臭味가 있다.

3) 大便變形

병의 후기에 장관의 협착으로 인해 대변양이 감소하고 대변이 가늘고, 넙적해지기도 하며 아울러 복창, 복통, 장명음이 항진되는 등 腸硬疽 증상이 출현한다.

4) 전이증상

晩期 암종이 만약 간으로 전이되면 간 종대와 황달이 나타나고 미골신경에 까지 미칠 경우 앉을 때 직장 내 혹은 미골부에 극렬한 지속성 동통이 나타나고 하복부, 요부 혹은 하지로 방사된다. 방광 요도에 전이될 경우 배뇨가 시원하지 않고 통증이 나타나며 동시에 식욕부진, 전신쇠약무력, 빈혈, 消瘦 등의 전신증상이 나타난다.

4. 진단감별

1) 진단

(1) 直腸手指檢 : 항관암에서는 항문부에 包塊가 돌출되어 있거나 궤양, 기저부의 不平, 質硬의 소견을 관찰할 수 있다. 약 80%에서 직장암의 위치는 손가락으로 그 부위를 촉진할 수 있다. 그러므로 直腸指檢은 직장암을 조기에 진단할 수 있다는데 중요한 의의가 있다. 指檢時 장벽에 단단한 결절성 종괴 혹은 궤양을 촉진할 수 있고 장관은 항상 협착되어 있으며 장갑에 혈, 농, 점액이 묻어 나오기도 한다.

(2) 直腸鏡檢査 : 직장 내 병변의 범위를 관찰할 수 있을 뿐만 아니라 小塊組織을 겸자로 집어내어 병리검사를 함으로 암종과 염증성종양을 감별할 수 있다.

2) 감별질환

(1) 內痔 : 소량 혹은 대량의 출혈이 대변이 나온 뒤에 있으며 일반적으로 통증은 없다. 2. 3기의 내치는 배변 시 항문 밖으로 치핵이 탈출하며 치핵은 柔軟하며 궤양은 없다. 또한 전신증상은 특별히 없다.

(2) 痢疾 : 주요증상으로 농혈점액변, 裏急後重이 있으며 病勢는 急하다. 단지 음식의 청결상태에서 병이 기인하며 쉽게 치유된다.

(3) 息肉 : 便血 혹은 점액혈변이 주요증상이며 또한 배변횟수의 증가와 裏急後重感도 동반될 수 있다. 소아에게서 다발하며 항문경과 직장수지검사에서 息肉의 존재를 관찰할 수 있다.

5. 치료

1) 內治

(1) 氣滯血瘀證 : 치료는 마땅히 活血祛瘀, 解毒抗癌해야 한다. 처방은 桃仁 9g, 麻仁 9g, 乳香 3g, 沒藥 3g, 地楡 18g, 槐角 18g, 當歸 18g, 紫花地丁 24g, 金銀花 24g, 連翹 24g, 鳳尾草 12g, 紫草 15g으로 달여서 매일 1劑 복용하며 小金片 4片을 복용한다.

(2) 濕熱蘊結證 : 치료는 마땅히 淸熱利濕, 解毒抗癌해야 한다. 처방은 生地 9g, 熟地 9g, 黃連 3g, 黃柏 9g, 黃芩 9g, 黨參 9g, 蒼朮 9g, 白朮 9g, 地楡 9g, 烏梅 9g, 紅藤 30g, 薏苡仁 30g, 龍葵 30g, 甘草 6g으로 달여서 매일 1劑 복용한다.

(3) 脾腎兩虛證 : 치료는 마땅히 健脾補腎, 益氣養血해야 한다. 처방은 補中益氣湯 或 參苓白朮散 合 四神丸加減을 사용한다. 氣虛者는 四君子湯을 加하여 쓸 수 있고; 血虛者는 四物湯을 加하여 쓸 수 있으며; 氣血兩虛者는 十全大補湯을 사용할 수 있다.

2) 外治

(1) 外敷 : 潰爛者는 九華膏 或 黃連膏를 外敷한다.

(2) 灌腸 : 敗醬草 30g, 白花蛇舌草 30g을 80ml로 달여 保留灌腸을 매일 2번, 매회 40 ml씩 시행한다.

6. 예후

직장암을 치료하지 않고 방치하면 출혈, 통증, 천공 등의 합병증이 생길 수 있고 암이 자라나면서 변비가 생기고 장이 막힐 수 있다. 암이 배 안으로 퍼지면 배에 물이 차는 복수가 생길 수 있으며 암이 방광으로 전이되면 여러 가지 비뇨생식기 관련 증상들이 생길 수 있다. 암이 직장에만 국한된 경우, 환자의 전반적인 건강상태가 좋다면 직장암의 생존율이 높아진다. 항문암은 일반적으로 예후는 좋은 편이고 5년 생존율이 약 65~75% 정도로 알려져 있다.

Ⅷ 항문가려움 Pruritus ani

1. 개요

肛門瘙痒病은 항문가려움이며 항문주위에 원발성의 피부손상이 없이 항문피부의 극렬한 소양을 주 증상으로 한다. 소양은 매우 완고하고 잘 낫지 않으며 병정이 길고 쉽게 재발한다. 요충으로 인한 경우를 제외하고 30세 이상의 남성에서 다발한다. 항문 주위는 신경이 풍부하게 있어서 조그만 자극에도 심하게 가렵게 된다.

가려움증에는 치핵이나 치루 등 질환이 있어서 가려운 경우를 속발성 소양증이라 부르고 원인이 되는 질병이 없이 가려운 경우를 특발성 소양증이라 부른다. 속발성 소양증이 나타날 수 있는 전신 질환에는 황달, 당뇨, 임파선암, 백혈병, 갑상선 기능이상, 기생충 감염이 있다. 아이나(결핵약) 아스피린, 하이드랄라진(고혈압약) 등 약물이 원인이 되는 경우도 있다.

항문이나 직장, 대장질환이 있으면 항문주위 피부에 점액이나 분비물이 나와서 습기가 많아져 가렵게 된다. 치핵, 치루, 치열, 탈항, 항문 곤지름, 직장탈, 암이나 용종, 대장염, 설사가 있으면 가렵게 된다.

또 목욕을 잘 하지 않거나 변을 본 다음 항문에 변이 묻어 있으면 소양증이 생긴다. 땀이 많이 나는 사람도 항문이 땀에 젖어 가렵게 된다. 기생충 중에는 이, 옴, 요충이 가려움증의 원인이 된다.

피부진균증 중 칸디다, 백선균, 표피 사상균이 있어도 가렵다. 세균 감염에 의한 홍색 음선 시에도 소양증이 발생하며 드물게는 접촉성 피부염 질염이나 요실금으로 가렵기도 한다.

특발성 소양증은 대변이 항문주위 피부에 묻으면 대변 속에 있는 세균, 독소, 효소, 단백질 대사산물이 자극을 주어 가렵게 되거나 알레르기, 스트레스로 인한 불안, 초조, 긴장에서 기인하는 것으로 생각되고 있다.

원인질환이 있는 경우 원인질환을 치료해야 한다. 일반적으로 항문의 청결이 중요하다. 또한 오래 앉아 있지 말고 꽉 끼는 옷이나 땀의 흡수가 안 되는 내의를 입지 않는다. 커피, 우유, 홍차, 술 등을 피하면 증상이 아주 좋아진다. 어떠한 방법으로 해도 낫지 않으면 알콜 주사요법이나 피부 박리술을 시행한다.

2. 원인 및 병기

1) 肝經의 濕熱이 下注하여 항문주위의 피부에 沮滯되어 발생한다.

2) 痔瘡, 肛瘻, 息肉痔, 肛裂, 乳頭炎등으로 인한 점액분비자극으로 발생하거나 肛腸의 기생충으로 인하여 발생한다.

3) 稟性不耐, 情緖憂鬱 또는 過度興奮으로 발생하거나 외용약의 자극 또는 달라붙는 의복에 의하여 발생한다.

3. 증상

처음에 항문부근 1寸 이내의 부위에 원발성의 피부손상이 없이 자각적인 소양감을 느껴서 긁고 문지르게 되어 피부가 灰白色 혹은 淡白色을 띠며 濕潤해 진다. 항문주름은 비후되고 방사상의 큰 틈이 생긴다. 시간이 지남에 따라 피부는 거칠고 비후하게 되어 태선양으로 경화된다. 소양은 진발성으로 나타나며 야간에 더욱 심하고 마찰이나 습기 등은 모두 소양을 갑자기 생기게 한다. 긁어서 출혈이 되는 것을 방지해야 한다.

4. 진단감별

1) 감별질환
肛門濕疹 : 항문주위에 丘疹, 糜爛, 結痂가 있으며 끈적거리는 분비물이 매우 많다. 시간이 지남에 따라 피부가 거칠어지고 肥厚하게 되며 灰黑色을 띤다.

5. 치료

1) 內治
(1) 治法 : 淸熱利濕止痒
(2) 治方 : 萆薢滲濕湯合二妙丸을 기본으로 하여 가감한다.
(3) 상용약물 : 萆薢, 薏苡仁, 蒼朮皮, 黃柏, 龍膽草, 苦蔘, 牧丹皮, 澤瀉, 車前子, 山梔子等
(4) 가감법
　① 痒甚 : 加 徐長卿, 白鮮皮, 地膚子
　② 未寐 : 加 夜交藤, 珍珠母, 生牡蠣
　③ 皮苔蘚化 : 當歸, 生地黃, 白芍藥
　④ 蟯蟲病引起 : 檳榔, 百部根, 生大黃(後下)

2) 外治

(1) 훈세법

苦蔘湯 또는 蛇床子 30 g, 苦蔘 30 g을 전탕하여 매일 1회 훈세한다. 요충이 있을 경우에는 위의 처방에 百部根 15 g을 加한다. 과민하여 발생하는 경우에는 香樟木 30~60 g을 水煎하여 환처를 씻는다.

(2) 外敷法

피부가 습윤하면 枯白礬을 매일 2~3회 바른다. 항문주름이 비후해지거나 거칠고 태선양을 띨 경우에는 黃柏霜을 매일 2~3회 환처에 바른다.

(3) 관장법

요충으로 인한 경우에는 百部根 30 g에 물 200 mL을 加하여 30 mL가 될 때까지 전탕하여 밤에 10~11 방울을 떨어트려 관장하는데 5일간 지속한다. 또는 大蒜을 찧어 1사발이 절반이 되도록 전탕한 뒤 따뜻한 상태로 관장하는데 5일간 지속한다.

3) 예방

모든 유발요인을 제거한다. 痔, 瘻, 肛裂, 肛竇炎 및 濕疹, 濕疣, 癬 등의 항문질환을 치료하고 당뇨병, 간담질병, 황달 등의 전신성 만성질환을 치료하고 毛, 絲, 滌, 綸으로 된 속옷은 면으로 된 제품으로 바꿔서 국부의 자극을 방지하고 항문주위를 긁지 않으며 용변을 본 후에는 부드러운 휴지로 닦고 온수로 항문을 깨끗이 세정한다. 요충으로 인하여 발생한 경우에는 용변 후에 깨끗이 씻고 오염된 바지와 홑이불은 끓는 물에 삶는다. 매일 밤 1번씩 요충을 제거하고, 식전과 용변 후에는 손을 씻고 솔로 指甲을 솔질하여 오염물질을 제거한다. 이렇게 1~2개월을 실시하면 본 병은 소실된다. 구충약을 먹고 상술한 관장법을 사용하면 곧 완전히 낫게 된다.

6. 예후

瘙痒은 매우 완고하고 잘 낫지 않으며 병정이 길고 쉽게 재발한다.

IX 대변실금 Faecal incontinence

1. 개요

肛門失禁은 대변실금에 해당하며 항문의 배변을 조절하는 수의적인 기능이 완전 혹은 부분 상실되는 것이다. 실금의 정도에 따라 완전성 실금과 불완전성 실금으로 구분할 수 있다. 乾便 혹은 稀便 모두 조절할 수 없어서 항상 분변의 流出이 있는 상태를 완전성 대변실금이라 한다. 乾便은 조절할 수 있으나 단지 稀便과 가스의 조절이 불가능한 상태를 불완전성 대변실금이라 한다. 이 중 항문괄약근의 기능은 정상적이나 항문관의 上皮가 비교적 광범위하게 파괴, 결손되어 항문괄약근의 반사작용에 영향을 미치게 되고 소량의 稀便, 점액, 가스등이 外溢되는 것을 감각성 변실금이라 한다. 대변실금은 원인을 찾는 것이 매우 중요하며 신경 손상인 경우나 외상의 경우에 동반된 증상이나 병력으로 원인을 알 수 있는 경우가 많다. 소변실금과 동반되었는지 여부는 반드시 물어 보아야 하며 동반된 경우는 pudendal nerve이상의 장애가 있는 경우이다. 당뇨, 신경학적 이상이 있는가, 외상이나 수술력 특히 항문수술력이 매우 중요하며 변실금의 수치를 기록하기 위한 사항의 질문이 중요하다.

2. 원인 및 병기

대변실금의 원인은 국소적인 회음부 병리와 전신 질환으로 나누어 볼 수 있다.

표 25-2. 대변실금의 주된 원인

국소적 회음 질환
괄약근 손상 – 외상에 의한 손상(산과 손상, 성폭력) – 수술에 의한 손상(치루 수술, 치핵 수술, 괄약근 절개술) – 크론병의 항문회음 병변 – 항문암 음부신경 장애 직장기능 장애 – 만성 염증성 장질환 – 방사선 직장염 – 직장암 – 분변매복 – 직장 수술 – 직장탈출증

전신 질환
급성 및 만성 설사
– 만성 염증성 장질환
– 과민성대장증후군
– 감염성 설사
– 담즙 유발성 설사
신경계 장애
– 중추성(뇌졸중, 다발성 경화증, 연수의 질환)
– 말초성(당뇨 또는 알코올성 신경병증)
기타 전신 병증
– 전신 경화증 등

氣血衰退, 中氣不足, 외상, 혹은 失治 등으로도 항문실금이 야기될 수 있다.

1) 久瀉久痢

瀉利가 日久하여 脾陽이 손상되어 中氣가 下陷되면 항문이 收斂되지 못하고 稀便이 淋漓하여 항문실금이 발생한다.

2) 脾腎虧虛

脾主肌肉하고 腎司二陰하므로 脾虛하면 肌肉이 위축되고 腎虧하면 後陰이 失約되어 항문수축 무력으로 항문실금이 출현한다.

3) 외상 및 오치

3. 증상

본병의 증상은 일정하지 않으나 모두 정도가 다른 분변과 가스의 배설에 대한 수의적인 조절불능의 상태가 나타난다. 완전성 실금은 전혀 배변규율이 없으며 대변은 장운동을 따라 저절로 항문으로부터 배출된다. 해수, 嚔嚏 등의 복압이 증가될 때 대변이 배출될 수 있다. 이러한 환자는 늘 항문에 주의력을 집중하여 대변유출을 피하려 하는데, 차량을 피한다든지 하는 등 정신이 분산될 때 대변이 즉시 항문에서 유출될 수 있다. 감각성 대변실금은 분변이 대량으로 유출되지는 않으며, 稀便이 소량으로 유출되거나 혹은 배변 전에 소량의 대변과 점액이 유출된다. 粘液外溢로 인해 항문주위 피부가 자극을 받으면 紅腫하고 피부손상 및 동통이 있는 경우가 많다.

4. 진단감별

1) 진단

반드시 신경학적인 검사(knee jerk, ankle jerk, anocutaneus reflex)를 같이 실시하는 것이 중요하다. 직장내 수지 검사와 직장경, S상 결장장경으로 검사 또한 중요한다. 이외에도 항문내압검사, 변 조절의 기능검사, 근전도등을 같이 검사하여야 한다.

5. 치료

변실금도 모든 치료의 원칙과 마찬가지로 원인을 알고 원인에 대한 치료를 하는 것이 가장 효과적이다. 그러나 원인이 불분명하거나 혹은 원인을 알더라도 신경학적인 손상의 경우에는 확실한 치료방법이 없다.

가장 중요한 사항은 설사를 일으키는 음식이나 약제를 피하는 일이다. 이러한 음식조절을 시행하여도 변의 조절이 안 되는 경우 codenine phoshate, loperamide등과 같은 약제를 같이 사용한다. 액체에 대한 변실금이 있는 경우는 팽창성 하제를 사용하게 되면 변의 점도를 굳게 만들 수 있다. 변의 조절과 같이 사용되는 방법은 직장의 청소이다. 직장을 비우게 되면 항문의 변 조절 능력에 상관없이 증상을 없앨 수 있다.

당뇨환자 등에서 보이는 직장감각능력의 저하로 인한 변실금인 경우에는 직장감각을 훈련시키는 Biofeedback 치료가 좋으며 다른 원인의 변실금에도 변 조절 기능을 훈련을 통해 향상시킬 수 있다.

그리고 변실금에 대한 많은 수술방법이 존재하나 치료성적에 대해서는 논란이 많아 자주 사용되지는 않는다.

1) 內治

(1) 瀉利日久 中氣下陷 : 대변이 때도 없이 유출되고 심하면 탈항되어 收斂되지 않는다. 形體消瘦, 精神萎靡不振, 小食體倦, 舌質淡胖, 脈沈細無力하다. 中氣下陷으로 초래되는 항문실금은 마땅히 補中益氣시켜야 한다. 方은 補中益氣湯加減을 쓴다.

(2) 脾腎虧虛 : 대부분 年老體弱 혹은 病後虧虛, 房勞傷腎으로 항문이 失約되어 분변 점액이 유출되는 것을 자각하지 못하며 畏寒怕冷, 四肢不溫, 食少腹脹, 小便淸長, 舌淡胖, 脈沈細하다. 脾腎虧損으로 초래되는 항문실금은 마땅히 健脾益腎해야 한다. 方은 人蔘歸脾湯合六味地黃湯加減을 사용한다.

2) 기타치료

(1) 침구치료 : 長强, 足三里, 三陰交, 百會, 承山等穴

(2) 예방 및 조리 : 항문 보강운동 즉 항문 조이기 운동을 매일 2~3초, 매차 30~50회한다.

6. 예후

대변실금을 적절히 치료하지 않고, 방치하게 될 경우 삶의 질 저하와 우울증 등의 정신적 문제를 일으킬 수 있다. 항문 피부 자극이 지속적으로 유발되어 항문 소양증 등이 발생할 수 있으며, 항문 주변에 남아 있는 대변으로 인해 피부 감염, 방광염 등이 발생하기도 한다.

📖 참고문헌

1) 대한외과학회. 외과학 제2판. 서울: 군자출판사; 2017.

2) 서울대학교병원. 치핵, 치열, 치루, 직장 탈출증, 대장 용종, 대장암, 직장암, 항문암, 변실금. 서울대학교병원 의학정보. 네이버지식백과. www.naver.com

3) 전국 한의과대학 피부외과학 교재편찬위원회. 한의피부외과학. 부산: 선우; 2007.

4) 中医外科学 編写委員會(譚新华, 何清湖 主編). 中医外科学 第二版. 人民卫生出版社: 北京; 2016.

第 26 章 유방질환

KCD 코드	한글 상병명	영문 상병명
O91	**출산과 관련된 유방의 감염**	**Infections of breast associated with childbirth**
O91	임신, 산후기 또는 수유기에 생긴 열거된 병태	The listed conditions during pregnancy, the puerperium or lactation
O91.0	출산과 관련된 유두의 감염	Infection of nipple associated with childbirth
O91.0	유두의 임신농양	Gestational abscess of nipple
O91.0	유두의 산후기 농양	Puerperal abscess of nipple
O91.1	출산과 관련된 유방의 농양	Abscess of breast associated with childbirth
O91.1	임신 또는 산후기 유방농양	Gestational or puerperal mammary abscess
O91.1	임신 또는 산후기 화농성 유방염	Gestational or puerperal purulent mastitis
O91.1	임신 또는 산후기 유륜하농양	Gestational or puerperal subareolar abscess
O91.2	출산과 관련된 비화농성 유방염	Nonpurulent mastitis associated with childbirth
O91.2	임신 또는 산후기 유방의 림프관염	Gestational or puerperal lymphangitis of breast
O91.2	임신 또는 산후기 유방염 NOS	Gestational or puerperal mastitis NOS
O91.2	임신 또는 산후기 간질성 유방염	Gestational or puerperal interstitial mastitis
O91.2	임신 또는 산후기 실질성 유방염	Gestational or puerperal parenchymatous mastitis
A18.8	**기타 명시된 기관의 결핵**	**Tuberculosis of other specified organs**
A18.88	기타 부위의 결핵	Tuberculosis of other sites
D24	**유방의 양성 신생물**	**Benign neoplasm of breast**
D24	유방의 결합조직의 양성 신생물	Benign neoplasm of breast connective tissue
D24	유방의 연부의 양성 신생물	Benign neoplasm of breast soft parts
D24.2	유방의 단발 양성 신생물	Single benign neoplasm of breast
D24.2	유방 결합조직의 단발 양성 신생물	Single benign neoplasm of breast connective tissue
D24.2	유방의 연부의 단발 양성 신생물	Single benign neoplasm of breast soft parts

D24.3	유방의 다발 양성 신생물	Multiple benign neoplasm of breast
D24.3	유방의 결합조직의 다발 양성 신생물	Multiple benign neoplasm of breast connective tissue
D24.3	유방의 연부의 다발 양성 신생물	Multiple benign neoplasm of breast soft parts
D24.9	상세불명 유방의 양성 신생물	Benign neoplasm of breast, unspecified
D24.9	상세불명 유방의 결합조직의 양성 신생물	Benign neoplasm of breast connective tissue, unspecified
D24.9	상세불명 유방의 연부의 양성 신생물	Benign neoplasm of breast soft parts, unspecified
N60	**양성 유방형성이상**	**Benign mammary dysplasia**
N60.4	유선관확장	Mammary duct ectasia
N64	**유방의 기타 장애**	**Other disorders of breast**
N64.5	유방의 기타 증상 및 징후	Other signs and symptoms in breast
N64.5	유두분비물	Nipple discharge
C50	**유방의 악성 신생물**	**Malignant neoplasm of breast**
C50	유방의 결합조직의 악성 신생물	Malignant neoplasm of connective tissue of breast
C50.0	유두 및 유륜의 악성 신생물	Malignant neoplasm of nipple and areola
C50.1	유방의 중앙부의 악성 신생물	Malignant neoplasm of central portion of breast
C50.2	유방의 상내사분의 악성 신생물	Malignant neoplasm of upper-inner quadrant of breast
C50.3	유방의 하내사분의 악성 신생물	Malignant neoplasm of lower-inner quadrant of breast
C50.4	유방의 상외사분의 악성 신생물	Malignant neoplasm of upper-outer quadrant of breast
C50.5	유방의 하외사분의 악성 신생물	Malignant neoplasm of lower-outer quadrant of breast
C50.6	유방의 겨드랑꼬리의 악성 신생물	Malignant neoplasm of axillary tail of breast
C50.8	유방의 중복병변의 악성 신생물	Malignant neoplasm of overlapping lesion of breast
C50.9	상세불명의 유방의 악성 신생물	Malignant neoplasm of breast unspecified

　　유방에 발생하는 질환은 포유기에 乳頭破碎 乳癧 乳發 乳瘻 등이 호발하며, 비포유기에 乳癆 乳癖 乳癧 乳衄 乳腺增生 乳癌 등이 호발한다. 여자의 생리적인 특징으로 인해 발병율이 남자보다 높다.

1. 유방의 구조

여성 유방은 유선과 지방 및 결체조직으로 이루어져 있고, 유방의 윤곽은 지방과 결체조직에 기초하고 있으며, 유선은 상대적으로 적다. 유방에는 15~20개의 유선엽이 있으며 각각의 유선엽은 여러 개의 유선소엽으로 이루어지고, 각각의 유선엽에는 수유관이 있고 방사형으로 유두를 향하고 있다.《瘍醫大全》에 "婦人乳有十二穰"이라 하였으니 穰은 유관을 말하는 것이다.

유선은 임신 제7, 8개월 전후로 소량의 유즙을 분비하기 시작하는데 단백질을 풍부히 함유하고 황색을 띠는데 이를 초유라 한다. 분만 후 2~3일 이면 초유의 분비량이 비교적 많다. 일반적으로 분만 3일 후에야 비로소 진정한 유즙이 분비되기 시작한다. 이후 분비량이 점점 증가하여 산후 3~4개월에 최대에 이르게 되고 유지되다가 9~10개월에 이르러 분비량이 점점 감소하여 산후 1년에서 1년 반에 이르면 그치게 된다. 만약 모체가 전염성 질환에 감염된 상태라면 유즙을 통해 영아에게 전염될 수 있어서 패혈증이나 바이러스성 간염 등을 유발할 수 있다. 이러한 전염성 질환에 감염된 경우는 임신을 하지 않는 것이 좋고 혹 산후라면 포유하지 않는 것이 좋다.

2. 유방과 臟腑 · 經絡과의 관계

《瘍醫大全》에 "婦人之乳 男子之腎 皆性命之根也. 人之氣血 周行無間 寅時始於手太陰肺經 出於雲門穴 穴在乳上 丑時歸於足厥陰肝經 入期門穴 穴在於乳下 出於上入於下 肺領氣 肝藏血 乳正居於其間也. 其足陽明之脈 自缺盆下於乳 又衝脈者起於氣街 幷足陽明夾臍上行至胸中而散 故乳房屬足陽明胃經 乳頭屬足厥陰肝經" "男子乳頭屬肝 乳房屬腎 女子乳頭屬肝 乳房屬胃 …… 乳房屬陽明胃經所司 乳頭屬厥陰肝經所主"라 하여 유방과 臟腑 經絡과의 관계와 남녀의 차이에 대하여 설명하고 있다.

3. 유즙의 來源과 월경의 관계

유즙은 脾胃의 水穀之氣에서 유래하므로 脾胃의 氣가 壯하면 유즙도 많고 진하다. 血衰한 즉 분비량이 적고 淡하다. 衝任은 氣血의 海로 上行하여 乳가 되고 下行하여 經이 되어서 포유기에는 經止하게 된다. 유즙의 분비와 배출은 肝木의 氣에 의해 조절된다. 肝主疏泄하므로 만약 肝氣不舒하여 疏泄不利하면 유즙이 울체되어 乳癰이 발생하게 된다. 영아의 요구량의 증가에 따라서 유즙의 분비도 점점 증가하여 일반적으로 하루에 1~3ℓ에 이르게 된다. 만약 하루 유즙분비량의 2~4

ℓ를 초과하게 되면, 포유하지 않을 때에는 유즙을 짜내지 않으면 저절로 흘러내리게 된다. 유즙분비량이 과다하게 되면 유즙이 희박하여 영아와 산모 모두 영양불량 상태에 이를 수 있다. 반대로 과소한 경우는 영아의 영양에 영향을 준다. 산모는 평소 心情을 舒暢하게 하고 불필요한 정신부담을 줄이며 동시에 충분한 영양과 수면을 취해야 하며 정확한 포유방법으로 유즙분비를 정상화할 수 있다. 유선발육부전도 또한 유즙분비부족을 유발할 수 있다. 생리적으로 유즙분비가 과다한 경우는 일반적으로 특별한 처치가 필요하지 않다.

4. 원인 및 병기

1) 肝鬱胃熱

肝氣不舒로 인하여 疏泄이 실조되거나, 胃經의 積熱이 經絡을 阻塞하여 氣滯血瘀하게 되어 유즙이 울체된다. 유방이 紅腫熱痛하고 혹은 膿水가 黃厚하며 惡寒發熱, 口渴欲飮, 小便短赤, 舌苔白或黃, 脈浮數或弦數한 症이 동반된다. 乳癰이나 乳發 등은 肝鬱胃熱과 관계가 깊다.

2) 肝脾失調

정서가 鬱悶憂思함으로 肝氣不舒하게 되어 氣不舒한 즉 氣滯血瘀하고 脾失健運한 즉 痰濕內生하여 痰瘀互結되어 成核하게 된다. 形은 桃李와 같고, 質은 비교적 硬하며 표면은 光滑하다. 밀면 움직이고 胸脇不舒를 동반하여 心煩易怒하고 或 月經不調, 經行乳房脹痛, 舌苔薄白, 脈弦滑하게 된다. 乳癖, 乳岩은 肝脾失調와 관계가 깊다.

3) 肝腎不足

先天不足하거나 後天失調, 生育過多 등이 원인이 되어 肝腎不足하게 되어 衝任失調하게 되고 精血不足하게 되어 水不涵木하여 肝火上升에 이르게 되어 火가 津을 消灼하여 痰이되고 痰瘀互結하여 核을 이루게 된다. 그 核의 생장 발전은 발육, 월경, 임신과 유관하다. 頭暈耳鳴, 腰膝腿軟, 月經不調, 舌苔薄白, 脈弦細하며 乳癧는 肝腎不足과 有關하다.

4) 肺腎陰虛

陰虛한 卽 火旺하여 肺津不布하여 津液을 消灼하여 痰이 된다. 痰火가 經絡을 따라 乳房에 結하여 그 核이 皮色不變하여 微微作痛하며 化膿緩慢하고 潰後에 膿水淸稀하다. 潮熱盜汗, 手足心熱, 或形瘦食少, 舌質紅而少苔, 脈細數하며 乳癧는 肺腎陰虛와 유관하다.

5. 유방질병에 있어서의 四診의 응용

유방질병의 진단과 치료에 있어서의 四診은 중요한 위치를 차지하고 있다. 望診, 問診, 聞診, 切診의 4개 방면을 모두 포괄한다.

1) 問診

현 병력으로는 유방腫物의 발현시간, 생장속도의 빠르고 느림, 동통의 유무, 월경과의 관계 및 유두의 溢血有無를 확인하고, 기왕력으로는 初生, 姙娠, 哺乳, 閉經 등 각 시기적 변화를 확인해야 하며 이러한 것들은 변증에 있어서 중요한 의의가 있다.

(1) 연령

15세에서 25세 전후의 젊은 여성에 있어서의 유방종괴의 경우 乳房上에 腫物이 발생하여 원형이며 크지 않고, 표면은 光滑하며, 만지면 움직이고 생장이 완만하며 통증이 없다. 편측, 혹은 양측에 한 개나 여러 개가 있는 경우 乳癖인 경우가 많다. 만약 腫物이 돌연 커지는 경우 악성으로 변화될 가능성에 주의해야 한다. 또한 50세 전후의 여성에 있어서 乳房上의 종괴가 있고 質이 硬하며 高低가 不平하고 피부가 粘連하고 생장이 빠르면 惡性腫瘤일 가능성이 높다.

(2) 월경력

초경연령, 월경주기의 규칙성, 폐경발생시간, 월경기 유방의 변화 등을 확인한다. 중국 내 자료에 의하면 초경연령과 유암의 관계는 크지 않다고 한다.

(3) 결혼, 출산력

乳腺癌의 발병과 출산은 유관하다. 《外科醫鏡 · 乳岩乳痰乳癖》중에 "凡患乳岩一症, 多系孀婦, 室女, 或尼姑."의 기록이 있다. 국외의 여러 학자들의 보고에 의하면 乳腺癌은 수녀 중에 많다고 한다. 중국의 한 보고서에 의하면 출산시기에 출산하지 않은 여성에 있어서 乳腺癌의 발병률이 가장 높다고 한다.

(4) 발병정황

① 초산부에 있어서 분만 후 단시간 내에 유방의 紅, 腫, 熱, 痛이 있는 경우 乳癰을 고려해 봐야 한다.
② 신생아가 출생한지 얼마 안 되어 유방이 점차 脹大하고 단단해지고 유두에 乳汁上의 액체가 溢出하는 경우 신생아 乳癰일 가능성이 있다.

③ 여성이 청소년기에 乳房腫大하고 동통이나 압통이 있다면 衝任의 失調로 인하여 乳癧이나 乳癖이 발생했을 가능성이 있다.

④ 중년의 부인에 있어서 유방이 월경주기의 변화에 따라서 脹痛이 있고 월경 전이나 情緖憂鬱 時에 가중되며 월경 후에 증상이 경감되고 마사지로 종괴가 풀리는 경우는 肝氣不舒症이다.

⑤ 포유기가 아닌 시기에 유두에 액이 溢出하거나 혹은 혈성 분비물이 있는 경우에는 乳癖일 가능성을 고려해 보아야 하는 동시에 또한 乳腺의 惡性腫瘤일 가능성에 주의해야 한다. 또한 유두에 溢血이 있으면서 또한 문지르면 단단한 종괴가 있는 경우는 惡性腫瘤일 가능성이 매우 크다.

⑥ 유방종괴가 오래된 경우 皮膚粘連, 유방형상 및 유두의 변화는 乳癆, 乳岩여부를 고려해야 한다.

⑦ 남성 유방종대는 유방발육증으로 생장이 비교적 빠른 경우 惡性腫瘤일 가능성을 고려해야 한다.

2) 望診

(1) 乳房大小

정상인 경우 양측 유방의 대소는 대칭을 이룬다. 단 선천성으로 대소가 不同한 경우가 있다. 혹은 감염이 있을 경우 절개하여 치료한 후 상처부위가 수축되어 환측이 건측에 비하여 약간 작을 수도 있다. 상술한 정황 이외에 양측 유방의 크기가 다른 경우 병변이 있는 경우가 많으며 몇몇의 경우는 衝任失調나 肝鬱痰凝, 肝鬱胃熱로 乳癖, 乳癧등의 질병일 가능성도 있다.

(2) 유방피부와 안색의 변화

외상이 있는 경우 피하에 자홍색 瘀斑이 있을 수 있다. 포유기에 피부가 發紅하고 焮熱하고 腫大 疼痛하는 경우는 乳癰이다. 염증성 乳腺癌의 경우 유방이 明顯히 增大되는 것 이외에 피부에 비교적 큰 범위의 자홍색 충혈상태가 되는 변화가 있다. 피부표면이 암홍색이거나 혹은 갈색이면서 조직이 파괴되어 썩은 콩 찌꺼기와 비슷한 농성 물질이 있을 수 있는데 이는 乳癆이다.

(3) 橘皮狀變化

유암 만기가 되어 피부汗孔과 피하조직이 긴밀하게 연접되어 있기 때문에 비교적 많은 점상의 함요부가 있는데 이를 "橘皮狀改變"이라 한다. 이는 乳腺惡性腫瘤의 만기의 특징이다.

(4) 翻花石榴狀變化

암이 피부에까지 침입한 후에 潰爛되면서 다수의 凹凸不平한 石榴子狀의 변화가 있게 된다. 악취가 있는 경우가 많은데 이는 惡性腫瘤晚期의 국부표현이다.

(5) 漏管

유방 瘡口의 膿水가 淋漓하여 오래되어 낫지 않아 만성병변이 된다.

(6) 유두변화

① 유두 陷凹은 암종이 유방 중앙으로 침입하여 유락이 유두로 견인되기 때문이다. 유방 중심부에 암종이 있는 주요 體徵이 된다. 단, 선천성 유두 陷凹와 유두 부근의 만성적 염증이 있는 자는 예외이다.

② 유두 파열이나 습진양의 변화는 초산부가 유두 陷凹로 인하여 수유가 곤란한데, 아기가 물어뜯거나 힘을 주어 빨아서 생긴다. 만약 파열된 부분 혹은 陷凹된 유두 주위에 염증성 분비물이 있으며 정상 피부와의 경계가 명확하고, 피부는 점차 비후되고 딱딱해 지니 이는 乳疳 (乳頭濕疹樣癌)의 주요 증상이 된다. 단, 유두습진과는 감별해야 한다.

(7) 유두 분비물

유즙이 분비되는 것은 자연히 밀어서 넘쳐 나오는 것이다. 自溢의 병리는 다양하지만 이는 생리적 현상이다. 유두 분비물의 주요 종류는 아래와 같다.

① 장액성, 장액혈성, 혈성이 있는데 장액성은 淡黃色, 장액혈성은 분홍색이나 혈성은 홍색이나 棕色이다.

② 水樣 분비물은 드물지만 일단 발견되면 이는 악성으로 변할 가능성이 있다.

③ 膿性 분비물은 급성 乳癰에서 흔히 발견된다.

④ 乳樣 분비물은 지방이 제거된 유즙색이며 폐경과 동시에 발생하거나 혹은 진정제, 피임약의 다량 복용에 의하기도 한다.

3) 聞診

농액은 氣味를 맡는 것이 중요하다. 乳癰, 乳發 潰後에 농액은 약간의 腥味가 있는데 이는 정상현상으로 腥臭는 膿腔이 점차 깊어짐을 의미한다. 乳癌과 乳爛은 味臭가 심하여 가까이 갈 수 없을 정도이다.

4) 切診

촉진과 맥진을 포괄한다. 촉진은 유방 질환 검사에 중요한 부분을 차지하며, 유방 검사를 정확하게 진행할 수 있으며, 유암의 조기 발견에도 의미가 있다.

통상 유방을 5부분으로 나누는데, 유두를 포함한 중앙 부분과 유두를 중심으로 수평 수직으로 획을 그으면 內上, 內下, 外上, 外下 등의 4부분이 된다. 이는 유방질환 시 필수적 설명 위치가 된다. 맥진은 이미 총론에서 기술하였으므로 생략한다.

(1) 유방 촉진 방법

① 유방 촉진 시 체위 : 때에 따라 선택하지만 일반적으로는 臥位가 좋으며, 乳暈 부위는 坐位가 적당하다.

② 검사 방법 : 정확한 검사법은 四指를 병용하여 손가락 바닥면으로 유방 위를 가볍게 문지르고 안마하는 것인데 손가락이 아닌 손톱을 사용하여서는 안된다. 그렇지 않으면 장차 腺體組織이 뭉쳐 유선 종괴를 이루게 된다.

③ 검사순서 : 우선 건측 유방을 검사하고 그 후에 환측을 검사하여 비교한다. 4구역별 검사 순서는 다음과 같다. 먼저 內上은 양팔을 신체 양측면으로 내리고 검사자는 손으로 가볍게 밀어 올린다.

外上方 검사 시에는 양손을 환측 허리에서 교차시켜서 팔꿈치가 뒤쪽을 向하게 한다. 그 후에 外下, 內下, 中央區(乳暈, 乳頭)를 검사한다. 유방 하반부 검사 시에는 환자의 양팔을 들게 하거나 외전시킨다. 시술 시 일반적 검사 후에 이상부위를 심도있게 검사하고 마지막으로 임파절을 검사한다.

④ 임파절 검사법 : 의사는 환자와 마주보고 앉아서 右手으로 좌측 액와를, 左手로 우측 액와를 검사한다. 검사 시 환자는 주관절을 90도 굴절하고 前臂를 검사자의 前臂에 놓아 액와 기육이 느슨해지게 한 후 음식물을 손바닥 면에 놓고 쥔 다음 의사는 액와 頂部가 보이면 손으로 이동해 보면서 胸壁 측면 상하 중앙구조와 액와 전벽, 흉벽 기육을 검사한다. 腋後 임파절(견갑하)과 쇄골상 임파절등을 검사하는데 이때는 환자의 등 뒤에서 한다. 腋後 임파절 검사 시에는 上臂를 상방으로 들어 올리며 시행한다. 쇄골 임파절 검사 시에는 환자의 머리가 피검측으로 향하게 하여 피부를 이완시킨 후 네 손가락으로 頸根部를 눌러 움직이는 것이 있는지 촉진한다.

⑤ 자기 검사법 : 환자는 왼손을 허리에 교차하고 오른손으로 좌측유방을 촉진하고 그 후에 다시 오른손을 허리에 교차하고 왼손으로 우측 유방을 촉진한다. 만약 발현되거나 의심되는 종괴가 있으면 즉시 병원에 가서 검진을 받아 종괴의 성질을 보다 정확히 알아야 조기발견, 조기치료할 수 있다.

(2) 촉진 시 주의해야 할 것

① 유방 내 종괴가 발견되면 종괴의 위치, 대소, 堅硬 정도, 동통, 표면 광택, 움직임 등에 주의하여야 한다. 일반적인 악성 腫瘤는 질은 딱딱하고 표면에 광택은 없으며 압통도 없다.

② 종괴와 피부의 粘連與否, 함요부위 피부와 종괴와의 粘連性은 오른쪽 拇指와 食指로 종괴 표면을 가볍게 쓸어올리면 粘連이 있는 듯한 부분에 피부 함요부가 있으며, 염증성 표현이 없으면 腫瘤의 가능성을 제시하는 것이다.

③ 유방 검사에 좋은 시간은 생리 시작 후 7~10일 또는 생리 끝난 후 3~4일이며, 이때는 유방 생리기능이 가장 평균이 되는 때이므로 병변이 발견되기 용이해진다.

④ 유두분비물에 주의해야 하는데 유즙색, 응괴가 섞기거나, 농성 분비물이거나, 수양 분비물, 장액성, 장액 혈성, 혈성 분비물 등이 있다

⑤ 종괴의 성질을 확정하기 위하여 연령, 병력, 혹 현대 의학적 각종 검사 등이 요구된다. 촉진적 정확성은 경험의 축적, 手感, 검사 등을 포괄한다.

6. 치료

1) 內治

《瘍科心得集 · 辨有癰乳疽論》에는 "초기에는 마땅히 發表散邪, 疏肝淸胃하여 빨리 下乳汁하는데, 막힌 것이 풀어진 즉 스스로 없어지게 된다. 만약 不散하여 膿이 생기면 마땅히 托裏한다. 만약 潰後에 肌肉이 不生하고, 膿液이 맑고 稀薄하면 마땅히 脾胃를 補한다. 만약 배농 후에도 통증이 있고, 오한 발열하면 營衛를 조절한다. 만약 哺熱焮腫 作痛하면 陰血을 補한다. 만약 食少作嘔하면 胃氣를 補하고 淸凉解毒劑를 切戒해야 하는데 胃氣를 傷하기 때문이다. 또한, 유즙은 본래 血이 化한 것인데 배설되지 못하고 응결하여 腫이 되었는데 유즙은 본래 淸寒한데 여기에 凉藥을 주면 응결된 것은 궤파되지 못하고 궤파된 것은 잘 아물지 않는다."라고 하였다.《外證醫案匯編,胸肋腋肋部附論》에는 "乳症을 치료함은 氣에서 벗어나지 않는다. 脾胃는 土氣로 壅者는 痛이며, 肝膽은 木氣로 鬱하면 疽하며, 正氣가 虛하면 岩石처럼 되고 虛하면 不攝하여 漏出된다. 氣散하여 不收는 顯이 되고, 痰氣가 凝結하면 癖, 核, 痞가 된다.

絡脈에 氣가 阻滯되면 유즙이 不行하거나, 氣滯血少하여 澁而 不行하게 된다. 만약 치유함에 氣만 따르고 新久虛實, 溫凉攻補를 막론하고 각 처방에 疏絡之品을 넣으면 乳絡이 舒通하게 된다. 氣는 血之師로 氣行卽血行, 陰生陽長, 氣旺하면 流通하므로 血 또한 따라 生하므로 자연히 壅者은 通하고, 鬱者는 達하고, 結者는 易散하고, 堅者는 易連하고, 다시 陰陽虛實을 변별하여야 한다."고 하였다. 현재 상용되는 치법은 다음과 같다.

(1) 疏表解毒法

乳癰 초기에 국부에 紅, 腫, 熱, 痛, 惡寒發熱, 舌苔薄白, 脈浮數 등이 있을 때 사용한다. 表邪가

經絡에 阻滯하여 營衛가 不和하므로 마땅히 疏表, 淸熱, 解毒하며, 瓜蔞牛蒡湯, 銀翹散加減方 등을 사용한다.

(2) 淸熱解毒法

乳癰에 열독이 치성하여 熟腐成膿의 단계에 국부에 紅腫高突, 灼熱疼痛, 壯熱口渴, 尿赤便秘, 苔黃, 脈弦數 등이 있을 때 사용한다. 혹은 유암이 潰爛된 후 血水 淋漓하고, 臭氣가 심하고 紫色 劇痛하며 舌苔黃, 脈弦數할 때 사용한다. 마땅히 淸熱解毒하니 五味消毒飮, 桔葉散, 內托黃連湯 중에서 선택하여 사용한다.

(3) 托裏透膿法

체질이 허약하여 膿이 생기기 어렵거나 膿은 潰하였으나 潰後 膿水가 淸稀할때 사용한다. 증상으로는 瘡刑이 평평하고 慢腫不收하고 隱隱作痛하고, 오래되어도 쉽게 궤파되지 않고 혹 궤파 후에는 淸稀한 膿水가 나오고, 오랫동안 수렴되지 않고, 脣舌淡紅하고, 脈沈細無力하다. 氣血兩虛로 托裏外出하지 못하는 것이니 마땅히 補托毒, 攻補兼施하여 독이 든 농을 빼내거나 生肌收口 시킨다. 처방으로는 托裏透膿湯, 托裏消毒散 가감을 사용한다.

(4) 解鬱化痰法

肝氣不舒, 情志不暢, 失其疏泄, 氣機不暢, 脾運失調, 痰氣互結하여 "乳中結核"이 된다. 乳癖을 비롯한 일반적 유방질환은 胸悶不舒, 乳房脹痛, 舌苔白膩, 脈弦滑 등이 나타난다.

마땅히 疏肝解鬱, 化痰散結하니 開鬱散, 蔞敗逍遙散, 小金散等加減 등을 사용한다.

(5) 補益扶正法

乳岩壞爛에 유방이 궤파된 후 面色無華, 氣短乏力, 飮食不佳, 脣舌淡紅, 脈細無力, 或 潮熱盜汗, 頭暈耳鳴, 舌質紅, 脈細數, 或 形寒肢冷, 便溏, 陽痿, 苔白質淡 脈沈遲에 사용한다. 或 乳癰 파괴 후 농과 독이 배출되나, 생기수렴이 어려운 것은 氣血兩虛에 속하므로 補益扶正法을 사용하니 소위 "虛者補之"이다. 氣血兩虛자는 香敗養營湯, 歸脾湯을, 투여하고 肝腎不足者는 右歸飮, 二仙湯, 六味地黃湯 등을 사용한다.

2) 外治

(1) 敷貼

감염성 유방 질병은 초기에는 淸熱解毒, 活血消腫을 위주로 하며, 金黃散, 玉露散, 雙柏散 등을 사용한다. 물을 이용하거나 혹은 淸熱解毒的 효능을 가진 시원한 植物葉汁으로 국부에 매일

1~2차례 붙인다. 혹은 金黃膏, 玉露膏, 沖和膏도 이용한다. 潰破後 制毒去腐藥을 外敷藥을 붙이는데 八二丹, 九一丹藥捻或紗條 등을 사용한다. 농이 썩어 탈락된 후 육아종이 新生하면 生肌散, 生肌玉紅膏로 生氣收口한다.

腫瘤性 유방 질병에는 溫經和陽, 消腫止痛, 化痰散結하는 약물을 위주로 적용하고, 陽和解凝膏, 桂麝散을 사용한다.

(2) 수술

감염성 유방질병으로 농종을 형성하면 절개하고 배농한다. 종류성 유방질병으로 적극적인 약물치료로 효과가 미미할 경우 수술을 시행한다. 악화하거나, 악성 종류 질병은 초기에 수술치료를 선택한다.

I 유두염, 유륜염 Mamillitis, Areolitis

1. 개요

유두염, 유륜염에 해당하는 乳頭破碎는 유두나 유륜에 발생하며 표면에 裂口나 궤양을 형성하는 질환으로 乳頭風으로 불리며, 《瘍科心得集 · 辨有癧乳疽論》에 "乳頭風, 乳頭乾燥而裂", 《瘍醫大全 · 乳頭破裂門主論》에 "乳頭屬足厥陰肝經 · 如暴怒或抑鬱, 肝經怒火不能施泄 是以乳頭破裂 痛如刀刺, 或揩之出血, 或流粘水, 或結黃脂."라 하여 이명, 원인 및 증상에 대하여 기술이 되어 있다. 喂奶時 동통이 심하고 초산부에 다발하며 포유 1주일 이내에 발병한다. 유두 및 유륜부의 미란, 균열, 습진 등이 원인이 된 표재성 화농성 염증으로 수유기의 부인에게 발생하기 쉽다. 수

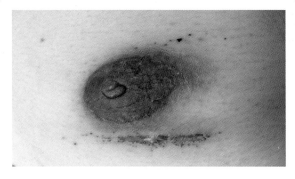

그림 26-1 유륜염

유를 중지하고 냉습포, 안정, 항생물질 투여 등의 소염요법을 시행하며, 화농된 것은 유륜을 따라 환상으로 얕게 절개한다(Walsh법).

2. 원인 및 병기

1) 陽盛한 체질에 鬱怒로 肝이 傷하여 氣鬱하고 化火하여 疏泄이 失調되어 발생하거나 辛辣厚味를 恣食하여 脾胃의 運化가 失職되어 濕熱이 內生하고 火와 濕熱이 相結되어 발생한다.
2) 産婦가 유즙이 부족하거나 유두가 內縮하여 吸吮이 곤란하여 吸吮이 과도할 때 쉽게 발생한다.
3) 유즙의 분비가 과도하여 피부에 流溢하여 濕爛되어 발생한다.

3. 증상

유두나 유륜의 표면에 裂口나 궤양을 형성하여 糜爛되고 脂水가 삼출되어 황색의 결가를 만들어 燥裂性 동통이 발하고 포유 시에 심하다. 동통으로 인하여 수유가 좋지 않아 유즙이 신속하게 감소되고 瘀結되어 유즙의 분비가 불량해져 乳竅가 阻塞되고 유두가 불결해지면 乳癰이 발생된다.

4. 진단감별

1) 감별질환

乳頭濕疹樣癌: 非哺乳期 婦女에게 다발한다. 乳頭 혹은 乳輪部가 糜爛되고 통증은 없으며 오래되어도 잘 낫지 않는다. 후기에는 유두함몰 혹은 유두의 腐蝕을 일으킬 수 있다.

5. 치료

1) 內治

(1) 淸肝解鬱하는 방법으로 加味逍遙散을 사용하여 治한다.
(2) 淸肝利濕하는 방법으로 龍膽瀉肝湯을 사용하여 治한다.

2) 外治

潤膚止癢하고 生肌燥濕하는 黃連膏, 靑黛油膏 혹 蛋黃油를 外敷하여 治한다.

6. 예후

치유 후 재발이 흔하며 포유를 정지하면 유합된다. 乳癰, 乳發로 전변되므로 예방이 중요하다.

Ⅱ 유선염 Mastitis

1. 개요

유선염은 乳房의 샘조직에 생기는 급성 염증을 말하며, 특히 산후 3~4주 이내에 잘 생기며, 乳癰, 妬乳, 內吹, 外吹라 불린다. 乳癰은 생긴 시기에 따라 內吹乳癰, 外吹乳癰으로 나누며, 임신기에 발생하는 乳癰을 內吹乳癰이라 하고 포유기나 산욕기에 발생하는 乳癰을 外吹乳癰이라 한다. 《外科啓玄·卷五·乳癰》에 "乳腫最大者曰乳發, 此曰乳癰, 初發卽乳頭曰乳疽. …… 如婦人五十以外, 氣血衰敗, 常時鬱悶, 乳中結核, 天陰作痛, 名曰乳核, 久之一年半載, 破潰而膿水淋漓, 日久不愈, 名曰乳漏. 有養螟蛉之子爲無乳, 强與吮之, 久卽成瘡, 經年不愈, 或腐去半載, 似破蓮蓬樣, 苦楚難忍, 內中敗肉不去, 好肉不生, 乃陽明胃中濕熱而成, 名曰乳疳 …… 又有乳結堅硬如石, 數月不潰, 時常作痛, 名曰乳岩."이라 하여 乳癰 이후의 전변되는 질환에 대하여 자세하게 언급하고 있다.

산후의 유선염을 크게 분류하면 분만 후 2~4일에 나타나는 울체성 유선염과 분만 후 2~6주일에 나타나는 급성화농성 유선염이 있다. 대부분 산욕에서의 울체성 급성 유선염이다. 최근 임산부 관리의 향상, 생활위생의 개선, 항생물질의 보급 등으로 중증화되는 유선염은 격감하고 있지만, 유선염의 발생 그 자체가 줄어든 것은 아니다. 울체성 유선염(stsgnation mastitis)은 분만 후 2~4일경에 갑자기 유선의 종창이 일어나고, 유방내의 정맥혈이나 림프액의 울체에 의한 압박으로 유관이나 유관개구부가 폐색, 또는 폐쇄되어 유즙의 울체를 일으킨다. 유관폐색 부위에서 시작되어 차츰 全유방이 경결, 종창, 緊滿하여 가벼운 발적, 열감, 압통, 자발통을 호소하고 가벼운 발열도 보인다. 혹은 유두의 표피박탈, 균열, 습진으로 인한 통증 때문에 울체를 일으킬 때도 있다. 조기에 유즙울체를 해제하면 그대로 치유되지만, 울체가 오래 되면 세균감염이 덧붙어서 화농성 유선염으로 옮아가기 쉽우므로 주의해야 한다. 유즙울체의 제거방법으로는 적극적으로 수유할 필요가 있으며, 유두에 문제가 있을 때는 착유기, 유두보호기를 사용한다. 정맥혈이나 림프액의 울체를 제거하는 방법으로는 마사지, 온습포에 의하여 유방내의 순환이 잘 되도록 하는 것이 중요하며, 마사지사나 조산사의 도움을 받으면 좋다. 울체성 유선염에 대한 치료는 위와 같은 유방관리를 실시하면 개선된다. 약물요법으로서 진통제, 소염제를 쓰는 대증요법, 2차감염의 예방적 항생제투여도 있는데 약물의 유즙이행 등의 문제도 있으므로 최소한에 그쳐야 한다.

급성 화농성 유선염(acute purulent mastitis)은 울체성 유선염에 이어 발생하는 경우와 처음부터 이 증상이 생기는 경우가 있다. 유두부의 균열이나 비위생적인 상태에서 유관을 통해 세균이 감염되며, 유즙이 좋은 배양지가 되어 유륜이나 유선내에 깊이 침입한다. 또 하나의 감염경로로서 유두의 열상을 통해 침입한 균은 림프관내에서 증식하여 림프관염을 일으키며, 액와의 림프선을 종창시킨다. 이어서 유방의 결합조직에 퍼져 유선소엽 주위의 간질을 침범하기에 이른다. 증상은 초기에는 국소의 동통과 압통뿐인데, 차츰차츰 악화되어 국부의 열감, 발적, 부종을 나타내며 弛張熱이나 오한을 동반한다. 종양을 형성하면 농양의 표피는 암자색의 파동을 나타낸다. 치료로는 휴식과 영양유지에 힘쓰고 국부의 안정을 위하여 제유대, 브래지어를 사용한다. 그리고 환부 쪽의 수유를 중지하고 냉습포와 항생물질을 투여하면 증상이 가벼워지는데, 농양을 형성한 경우에는 외과적 절개배농을 실시한다. 유선염 예방을 위해서는 임신초기부터 유방관리, 수유 전후의 유두청결, 조기수유, 산모의 안정, 수면, 영양에 유의해야 한다.

2. 원인 및 병기

1) 血氣가 손상되어 脈虛하고, 이로 인해 腠理가 虛한 상태에 寒邪에 감촉되고 血과 相搏되어 血澁不通하여 乳癰이 발생한다.
2) 유즙은 宣通하여야 하나 유두의 破碎, 유두가 내함 등으로 인하여 울체한 경우 熱化하여 乳癰이 발생한다.
3) 暴怒로 인하여 情志가 不暢하여 肝氣의 疏泄이 失調되고 울체한 경우 熱化되어 乳癰이 발생한다.
4) 飮食不節로 胃中에 열이 발생하고 胃汁이 탁해지고 壅滯하여 乳癰이 발생한다.

3. 증상

초기에는 유방이 腫脹疼痛하며 피부색은 정상이거나 혹은 微紅으로 변하고 유즙의 분비가 불량해지며 유방 내에 경계가 뚜렷하지 않은 종괴가 형성되고, 오한발열, 두통, 胸悶이 동반되며 舌苔는 薄白하거나 微黃하고 脈은 浮弦數한다.

成膿期에는 유방의 종창이 점차 커지고 피부가 홍색을 띠며 열감이 있고 동통이 극렬해지고 발열이 심하다. 腫處가 국한적이고 중앙부가 연해지며 파동감이 느껴지면 이미 안으로 농이 성해진 것이다. 농이 형성된 깊이의 차이에 따라 淺者는 파동감이 뚜렷하고 深者는 뚜렷하지 않으므로 필요한 경우는 천자법으로 확진이 필요하다. 舌苔는 黃하고 脈은 弦數하다. 농종은 1개부터 여러 개를 형성할 수 있고 膿腔은 單房이나, 낭으로 전해지면 多房을 형성한다. 成膿後 내부로 궤파되어 乳管으로 穿入되어 농액이 유두로 배출되나 만약 처치가 늦으면 漏管을 형성한다.

潰後에는 궤파 후 농액이 배출되면 열이 소실되며 종창과 동통이 감소하고 치유된다. 만약 궤파 후 腫痛이 감소하지 않고 열이 소실되지 않으면 농액이 乳絡으로 파급되면 "傳囊"으로 전변된다.

4. 진단감별

1) 진단

유방 촬영술과 유방 초음파를 시행하고, 필요시 유관 조영술 및 조직 생검 등을 시행하기도 한다. 농양이 형성되었거나 반복적인 염증이 있었던 경우에는 종괴로 나타날 수 있으며 이 경우 염증성 유방암과의 감별을 위해 조직 검사를 시행할 수도 있다.

2) 감별질환

(1) 여드름성 乳癧 : 非哺乳期, 非妊娠期에 多發하며 대부분의 환자는 선천성 유두함몰 등의 기형을 동반한다. 초기에 腫塊는 주로 乳輪部에 위치하며 潰破 후 농액 중에는 찌꺼기 같은 물질이 섞여있다. 쉽게 아물지 않으며 반복 발작하여 乳漏를 형성할 수 있다. 전신증상은 乳癧에 비하여 가볍다.

(2) 炎性 乳癌 : 병변 범위는 전체 유방의 1/3 혹은 1/2 이상을 차지한다. 신속하게 다른 한쪽으로 파급되며 병변부위는 紅腫이 현저하고 색은 暗紅 혹은 紫紅色을 띠고 종창은 浸潤感이 있다. 모공은 깊이 함몰되어 橘皮樣을 나타낸다. 국부 압통은 가벼우며 동측 액와부에서는 항상 명료하게 종대된 임파 결절을 촉진할 수 있다. 전신 염증반응은 경미하며 예후는 비교적 좋지 않다. 필요 시 조직병리학적 검사로 명확하게 진단할 수 있다.

5. 치료

1) 內治

(1) 初起 : 解表疏肝하고 淸解和營하며, 가히 瓜蔞牛蒡湯을 가감하여 治한다.

(2) 成膿 : 淸熱解毒하고 托裏透膿하는 透膿散에 五味消毒飮을 合하여 治한다.

(3) 潰後 : 托裏排膿하는 四妙湯을 가감하여 사용하고, 발열이 지속되고 腫痛이 감소하지 않으면 毒邪가 未盡하여 傳囊으로 전변한 것이니 초기 혹은 成膿期에 준하여 治한다.

2) 外治

(1) 초기

① 吸奶 : 吸乳器로 유즙을 吸出하여 유즙의 울결을 막는다.

② 안마 : 환측의 유방에 윤활유를 바르고 환자 혹은 시술자가 五指를 사용하여 유방의 주위에서 유두를 향하여 가볍게 안마한다. 단 이때 힘을 주어 按壓하거나 擠壓하지 않고 乳絡의 방향에 따라 시행한다. 안마와 동시에 유두를 여러 차례 가볍게 잡았다 놨다하여 유두의 乳絡을 확장시킨다. 안마 전에 먼저 熱敷를 하면 보다 효과적이다.

③ 外敷 : 국소피부색이 정상이고 脹痛이 미약할 때는 和營消腫하는 沖和膏黃酒를 바른다. 피부색이 微紅하면 淸熱解毒하고 活血消腫하는 金黃膏를 사용하거나 金黃散을 선인장 혹은 菊花葉을 즙을 내어 혼합하여 바른다. 피부색이 홍색이며 열이 盛한 경우는 玉露膏나 玉露散을 사용한다.

(2) 成膿

① 切開排膿法

② 穿刺抽膿法

(3) 潰後

① 初潰 : 提毒祛腐하는 방법으로 먼저 八二丹을 사용하고 3~5일 후에 九一丹으로 바꿔 瘡口에 揷入하며, 겉에는 金黃膏를 붙인다.

② 收口 : 농액이 없어지고 난 후엔 生肌收口하는 방법으로 生肌散을 瘡面에 뿌리고 生肌玉紅膏를 겉에 붙이고, 3~4일에 바꾸어준다.

6. 예후

乳房結塊, 紅腫熱痛은 약 10일 전후로 化膿되어 黃稠한 膿液이 배출되면 腫痛도 경감된다. 유두 함몰 및 유방의 모양을 변형시키기도 한다.

Ⅲ 봉와직염성 유선염, 괴저성 유선염 Phlegmonous mastitis, Gangrenous mastitis

1. 개요

봉와직염성 및 괴저성 유선염에 해당하는 乳發은 乳癰에 비해 범위가 큰 급성화농성 질환으로 유방부 피부가 焮紅漫腫하고 매우 빠르게 피육이 潰爛되고 壯熱口渴이 있고 심하면 瘡毒이 內攻할 수 있다.

2. 원인 및 병기

胃火가 盛하거나, 肝經의 濕熱, 時疫, 伏邪가 結聚하여 發하며, 乳癰에 火毒이 熾盛한 경우 乳發로 전변된다.

3. 증상

초기에는 발병이 비교적 빠르며 유방 피부가 焮紅漫腫하고 동통이 심하며, 오한발열이 있고 苔黃膩 脈弦數한다. 2~3일 후 成膿期에는 피부가 潰爛되며 흑색으로 변하며 동통이 극렬해지며 壯熱口渴한다. 潰後에 치료가 적절한 경우 腐肉이 점차로 탈락되고 身熱이 사라지나, 만약 正氣가 虛하고 邪氣가 盛하여 邪毒이 內攻하면 高熱 神志不淸하고 舌赤苔黃 脈數한다.

4. 진단감별

1) 감별질환

(1) 乳癰 : 初産婦에게 많이 보이며 병변 범위는 乳發에 비하여 좁고 膿腫을 많이 형성하며 일반적으로 피부 濕爛 징후는 드물게 관찰된다.

(2) 炎性 乳癌 : 乳房腫脹의 色은 暗紅 或 紫紅色으로 觸痛과 전신 중독증상은 가볍다. 병변은 항상 對側 乳房으로 신속하게 파급되며 예후는 좋지 않다.

5. 치료

1) 內治

(1) 初起 : 淸火利濕하고 和營消腫하는 龍膽瀉肝湯을 治한다.

(2) 成膿 : 淸火解毒하고 透托하기 위하여 上方에 穿山甲 皂角刺를 加하여 治한다.

(3) 火毒內攻 : 淸熱解毒 凉血開竅하기 위하여 犀角地黃湯에 黃連解毒湯을 合하여 治한다.

2) 外治

乳癰과 동일하다.

6. 예후

병세가 심하고 병변 범위가 비교적 넓으나 일반적으로 생명에 위험은 없으며 적당한 방법으로 치료하면 약 1개월 내외로 치료된다.

Ⅳ 유방결핵 Tuberculosis of the breast

1. 개요

乳房部의 결핵성 질병인 乳癆는 1829년 Cooper에 의해 처음으로 보고된 매우 드문 질환으로, 발생률은 외과적으로 절제된 유방질환의 약 0.0025% 내지 4.5%로 다양하다. 완만하게 경과하며《外科理例·乳癧一百七》에 "一婦乳內腫一塊如鷄子大, 勞卽作痛, 久而不消"라 하여 허로 시 증상이 나타나는 현상을 동반한다고 한다. 결핵성 유선염은 무통성 종괴로 서서히 커져서 결국 부서지고 하나 이상의 농루로부터 농이 흘러 나온다. 연령에 관계없이 생기는데 유방의 상부에 생기는 때가 많다. 젊은 성인과 중년에서 그 발생 빈도가 가장 높다. 임상양상은 젊은 여성의 경우 대부분 화농성 유방농양과 유사한 형태를 취하며, 나이가 많은 사람의 경우 유방암의 양상과 유사한 경우가 많고 실제로 암을 동반하는 경우도 종종 있어 반드시 조직검사를 통해 감별해야 한다. 다른 장기에서 발생하는 것과 비교해 보면 유방에서 결핵이 발생하는 경우는 매우 드물다. 유방으로의 파급은 주로 림프를 통한 역행성 감염에 의한 것인데 이중 가장 흔한 원발 병소는 경부림프절, 액와림프절, 혹은 후흉골림프절이다. 부종으로 인해 따로 떨어져 있는 종괴의 형태로 되어 있는 경우가 있는데 이를 결절형이라 하고 혹은 전반적으로 딱딱해진 경우가 있는데 이를 경화형이라 한다. 둘 다 위에 덮고 있는 피부는 붉고 고정되어 있으며 유방암의 양상과 비슷하다. 현미경으로 보면 특징적으로 전형적인 결절 형성을 볼 수 있다. 국소 절개배농술 또는 종괴 절제술과 항결핵제의 장기간 투여로 치료하며 장기적인 치료에도 재발하는 경우에는 단순유방절제술도 고려한다. 대다수의 환자가 폐결핵을 지니고 있으므로 적절한 위생 처리를 해야 하고 신체 다른 부위의 결핵 병소의 상태에 따라서 치료해야 한다.

2. 원인 및 병기

1) 체질이 허약하고 肺腎의 陰液이 虛損하여 火가 旺盛해지면 痰이 형성되어 痰火가 凝結되어 核을 만든다.
2) 情志가 鬱하여 肝氣의 疏泄이 失調되면 脾의 運化機能이 障碍되어 痰을 형성하고 絡脈을 阻滯시켜 본 병에 이른다.

3. 증상

1) 初起

한 측의 유방에 발생하며, 結核은 매화열매 크기만하고 경계는 불분명하며 단단하지 않다. 동통은 없거나 미약하며 시간이 경과하면 결괴가 점차로 커지고 굳기는 일정치 않다. 低熱 胸悶 苔白質紅 脈弦滑하거나, 苔白膩 齒齦舌 脈沈細하다.

2) 成膿

결괴가 점차로 커지고 피육이 서로 連하여지고 가벼운 동통이 있고 胸脇腋下로 파급되며 苔黃白 脈數한다.

3) 潰後

농종이 궤파되고 나면 敗絮樣의 稀薄한 농액이 나오며 오래도록 낫지 않으면 乳漏를 형성하고 低熱 盜汗 食欲減退 舌紅少苔 脈細數 등이 병발한다.

4. 진단감별

1) 진단

유방결핵의 확진은 병변에서 결핵균을 검출하거나, 조직의 중심부 건락을 동반한 육아종성 염증의 침윤과 같은 조직 병리학적인 소견으로 진단된다. 유방결핵은 특히 유방암과 농양을 동반한 아급성, 만성 유방염 그리고 방선균증(actinomycosis), 사르코이드증(sarcoidosis) 등과 감별진단을 요한다.

2) 감별질환

(1) 乳腺癌 : 40~60세가 호발연령이다. 腫塊의 質은 堅硬하며 潰破 후 꽃양배추 혹은 분화구의 형상을 나타내며 血水가 흐르고 악취가 난다. 유방결핵 환자의 연령은 비교적 낮다. 국부 궤양은 粘連하여 유방변형 혹은 유두함몰을 동반하며 橘皮樣 변화는 잘 나타나지 않고 竇道를 형성하기 쉽다. 膿液 중에는 敗絮樣 물질이 섞여있다.

(2) Plasma cell 乳腺炎 : 항상 非哺乳期, 非妊娠期에 발생한다. 국부 腫塊는 흔히 乳輪部 혹은 그 부근에 위치한다. 유방결핵에 비해 紅腫熱痛의 표현이 명료하다. 潰破 후 膿液에는 脂質樣 분비물이 섞여 있으며 乳孔으로 통하는 瘻管을 형성하기 쉽다. 대다수 환자는 선천성 유두함몰을 동

반하거나 유두에 항상 白色 脂質樣 분비물이 있다.

5. 치료

1) 內治

(1) 初起 : 滋陰化痰散結하고 疏肝解鬱하는 消瘰丸에 開鬱散을 合하여 治한다.

(2) 成膿 : 托里透膿하는 透膿散을 加味하여 治한다.

(3) 潰後 : 陰虛한 경우는 滋飮淸熱하는 六味地黃丸에 淸骨散을 合하여 治하고, 氣血이 虛한 경우는 調補氣血하는 香貝養榮湯으로 治한다.

2) 外治

(1) 初起 : 溫經通絡하고 化痰散結하는 陽和解凝膏에 桂麝散을 섞어 바르고 매주 한 번씩 교환한다.

(2) 成膿 : 切開하고 排膿한다.

(3) 潰後 : 八二丹 藥線을 넣고 紅油膏를 바르고 매일 교환한다. 新肉이 점차로 生하면 生肌散, 生肌玉紅膏를 사용하며 1~2일에 한 번씩 교환한다.

(4) 瘻管 : 白降丹, 紅升丹 같은 腐蝕藥을 삽입하여 管壁이 탈락하고 육아조직이 형성되면 生肌長肉하는 약물을 사용한다.

6. 예후

적절한 병변의 절제 및 배액술에 항결핵제의 투여를 병행하여 양호한 치료효과를 얻을 수 있다.

V 유방의 양성 신생물 Benign neoplasm of breast

1. 개요

유방의 양성 신생물(섬유종양, 유두종, 낭종, 엽상 낭포성 육종)에 해당하는 乳癖은 유방 내에 結核이 계란 같은 원형으로 경계가 명확하게 형성되며 굳기는 중간정도이고 표면은 비교적 光滑하고 유착은 없으며 압통은 심하지 않고 유동성이 있다. 주로 內傷 七情에 의해 발생되는 유방질환이다.

섬유종은 유방의 국소부위가 에스트로겐에 대해서 민감도가 타 부위에 비해 증가되어서 발생한다고 본다. 가임기간의 어느 연령에서나 발생하지만 30세 전에서 좀 더 흔하다. 섬유선종과 유사한 소견이 섬유낭종성 질환에서 많이 발견되고 때로 이들은 경계가 불분명하고 낭종성 증식과 혼재해 있어서 이를 섬유선종과 구별하기 위해서 섬유선종증이라고 한다. 유방 내에서 단독으로 분리되는 가동성의 결절로 나타나며 상부의 피부나 하부의 근막에 부착되어 있지는 않다. 때로 단일의 낭종과 구별이 어렵고 월경 주기의 후기에 크기가 약간 증가하기도 하며 임신 중에 커지거나 폐경기 후에 종양의 퇴행 또는 석회화가 올 수 있다. 이 병변은 명확한 임상양상을 보이지만 이 병이 양성질환인 것을 알려면 수술 후 조직학적 검사가 필요하다. 유두종은 대개 40세 전후의 여성들에게 많고 흔히 유륜부의 유관내에 발생한다. 혈성 또는 장액성의 이상한 유두분비물로 깨닫게 되는 경우가 많다. 유두 주변을 촉진하면 유두에서 혈성의 분비물을 볼 수 있고, 삭상물이나 유두종의 腫瘤로서 만져지는 경우도 있으나, 분명한 종류로서 만져지지 않는 것도 많다. 유암과는 달리 피부변화나 유두의 함몰 등은 볼 수 없지만, 폐색유관의 염증 때문에 발적이나 종창, 압통 등을 볼 수 있는 경우도 있다. 악성화하는 경우는 드물지만, 임상에서 악성 종양과의 감별이 곤란한 경우도 있다. 치료로는 병변부의 절제를 실시한다. 낭종은 40대 여성들에게 잘 발생하고, 표면은 평활하여 경계가 명료한 비교적 부드러운 종류로서 만져지며, 초음파검사 등으로 쉽게 진단할 수 있다. 천자하여 내용물을 흡인하고 세포진을 실시하여 악성의 유무를 검색한다. 천자액이 혈성이나 천자를 되풀이해도 액이 고이는 때에는 腫瘤의 적출을 실시하는 것이 좋다. 엽상 낭포성 육종은 커다란 낭포를 지니고 거대한 腫瘤를 형성하며, 종양조직이 수지상으로 낭포내에 발육한다. 조직상이 육종양이기 때문에 이름 지어진 것이지만, 대부분의 증례는 양성 종양이다. 30~40대의 여성에게 발생하고 발육이 빠르며 거대한 종류를 형성하고 피부에 궤양을 형성하는 경우도 있다. 치료로는 종류절제를 실시하며 거대한 것에는 단순 유방절단술을 실시한다.

2. 원인 및 병기

사려과다 혹은 鬱怒로 인하여 肝脾가 손상되어 氣滯가 되고 水濕의 運行이 不利해져 痰이 형성되어 발생하게 된다. 유방은 足陽明胃經이 순환하는 곳인데 肝木에 의하여 克함을 당한다. 그리하여 肝氣가 舒暢하지 못하면 胃氣도 잘 돌지 못하게 되어 유방에 굳은 멍울이 생기게 된다.

3. 증상

유방의 外上方에 많이 발생하며 무의식중에 발견된다. 일반적으로 단발하나 여러 개가 한 측 혹은 양측 유방에 발생하기도 하며 형태는 다양하다. 표면은 光滑하고 단단하며 피부와 유착되지 않고 유동성이 있으며 경계는 명확하여 주변 조직과 뚜렷한 차이가 있다. 피부색은 변화 없고 대부분 통증도 없으며 궤파되지 않고 멍울이 발생하면 경과가 빨라 발생 6개월 정도면 대부분 2~3 ㎜정도로 자란다. 이후에는 생장이 완만하거나 정지한다. 짧은 시간에 종괴가 빠르게 생장하여 6 ㎜를 초과하면 유암으로의 전변을 의심해야 한다. 乳癖은 肝脾兩傷으로 인한 痰瘀가 응결된 것으로 腫瘤性 질병에 속하나 화농되어 궤파되지는 않는다.

4. 진단감별

1) 진단
의사의 진찰과 유방촬영술, 유방초음파, 조직검사 등으로 진단한다.

2) 감별질환
乳腺癌: X-선 검사에서 腫塊 밀도가 주위 腺조직에 비해 증가되어 있으며 가장자리가 분명하지 않은 것을 확인할 수 있다.

5. 치료

1) 內治
疏肝理氣 化痰散結하는 開鬱散을 加減하여 治한다.

2) 外治

(1) 陽和解凝膏를 붙여 溫陽活血하고 化痰散結한다.

(2) 오래도록 치료를 하였으나 무효한 경우나 종괴가 돌연히 증대되는 경우는 수술을 고려한다.

6. 예후

유암의 다음으로 예후가 나쁜 질병이고 또한 직접 유암으로 전변될 수도 있기 때문에 신중을 기해야 한다.

Ⅵ 유선관확장 Mammary duct ectasia

1. 개요

유선관확장, 乳房部竇道에 해당하는 乳漏는《外科眞詮 · 乳漏》에 "乳漏乳房爛孔, 時流清水者, 久而不愈, 甚卽乳汁從孔流出. 多因先患乳癰, 耽延失治所致",《外科啓玄.卷五 · 乳癰》에 "破而膿水淋漓, 日久不愈, 名曰乳瘻." "乳癰久不瘥, 因變爲瘻.",《外科秘錄 · 乳癰》에 "因循失治, 破而內潰, 膿水淋漓, 日久不愈, 名曰乳漏."라 하여 乳癰이 失治되어 전변되는 질환으로 설명되고 있으며, 乳發이나 乳勞 등의 질환에서 瘡口가 오랫동안 아물지 않아 발생하는 질환이다.

유방과 유륜의 두 부위에서 發하며, 乳房部 漏管에서 생기는 것은 포유기 부녀에게 호발하나 예후는 양호하고 乳輪部 漏管에서 생기는 것은 乳頭漏라고 하며 대부분 비포유기 청년 부녀에게서 호발한다. 특수 유형의 乳房部 漏管은 漏管이 한 쪽은 유륜부로 개구하고 또 다른 한 쪽은 유두로 개구하는 형태로 일반적으로 경과가 길다. 이 병변은 주로 40대에 발생하며 출산경험이 있는 여성이 많다. 그 병인은 잘 알려져 있지 않지만 지방 파괴물질의 농축과 유선관의 약화 및 파괴에 의한 것이라고 추정하고 있는데 그것은 이런 병변을 가진 환자의 반수가 젊었을 때 함몰되거나 피부가 갈라진 유두였기에 수유에 지장이 있었던 병력을 갖고 있기 때문이다. 이 질환의 특징은 주로 선관의 확장, 유방 분비물의 농축 및 유선관 주위와 기질조직내의 심한 육아종성 염증 변화이며 때때로 다량의 형질세포의 침윤을 동반한다. 병변은 주 분비관과 관계되는 한 곳에 국한된다. 명확한 경계가 없이 경화되고, 두꺼워진 부위로 보인다. 그러나 드물게 모든 유선관이 침범되면 유방 전체가 염증 변화를 일으키거나 양측 유방 모두가 침범될 때도 있다. 확장되고 단단한 로프 같은 것이 촉지되며 이것은 절단면에서 더욱 확실히 나타난다. 누르면 유선관에서 치즈 같은 물질이 나올 때도 있다. 특징적으로 확장된 선관은 과립상의 괴사된 호산성의 조직 파편으로 차 있으며 여기에는 백혈구와 지방소적을 탐식한 대식세포도 섞여 있다. 유선관의 상피는 일부는 남아 있을 수 있지만 대부분 괴사되고 위축되어 있다. 유선관 주위와 유선관 사이에는 심한 염증세포의 침윤이 있는데 이들은 중성 백혈구, 림프구 및 조직구들이며 특히 형질세포가 많은 것이 특징이다. 때때로 지방파편 주위에는 작은 육아종성 염증변화가 나타난다. 이 육아종은 중심에 대식세포와 콜레스테롤 침상체와 지방산이 있으며 그 주위로 섬유성 증식과 이물성 거대세포가 나타난다. 같은 쪽의 액와 림프절은 만성 림프절염을 일으키고 따라서 커지게 된다.

산욕의 수유기간에 생리적인 유즙분비 이외의 이상한 유즙분비가 있는 증상. 유즙분비는 하수체 전엽에서 분비되는 호르몬인 프롤락틴(prolactin)에 의하여 조절되는데, 하수체선종이나 약물 등의 원인으로 그 분비가 항진하여 이 증상이 생긴다. 기질적 원인을 볼 수 없는 경우도 많고, 주로 배란장애나 월경이상에 수반한다.

2. 원인 및 병기

1) 乳癰, 乳發, 乳癆의 失治로 인하여 乳絡이 손상되어 발생한다.
2) 肝氣가 鬱滯하여 營血이 不從하고 氣滯하여 血이 응체되어 결괴를 형성하고 鬱久하여 熱로 化하고 기육을 腐熟시켜 농종을 형성하고 궤파된 후 瘻를 형성한다.

3. 증상

1) 乳房部 漏管

발병전 乳癰이나 乳發의 병력이 있고 궤파된 후 瘡口가 오래도록 아물지 않아 유즙농액이 瘡口로부터 유출된다. 만약 乳癆가 궤파되어 형성되면 瘻口주위가 함요되고 피부가 紫黯色으로 변하며 淸稀한 농수나 혹은 敗絮樣 농액이 흐르며 陰虛의 증상을 보인다.

2) 乳輪部 漏管

비포유기 부녀에게서 다발하며 항상 유두는 內縮되고 脂狀物質이 있고 냄새가 있다. 유륜 부위에 콩 크기의 결절이 발생하나 단단하지는 않고 동통과 소양감은 없으며, 발작기에는 피부가 옅은 홍색을 보이고 결괴가 점점 커지고 동통이 있으며 수일 후 궤파되어 농액이 흐른다. 오래도록 낫지 않거나 혹은 瘡口가 유합됐다가 수주 또는 수개월 후에 紅腫潰破되는 상태를 반복하며 잘 낫지 않는다.

4. 진단감별

1) 진단

유방을 촬영하면 유관 주위로 석회화가 된 것이 관찰된다. 필요에 따라 유관 조영술을 시행하기도 한다. 유방 촬영만으로는 유방암과 비슷한 증상이 나타나기 때문에, 조직 검사로 확진한다.

2) 감별질환

(1) 때로 여드름성 乳癧 병변은 범위가 비교적 크거나 궤양 입구가 乳房部에 위치하여 乳房部漏와 감별해야 한다. 乳癖로 인해 발생한 乳房部漏는 기타 乳房部 漏와 감별해야 한다.

5. 치료

1) 內治

(1) 毒邪未淸 : 淸熱解毒하고 活血消腫하는 방법으로 五味消毒飮을 사용하여 治한다.
(2) 氣血不足 : 補托하는 방법으로 托里消毒散에서 皂角刺를 去하고 治한다.
(3) 陰虛 : 陽陰淸熱하는 방법으로 六味地黃湯에 靑蒿鱉甲湯을 合하여 治한다.

2) 外治

敷貼法을 활용하며 乳房部 漏管에 적용한다. 먼저 膿과 腐肉을 제거하는 八二丹이나 七三丹으로 漏管에 揷入하여 毒과 腐肉을 없애고, 겉에는 紅油膏를 바르며 매일 혹은 격일로 치료한다. 膿이 제거되면 生肌散이나 生肌玉紅膏를 사용하여 유합을 촉진시킨다. 위의 치료가 효과가 없으면 擴瘡治療를 행한다. 瘡口를 확대하여 膿液을 제거하고 八二丹을 瘡口에 붙여 管壁를 탈락시키고 육아조직이 형성되면 生肌藥物을 사용한다.

6. 예후

염증성 질환이기 때문에 치료 후에도 재발 가능성이 있다.

Ⅶ 유두분비물 Nipple discharge

1. 개요

유두분비물에 해당하는 乳衄은 유두에서 血性液體가 溢出되는 증상으로《瘍醫大全 · 乳衄門主論》에 "婦女乳房幷不堅腫結核, 唯乳竅常流鮮血, 此名乳衄."이라 설명하고 있다. 대부분 40~50세의 부녀에게 다발한다.

2. 원인 및 병기

1) 思慮過多나 憂鬱로 肝氣의 疏泄이 障碍되어 氣滯를 유발하고 氣鬱이 오래되면 火로 傳變되어 血이 妄行하여 발생한다.
2) 肝鬱로 脾氣가 손상되어 血을 統攝치 못하여 발생한다.
3) 瘀血이 絡脈을 阻滯시켜 발생한다.

3. 증상

유두에서 出血性 液體가 溢出되며 무의식중에 나타난다. 분홍 혹은 갈색의 출혈로 옷을 적시고 일반적으로 동통은 없다. 대부분 유륜부에 직경 1㎜ 정도의 원형의 腫物이 있고 혹 이것이 乳輪의 주변으로 퍼지기도 한다.

4. 진단감별

1) 감별질환

乳腺癌 : 乳腺癌에서 유두 분비물을 동반한 자는 발병연령이 상대적으로 높다. 항상 명료한 腫塊를 동반하며 대부분 乳輪部 이외의 부위에 위치하고 직경은 대부분 2 ㎝ 이상이다. X-선 검사와 분비물 도말검사 등이 감별에 도움이 된다.

5. 치료

1) 內治
(1) 肝火偏旺 : 疏肝解鬱하고 淸熱凉血하는 방법으로 丹梔逍遙散을 加減하여 治한다.
(2) 脾不統血 : 健脾養血하는 방법으로 歸脾湯을 사용하여 治한다.

6. 예후

乳頭溢血과 암증과의 관계는 연령과 관계가 밀접하다. 乳頭溢血이 있는 청년부녀의 암의 발병은 5%이내이고, 50세 이상의 부녀에게서는 64%를 차지한다. 남성에게 발생한 경우는 혈성, 장액성 관계없이 악성일 가능성이 높다.

Ⅷ 유방의 악성 신생물 Malignant neoplasm of breast

1. 개요

유방의 악성 신생물에 해당하는 乳癌은 유방에 돌처럼 굳은 종괴가 형성되는 질환으로《瘍醫大全》에 "陳遠公曰 : 有生乳癰 已經收口 因不愼色 以至復爛 變成乳岩." "陳實功 : 初如豆大 漸若棋子 半年一年 三載五載 不疼不癢 漸長漸大 始生疼痛 痛則無解 日後腫如堆粟 或如覆碗 紫色氣穢 漸漸潰爛 深者如岩穴 凸者如泛蓮 疼痛連心 出血則臭 期時五臟俱衰 四大不救 名曰乳岩" "汪省之 : 乳岩四十以下者可治 五十以下者不治 治之則死 不治反得終其天年" 이라 하여 전변, 증상, 예후에 대하여 설명하고 있다. 여성의 유방에 발생하는 암으로 유방암이라고도 한다. 유방암은 세계적으로 가장 흔한 여성암이며, 여성암으로 사망하는 주요한 원인이다. 2012년 Global cancer statistics 자료를 보면 유방암은 여성암의 25%에 해당하고, 여성암 사망의 15%를 차지한다. 최근 우리나라의 유방암 발생률도 꾸준히 증가하여 보건복지부 중앙암등록의 2013년 국가암등록 통계 자료를 보면 여성암 비율에 있어서 2001년에 16.1%로 가장 흔한 여성암이 되었고, 2005년 이후로는 갑상선암을 제외하고 유방암은 가장 흔한 여성암이며, 2013년에는 여성암의 15.4%를 차지하고 있다.

2. 원인 및 병기

유방암은 여러 가지 요인들이 복합적으로 작용하여 일으킨다고 알려져 있다. 식이, 흡연, 음주 등의 생활습관인자와 생식, 임신과 관련된 요인, 그리고 환경적 노출 등과 같은 여러 환경 인자들이 지금까지 알려진 위험요인들이며, 이들 요인들이 유방암 발병에 30~50% 정도 영향을 미치고 있다. 그리고 BRCA 1/2 유전자 돌연변이와 같은 유전적 요인은 유방암 발병의 5~10%를 차지하고 있다. 그러나 나머지 유방암 발병의 40~65%는 아직까지 어떠한 요인으로 인해 유방암이 생기는지 정확히 알려져 있지 않으며, 유전-환경 상호작용, 유전자 간 관련성 등을 추정할 수 있다.

- 鬱怒로 肝氣가 傷하고 思慮로 脾氣가 傷하여 經絡이 痞澁하고 聚結하여 발생한다.
- 憂怒抑鬱로 脾氣가 阻滯되고 肝氣가 橫逆하여 氣血이 虧損되고, 이로 인해 筋이 영양을 失調하고 鬱滯하여 痰을 형성하여 발병한다.

3. 증상

초기에는 유방에 대추씨 크기만한 종물이 생기는데 우연히 발견되고 겉면이 매끈하지 못하고 뜬뜬하면서 아프지는 않다. 이런 무통성 종괴가 유암 증세 중 가장 흔한 소견으로 약 70%가 나타난다. 유두 분비는 유관의 생리적 변화로 나타나며 혈성·비혈성으로 나뉜다. 비혈성은 거의 양성이지만 혈성 분비의 10명중 1~2명은 악성이다. 유두나 피부의 함몰이 나타나면 유암을 가장 먼저 생각해야 하며, 진행된 유암에서 피부의 궤양과 부종이 나타날 수 있다. 유암의 액와림프선 전이 여부가 예후와 밀접한 관계가 있으며, 임상적 촉지보다 병리소견에서의 림프절 전이가 예후에 보다 중요하다. 유두함몰은 정상인에게도 있으나, 쉽게 외반되지 않고 고정되어 있으면 유암을 의심한다. 습진성 병소가 유두와 유륜에 나타나면, 암종의 한 형태인 페이젯병(Paget disease)인지 감별해야 한다. 유암에서 드물게 염증성 반응을 동반할 수 있는데 이때 예후는 매우 불량하다.

4. 진단감별

1) 진단

의사의 진찰 및 유방의 영상학적 검사에서 의심스러운 병변이 발견되는 경우는 조직검사를 통해 유방암을 진단하게 된다. 유방 촬영술은 유방을 압박한 후 유방의 상하측 및 내외측 방향으로 X선

사진을 찍는 검사로, 유방암을 발견하는데 가장 기본적인 검사이다. 우리나라 여성의 경우 치밀 유방이 많아 유방 촬영술만으로 검사가 불충분할 수 있으며, 이 경우 유방 초음파 검사를 함께 하는 것이 진단에 도움이 된다. 유방 촬영술과 유방 초음파 검사 외에도 자기공명영상(MRI)이 매우 민감한 검사로 사용된다. 이 외에도 유방암으로 진단된 경우 전이를 평가하기 위해 전산화 단층촬영술(CT), PET, 뼈 스캔 등이 이용된다.

2) 감별질환

(1) 乳腺纖維腺腫 : 20~30세 여성에게 호발한다. 대부분 단일 腫塊로 일반적으로 乳房疼痛이 없다. 腫塊는 원형 혹은 타원형, 分葉狀을 나타내며 경계가 분명하고 표면은 光滑하며 質은 硬하고 堅하지 않다. 눌렀을 때 滑脫感이 있다. X선과 초음파검사 등이 감별진단에 도움이 된다.

(2) 乳腺囊腫 : 乳房囊腫 혹은 乳腺證에서 형성된 囊腫으로 纖維腺腫과 감별이 매우 어렵다. 초음파 검사에서 囊腫은 대부분 뚜렷한 液性音區가 있으며, 囊腫의 내용물이 乳酪樣 물질인 경우 초음파로도 구별이 어렵고 腫塊를 穿刺하면 乳酪樣 물질을 추출할 수 있다.

(3) 乳腺證 : 호발연령은 30~45세이며 腫塊는 대부분 편평하거나 顆粒狀을 나타낸다. 항상 다수의 腫塊가 나타나거나 양측 유방에 발병한다. 대부분 환자는 乳房疼痛을 수반하며 腫塊와 疼痛은 월경주기와 정서에 따라 변화한다. 때로는 乳腺證의 기초 하에 섬유선종이 형성될 수 있다. X선 검사와 초음파검사로 구분이 필요하다.

5. 치료

1) 內治
(1) 초기에는 疏肝理氣하는 逍遙散을 加味하여 治한다.
(2) 潰破된 후에는 補氣血 通絡化痰하는 香貝養榮湯으로 治한다.

2) 外治
五倍子를 가루내고 醋에 개어 바르고, 궤파된 후에는 乳香 沒藥을 散劑로 도포한다.

6. 예후

유방암의 예후를 결정짓는 가장 중요한 요소는 암의 병기인데 이것은 종양의 크기, 액와림프절 전이 여부, 전신 전이 여부에 의해 결정된다.

참고문헌

1) 대한외과학회. 외과학 제2판. 서울: 군자출판사. 2017.

2) 서울대학교병원. 유방염, 유방암. 서울대학교병원 의학정보. 네이버지식백과. www.naver.com

3) 서울아산병원. [서울아산병원 질환백과] 유관 확장증 [Mammary duct ectasia] (Available from: URL: http://www.amc.seoul.kr/asan/healthinfo/disease/diseaseDetail.do?contentId=32277)

4) 전국 한의과대학 피부외과학 교재편찬위원회. 한의피부외과학. 부산: 선우; 2007.

5) 中医外科学 編写委員會(谭新华, 何清湖 主編). 中医外科学 第二版. 人民卫生出版社: 北京; 2016.

6) Cooper AP. Illustrations of the Diseases of the Breast Part 1. London: Longman, Orme, Brown and Green; 1829.

7) Hamit H, Ragsdale TH. Mammary tuberculosis. JR Soc Med. 1982.

8) Miller RE, Salomon PF, West JP. The coexistence of carcinoma and tuberculosis of the breast and axillary lymph nodes. Am J Surg. 1971.

9) Ministry of health and welfare. Annual report of cancer statistics in Korea in 2013. 2015.

10) SH Kim, KA Jo, TH Kwon, BS Rho, DS Kim, KS Yoon. Tuberculosis of the Breast. Annals of Surgical Treatment and Research. 1997.

11) Taber L, Kelt K, Nerneth A. Tuberculosis of the breast. Radiology. 1976.

12) Torre LA, Bray F, Siegel RL, Ferlay J, Lortet-Tieulent J, Jemal A. Global cancer statistics, 2012. CA Cancer J Clin. 2015.

處方目錄

- **加味羌活湯**<痘疹會通> 羌活 防風 升麻 柴胡 當歸 川芎 槁本 細辛 黃芩 菊花 蔓荊子 等分

- **加味歸脾丸**<醫宗金鑑> 香附子 人蔘 酸棗仁 遠志 當歸 黃芪 烏藥 陳皮 茯神 白朮 貝母 37.5g 木香 甘草 11.25g

- **加味逍遙散**<東醫寶鑑> 牧丹皮 白朮 5.625g 當歸 桃仁 赤芍 貝母 3.75g 山梔子 黃芩 3g 桔梗 2.625g 靑皮 1.875g 甘草 1.125g

- **肝腎膏**<출전불명> 女貞子 熟地黃 墨旱蓮 桑葉 玉竹

- **葛根湯**<傷寒論> 葛根 4兩, 麻黃 生薑 3兩 桂枝 炙甘草 芍藥 2兩 大棗 12枚

- **甘露消毒片**<醫效秘傳> 滑石 15g 茵陳 11g 黃芩 10g 石菖蒲 6g 木通 川貝母 5g 藿香 連翹 白蔻仁 薄荷 射幹 4g

- **甘油塗劑**<中醫藥學高級叢書中醫外科學第二版> 紅花 15% 靑黛 4% 香水 1% 글리세린 60% 에탄올(75%) 20%

- **開鬱散**<洞天奧旨> 白芍 15g 白芥子 白朮 茯苓 香附 天葵草 9g 當歸 鬱金 6g 柴胡 3g 炙甘草 2.4g 全蠍 3個

- **祛腐生肌散**<(특허)CN102423383A> 銀朱 30~40% 珍珠 3~5% 血竭 3~5% 乳香 8~10% 沒藥 8~10% 冰片 1~5% 象皮 1~5% 輕粉 1~5% 草烏 5~10% 川烏 5~10% 天南星 5~10% 番木鱉 5~10% 蟾酥 1~5%

- **祛濕健髮湯**<趙炳南臨床經驗集> 炒白朮 豬苓 萆薢 首烏藤 白鮮皮15g 赤石脂 生地 熟地 12g 車前子(包)川芎 澤瀉 桑椹 9g

- **祛疣方**<中醫藥學高級叢書中醫外科學第二版> 鴉膽子油

- **祛風換肌丸**<外科正宗> 威靈仙 石菖蒲 何首烏 苦參 牛膝 蒼朮 大胡麻 天花粉 2g 甘草 川芎 當歸 1g

- **健脾祛風湯**<朱仁康臨床經驗集> 蒼朮 茯苓 澤瀉 荊芥 防風 羌活 烏藥 9g 陳皮 6g 木香 3g 生薑 3片 大棗 5枚

- **健脾除濕湯**<中醫雜志> 山藥 生薏米 生扁豆 30g 枳殼 黃柏 芡實 白朮 茯苓 15g 萆薢 桂枝 花粉 草蔻 10g

- **桂麝散**<葯蘞啓秘> 肉桂 丁香 1兩 生半夏 天南星 8錢 麻黃 細辛 5錢 皂角 2錢 麝香 6分 氷 片 4分

- **鷄眼膏**<瘍醫大全> 荸薺 火丹草 蟾酥 蓖麻子 穿山甲 三稜 紅花 莪朮 天南星 6g 虎耳草 阿魏 4.5g 麝香 1g 鱔魚血 半杯(陰乾爲末) 鷄肫皮 10個 河豚眼 10枚 麻油 180g 飛黃丹 90g

- **桂枝茯苓丸**<金匱要略> 桂枝 茯苓 牡丹皮 赤芍 桃仁 10g

- **桂枝芍藥知母湯**<金匱要略> 生薑 白朮 5兩 桂枝 知母 防風 各 4兩, 芍藥 3兩 甘草 麻黃 炮附子 2兩

- **桂枝湯**<傷寒論> 桂枝 芍藥 生薑 大棗 9g 甘草 6g

- **苦膽草片**<출전불명> 龍膽草

- **顧步湯**<辨證錄> 金銀花 3兩 牛膝 石斛 黃芪 當歸 1兩 人蔘 3錢

- **苦蔘散**<外科精義> 苦參 蔓荊子 何首烏 荊芥穗 威靈仙 等分

- **苦參湯**<瘍科心得集> 苦參 菊花 60g 蛇床子 金銀花 30g 白芷 黃柏 地膚子 15g 大菖蒲 9g

- **瓜蔞牛蒡湯**<醫宗金鑑> 瓜蔞仁 12~15g 牛蒡子 天花粉 黃芩 山梔 金銀花 連翹 皂角刺 9~12g 青皮 陳皮 柴胡 生甘草 3~6g

- **藿樸胃苓湯**<感證輯要> 生苡仁 4錢 赤苓 杏仁 豬苓 淡豆豉 3錢 藿香 2錢 薑半夏 澤瀉 1.5錢 川樸 白蔻仁 通草 1錢

- **栝石湯**<醫宗金鑑> 瓜蔞仁 9錢 滑石 1.5錢 蒼朮炒 天南星 赤芍藥 陳皮 1錢 白芷 黃柏 黃芩 黃連 5分 甘草 2分 生薑 3片

- **槐角丸**<太平惠民和劑局方> 槐角(去枝梗 炒) 1斤 地楡 當歸(酒浸一宿 焙) 防風(去蘆) 黃芩 枳殼(去瓤 麩炒) 0.5斤

- **九一丹**<醫宗金鑑> 煅石膏 9錢 黃靈藥(升丹) 1錢

- **九華膏**<經驗方> 滑石 600g 龍骨 120g 硼砂 90g 川貝母 冰片 朱砂 18g

- **九華粉洗劑**<朱仁康臨床經驗集> 滑石 620g 龍骨 120g 月石 90g 冰片 朱砂 川貝母 18g

- **九黃丹**<外傷科學> 石膏 6錢 升丹 3錢 制乳香 制沒藥 川貝母 牛黃, 炒硼砂 2錢 朱砂 1錢 氷片 3편

- **歸脾湯**<正體類要> 白朮 當歸 白茯苓 黃芪(炒) 龍眼肉 遠志 酸棗仁(炒) 人蔘 3g 木香 1.5g

甘草(炙) 1g

- **歸脾湯**<濟生方> 白朮 白茯苓 黃芪 龍眼肉 酸棗仁 1兩 人蔘 木香 0.5兩 甘草(炙) 2.5錢 生薑 5片 大棗 1枚

- **歸脾丸**<中醫藥學高級叢書中醫外科學第二版> 歸脾湯<濟生方>에서 龍眼肉 生薑 大棗 제외

- **克疣方**<上海龍華醫院方> 生牡蠣(先煎) 靈磁石(先煎) 蒲公英 大靑葉 土伏苓 30g 馬齒莧 15g 赤芍 紅花 制大黃 9g 桑葉 野菊花 6g

- **克疣制劑**<中醫藥學高級叢書中醫外科學第二版> 生牡蠣 30g 木賊草 香附 15g 白芥子 烏梅 五倍子 枯礬 10g 露蜂房 8g

- **金櫃腎氣丸**<金匱要略> 乾地黃 8兩 山藥 山茱萸 4兩 茯苓 牡丹皮 澤瀉 3兩 桂枝 炮附子 1兩

- **芩部丹**<中草藥資料選編> 百部18g 黃芩 丹參10g

- **芩連二母丸**<醫宗金鑑> 黃芩 黃連 知母 貝母 當歸(酒炒) 白芍藥(酒炒) 羚羊角(鎊) 生地黃 熟地黃 蒲黃 地骨皮 川芎 1兩 生甘草 5錢

- **芪附湯**<中醫雜志>: 黃芪 土茯苓 30g 制附片(先煎30分)白朮 薏苡仁 甘草 10g

- **金菊五花茶沖劑**(=金菊五花茶)<經驗方> 金銀花 木棉花 葛花 野菊花 槐花 甘草

- **金黃膏**<醫宗金鑑> 天花粉 500g 薑黃 白芷 大黃 黃柏 250g 蒼朮 南星 甘草 厚樸 陳皮 100g 참기름 2500ml 黃蠟 750~1050g

- **金黃膏**<中醫藥學高級叢書中醫外科學第二版> 바셀린 80% 如意金黃散<外科正宗> 20%

- **金黃散**<外科精義> 黃連 大黃 黃芪 黃芩 黃柏 鬱金 1兩 甘草 5錢 氷片 5分

- **內消瘰癧丸**<瘍醫大全> 夏枯草 8兩 玄蔘 靑藍 5兩 海藻 川貝母 薄荷葉 天花粉 海蛤粉 白薇 連翹 熟大黃 生甘草 生地黃 桔梗 枳殼 當歸 硝石 1兩

- **內消黃連湯**<醫學入門> 連翹 2錢 大黃 1.5錢 黃連 黃芩 梔子 薄荷 金銀花 牧丹 芍藥 當歸 桔梗 甘草 1錢

- **丹梔逍遙散** 逍遙散 加 牧丹皮 梔子 3.75g

- **當歸補血湯**<蘭室秘藏> 黃芪 1兩 當歸(酒制)2錢

- **當歸補血丸**(=當歸補血湯)

- **當歸四逆湯**<傷寒論> 桂枝 白芍藥 當歸 11.25g 甘草 木通 7.5g 細辛 3.75g 大棗 5枚

- **當歸六黃湯**<蘭室秘藏> 黃芪12g 當歸 生地黃 熟地黃 黃芩 黃柏 黃連 6g

- **當歸飲子**<丹溪心法> 當歸 白芍 川芎 生地 白蒺藜 防風 荊芥穗 1兩 何首烏 黃芪 甘草 5錢

- **當歸浸膏片**<출전불명> 當歸

- **當歸片**<經驗方> 當歸

- **大麻風丸**<醫學入門> 苦參 1800g 皂刺(煆) 當歸 300g 羌活 獨活 白芷 白蘞 白蒺藜 天花粉 何首烏 160g

- **大承氣湯**<傷寒論> 厚樸 24g 大黃 枳實 12g 芒硝 9g

- **大青膏**<小兒藥證直訣> 白附子 1.5錢 大青葉 天麻 青黛 1錢 烏蛇肉(酒浸 焙) 蠍梢 5分(去毒) 朱砂 天竺黃 麝香 1字

- **大黃䗪蟲丸**<金匱要略> 熟大黃 地黃 300g 桃仁 苦杏仁(炒) 白芍120g 甘草 90g 水蛭(制) 黃芩 60g 虻蟲(去翅足 炒) 蠐螬(炒) 45g 土鱉蟲(炒) 乾漆(煆) 30g

- **導赤丹**<北京中藥成方> 黃芩 甘草 滑石 連翹 梔子(炒) 玄參(去蘆) 1200g 黃連 生地 大黃 600g

- **導赤丹**<慈禧光緒醫方選議> 薄荷 麥冬 木通 黃連 生地 桔梗 甘草 4g

- **桃紅四物湯**<醫宗金鑑> 當歸 熟地 川芎 白芍 桃仁 紅花 15g

- **獨活寄生湯**<備急千金要方> 獨活 9g 桑寄生 杜仲 牛膝 細辛 秦艽 茯苓 肉桂心 防風 川芎 人蔘 甘草 當歸 芍藥 乾地黃 6g

- **狼毒膏**<醫宗金鑒> 狼毒 檳榔 川椒 蛇床子 大楓子 硫黃 文蛤 枯礬 3錢 香油 豬膽汁

- **涼膈散**<太平惠民和劑局方> 連翹 1250g 川大黃 樸硝 甘草 600g 山梔子仁 薄荷葉(去梗) 黃芩 300g

- **涼血消風湯**<喉科秘訣> 鮮生地 8g 黃芩 6g 桔梗 4g 黃柏 白芍 2.8g 防風 花粉 2.4g 梔子 荊芥 歸尾 銀花 山豆根 2g 僵蠶 1.6g 黃連 甘草 升麻 薄荷 1.2g

- **涼血五根湯**<趙炳南臨床床經驗集> 白茅根 40~80g 瓜蔞根 20~40g 茜草根 紫草根 板藍根 12~20g

- **涼血除濕湯**<朱仁康臨床經驗集> 生地 30g 忍冬藤 15g 丹皮 赤芍 苦參 豨薟草 海桐皮 地膚子 白鮮皮 六一散 二妙丸 9g

- **涼血地黃湯** 黃柏(去皮, 銼, 炒) 知母(銼, 炒)1錢 青皮(不去皮瓤) 槐子(炒) 生地黃 當歸 5分

- **連樸飮**<霍亂論> 蘆根 60g 焦梔 香豉(炒) 9g 制厚樸 6g 川連(薑汁炒) 石菖蒲 制半夏 3g

- **爐甘石洗劑**<中醫藥學高級叢書中醫外科學第二版> 爐甘石粉 10g 산화아연 5g 페놀 1g 글리세린 5g 水 加至100㎖

- **爐虎水洗劑**<經驗方> 爐甘石 10 虎杖粉 5 薄荷腦 1 글리세린 適量

- **雷公藤片**<經驗方> 雷公藤

- **漏蘆湯**<聖濟總錄> 白蒺藜 120g 漏蘆 白蘞 槐白皮 五加皮 甘草 45g

- **硫黃膏 5%~10%**<經驗方> 硫黃 5~10g 바셀린 90~95g

- **硫黃軟膏**(=硫黃膏 5%~10%)

- **麻仁丸**<醫學正傳> 當歸 大黃 麻仁 人蔘 枳殼 等分

- **馬齒莧合劑**<中國中醫科學院廣安門醫院方> 馬齒莧 60g 大靑葉 15g 紫草 敗醬草 10g

- **麻風潰瘍膏**<江蘇方> 陳石灰 枯礬 楊樹皮炭 熟松香 象皮粉 蜂蠟 血餘炭 白芷 黃芪 甘草 龜板 大楓子仁 當歸 麻油 豬油

- **麻風丸**<瘍醫大全> 鮮皂角刺 1200g(好醋煮9日 曬乾 取淨末 600g) 紫背浮萍(曬乾, 取淨末) 600g 番木鱉(羊油炙 得法如金色者 淨末) 320g 苦參(取淨末) 80g

- **麻黃桂枝湯**<普濟方> 葛根 芍藥 120g 麻黃(去根節) 80g 桂枝 甘草(炙紫色) 40g

- **麻黃桂枝湯**<醫方類聚> 麻黃(去根節) 桂枝 赤芍藥 杏仁(湯浸 去皮尖雙仁 麩炒微黃) 40g 甘草(炙微赤 銼) 20g

- **麻黃連翹赤小豆湯**<傷寒論> 赤小豆 30g 桑白皮 10g 連翹 杏仁 9g 麻黃 炙甘草 生薑 6g 大棗 12枚

- **麻黃湯**<傷寒論> 麻黃 3兩 桂枝 2兩 杏仁 70个 炙甘草 1兩

- **萬靈丹**<外科正宗> 茅朮 240g 何首烏 羌活 荊芥 川烏 烏藥 川芎 甘草 川石斛 全蠍(炙) 防風 細辛 當歸 麻黃 天麻 30g 雄黃 18g

- **密陀僧散**<醫宗金鑒> 雄黃 硫黃 蛇床子 6g 密陀僧 石黃 3g 輕粉 1.5g

- **薄膚膏**<朱仁康臨床經驗集> 密陀僧末 620g 白及末 180g 輕粉 125g 枯礬 30g 바셀린 1870g

- **薄荷三黃洗劑 1%**<經驗方> 三黃洗劑 100㎖ 薄荷腦 1g

- **斑蝥膏**<中醫藥學高級叢書中醫外科學第二版> 斑蝥 12.5g 雄黃 2g 蜂蜜 약간

- **斑蝥醋浸劑**<趙炳南臨床經驗集> 全蟲 16個 斑蝥 12個 烏梅肉 30g 皮消 12g 米醋 500g

- **防風通聖散**<宣明論方> 石膏 黃芩 桔梗 各 30g 防風 荊芥 連翹 麻黃 薄荷 川芎 當歸 白芍 (炒) 白朮 山梔 大黃(酒蒸) 芒硝 15g 滑石 9g 甘草 6g

- **白及軟膏**<中醫藥學高級叢書中醫外科學第二版> 白及 細末 10g 바셀린 50g

- **白屑風酊**<經驗方> 蛇床子 苦參片 40g 土槿皮 20g 薄荷腦 10g

- **白玉膏**(=生肌白玉膏)<經驗方> 尿浸石膏 90% 制爐甘石 10%

- **白玉膏**<瘍醫大全> 白芷 爐甘石 甘松 當歸尾 乳香 五靈脂 山柰 細辛 樟氷 5錢 沒藥 象皮 白 蠟 3錢 松香 氷片 麝香 1錢 鉛粉 13枚

- **補肝丸**<痲論萃英> 四物湯 加 防風 羌活 等分

- **補肝丸**<備急千金要方> 乾地黃 2兩 決明子 地膚子 麥門冬 蕤仁 茯苓 黃芩 防風 澤瀉 1.25 兩 青葙子 枸杞子 五味子 桂心 葶藶子 杏仁 細辛 1兩 車前子 菟絲子 2合 兔肝 1具

- **補肝丸**<備急千金要方> 柏子仁 乾地黃 茯苓 細辛 蕤仁 枸杞子 1.25兩 防風 川芎 山藥 1兩 車前子 2合 五味子 18銖 甘草 0.5兩 菟絲子 1合 兔肝 2具

- **補肝丸**<秘傳眼科龍木論> 人蔘 茯苓 乾山藥 遠志 防風 知母 乾地黃 80g 澤瀉 菖蒲 60g

- **補肝丸**<慎齋遺書> 杞子 杜仲 160g 香附(醋炒) 80g 人歸身 40g 海螵蛸 16g

- **補肝丸**<審視瑤函> 蒼朮(米泔水制) 熟地黃(焙乾) 蟬退 車前子 川芎 當歸身 連翹 夜明砂 羌 活 龍膽草(酒洗) 菊花 等分

- **補肝丸**<眼科全書> 楮實子(酒洗) 菟絲子(酒煮) 蒺藜(炒, 去刺) 當歸(酒洗) 40g 石菖蒲 夏枯 草 石斛草 32g 覆盆子(酒洗) 蔓荊子 龍膽草 細辛 川芎 28g 人蔘 12g 白茯 熟地 山藥 遠志 知 母 澤瀉 防風 4g

- **補肝丸**<幼幼新書> 茺蔚子 80g 羌活 知母 60g 川芎 槁本 五味子 細辛 40g

- **補肝丸**<異授眼科> 菟絲子(酒煮, 搗爛) 柏子仁(炒) 枸杞 山藥 120g 白茯苓 80g 防風 梔子 (炒) 五味子 車前子(炒) 川芎 40g 細辛 甘草 20g 蕤仁 12g

- **補肝丸**<證治準繩> 乾地黃 菟絲子 2兩 山藥 車前子 地骨皮 柏子仁 大黃 細辛 甘草 人蔘 黃 芩 黃連 防風 1.5兩 茺蔚子 青葙子 枸杞子 五味子 決明子 杏仁 茯苓 1兩

- **補肝丸**<千金翼方> 黃連 1.5兩 決明子 細辛 螢火蟲 5合 菟絲子 蒺藜子 地膚子 車前子 藍子 瓜子 茺蔚子 青葙子 大黃 2合 桂心 5分

- **普癬水**<朱仁康臨床經驗集> 川槿皮 95g 生地榆 苦楝子 50g 斑蝥 1.5g(布包)

- **補心丹**(=天王補心丹)<校注婦人良方> 生地黃 120g 當歸(酒浸) 五味 麥門冬(去心) 天門冬

柏子仁 酸棗仁(炒) 30g 人蔘(去蘆) 茯苓 玄參 丹蔘 桔梗 遠志 15g

- **補陽還五湯**<醫林改錯> 生黃芪 4兩 當歸尾 2錢 赤芍藥 1.5錢 地龍 川芎 桃仁 紅花 1錢

- **普制消毒飲**<東垣試效方> 黃芩 黃連 5錢 人蔘 3錢 橘紅 玄蔘 柴胡, 桔梗 生甘草 2錢 連翹 牛蒡子 板藍根 馬勃 1錢 白殭蠶 升麻 7分

- **補中益氣湯**<內外傷辨惑論> 黃芪 人蔘(黨蔘) 炙甘草 15g 柴胡 12g 白朮 當歸 10g 陳皮 升麻 6g 生薑 9片 大棗 6枚

- **保和丸**<古今醫鑑> 白朮 5兩 陳皮 半夏 赤茯苓 神麴 山楂肉 3兩 連翹 香附子(酒炒) 厚樸 蘿蔔子(炒) 2兩 枳實 麥芽 黃連(酒炒) 黃芩(酒炒) 1兩

- **茯苓補心湯**<醫統> 白茯苓 白茯神 麥門冬 生地黃 陳皮 半夏曲 當歸 1錢 甘草 5分

- **複方蛇床子洗劑**<출전불명> 蛇床子 苦參 30g 威靈仙 蒼朮 黃柏 明礬 9g

- **複方靑黛丸**<中醫藥學高級叢書中醫外科學第二版> 靑黛 白芷 焦山楂 建曲 五味子 白鮮皮 烏梅 土茯苓 萆薢

- **附桂八味丸**<太平惠民和劑局方> 熟地黃 8兩 山藥 山茱萸 4兩 澤瀉 茯苓 牧丹 3兩 肉桂 炮附子 1兩

- **附子理中湯**<三因極一病證方論> 大附子(炮,去皮臍) 人蔘 乾薑(炮) 甘草(炙) 白朮 等分

- **浮萍茯苓丸**<外科大成> 浮萍 0.4g 茯苓 0.2g

- **脾約麻仁丸**<傷寒論> 麻子仁 大黃 500g 芍藥 枳實 厚樸 杏仁 250g

- **枇杷淸肺飲**<外科大成> 枇杷葉 桑白皮(鮮者更佳) 2錢 黃連 黃柏 1錢 人蔘 甘草 3分

- **萆薢滲濕湯**<瘍科心得集> 萆薢 薏苡仁 滑石 30g 赤茯苓 黃柏 丹皮 澤瀉 15g 通草 6g

- **四君子湯**<東醫寶鑑> 人蔘 白朮 白茯苓 甘草 等分

- **四妙散**<醫學正傳> 威靈仙 18.75g 羚羊角 11.25g 蒼耳子 白芥子 5.625g

- **四妙勇安湯**<驗方新編> 金銀花 玄蔘 90g 當歸 60g 甘草 30g

- **四妙活血湯**<中醫師臨床按證擇方小辭典> 金銀花 公英 地丁 30g 當歸 生地 元蔘 18g 丹蔘 15g 連翹 防己 12g 黃芩 黃柏 9g

- **四物消風散**<金鑑> 生地 3錢 當歸 2錢 荊芥 防風 1.5錢 赤芍 川芎 白鮮皮 蟬蛻 薄荷 1錢 獨活 柴胡 7分

- **四物消風湯**<外傷科學> 生薏苡仁 24g 乾地黃 白鮮皮 20g 當歸 12g 川芎 赤芍 防風 荊芥穗

8g

- **四物潤膚湯**<출전불명> 生地 12g 玉竹 10g 當歸 白芍 9g 川芎 6g 麥門冬 5g

- **四物湯**<仙授理傷續斷秘方> 白芍藥 川當歸 熟地黃 川芎 等分

- **沙蔘麥門冬湯**<溫病條辨> 沙蔘 15g 玉竹 麥門冬 12g 桑葉 扁豆 天花粉 10g 生甘草 3g

- **蛇床子洗方**<출전불명> 蛇床子 地膚子 12g 蒲公英 苦參 生大黃 川黃柏 8g 威靈仙 白蘇皮 枯現 6g 薄荷 3g

- **四石桃紅湯**<中醫藥學高級叢書中醫外科學第二版> 靈磁石 生牡蠣 代赭石 珍珠母 30g 桃仁 紅花 赤芍 10g 陳皮 5g

- **四神丸**<校注婦人良方> 補骨脂 150g 肉荳蔲 五味子 75g 吳茱萸 37.5g

- **四逆散**<傷寒論> 柴胡 芍藥 枳實 甘草(炙) 6g

- **四逆湯**<傷寒論> 炙甘草 2兩 乾薑 1.5兩 附子 1枚

- **四六湯**<東醫老年補養處方集> 熟地黃 山藥 山茱萸 當歸 白芍藥 16g 白茯苓 牡丹皮 澤瀉 川芎 12g

- **四劑白朮散**<准繩·幼科> 白朮 8兩(分作4份, 1份砂仁炒, 1份糯米炒, 1份麩皮炒, 1份壁土炒)

- **四紅湯**<출전불명> 紅豆 80g 花生仁 60g 紅棗 10개 紅糖 調味

- **蔘芪湯**<萬病回春> 人蔘(去蘆) 黃芪(蜜水炒) 茯苓(去皮) 當歸 熟地黃 白朮(去蘆) 陳皮 1錢 益智仁 8分 升麻 肉桂 5分 甘草 3分

- **蔘苓白朮散**<東醫寶鑑> 甘草 白茯苓 白朮 山藥 人蔘 11.25g 桔梗 白扁豆 蓮肉 薏苡仁 縮砂 5.625g

- **蔘苓白朮散**<太平惠民和劑局方> 白茯苓 人蔘 甘草炒 白朮 山藥 2斤 白扁豆薑汁浸去皮 微炒1.5斤 蓮子肉去皮 薏苡仁 縮砂仁 桔梗炒令深黃色 1斤 甘草(炙) 2兩

- **三妙散**<醫宗金鑑> 檳榔 蒼朮(生) 黃柏(生) 等分

- **三妙丸**<醫學正傳> 蒼朮 225g 黃柏 150g 牛膝 75g

- **三白散**<韓醫皮膚外科學> 杭分 1兩 輕粉 20g 石膏 12g

- **蔘附湯**<校注婦人良方> 人蔘 1兩 炮附子 5錢

- **蔘附湯**<聖濟總錄> 人蔘 附子(炮, 去皮,臍) 青黛 15g

- **三仙驅梅丸**<中醫肝膽病防治大全> 三仙丹 朱砂 琥珀 黑棗肉 120g 冰片 3g 麝香 1.2g

- **三仙丹**<全國中藥成藥處方集> 紅升丹 1兩 輕粉 2錢 冰片 4分

- **三仁湯**<醫學入門> 薏苡仁 2.5錢 冬瓜仁 2錢 桃仁 牧丹 1.5錢

- **三花湯**<四川中醫> 蒲公英24g 銀花15g 白蒺藜 赤芍 菊花12g 紅花 薄荷 蟬蛻 9g 熟大黃 3g

- **三黃洗劑**<經驗方> 大黃 黃柏 黃芩 苦參片 等分

- **三黃片**<中國藥典2010年版一部> 大黃 염산베르베린 黃芩浸膏

- **三黃丸**<東垣十書> 黃連 黃芩 大黃 300g

- **桑菊飲**<溫病條辨> 桑葉 2.5錢 杏仁 桔梗 蘆根 2錢 連翹 1.5錢 菊花 1錢 薄荷 甘草 8分

- **生肌膏**<外傷科學> 當歸 60g 甘草 30g 白芷15g 血竭 輕粉 12g 紫草 9g 麻油 500g 白蠟 60g

- **生肌散**<東醫寶鑑> 龍骨 18.75g 輕粉 寒水石 3.75g 乾臙脂 1.125g

- **生肌散**<外科精要> 木香 檳榔 黃連 等分

- **生肌散**<外臺秘要> 炙甘草 1斤 黃柏 8兩, 當歸 4兩

- **生肌玉紅膏**<外科正宗> 當歸 2兩 甘草 1.2兩 血竭 輕粉 4錢 紫草 2錢 白蠟 2兩 麻油 1斤

- **生肌玉紅膏**<經驗方> 當歸身 60g 甘草 36g 白芷 15g 血竭 輕粉 12g 紫草 6g 白蠟 60g 참기름 500g

- **生脈散**(飲,湯)<內外傷辨或論> 人蔘 5錢 麥門冬 五味子 3錢

- **生玄飲**<中醫藥學高級叢書中醫外科學第二版> 生地 玄參 梔子 板藍根 15g 貝母 土茯苓 紫花地丁 12g 蒲公英 野菊花 桔梗 當歸 赤芍 花粉10g 甘草 6g

- **犀角散**<奇效良方> 石膏 80g 犀角屑 麻黃(去根節) 羌活 附子(炮裂, 去皮臍) 杏仁(去皮尖, 麩炒) 40g 甘草(炙赤) 10g 防風(去蘆) 桂心 白朮 人蔘 川芎 白茯苓 細辛 當歸 1.2g

- **犀角散**<聖濟總錄> 梔子仁 龍膽 白朮 10g 犀角(鎊屑) 決明子 人蔘 0.4g

- **犀角散**<禦藥院方> 牛膝(酒浸1宿) 沈香 木香 虎頭骨(酥炙) 160g 犀角(鎊) 當歸 白芍藥 80g 麝香 10g 槲葉 2大握

- **犀角散**<太平聖惠方> 石膏 60g(細研) 杉木節(銼) 麥門冬(去心, 焙) 赤茯苓 檳榔 30g 紫蘇莖葉 沈香 枳殼(麩炒微黃, 去瓤) 犀角屑 22g 防風(去蘆頭) 木香 15g

- **犀角地黃湯**<外臺秘要> 犀角(水牛角代替) 30g 生地 24g 芍藥 12g 丹皮 9g

- **舒肝潰堅湯**<醫宗金鑑> 夏枯草 炒僵蠶 2錢 香附子 煅石決明 1.5錢 當歸 白芍藥 陳皮 柴胡

川芎 炒穿山甲 1錢 紅花 薑黃 甘草 5分

- **錫類散**<金匱翼> 靑黛(水飛) 1.8g 象牙屑 珍珠 0.9g 西黃 人指甲 0.15g 冰片 0.09g 壁錢 20個

- **石榴皮軟膏**<中醫藥學高級叢書中醫外科學第二版> 石榴皮粉 15g 樟腦 石炭酸 1g 바셀린 100g 파라핀유 소량

- **仙方活命飮**<校注婦人良方> 金銀花 陳皮 9g 貝母 防風 赤芍藥 當歸尾 甘草節 皂角刺(炒) 穿山甲(炙) 天花粉 乳香 沒藥 6g 白芷 3g

- **蟾酥丸**<外科正宗> 朱砂 9g 雄黃 6g 蟾酥 6g(酒化) 麝香 枯礬 寒水石(煅) 制乳香 制沒藥 銅綠 膽礬(綠礬) 3g 輕粉 1.5g 蝸牛 21個

- **醒消丸**<外科全生集> 乳香 沒藥 1兩 雄黃 5錢 麝香 1.5錢

- **洗疣方**<中醫藥學高級叢書中醫外科學第二版> 馬齒莧 30g 苦參 陳皮 15g 蛇床子 12g 蒼朮 露蜂房 白芷 10g 細辛 6g

- **小建中湯**<傷寒論> 芍藥 18g 桂枝 生薑 9g 甘草 6g 大棗6枚 飴飴 30g

- **小金散**<출전불명> 地龍 制附子 234g 薑半夏 五靈脂 225g 馬錢子(制) 216g 制乳香 126g 制沒藥 全蟲 117g

- **小金片**<外科金生集> 白膠香 草烏 五靈脂 地龍 木鼈子 1.5兩 制乳香, 制沒藥, 當歸 7.5錢 麝香 3錢 香墨炭 1.2錢

- **消瘰丸**<外科眞詮> 玄參 牡蠣(煅) 川貝 等分

- **消瘰丸**<醫學心悟> 元蔘(蒸) 牡蠣(煅 醋研) 貝母(去心 蒸) 120g

- **消癧丸**<瘍醫大全> 夏枯草 連翹 麻仁 4兩

- **小柴胡湯**<傷寒論> 柴胡30g 黃芩 人蔘 半夏 甘草(炙) 生薑(切) 9g 大棗(擘) 4枚

- **小兒化毒散**<中國藥典2010年版一部> 人工牛黃 珍珠 雄黃 大黃 黃連 天花粉 川貝母 赤芍 乳香(制) 沒藥(制) 冰片 甘草

- **逍遙散**<太平惠民和劑局方> 當歸 麥門冬 白茯苓 白芍藥 白朮 柴胡 3.75g 薄荷 甘草 1.875g

- **消風導赤湯**<醫宗金鑒> 生地黃 赤茯苓 1錢 牛蒡子 白鮮皮 銀花 薄荷葉 木通 8分 黃連 甘草 3分 燈芯 50寸

- **消風散**<外科正宗> 當歸 生地 防風 蟬蛻 知母 苦蔘 胡麻仁 荊芥 蒼朮 牛蒡子 石膏 1錢 甘草 木通 5分

- **疏風淸熱飮**<醫宗金鑒> 苦參 2錢 皂角 皂角子 全蠍 防風 荊芥穗 金銀花 蟬蛻 1錢

- **掃風丸**<經驗方> 薏苡仁 荊芥 240g 苦參 白蒺藜 小胡麻 蒼耳子 防風 120g 蒼朮 白附子 桂枝 當歸 秦艽 白芷 草烏 威靈仙 川芎 鉤藤 木瓜 菟絲子 肉桂 天麻 川牛膝 何首烏 千年健 靑礞石(制) 川烏 知母 梔子 60g 白花蛇 30g 大風子 1.75kg

- **消核膏**<類證治裁> 橘紅(鹽水炒) 赤茯苓 熟大黃 連翹 30g 黃芩 山梔 各 24g 半夏 元參 牡蠣 花粉 桔梗 栝蔞 21g 僵蠶 15g

- **漱口方**<經驗方> 風化硝 白礬 食鹽 3g

- **水晶膏**<中醫藥學高級叢書中醫外科學第二版> 生石灰 15g 포화수산화나트륨용액 熟石灰末 4g 糯米 3g

- **搜風流氣飮**<朱仁康臨床經驗集> 荊芥 菊花 僵蠶 當歸 赤芍 烏藥 9g 防風 白芷 川芎 陳皮 6g

- **濕毒膏**<朱仁康臨床經驗集> 黃柏末 煅石膏末 310g 煅爐甘石末 180g 靑黛 150g 五倍子末 90g

- **濕疹膏**<출전불명> 紫草 百部 冰片 蛇床子 苦參 薄荷 等

- **濕疹粉**<朱仁康臨床經驗集> 煅石膏末 310g 枯礬末 150g 白芷末 60g,冰片 15g

- **濕疹一號膏**<韓醫皮膚外科學> 靑黛 黃柏 산화아연 石膏 麻油

- **升麻葛根湯**<太平惠民和劑局方> 葛根 45g 升麻 芍藥 炙甘草 30g

- **升麻消毒飮**<醫宗金鑒> 當歸尾 赤芍 金銀花 連翹(去心) 牛蒡子(炒) 梔子(生) 羌活 白芷 紅花 防風 甘草(生) 升麻 桔梗 等分

- **升陽除濕湯**<醫學入門> 蒼朮 3.75g 防風 升麻 柴胡 豬苓 澤瀉 1.875g 甘草 麥芽 陳皮 0.938g

- **柴胡淸肝湯**<醫宗金鑑> 當歸 連翹 2錢 柴胡 生地黃 赤芍藥 炒牛蒡子 1.5錢 川芎 黃芩 梔子 天花粉 甘草 防風 1錢

- **新消片**<출전불명> 生雄黃 生乳香 丁香

- **新五玉膏**<朱仁康臨床經驗集> 玉黃膏(薑黃 90g 當歸 甘草 30g 白芷 9g 輕粉 冰片 6g 蜂白蠟 90~125g) 2200~2500g 祛濕散(煅石膏 60g 黃柏末 白芷末 輕粉 30g 冰片 6g) 1560g 硫黃末 五倍子末 鉛粉 150g

- **神應養眞丹**<三因極一病證方論> 當歸(酒浸) 天麻 川芎 羌活 白芍藥 熟地黃 等分

- **辛夷淸肺飮**<醫宗金鑒> 石膏(煅) 知母 梔子(生研) 黃芩 百合, 麥門冬 1錢 辛夷 6分 生甘草 5分 升麻 3分 枇杷葉(去毛) 3片

- **十全大補湯**<太平惠民和劑局方> 黃芪 熟地黃12g 茯苓 白朮 當歸(去蘆) 白芍藥 9g 人蔘(去蘆) 川芎 6g 肉桂(去皮) 甘草(炒)3g

- **十全流氣飲**<外科正宗> 陳皮 赤苓 烏藥 川芎 當歸 白芍 1錢 香附 8分 青皮 6分 甘草 5分 木香 3分

- **鵝掌風浸泡劑(方)**<經驗方> 硫黃 生大黃 7.5g 石灰水 100㎖

- **安宮牛黃丸**<溫病條辨> 牛黃 鬱金 犀角 黃連 朱砂 梔子 雄黃 黃芩 1兩 珍珠 5錢 氷片 麝香 2.5錢

- **安神丸**<출전불명> 檳榔 50g 沈香 40g 木香 25g 廣棗 山奈 20g 黑胡椒 17.5g 丁香 蓽撥 鐵棒錐 15g 肉豆蔻 12.5g 紫硇砂 兔心 野牛心 7.5g 阿魏 5g 紅糖 25g

- **野薔薇花露**<中藥成方配本> 野薔薇花瓣 500g

- **凉膈散**<太平惠民和劑局方> 連翹 1250g 川大黃 樸硝 甘草 600g 山梔子仁 薄荷葉(去梗) 黃芩 300g

- **養陰生肌散**<中醫皮膚病學簡編> 雄黃 青黛 甘草 20g 牛黃 黃柏 龍膽草 10g 冰片 2g

- **羊蹄根酒**<趙炳南臨床經驗集> 羊蹄根 240g 75% 에탄올 480g

- **羊蹄根酒**<朱仁康臨床經驗集> 羊蹄根(土大黃) 土槿皮 180g 制川烏 檳榔 百部 海桐皮 白蘚皮 苦參 30g 蛇床子 千金子 地膚子 番木鱉 蛇衣 大楓子 15g 蜈蚣末 9g 白信 斑蝥 6g(布包)

- **凉血消風散**<朱仁康臨床經驗集> 生地 生石膏 30g 當歸 荊芥 苦蔘 白蒺藜 知母 9g 蟬衣 生甘草 6g

- **養血消風散**<朱仁康臨床經驗集> 熟地 15g 當歸 荊芥 白蒺藜 蒼朮 苦蔘 麻仁 9g 甘草 6g

- **養血榮筋丸**<中華人民共和國藥典2010版一部> 當歸 雞血藤 何首烏(黑豆酒炙) 赤芍 續斷 桑寄生 鐵絲威靈仙(酒炙) 伸筋草 透骨草 油松節 鹽補骨脂 黨參 炒白朮 陳皮 木香 赤小豆

- **凉血五根湯**<趙炳南臨床床經驗集> 白茅根 1~2兩 瓜蔞根 0.5~1兩 茜草根 紫草根 板藍根 3~5錢

- **養血益氣湯**<嵩崖尊生> 人蔘 當歸 熟地 2錢 川芎 白朮 黃芪 麥冬 川附子 1錢 炙草 4分 五味子 10粒

- **凉血地黃湯**<脾胃論> 黃柏(去皮, 銼, 炒) 知母(銼, 炒) 1錢 青皮(不去皮瓤) 槐子(炒) 生地黃 當歸 5分

- **陽和湯**<外科證治全生集> 熟地 30g 鹿角膠 9g 白芥子 6g 生甘草 肉桂(去皮, 研粉) 3g 麻黃

薑炭 2g

- **陽和解凝膏**<外科全生集> 鮮牛蒡全炒 3斤 鮮白鳳仙梗 4兩 肉桂 官桂 附子 桂枝 大黃 當歸 草烏頭 川烏頭 僵蠶 赤芍藥 白芷 白薇 白芨 2兩 川芎 續斷 防風 荊芥 五靈脂 木香 香椽 陳皮 1兩 麻油 10斤

- **如意金黃膏**<外科正宗> 天花粉 500g 薑黃 白芷 大黃 黃柏 250g 蒼朮 南星 甘草 厚樸 陳皮 100g 小磨麻油 2500cc 黃丹 750~1050g

- **如意金黃散**<外科正宗> 天花粉 10斤 薑黃 大黃 黃柏 白芷 5斤 蒼朮 厚樸 陳皮 甘草 天南星 2斤

- **連翹敗毒丸**<中藥制劑手冊> 連翹 金銀花 大黃 16兩 桔梗 甘草 木通 防風 玄蔘 赤芍 白鮮皮 黃芩 貝母 紫花地丁 蒲公英 梔子 白芷 12兩 天花粉 蟬蛻 8兩

- **烏梅丸**<傷寒論> 烏梅 300枚 黃連 16兩 乾薑 10兩 細辛 附子 桂枝 人蔘 黃柏 6兩 當歸 蜀椒 4兩

- **五妙水仙膏**<출전불명> 黃柏 紫草 五倍子 生石灰 탄산나트륨

- **五味消毒飲**<醫宗金鑑> 金銀花15g 野菊花 蒲公英 紫花地丁 紫背天葵子 6g

- **烏髮丸**<출전불명> 地黃 墨旱蓮 制何首烏 黑豆(微炒) 女貞子(酒蒸) 黑芝麻

- **五倍散**<普濟方> 蕪荑 20g 五倍子(瓦上焙乾) 12g 海螵蛸 10g 乳香 6g 豆粉(炒黑色) 4g 麝香 0.5g 龍骨 0.4g 白鱔頭(燒存性) 1對

- **五倍子散**<聖濟總錄> 五倍子(去心中蟲) 槐花(擇) 等分

- **烏蛇驅風湯**<朱仁康臨床經驗集> 烏蛇 荊芥 防風 羌活 黃芩 金銀花 連翹 9g 白芷 黃連 蟬蛻 甘草 6g

- **五石膏**<朱仁康臨床經驗集> 煆石膏 90g 蛤粉 爐甘石 60g 滑石 12g 靑黛 黃柏末 9枯礬 9g 바셀린 370g 麻油 250㎖

- **五神湯**<外科眞詮> 金銀花 3兩 車前子 紫花地丁 茯苓 1兩 牛膝 5錢

- **五仁丸**<世醫得效方> 陳皮 4兩 桃仁 杏仁 1兩 柏子仁 5錢 松子仁 1.25錢 郁李仁 1錢

- **五香連翹湯**<肘後方> 大黃 3兩 射幹 木通 升麻 獨活 桑寄生 連翹 炙甘草 2兩 木香 沈香 鷄舌香 薰陸香 1兩 麝香 5錢

- **虎追風散**<晋南史全恩家傳方> 蟬蛻 30g 天南星 天麻 6g 全蠍 7个 白殭蠶 7條

- **玉露膏**<中醫外科學講義> 芙蓉葉 2/10, 바셀린 8/10

- **玉露散**<校注婦人良方> 人蔘 茯苓 炒桔梗 芍藥 1錢 炙甘草 6分

- **玉露散**<小兒藥證直訣> 寒水石 石膏 15g 甘草(生) 3g

- **玉屏風散**<究原方>黃芪 白朮 60g 防風 30g (매 복용 시 9g 복용)

- **玉屏風散**<世醫得效方> 黃芪 18g 白朮 防風 6g

- **玉容散**<醫宗金鑑> 牽牛子 団粉 白蘞 細辛 甘松 白鴿糞 白芨 白蓮芯 白芷 白朮 白殭蠶 茯苓 白附子 鷹矢白 白扁豆 白丁香 1兩 荊芥 獨活 羌活 防風 5錢

- **玉眞散**<外科正宗> 天南星 防風 白芷 天麻 羌活 白附子 等分

- **玉紅膏**<醫宗金鑑> 白芷 當歸 紫草 紅花 12g 香油 1000ml

- **外科蟾酥丸**<中藥辭海> 蝸牛 2100g 朱砂(飛) 300g 蟾酥 腰黃(飛) 200g 麝香 沒藥 乳香(制) 寒水石(煆) 膽礬 銅綠 枯礬 100g 輕粉 50g

- **外洗方**(건선)<韓醫皮膚外科學> 樸梢 500g 枯礬 花椒 野菊花 120g

- **外洗方**(성기사마귀)<中醫藥學高級叢書中醫外科學第二版> 土茯苓 大靑葉 板藍根 蒲公英 明礬 10g

- **龍骨散**<小兒藥證直訣> 鉛粉 4.5g 龍骨 3g 粉霜 1.5g 砒霜 蟾酥 0.15g 冰片 0.075g

- **龍膽瀉肝湯**(=龍膽瀉肝丸)<蘭室秘臟> 龍膽草(酒炒) 黃芩(炒) 梔子(酒炒) 澤瀉 3g 木通 車前子 當歸(酒炒) 生地(酒炒) 柴胡 甘草(生) 1.5g

- **龍膽瀉肝湯**<醫方集解> 生地黃 20g 澤瀉 12g 柴胡 10g 黃芩(酒炒) 山梔子(酒炒) 木通 車前子 9g 當歸(酒炒) 8g 龍膽草(酒炒) 生甘草 6g

- **龍膽紫**(=甲紫, 紫藥水) 염화테트라메틸파라로자닐린, 염화펜타메틸파라로자닐린, 염화헥사메틸파라로자닐린

- **右歸飮**<景嶽全書> 熟地 6~9g(或加至 30~60g) 山藥 (炒) 枸杞 杜仲(薑制) 6g 制附子 3~9g 甘草(炙) 肉桂 3~6g 山茱萸 3g

- **右歸丸**<新方八陣> 熟地黃 8兩 炒山藥 枸杞子(微炒) 鹿角膠(炒珠) 制菟絲子 杜仲(薑汁炒) 4兩 山茱萸(微炒) 當歸(便溏勿用) 3兩 制附子 2~6兩 肉桂 2~4兩

- **牛蒡解肌湯**<瘍科心得集> 夏枯草 15g 牛蒡子 山梔 丹皮 玄參 12g 薄荷 荊芥 連翹 6g 石斛 3g

- **牛黃解毒丸**<中國藥典> 石膏 大黃 200g 黃芩 150g 桔梗 100g 雄黃 甘草 50g 冰片 25g 牛黃 5g

- **雄黃膏**<經驗方> 雄黃 30g 산화아연 30g 바셀린 300g

- **胃苓湯**<普濟方> 蒼朮(泔浸) 8錢 陳皮 厚樸(薑制) 5錢 甘草(蜜炙) 3錢 澤瀉 2.5錢 猪苓 赤茯苓(去皮) 白朮 1.5錢 肉桂 1錢

- **六軍丸**<外科正宗> 蜈蚣(去頭足) 蟬蛻 全蠍 僵蠶(炒去絲) 夜明砂 穿山甲 等分

- **六味地黃湯**(=六味地黃丸)<小兒藥證直訣> 熟地黃 15g 山茱萸肉 山藥 12g 丹皮 澤瀉 茯苓 10g

- **六味地黃湯**<小兒藥證直訣> 熟地黃 8錢 山茱萸肉 山藥 4錢 澤瀉 牧丹皮 茯苓 3錢

- **六味回陽飮**<新方八陳> 人蔘 30~60g 熟地 15~30g 當歸身 9g 制附子 乾薑(炮) 6~9g 炙甘草 3g

- **六一散**<傷寒標本> 滑石 60g 甘草 10g (매 복용 시 9g 복용)

- **六一散**<宣明論方> 滑石 6兩, 炙甘草 1兩

- **潤肌膏**<外科正宗> 麻油 120g 當歸 15g 紫草 3g

- **潤腸湯**<醫學正傳> 升麻 桃仁 麻子仁 3.75g 大黃 熟地黃 當歸尾 1.875g 生地黃 生甘草 紅花 1.125g

- **銀翹散**<溫病條辨> 金銀花 連翹 1兩 桔梗 薄荷 牛蒡子 6錢 竹葉 荊芥穗 4錢 豆豉 甘草 5錢

- **恩膚霜**(=丙酸氯倍他索軟膏) 클로베타솔프로피오네이트

- **銀花甘草湯**<醫學心悟> 金銀花 2兩 甘草 2錢

- **陰毒內消散**<徐評外科正宗> 樟冰 12g 輕粉 腰黃 川烏 甲片 阿魏(瓦炒去油) 9g 南香 牙皂 良安 乳香(去油) 沒藥(去油) 6g 丁香 肉桂 白胡椒 3g

- **薏苡附子敗醬散**<金匱要略> 薏苡仁 10分 敗醬草 5分 附子 2分

- **二甘湯**<醫學入門> 生甘草 炙甘草 五味子 烏梅 等分

- **異功散**<小兒藥證直訣> 人蔘 100g 白朮 茯苓 陳皮 90g 炙甘草 60g

- **二妙散**<丹溪心法> 黃柏(炒) 蒼朮(米泔水浸, 炒) 15g

- **二妙丸**<丹溪心法> 蒼朮(米泔水浸, 炒) 180g 黃柏(炒) 120g

- **二妙丸**<類編朱氏集驗醫方> 巴豆(不去殼) 蓽澄茄 七枚

- **二礬湯**<外科正宗> 柏葉 300g 白礬 皂礬 160g 孩兒茶 20g

- **二仙湯**<上海中醫學院 方劑學> 仙茅 仙靈脾(淫羊藿) 3~5錢 當歸 巴戟肉(如無可用菟絲子

379

代) 3錢 黃柏 知母 1.5~3錢

- **二仙湯**<壽世保元> 白芍藥 黃芩 等分

- **二陳湯**<太平惠民和劑局方> 半夏 橘紅 5兩 茯苓 3兩 甘草 1.5兩 生薑 3片 烏梅 7個

- **二號癬藥水**<經驗方> 米醋 10000g 土槿皮 300g 百部 蛇床子 硫黃 各 240g 斑蝥 60g 白國樟 輕粉 36g 白砒 6g (或加 살리실산 330g, 冰醋酸 100㎖, 초산알루미늄 60g)

- **益胃湯**<脾胃論> 蒼朮 1.5錢 當尾 陳皮 升麻 5分 柴胡 黃芩 人蔘 白朮 益智仁 3分 黃芪 半夏 炙甘草 2分

- **人蔘健脾丸**<飼鶴亭集方> 枳實 180g 黨參 冬朮 神曲 麥芽 120g 山查 90g 陳皮 60g

- **人蔘歸脾丸**(=歸脾丸) 歸脾湯作蜜丸

- **人蔘養榮湯**<局方> 白芍 3兩 陳皮 黃芪 當歸 桂心 人蔘 白朮 甘草 1兩 熟地黃 五味子 茯苓 7.5錢 遠志 5錢

- **茵陳五苓散**<金匱要略> 澤瀉 15g 白朮 赤茯苓 豬苓 9g 桂枝 6g 茵陳 4g

- **茵陳赤小豆湯**<출전불명> 茵陳 赤小豆 慧茵仁 乾蟾皮 山慈菇 半枝蓮 白花蛇舌草 30g 茯苓 15g 大黃 10g 水蛭 6g

- **茵陳蒿湯**<傷寒論> 茵陳 18g 梔子 12g 大黃(去皮) 6g

- **一貫煎**<續名醫類案> 生地黃 18~30g 枸杞子 9~18g 北沙蔘 麥冬 當歸身 9g 川楝子 4.5g

- **一掃光**<外科正宗> 苦參 黃柏 煙膠 500g 枯礬 木鱉肉 大風子肉 蛇床子 點紅椒 潮腦 硫黃 明礬 水銀 輕粉 90g 白砒 15g

- **紫金錠**(=玉樞丹)<百一选方> 山慈菇 五倍子 2兩 大戟 1.5兩 千金子仁 1兩 麝香 3錢

- **紫金錠**(=玉樞丹)<外科正宗> 山慈菇 五倍子 2兩 大戟 1.5兩 千金子仁 1兩 朱砂 雄黃 麝香 3 錢

- **紫藍方**<中醫藥學高級叢書中醫外科學第二版> 馬齒莧 60g 板藍根 大青葉 30g 生苡仁 紫草 根 赤芍 紅花 15g

- **紫色潰瘍膏**<趙炳南臨床經驗集> 乳香 60g 黃連 40g 輕粉 紅粉 琥珀 血竭 青黛 12g 煆珍珠 面 0.4g 蜂蠟 120g 香油 600g

- **紫雪丹**<千金翼方> 黃金 玄蔘 1斤 寒水石 石膏 磁石 3斤 甘草 8兩 犀角 羚羊角 青木香 沈香 5兩 丁香 4兩 辰砂 3兩 麝香 5錢 樸硝 硝石 4升 升麻 1升

- **雌雄四黃散**<外科正宗> 石黃 雄黃 硫黃 白附子 雌黃 川槿皮 等分

- **滋陰補腎片**<經驗方> 生熟地 澤瀉 山藥 女貞子 制首烏 桑椹子 麥冬 500g 生白芍 五味子 250g

- **滋陰除濕湯**<外科正宗> 生地 30g 丹蔘 15g 元蔘 當歸 茯苓 澤瀉 地膚子 蛇床子 10g

- **赤茯苓湯**<聖濟總錄> 鼈甲(去裙欄, 醋炙) 2兩 赤茯苓(去黑皮) 1.5兩 桔梗(炒) 陳橘皮(湯浸, 去白, 焙) 1兩 白朮 5錢 桂(去粗皮) 3分

- **顚倒散**<醫宗金鑒> 大黃 硫黃 等分

- **顚倒散洗劑**<經驗方> 硫黃 生大黃 7.5g 石灰水 100㎖

- **全蟲方**<趙炳南> 刺蒺藜 炒槐花 15~30g 威靈仙 12~30g 白癬皮 黃柏 15g 皂刺 12g 豬牙皂角 苦蔘 全蟲 6g

- **定命散**<小兒偉生總微方論> 川大黃(銼, 炒) 黃連(去須) 白僵蠶(直者, 炒去絲嘴) 甘草(生) 5錢 五倍子 1分 膩粉 五筒子

- **定命散**<太平聖惠方> 乾蝦蟆(燒爲灰) 1個 蛇蛻皮(炒令黃) 蟬殼 1分

- **濟生腎氣丸(加味腎氣丸)**<濟生方> 山藥 山茱萸 澤瀉 茯苓 丹皮 車前子 1兩 官桂 乾地黃 牛膝 5錢 炮附子 2个

- **除濕胃苓湯**<外科正宗> 防風 蒼朮 白朮 赤茯苓 陳皮 厚樸 豬苓 山梔 木通 澤瀉 滑石 1錢 甘草 薄桂 3分

- **調胃承氣湯**<傷寒論> 大黃(去皮 清酒洗) 12g 芒硝 9g 甘草(炙) 6g

- **調胃湯**<출전불명> 黨蔘 15g 白朮 厚樸 川楝子 木香 大腹皮 蓽撥 枳殼 10g

- **痤瘡洗劑**<經驗方> 樟腦醋 10g 沈降硫黃 6g 西黃芪膠 1g 石灰水 加至100㎖

- **竹葉石膏湯**<傷寒論> 半夏 粳米 0.5斤 人蔘(黨參) 甘草 2兩 石膏 麥冬 1升 竹葉 2把

- **竹葉黃芪湯**<醫宗金鑒> 生地黃 2錢 人蔘 黃芪 石膏 半夏 麥門冬 白芍藥 川芎 當歸 黃芩 甘草 8分 竹葉 10片 生薑 3片 燈心 20根

- **增液承氣湯**<溫病條辨> 玄蔘 1兩 麥門冬 生地黃 8錢 大黃 3錢 芒硝 1.5錢

- **增液湯**<溫病條辨> 玄蔘 1兩 麥門冬 生地黃 8錢

- **增液解毒湯**<朱仁康臨床經驗集> 生地 30g 銀花 15g 元參 12g 麥冬 石斛(先煎) 沙參 丹參 赤芍 花粉 連翹 炙鼈甲 炙龜板 9g 生甘草 6g

- **地龍片**<經驗方> 地龍

■ **知柏八味丸**<新方八陣> 熟地黃 8兩 山藥 山茱萸 4兩 牧丹皮 茯苓 澤瀉 黃柏 知母 3兩

■ **止癢藥粉**<經驗方> 綠豆 50g 산화아연 5g 樟腦 1g 滑石粉 加至100g

■ **枳朮散**<古今醫鑑> 枳實(麩炒) 白朮(土炒) 12g

■ **止痛如神湯**<外科啓玄> 秦艽(去苗) 桃仁(去尖皮 另研) 皂角子(燒存性 研) 熟大黃 1錢 蒼朮(泔浸 炒) 防風 7分 黃柏(酒洗) 5分 當歸尾(酒洗) 澤瀉 3分 尖檳榔 1分(另研)

■ **地黃飮子**<黃帝素問宣明論方> 熟地 巴戟天(去心) 山茱萸 石斛 肉蓯蓉(酒浸 焙) 附子(炮) 五味子 官桂 白茯苓 麥門冬(去心) 菖蒲 遠志(去心) 等分

■ **眞君妙貼散**<外科正宗> 明淨硫黃(爲末) 5kg 蕎麵 白麵 2.5kg

■ **秦艽蒼朮湯**<難室秘藏> 秦艽 皂角仁 桃仁 1錢 蒼朮 防風 7分 黃柏 5分 當歸 澤瀉 3分 檳榔 1分 大黃 少許

■ **千金漏蘆湯**<備急千金要方> 大黃 1兩 漏蘆 連翹 白蘞 芒消 甘草 6錢 升麻 枳實 麻黃 黃芩 九銖

■ **千金散**<經驗方> 制乳香 制沒藥 輕粉 飛朱砂 赤石脂 炒五倍子 煆雄黃 醋制蛇含石 15g 煆白砒 6g,

■ **天王補心丹**<校注婦人良方> 生地黃 120g 當歸(酒浸) 五味子 麥門冬(去心) 天門冬 柏子仁 酸棗仁(炒) 30g 人蔘(去蘆) 茯苓 玄蔘 丹蔘 桔梗 遠志 15g

■ **淸肝蘆薈丸**<醫宗金鑑> 當歸 112.5g 白芍藥 生地黃 川芎 75g 甘草節 昆布 蘆薈 靑皮 海粉 黃連 牙皂 18.75g

■ **淸肝化痰丸**<醫門補要> 生地 丹皮 海藻 貝母 柴胡 昆布 海帶 夏枯草 僵蠶 當歸 連翹 梔子

■ **淸骨散**<證治准繩> 銀柴胡 5g 胡黃連 秦艽 鱉甲 地骨皮 靑蒿 知母 3g 甘草 2g

■ **靑果水洗劑**<經驗方> 藏靑果 9~15 木賊草 9 金蓮花 6

■ **淸肌滲濕湯**<醫宗金鑒> 蒼朮(米泔水浸炒) 厚樸(薑汁炒) 陳皮 甘草(生) 柴胡 木通 澤瀉 白芷 升麻 白朮(土炒) 梔子(生) 黃連 4g

■ **靑黛膏**<中醫藥學高級叢書中醫外科學第二版> 靑黛散 75g 바셀린 300g

■ **靑黛膏**<普濟方> 天麻 蠍梢 15g 白附子 朱砂 9g 花蛇肉(酒炙) 天竺黃 靑黛 6g 麝香 3g

■ **靑黛散**<經驗方> 石膏 滑石 120g 黃柏 靑黛 60g

■ **淸涼乳油劑**<醫宗金鑒> 風化石灰 1.8ℓ, 淸水 4사발

- **清上防風湯**<萬病回春> 防風 連翹 桔梗 白芷 黃芩 川芎 15g 荊芥 山梔 黃連 薄荷 枳殼 甘草 10g

- **清暑飲**<溫熱經解> 銀花露(沖) 20g 青蒿露(沖) 六一散(包) 西瓜翠衣 絲瓜皮 12g 綠豆皮 淡竹葉 白扁豆衣 6g 荷葉邊 1圈

- **清暑湯加味**<外科眞詮> 連翹 天花粉 赤芍藥 金銀花 甘草 滑石 車前子 澤瀉 等分

- **清心蓮子飲**<太平惠民和劑局方> 石蓮肉 茯苓 黃芪 人蔘 7.5錢 黃芩 麥門冬 地骨皮 車前子 炙甘草 5錢

- **清熱除濕湯**<李元文方> 夏枯草 板藍根 白蘚皮 連翹 藿香 佩蘭 苡仁 茯苓 扁豆 15g 白朮 陳皮 10g 甘草 3g

- **清熱解毒丸**<證治準繩> 寒水石 石膏 8兩 青黛 4兩

- **清營湯**<溫病條辨> 犀角(水牛角代替) 30g 生地黃 15g 元蔘 麥冬 銀花 9g 丹蔘 連翹 6g 黃連 5g 竹葉心 3g

- **清瘟敗毒飲**<疫疹一得> 生石膏 (大制) 6兩~8兩 (中制) 2兩~4兩 (小制) 8錢~1兩2錢 生地黃 (大制) 6錢~1兩 (中制) 3錢~5錢 (小制) 2錢~4錢 犀角 (大制) 6錢~8錢 (中制) 3錢~4錢 (小制) 2錢~4錢 黃連 (大制) 4錢~6錢 (中制) 2錢~4錢 (小制) 1錢~1錢5分 梔子 桔梗 黃芩 知母 赤芍藥 玄蔘 連翹 竹葉 甘草 牧丹皮 括兩

- **靑吹口散**<經驗方> 煆月石 18g 煆石膏 煆人中白 9g 靑黛 冰片 3g 黃柏 2.1g 川連 1.5g 薄荷 0.9g

- **靑吹口散油膏**<中醫喉科學講義> 青吹口散 120g 바셀린 400g

- **清解透表湯**<上海中醫學院 兒科學> 西河柳 7g 葛根 牛蒡子 6g 升麻 甘草 4g 蟬衣 連翹 銀花 紫草根 桑葉 甘菊 3g

- **清解片**<經驗方> 大黃 黃芩 黃柏 蒼朮 500g

- **清血搜毒飲(清血搜毒丸)**<金匱要略> 大黃 100g 荊芥 蒲公英 防風 苦地丁 黃芩 連翹 甘草 朵木通 地黃 50g

- **靑蒿鼈甲湯**<溫病條辨> 鼈甲 15g 細生地 12g 丹皮 9g 知母 青蒿 6g

- **醋泡方**<朱仁康臨床經驗集> 皂角刺 大楓子 30g 荊芥 防風 紅花 地骨皮 明礬 18g 藥用米醋 1500㎖

- **衝和膏**<外科正宗> 炒炙荊皮 5兩 炒獨活 3兩 炒赤芍藥 2兩 石菖蒲 1.5兩 白芷 1兩

- **沖和膏**<醫宗金鑑> 紫金皮 187.5g 獨活, 白芷 112.5g 赤芍藥 75g 石菖蒲 56.25g

- **側柏葉酊**<經驗方> 다이메틸설폭사이드 100g 側柏葉酒精浸出液 加到10000㎖

- **治癬方**<출전불명> 大丁癧 地蜈蚣 生地黃 紅骨蛇 1兩 金銀花 土茯苓 犀牛皮 5錢 黃芩 皂刺 3錢 甘草 2錢

- **治瘰方**<中醫藥學高級叢書中醫外科學第二版> 生牡蠣 龍骨 30g 制首烏 夏枯草 板藍根 15g 熟地 當歸 赤芍 白芍 川芎 桃仁 紅花 莪朮 白朮 香附 6g,

- **七寶美髯丹**<醫方集解> 何首烏 2斤 茯苓 牛膝 當歸 枸杞子 菟絲子 0.5斤 補骨脂 4兩

- **七三丹**<周醫外科學講義> 石膏 7錢 升丹 3錢

- **沈洗方**<中醫藥學高級叢書中醫外科學第二版> 大靑葉 板藍根 30g

- **托裏消毒散**<外科正宗> 人蔘 黃芪 川芎 白芍 白術 金銀花 茯苓 3g 白芷 皂刺 桔梗 1.5g

- **托裏透膿湯**<醫宗金鑒> 生黃芪 3錢 當歸 2錢 皂角刺 1.5錢 人蔘 白朮(土炒) 穿山甲(炒 研) 白芷 1錢 升麻 甘草節 靑皮(炒) 5分

- **奪命丹**<東醫寶鑑> 半夏 5錢 天南星 4錢 白附子 3錢 白礬 2錢 砒石 1錢

- **奪命丹**<醫宗金鑑> 雄黃 乾蜈蚣 乳香 沒藥 煅寒水石 銅綠 2錢 枯礬 朱砂 血竭 1錢 輕粉 麝 香 砒石 5分

- **奪命丹**<太平惠民和劑局方> 吳茱萸 1斤 澤瀉 2兩

- **太乙膏**<衛生寶鑑> 沒藥 4錢 麝香 3錢 輕粉 乳香 2錢 氷片 1錢 黃丹 5兩

- **通經逐瘀湯**<醫林改錯評注> 桃仁(研) 32g 皂刺 24g 紅花 山甲(炒) 16g 連翹(去心) 地龍(去 心) 赤芍 12g 柴胡 4g 麝香(絹包) 0.12g

- **通竅活血湯**<醫林改錯> 桃仁(研泥) 鮮薑(切碎) 紅花 9g 赤芍 川芎 3g 麝香(絹包) 0.15g 老蔥 (切碎) 3根 紅冬(去核) 7個

- **通氣散堅丸**<醫宗金鑑> 桔梗 膽星 當歸 半夏 白茯苓 石菖蒲 人蔘 枳實 陳皮 川芎 天花粉 貝母 海藻 香附 黃芩 甘草 37.5g

- **透骨丹**<外科大成> 靑鹽 大黃 輕粉 兒茶 膽礬 銅綠 雄黃 枯礬 皂礬 1.5g 麝香 0.3g 冰片 0.15g 杏仁 7個

- **透膿散**<外科正宗> 黃耆 12g 川芎 9g 當歸 6g 皂角 4.5g 山甲(炒末) 3g

- **板芩澤方**<中醫藥學高級叢書中醫外科學第二版> 板藍根 20g 黃芩 白鮮皮 地膚子 桑枝 菊 花 木賊草 蒼耳子 澤瀉 9g 蟬蛻 6g

- **板藍根沖劑**<中國藥典2010年版一部> 板藍根

- **八味地黃湯**<辨證錄> 熟地 川芎 1兩 山茱萸 山藥 5錢 茯苓 丹皮 澤瀉 3錢 肉桂 1錢

- **八味地黃丸**<博青主女科 · 産後編> 熟地黃 4錢 山藥 山茱萸 茯苓 2錢 澤瀉 牧丹皮 1.5錢 知母 黃柏 0.5錢

- **八二丹**<外科正宗> 熟石膏 24g 升丹 6g

- **八珍湯**<瑞竹堂經驗方> 人蔘 白朮 白茯苓 當歸 川芎 白芍藥 熟地黃 甘草(炙) 30g

- **平屑湯**<中醫藥學高級叢書中醫外科學第二版> 生地 金銀花 大靑葉 白花蛇舌草 丹參 30g 玄參 土鱉蟲 15g 麥多 黃芩 12g 當歸 10g 黃連 9g 大棗 5枚

- **風癬湯**<朱仁康臨床經驗集> 生地 30g 丹參 15g 玄參 12g 當歸 白芍 茜草 紅花 黃芩 苦參 蒼耳子 白鮮皮 地膚子 生甘草 9g

- **瘋油膏**<經驗方> 輕粉 4.5g 飛朱砂 東丹(廣丹) 3g

- **皮癬湯**<朱仁康臨床經驗集> 生地 30g 當歸 赤芍 黃芩 苦參 蒼耳子 白鮮皮 地膚子 9g 生甘草 6g

- **皮炎湯**<朱仁康效驗方> 生地 生石膏 30g 丹皮 赤芍 知母 銀花 連翹 竹葉 10g 生甘草 6g

- **皮脂膏**<經驗方> 煆石膏 60g 靑黛 黃柏 6g 煙膏 60g(即土法煙熏烘硝牛皮後的殘留物質) 바셀린 240g

- **解毒利濕湯**<中醫皮膚病學簡編> 銀花 炒苡仁 31g 連翹 茯苓 15g 防己 豬苓 澤瀉 12g 桂枝 9g 生黃芪 甘草 3g

- **解毒瀉脾湯**<醫宗金鑒> 石膏 牛蒡子 防風 黃芩 蒼朮 生甘草 木通 生山梔 1錢 燈心 20根

- **解毒養陰湯**<趙炳南臨床床經驗集> 南 · 北沙參 耳環石斛 黑元參 佛手參 生黃芪 乾生地 雙花 公英 15~30g 二冬 9~18g 紫丹參 玉竹 9~15g 西洋參(另煎, 兌服) 3~9g

- **香砂六君子湯**<張氏醫通> 人蔘 白朮 茯苓 炙甘草 陳皮 半夏 1錢 木香 砂仁 8分

- **香敗養營湯**<醫宗金鑑> 白朮 7.5g 當歸 茯苓 熟地黃 人蔘 陳皮 川芎 貝母 香附 白芍 3.75g 甘草 桔梗 1.875g

- **血府逐瘀湯**<醫林改錯> 桃仁 12g 紅花 當歸 生地黃 牛膝 9g 赤芍 枳殼 甘草 6g 川芎 桔梗 4.5g 柴胡 3g

- **荊防敗毒散**<外科理例> 荊芥 防風 人蔘 柴胡 前胡 羌活 獨活 枳殼 炒桔梗 茯苓 川芎 甘草 1錢

- **胡麻丸**<外科正宗> 大胡麻 160g 防風 威靈仙 石菖蒲 苦參 80g 白附子 獨活 40g 甘草 20g

- **琥珀黑龍丹**<瘍醫大全> 血竭 2兩 天南星 京墨 五靈脂 海帶 海藻 5錢 琥珀 1兩 木香 3錢 麝香 1錢

- **紅升丹**<醫宗金鑑> 硝石 4兩 水銀 白礬 1兩 皂礬 6錢 朱砂 雄黃 5錢

- **紅油膏**<經驗方> 九一丹 30g 東丹(廣丹) 4.5g 바셀린 300g

- **紅油膏**<朱仁康臨床經驗集> 紅信 250g 黃蠟 250~500g 棉子油 2500ml

- **化斑解毒湯**<外科正宗> 玄參 知母 石膏 人中黃 黃連 升麻 連翹 牛蒡子 60g 甘草 6g

- **花蕊石散**<腫瘤方劑大辭典> 花蕊石(煆過) 45g 黃連 30g 黃柏皮 15g

- **化核膏**<外科全生集> 壁虎 14條 蜘蛛 28個 蝸牛 26枚 菜油 2400g

- **活血散瘀湯**<外科正宗> 大黃(酒炒)6g 川芎 當歸尾 赤芍 蘇木 牡丹皮 枳殼 瓜蔞仁(去殼) 桃仁(去皮尖) 3g 檳榔 2g

- **活血散瘀湯**<趙炳南臨床床經驗集> 鬼箭羽 5錢~1兩 蘇木 赤白芍 草紅花 桃仁 三棱 莪朮 陳皮 3~5錢 木香 1~3錢

- **活血通絡丸**<(특허) CN100337670C> 肉桂 桂枝 天牛膝 15g 血力花 乳香 沒藥 野生天麻 甘草 10g 蠍子 蜈蚣 5g 紅棗 50個

- **活血通脈茶**<中醫良藥良方> 全瓜蔞 20g 丹蔘 15g 紅花 9g 鬱金 7g 炙甘草 6g

- **黃芩清肺飲**<外科正宗> 黃芩 2錢 川芎 當歸 赤芍 防風 生地 乾葛 天花粉 連翹 紅花 1錢 薄荷 5分

- **黃芪健中湯**<傷寒論> 芍藥 18g 黃芪 桂枝(去皮) 生薑(切)9g 甘草(炙) 6g 大棗 12枚 餃飴 60g (小建中湯 加 黃芪 9g)

- **黃芪桂枝五物湯**<金匱要略> 黃芪 芍藥 桂枝 3兩 生薑 6兩 大棗 12枚

- **黃芪芍藥桂枝苦酒湯**<傷寒論> 黃芪 15g 芍藥 桂枝 9g 苦酒 200g

- **黃芪湯**<金匱翼> 鱼腥草 30g 生黃芪 15g 赤芍 瓜蔞 生大黃(后下) 9g 丹皮 桔梗 6g

- **黃連膏**<瘍科捷徑> 大黃 2兩 黃連 黃芩 1兩 黃蠟 6兩 참기름 2斤

- **黃連膏**<醫宗金鑑> 生地 30g 當歸 15g 黃柏 黃連 薑黃 9g 麻油 360g 黃蠟 120g

- **黃蓮阿膠鷄子黃湯**<傷寒論> 黃蓮 4兩 阿膠 3兩 黃芩 芍藥 2兩 鷄子黃 2枚

- **黃蓮解毒湯**<肘後秘急方> 黃蓮 梔子 9g 黃芩 黃柏 6g

- **黃柏霜**<經驗方> 黃柏液(1:4) 500g 스테아르산 200g 글리세릴모노스테아레이트 72g 트리에탄올아민 50g 다이메틸설폭사이드 20g 트윈-80 10g 벤조산나트륨 4g 니파긴 1g 파라핀유 160g 바셀린 40g

- **回生丹**<增補萬病回春> 大黃 末 1斤 蘇木 紅花 3兩 當歸 川芎 熟地黃 茯苓 蒼朮 香附子 烏藥 玄胡索 桃仁 蒲黃 牛膝 2兩 白芍藥 甘草 陳皮 木香 三稜 五靈脂 羌活 地楡 山茱萸 5錢 高良薑 4錢 人蔘 白朮 靑皮 木果 3錢 乳香 沒藥 1錢 黑豆 3升

- **回陽玉容膏**<外科正宗> 草烏 乾薑 3兩 赤芍藥 白芷 天南星 1兩 肉桂 5錢

- **回陽通絡丸**<출전불명> 鷄血藤 30g 巴戟天 15g 白朮 炙黃芪 絲瓜絡 桂枝 路路通 當歸 10g

- **豨簽丸**<重訂嚴氏濟生方> 豨簽草

INDEX

영문